MÁRIO DE ANDRADE
SÉRGIO BUARQUE DE HOLANDA

UNIVERSIDADE DE SÃO PAULO

Reitor João Grandino Rodas
Vice-reitor Hélio Nogueira da Cruz

EDITORA DA UNIVERSIDADE DE SÃO PAULO

Diretor-presidente Plinio Martins Filho

COMISSÃO EDITORIAL
Presidente Rubens Ricupero
Vice-presidente Carlos Alberto Barbosa Dantas
Antonio Penteado Mendonça
Chester Luiz Galvão Cesar
Ivan Gilberto Sandoval Falleiros
Mary Macedo de Camargo Neves Lafer
Sedi Hirano

Editor-assistente Bruno Tenan
Chefe Téc. Div. Editorial Cristiane Silvestrin

 INSTITUTO DE ESTUDOS BRASILEIROS

Diretora Maria Angela Faggin Pereira Leite
Vice-diretora Marina de Mello e Souza
Coordenação editorial da Coleção
Correspondência Mário de Andrade Marcos Antonio de Moraes e Telê Ancona Lopez
Sup. Téc. do Serv. de Difusão Cultural Fernanda Rodrigues Rossi

[2012]
Todos os direitos desta edição reservados à
Edusp – Editora da Universidade de São Paulo
Av. Corifeu de Azevedo Marques, 1975, térreo
05581-001 – Butantã – São Paulo – SP – Brasil
Divisão Comercial: Tel. (11) 3091-4008 / 3091-4150
SAC (11) 3091-2911 – Fax (11) 3091-4151
www.edusp.com.br – e-mail: edusp@usp.br

Mário de Andrade e Sérgio Buarque de Holanda: correspondência

Organização
Pedro Meira Monteiro

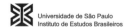

Copyright © 2012 by sucessores de Sérgio Buarque de Holanda e Mário de Andrade
Copyright © organização e texto crítico by Pedro Meira Monteiro

Grafia atualizada segundo o Acordo Ortográfico da Língua Portuguesa de 1990, que entrou em vigor no Brasil em 2009.

Capa
Victor Burton

Imagens de capa
Mário de Andrade, 1939, óleo sobre tela de Flávio de Carvalho, 110,6 × 79,2 cm. São Paulo, Coleção de Arte da Cidade/ Centro Cultural São Paulo/ SMC/ PMSP.
Retrato do escritor Sérgio Buarque de Holanda, 1970, de Flávio de Carvalho. Reprodução de Bel Pedrosa.

Pesquisa
Vera Neumann-Wood

Revisão especializada e cotejo com os originais
Tatiana Longo Figueiredo

Análise documentária
Tatiana Longo Figueiredo e Leandro Raniero Fernandes

Preparação
Silvia Massimini Felix

Índice onomástico
Luciano Marchiori

Revisão
Adriana Cristina Bairrada
Carmen T. S. Costa

Dados Internacionais de Catalogação na Publicação (CIP)
(Câmara Brasileira do Livro, SP, Brasil)

Mário de Andrade e Sérgio Buarque de Holanda: correspondência / organização Pedro Meira Monteiro. — 1ª ed.— São Paulo : Companhia das Letras : Instituto de Estudos Brasileiros: Edusp, 2012.

ISBN 978-85-359-2175-5 (Companhia das Letras)
ISBN 978-85-314-1380-3 (Edusp)

1. Andrade, Mário de, 1893-1945 - Correspondência 2. Cartas brasileiras 3. Holanda, Sérgio Buarque de, 1902-1982 - Correspondência I. Monteiro, Pedro Meira.

12-11143   CDD-869.96

Índice para catálogo sistemático:
1. Cartas : Literatura brasileira   869.96

[2012]
Todos os direitos desta edição reservados à
EDITORA SCHWARCZ S.A.
Rua Bandeira Paulista, 702, cj. 32
04532-002 — São Paulo — SP
Telefone (11) 3707-3500
Fax (11) 3707-3501
www.companhiadasletras.com.br
www.blogdacompanhia.com.br

Sumário

Introdução 7
Agradecimentos 13
Cartas 17
"Coisas sutis, *ergo* profundas": O diálogo entre
Mário de Andrade e Sérgio Buarque de Holanda 169
Apêndices 361
Cronologia 411
Créditos das imagens 421
Índice onomástico 423

Introdução

I. AS CARTAS

A correspondência entre Sérgio Buarque de Holanda (1902--82) e Mário de Andrade (1893-1945) se estende de 1922 a 1944. Inicia-se quando Sérgio, então com dezenove anos, desempenhava o papel de representante da revista *Klaxon* no Rio de Janeiro, e se encerra no final de 1944, poucos meses antes da morte de Mário. Trata-se de um conjunto epistolar pequeno. Entretanto, as cartas aqui reunidas, anotadas e comentadas, oferecem uma janela através da qual é possível olhar e repensar o modernismo brasileiro. Nelas, alguns dos mais importantes debates daquele tempo estão implícitos, presentes apenas de forma cifrada, mas nem por isso menos interessante.

É difícil saber quando e onde os dois missivistas se conheceram. É muito provável que tenha sido em São Paulo, quando Sérgio, paulistano como Mário, ainda lá vivia, em 1921. Nesse ano, no entanto, ele se mudou com a família para o Rio de Janeiro, onde passaria a estudar direito e trabalhar como jornalista. É plausível que os dois tenham se reencontrado e estreitado a relação no Rio, durante alguma das excursões dos modernistas paulistas à capital da República, para onde tentavam fazer convergir o grito que ecoaria na Semana de Arte Moderna em São Paulo, em fevereiro de 1922, semana de que Sérgio não participou, por conta de exames na faculdade. De uma forma ou outra, a relação entre os dois ganha profundidade à medida que a diferença de idade vai perdendo importância (Mário era quase dez anos mais velho que Sérgio), e à medida também que Sérgio ia se firmando como um importante crítico do movimento, que tinha em Mário um de seus nomes mais notáveis.

Em termos de conteúdo, é possível pensar o conjunto epistolar a partir de quatro núcleos:

1. *Cartas trocadas ainda em 1922*, quando a circulação e a recepção de *Klaxon* no Rio eram a grande preocupação de Mário e Sérgio. Aí se desvela a importância que teve a reação "conservadora" dos jornais cariocas, e as redes que se formavam entre velhos e novos escritores, artistas e intelectuais, especialmente entre o Rio de Janeiro e São Paulo.

2. *Cartas trocadas entre 1924 e 1928*, desde o momento em que Sérgio lança, com Prudente de Moraes, neto, a revista *Estética* (1924-5) no Rio de Janeiro, até a publicação do texto de Sérgio sobre Thomas Hardy (1928), o qual ajudaria a selar a admiração que lhe devota Mário até o fim da vida. É o período, ademais, em que Sérgio publica o artigo "O lado oposto e outros lados" (1926), que lhe valeria a ira de vários colegas modernistas, e a partir do qual se revelam as primeiras diferenças importantes entre sua concepção do mundo e a de Mário. Também aí aparece, subliminarmente, toda a questão do catolicismo, no paralelo que Sérgio traça entre Mário e Tristão de Athayde (Alceu Amoroso Lima). É o tempo em que a voz de Sérgio vai crescendo e a relação se torna mais

equânime, quando Mário passa a esperar e cobrar do amigo uma crítica — que jamais seria escrita — de sua própria obra.

3. *Cartas trocadas entre 1931 e 1933*, quando Sérgio já regressara de sua temporada na Alemanha (1929-30). Limita-se a algumas considerações de Sérgio sobre a poesia de Mário, ao envio de um conto autobiográfico seu para a *Revista Nova* e à recomendação de uma jovem pianista que daria recitais em São Paulo.

4. *Cartas trocadas entre 1941 e 1944*, do momento em que Mário regressa a São Paulo (ele vivera no Rio entre 1938 e 1941) até quase o final de sua vida. Neste ponto a relação é mais íntima, porque a amizade havia se aprofundado enquanto ambos viveram no Rio de Janeiro e trabalharam em instituições ligadas à pasta da Cultura, durante o Estado Novo. É o tempo em que Mário passa a pedir pequenos favores a Sérgio, o qual lhe envia a correspondência que ainda chegava em seu antigo endereço de trabalho carioca. Em 1941, Mário relata a emoção que sentira diante da pintura religiosa de Portinari em Brodowski. O ano de 1942 é aquele de sua famosa conferência no Itamaraty sobre o movimento modernista, à qual Sérgio assistiu. Em 1944, quando a melancolia já o tomava, Mário elege Sérgio seu consultor em matéria de história, enquanto avançava seus estudos sobre o lundu e finalizava aquele que seria seu último livro, publicado postumamente, *Padre Jesuíno do Monte Carmelo* (1945).

Em relação ao aspecto lacunar do conjunto, é preciso lembrar que Mário de Andrade era um escritor contumaz de cartas, ciente ademais de que a produção epistolar era parte fundamental de sua obra, como podem atestar as várias edições de sua correspondência, publicadas mais recentemente, com tantos e tão diversos escritores e artistas. Já Sérgio Buarque de Holanda, parceiro epistolar pouco assíduo (para desespero do amigo, como se verá), teve com suas próprias cartas uma relação menos intensa, ainda que sua correspondência passiva, todavia inédita, seja considerável.

II. ESTA EDIÇÃO

As cartas reunidas neste livro encontram-se arquivadas no Instituto de Estudos Brasileiros da Universidade de São Paulo (cartas de Sérgio a Mário) e no Arquivo Central da Universidade Estadual de Campinas (Mário a Sérgio). Trata-se de material que se tornou disponível para os pesquisadores há duas ou três décadas. No caso de Mário de Andrade, é conhecido o desejo de que seus documentos privados fossem revelados cinquenta anos depois de sua morte (1945-95). Já quanto a Sérgio Buarque de Holanda, a Unicamp adquiriu sua coleção privada em 1983, logo após seu desaparecimento (1982), para finalmente catalogá-la nos anos seguintes.

No plano da organização deste volume, uma característica não escapará ao leitor: a extensão das notas, bem como o tamanho do estudo que acompanha as cartas. Há uma dupla explicação, entretanto, para o aparato crítico que aqui se encontra. Em primeiro lugar, a correspondência entre Mário e Sérgio, intermitente e lacunar, não tem o aspecto "monumental" de outros segmentos da correspondência marioandradina, em especial as cartas que o poeta trocou com Manuel Bandeira e Carlos Drummond de Andrade. Para utilizar uma imagem simples, pode-se dizer que aqueles conjuntos epistolares, mais sólidos, "falam por si", enquanto a presente correspondência, mais esparsa, exige que a "façamos falar". Assim sendo, a pesquisa que deu origem às notas deste livro explorou aspectos que, no caso de uma correspondência mais coesa e extensa, as próprias cartas vêm muitas vezes a esclarecer.

De toda forma, este volume não se compreende fora da empresa coletiva que vai pouco a pouco tornando a epistolografia de Mário de Andrade acessível ao grande público, dando-lhe a conhecer este que é "porventura o maior monumento do gênero, em língua portuguesa", como assinalou Antonio Candido. Por certo, "fazer as cartas falarem" é tarefa arriscada, mas necessária para o preenchimento dos vazios deixados pela letra, sempre tão significativos.

No caso da correspondência aqui reunida, é como se o debate intelectual que compõe seu pano de fundo estivesse, de fato, quase todo implícito, e a tarefa do crítico fosse explicitá-lo, puxando os fios de uma grande teia escondida aos olhos do leitor.

Se os silêncios e as lacunas são significativos, é porque a correspondência *interessa*, para além do registro anedótico. O diálogo entre Sérgio e Mário foi profundo e amplo, mesmo que as cartas trocadas entre eles sejam poucas (31, ao todo). Isso leva ao segundo aspecto a justificar a extensão do aparato crítico: Sérgio foi um interlocutor singular, talvez menos alinhado à filosofia estética de Mário que muitos de seus outros correspondentes. Porém, não há entre os dois qualquer "rompimento", nem desavenças, mas sim um discreto desacordo de fundo, que se revela menos nas cartas que em outros escritos. A rigor, nem um nem outro aprofundou, jamais, os termos desse desacordo. É preciso então buscá-los no diálogo livre, oblíquo e sinuoso, que está também em seus artigos e livros; no caso de Mário de Andrade, também em sua vasta correspondência. É este o solo em que se desenvolve o estudo que dá seguimento às cartas aqui coligidas.

Sobre as notas, há ainda um último detalhe, a merecer uma reflexão metodológica ampla, que naturalmente não cabe aqui. Trata-se do fato de que se faz cada vez menos necessária a anotação de caráter enciclopédico, isto é, aquela que, há dez ou vinte anos, exigia do organizador que levantasse uma pequena lista de características a cada nome que surgia na correspondência: data e

11

local de nascimento, principais obras etc. Mas qual o sentido desses dados hoje, quando informações mínimas estão ao alcance dos dedos de qualquer um de nós? Talvez no futuro (um "futuro" que parece já ter chegado) o trabalho de anotação deva basear-se na filtragem e ordenação de informações disponíveis on-line, bem como no cruzamento dessas informações com fontes impressas. Sem esquecer que, em tempos de Google Books, a fronteira entre fontes impressas e digitais começou a esboroar. Mas tampouco podemos esquecer que a internet acelera o trânsito da má informação: dados equivocados se multiplicam e se cruzam, dando origem a uma espécie de "senso comum" digital que cabe ao anotador evitar, sempre que possível. Além disso, essa nova forma de anotação tem o potencial de tornar a nota de rodapé mais contextualizante, entranhando-a no texto. O leitor notará que, de modo geral, as notas neste livro pretendem dialogar frontalmente com o período específico de cada carta, como se lançassem perguntas ao texto principal, elaborando-as sempre *a partir dali*, daquela entrada particular, e nunca de um ponto neutro. Num modelo pré--digital (a que talvez se possa, sem prejuízo do termo, chamar "enciclopédico"), pressupunha-se um saber universal, em seu limite descontextualizado, correndo ao largo da temporalidade do texto. Assim, uma nota "enciclopédica" (fulano de tal, data de nascimento, obras principais etc.) caberia em qualquer parte do livro, não importando se o "fulano de tal" foi referido na década de 1920, de 1930 ou nos últimos anos de vida do missivista. Em suma, é possível que, num diálogo mais próximo com o tempo da escrita, as notas permitam revalorizar a tessitura própria aos textos, que a anotação enciclopédica, com sua pretensão universalista, tende a deixar de lado. Mas isso é matéria para outras especulações. No futuro.

Agradecimentos

A pesquisa de que resultou este volume teve início há dez anos, quando entrei em contato com a equipe do Instituto de Estudos Brasileiros da Universidade de São Paulo. Desde então, tem sido um privilégio dialogar com Telê Ancona Lopez e Marcos Antonio de Moraes, e ultimamente com Flávia Camargo Toni. Quem originalmente coligiu e transcreveu as cartas foi Vera Neumann-Wood, cujo gesto de amizade registro aqui. Vera dividiu comigo o material coligido, bem como a correspondência (especialmente passiva) de Sérgio Buarque de Holanda, que ela tem transcrita e anotada, graças a anos de pesquisa em bibliotecas e arquivos, principalmente na Unicamp.

No IEB, contou-se com o trabalho criterioso de Tatiana Longo Figueiredo, na Equipe Mário de Andrade, responsável por cotejar a última versão das transcrições com os originais conservados no IEB-USP e no Siarq-Unicamp. Tatiana, que precisou algumas informações e corrigiu detalhes de última hora, responsabilizou-se ainda, ao lado de Leandro Raniero Fernandes, pela análise documentária das cartas, de acordo com os critérios utilizados na Coleção Correspondência de Mário de Andrade.

Em Princeton, recebi sempre o apoio de meus colegas de departamento. Destaco a interlocução de Ángel Loureiro, Bruno Carvalho, Fernando Acosta-Rodríguez, Germán Labrador, Jeremy Adelman, João Biehl, Jussara Quadros, Megwen Loveless, Michael Stone, Nicola Cooney, Paul Firbas, Rachel Price, Ricardo Piglia, Rubén Gallo e Stanley Stein. O seminário de doutorado "The Mirage of Popular Culture in Mário de Andrade" possibilitou o diálogo com alunos que, espero, encontrarão aqui um eco de suas próprias inquietações. Dele, saíram alguns estudiosos contumazes da obra de Mário: Alejandra Josiowicz, Dylon Robbins, Edgardo Dieleke, Enea Zaramella, Enric Mallorquí-Ruscalleda e Krista Brune.

Nas bibliotecas e nos arquivos, na Unicamp (Siarq e Biblioteca Central), na USP (Instituto de Estudos Brasileiros) e em Princeton (Firestone Library), contei com o auxílio e a competência de seus funcionários. Fundos do Department of Spanish and Portuguese Languages and Cultures, do Program in Latin American Studies e do University Committee on Research in the Humanities and Social Sciences, de Princeton, tornaram possíveis as inúmeras viagens entre os Estados Unidos e o Brasil.

Minha reflexão deve muito aos "buarcólogos" de minha geração, Conrado Pires de Castro, João Cezar de Castro Rocha, João Kennedy Eugênio, Marcus Vinicius Corrêa Carvalho e Robert Wegner, aos quais se somam os mais jovens, Alfredo César Melo, Mariana de Campos Françozo, Robert Newcomb e Thiago Lima Nicodemo, além dos "mariólogos" André Botelho, José Luiz Passos e Roberto Barbato Júnior. Um primeiro esboço das ideias contidas aqui foi apresentado em duas ocasiões na USP, quando pude contar com a interlocução de Adrián Gorelik, Antonio Arnoni Prado, Lilia Moritz Schwarcz e Sergio Miceli.

Em Campinas, tudo começou com Elide Rugai Bastos, Octavio Ianni (*in memoriam*) e Fernando Antonio Lourenço, há mais de vinte anos. Recentemente, Joaquim Brasil Fontes me recebeu para um pós-doutoramento e ótimas discussões sobre os antigos e os modernos. Em São Paulo, Fernando Paixão e Eliane Robert Moraes acolheram e sentiram, com carinho, minha angústia diante destas cartas. Luiz e Lilia Schwarcz desenredaram tudo, quando tudo parecia embaraçado.

José Miguel Wisnik e Alfredo Bosi estão aqui, por toda parte. E João Moreira Salles há de flagrar, neste livro, a ponta de várias conversas sobre "católicos torturados".

Minha família no Brasil — entre Meiras, Monteiros, Ponzonis e Mellonis — foi o porto seguro, todo esse tempo.

Andréa de Castro Melloni é a mulher que amo e que me ensinou que "os livros crescem em nós".

Este trabalho é dedicado a Luiz Dantas (*in memoriam*) e a Arcadio Díaz Quiñones. Por tudo.

Princeton, Nova Jersey, fevereiro de 2012.

CARTAS

1922

1 (MA)

São Paulo, 8 [de maio de 1922]

Caro Sérgio

Recebi o número da *Vanity Fair*.[1] Interessantíssimos os poemas. Agradeço-te cordialmente a valiosa comunicação. Serviram-me os poemas de auxílio para a conferência já terminada. Desejaria que a ouvisses. Creio porém que a não publicarei. Não estou muito satisfeito com ela. Constrangia-me a largueza do assunto. É possível que mais tarde, se tempo me sobrar, desenvolva mais o tema e publique um opúsculo sobre a nova estética.[2] Mas é coisa que requer tanto pensar!... Não sei.

Sei que *Klaxon* sairá no dia 15 sem falta.[3] É preciso que não te esqueças de que fazes parte dela. Trabalha pela nossa Ideia, que é uma causa universal e bela, muito alta. Estou à espera dos artigos e dos poemas que prometeste. E não te esqueças do teu conto. Desejo conhecer-te na ficção.[4]

Espero a saída do 1º número da revista para escrever ao Ronald,[5] ao Elísio,[6] aos amigos todos enfim.

É preciso que digas ao Manuel Bandeira[7] que me lembro sempre e muito dele. Recordo-me do Ribeiro Couto.[8]

E, mais uma vez, obrigado

Mário de Andrade

P.S. Abro a carta para uma nova comunicação. O Couto de Barros[9] sai agora de São Paulo. Demorar-se-á fora por um mês. Fico eu com a tesouraria da revista. Assim, quando tiveres algum dinheiro de assinatura por mandar, endereça o cheque para mim.

É preciso que envies também quanto antes as direções dos assinantes, para que *Klaxon* possa ser enviada a todos eles no dia em que sair.

Carta assinada: "Mario de Andrade"; datada: "S. P. 8"; autógrafo a tinta preta; papel verde, filigrana; 1 folha; 28,2 × 21,6 cm; repartido horizontalmente ao meio pela dobra do papel; rasgamentos em todos os cantos e nas bordas esquerda e direita. PS.

---

1 Diversas revistas circularam, desde o século xix, com o nome *Vanity Fair*. Neste caso, trata-se da revista de variedades publicada nos Estados Unidos entre 1913 e 1936. Na época em que Mário de Andrade e Sérgio Buarque de Holanda começaram a corresponder-se, autores como Edmund Wilson, Giovanni Papini, André Maurois, Jean Cocteau, Erik Satie, John Dos Passos, Paul Géraldy e Aldous Huxley apareciam nas páginas da revista, em meio a uma profusão de imagens de clara inspiração vanguardista europeia.

2 Mário de Andrade falaria da poesia modernista no 3º Ciclo de Conferências da "Villa Kyrial" — palacete paulistano em que o político, mecenas e poeta beletrista José de Freitas Valle reunia amigos, escritores e artistas para saraus literários e

gastronômicos. Em suas crônicas sobre a cidade de São Paulo, publicadas na revista *Ilustração Brasileira* entre 1920 e 1921, Mário definiria o salão de Freitas Valle como um oásis: "É o único salão organizado, o único oásis a que a gente se recolha semanalmente, livrando-se das falcatruas da vida chã. Pode muito bem ser que a ele afluam, junto conosco, pessoas cujos ideais artísticos discordem do nosso — e mesmo na Villa Kyrial há de todas as raças de arte: ultraístas extremados, com os dois pés no futuro e passadistas-múmias —; mas é um salão, é um oásis; o que significa dizer que há sempre nele água límpida para os sedentos e tâmaras alimentares". ANDRADE, Mário de. *De São Paulo: cinco crônicas de Mário de Andrade*. Org. Telê Porto Ancona Lopez. São Paulo: Editora Senac São Paulo, 2004, p. 112. O fenômeno da Villa Kyrial pode ser paradigmático para a compreensão do ambiente eminentemente aristocrático, ainda recendendo à Belle Époque, em que se desenvolve inicialmente muito da literatura modernista. Sobre a Villa Kyrial e Jacques D'Avray (pseudônimo de Freitas Valle), consulte-se CAMARGOS, Márcia. *Villa Kyrial: crônica da Belle Époque paulistana*. São Paulo: Editora Senac São Paulo, 2001. A menção a um "opúsculo sobre a nova estética" pode sugerir que aí teriam começado a germinar os apontamentos que resultariam em *A escrava que não é Isaura*. Cf. ANDRADE, Mário de. "A escrava que não é Isaura" in *Obra imatura*. Rio de Janeiro: Agir, 2009. O ambiente refinado e gastão pode também ter estado na origem do cenário em que, num escrito bastante posterior e já plenamente desencantado, as diferentes classes sociais sufocam e perdem o artista, em *O banquete* de Mário de Andrade, publicado originalmente na *Folha da Manhã*, entre 1944 e 1945. Cf. ANDRADE, Mário de. *O banquete*. Org. Jorge Coli e Luiz Dantas. São Paulo: Duas Cidades, 1989.

3 *Klaxon*, hoje o mais conhecido mensário modernista, sairia a lume em 15 de maio de 1922 e se estenderia até dezembro/janeiro de 1922-3. Já no primeiro número o nome de Sérgio Buarque de Holanda constaria sob a rubrica "representação", junto a Roger Avermaete, da Bélgica, e Charles Baudouin, da Suíça. Num depoimento do fim da década de 1960, numa autorreferência irônica ao "menino de 20 anos" que chegava ao Rio, vindo de São Paulo, Sérgio lembraria: "Não participara da famosa Semana de Arte Moderna: levava, no entanto, o título insofismável de representante no Rio da publicação inicial dos sediciosos, a revista *Klaxon* [...]. Além de conseguir assinaturas e colaboração [...], ainda [m]e impusera o dever de atrair bons prosélitos para a sua mensagem. Ao lado disso, fui adquirindo o costume de investir, não raro com feroz pugnacidade, contra os que menosprezavam essa mensagem". *A lição de Rodrigo*. Recife: Amigos do DPHAN, 1969, p. 103.

4 Das raras incursões de Sérgio Buarque de Holanda pelo campo ficcional, restaram algumas curiosas narrativas, como o poema em prosa "Antinous", publicado

na *Klaxon* de agosto de 1922, o conto "A viagem a Nápoles", publicado na *Revista Nova* em 1931, e também alguns títulos bizarros de contos nunca escritos. "Antinous" é um fragmento narrativo em tom onírico, bem ao gosto da experimentação modernista, que satiriza a reverência pelo grande "Imperador arquiteto" Adriano. Já os títulos de trabalhos nunca realizados faziam parte de um repertório de pequenas excentricidades com que mais tarde os amigos identificariam o jovem crítico. Em fevereiro de 1924, a propósito, a revista *Terra de Sol*, editada no Rio de Janeiro por Tasso da Silveira e Álvaro Pinto, anunciava a publicação próxima de "Y, o Magnífico", romance de Sérgio Buarque de Holanda. Cf. *Terra de Sol, revista de arte e pensamento*, n. 2, fev. 1924, p. 239. Na biblioteca pessoal de Sérgio Buarque de Holanda encontra-se, ainda no tocante a tais flertes com a ficção, a dedicatória fantástica de Guilherme de Almeida em seu *Messidor*, de 1919: "A 'Y o Magnifico' — com um beijo do Guilherme. Cidade Difficilima, 18 Brumario, 1989". Note-se que a lembrança de Mário na carta ("não te esqueças do teu conto") instava o destinatário a uma atividade que, de fato, ele nunca chegou a desenvolver a fundo; o campo da imaginação ficaria reservado, então, para a atividade crítica e para uma narrativa em outro registro, quando mais tarde Sérgio se notabilizaria como historiador e, ao mesmo tempo, escritor de pulso.

5 Ronald de Carvalho (1893-1935), um dos nomes fundamentais do modernismo carioca, ativo participante da Semana de Arte Moderna (que acontecera em fevereiro desse mesmo ano de 1922 no Teatro Municipal de São Paulo), era nesse momento bastante próximo de Mário de Andrade e, especialmente, de Sérgio Buarque de Holanda. Bacharel em direito, Ronald se tornara diplomata e burocrata do Itamaraty em 1914, jamais abandonando um cosmopolitismo de corte ilustrado, apoiado no ideal da construção pátria, cujas origens podem-se porventura buscar em sua admiração por Rui Barbosa e sua convivência com colegas de geração e de viagens pela Europa, como Alceu Amoroso Lima ou Álvaro Moreyra. Prolífico escritor, autor de *Estudos brasileiros* (1931), *Toda a América* (1926) e uma *Pequena história da literatura brasileira* (1919), Ronald se tornaria mais tarde um dos alvos principais de Sérgio Buarque, em seu polêmico artigo "O lado oposto e outros lados", de 1926, quando o jovem crítico abominaria o "academismo" do ilustrado colega e sua intenção de "criar poemas geniais". HOLANDA, Sérgio Buarque de. *O Espírito e a Letra: estudos de crítica literária*. Org. Antonio Arnoni Prado. São Paulo: Companhia das Letras, 1996, v. 1, p. 225. Quanto a Mário, é curioso que pouco mais tarde comparasse o escritor brasileiro ao argentino Ricardo Güiraldes, cujo *Xaimaca*, publicado em 1923, o faria lembrar o "tropicalismo sumarento de Ronald de Carvalho", como se lê em suas notas. Cf. ANTELO, Raúl. *Na Ilha de Marapatá: Mário de Andrade lê os hispano-americanos*. São Paulo/Brasília: Hucitec/INL, Fundação Nacional Pró-Memória,

1986, p. 214. Ainda no início da década de 1920, egresso do movimento simbolista carioca, Ronald de Carvalho manteve um "salão" literário em que se reuniam os "adolescentes inquietos daquela época", assim como "algumas figuras graduadas das letras e das artes", segundo notação de Peregrino Jr. Cf. BOTELHO, André. *O Brasil e os dias: Estado-nação, modernismo e rotina intelectual*. Bauru: Edusc, 2005, p. 91. Sérgio Buarque de Holanda consta entre os "adolescentes inquietos" que frequentavam a casa de Ronald, e é até possível que ali (talvez não em São Paulo) ele tenha conhecido Mário de Andrade, quando este lia versos de sua *Pauliceia desvairada* e os poemas "Dança" e "Noturno de Belo Horizonte", ainda segundo Peregrino Jr.

6 Elísio de Carvalho (1880-1925), participante também da primeira hora modernista, foi um eclético egresso da *Belle Époque* carioca, que, bastante jovem ainda, teve seu momento de simpatia pelo movimento anarquista, para mais tarde conservar o gosto excêntrico da literatura finissecular, traduzindo por exemplo "A balada do enforcado", do "poeta desgraçado mas genial Oscar Wilde", como se lê em dedicatória a Rubén Darío, que o próprio Elísio de Carvalho ciceroneara no Rio de Janeiro. Cf. SANTOS, Alckmar Luiz. "Apresentação de Elísio de Carvalho". *Mafuá, Revista de Literatura em Meio Digital*, n. 12, 2009. Mário chegou a colaborar na *América Brasileira*, editada por Elísio, enquanto Sérgio refere, em artigo de dezembro de 1921 no *Rio-Jornal*, a tradução de Wilde por Elísio, ilustrada por Di Cavalcanti. Cf. COSTA, Marcos (org.). *Sérgio Buarque de Holanda: escritos coligidos*. São Paulo: Fundação Perseu Abramo/Editora Unesp, 2011, v. 1, p. 22. Manuel Bandeira, em carta de 1925 a Mário de Andrade, cobrava-lhe uma "modinha que você cantou em casa do Elysio e me prometeu mandar". Cf. MORAES, Marcos Antonio de (org.). *Correspondência Mário de Andrade & Manuel Bandeira*. São Paulo: Editora da Universidade de São Paulo/Instituto de Estudos Brasileiros, 2001, p. 194.

7 No original, "Manoel". A relação de Manuel Bandeira (1886-1968) com ambos os missivistas seria das mais próximas, ao longo dos anos seguintes. Sérgio teve um de seus filhos apadrinhados pelo poeta pernambucano, enquanto Mário trocaria com ele uma enorme quantidade de cartas que, juntas, fornecem ao leitor de hoje os traços de uma relação tocante, formando ademais um amplo e rico painel pessoal do campo modernista. No parágrafo inaugural de sua primeira carta a Mário, enviada em maio de 1922, quase ao mesmo tempo em que Mário escrevia esta sua primeira carta a Sérgio, Bandeira recorda: "Um dia destes encontro o Sérgio Buarque de Holanda, com aquele ar metálico e laminado, aquele ar que faz compreender de chofre a pintura moderna (pelo menos foi a cara do Sérgio e a de um motorneiro de Petrópolis que m'a fizeram compreender) e soube por ele notícias suas, recebi por ele saudades suas". MORAES, Marcos

Antonio de (org.). *Correspondência Mário de Andrade & Manuel Bandeira*, op. cit., pp. 59-60. A observação seria retomada, em chave todavia mais irônica, numa passagem em que Bandeira relembra a figura excêntrica do jovem Sérgio caminhando pelas ruas do centro do Rio de Janeiro, conforme referido à frente, no estudo crítico ao fim deste livro. A correspondência entre Mário e Bandeira, por seu turno, vai muito rapidamente ganhando um viço e um volume especiais, inclusive porque Mário identificava, no amigo querido, um aliado dos modernistas no terreno minado que ele via no Rio de Janeiro, como se lê em missiva enviada ao poeta pernambucano, radicado no Rio, naquele mesmo ano de 1922, algumas semanas depois da presente carta: "Sensibilizou-nos teu interesse. Foste o primeiro dos amigos do Rio a nos demonstrar alguma simpatia. Por que esse afastamento? Será possível que em literatura se perpetuem as rivalidades de futebol! Manuel Bandeira, obrigado". MORAES, Marcos Antonio de (org.). *Correspondência Mário de Andrade & Manuel Bandeira*, op. cit., p. 62.

8 Rui Ribeiro Couto (1898-1963) foi escritor, jornalista e diplomata, também modernista de primeira hora, autor de uma obra copiosa em poesia e prosa. Quase por esses mesmos dias, Sérgio saudaria o "realismo" de Ribeiro Couto, "umas das figuras mais representativas da nova geração paulista", e seu recém-publicado *Jardim das confidências*. Não se tratava, advertia contudo o jovem crítico, do "realismo anti-higiênico de Zola e da escola de Medan; mas o realismo fino e aristocrático de Jean de Tinan, de Marcel Proust e de Max Jacob". HOLANDA, Sérgio Buarque de. *O Espírito e a Letra*, op. cit., v. 1, pp. 150-1. São especialmente significativas as lembranças de Manuel Bandeira sobre o amigo Ribeiro Couto que, como ele, não viajara a São Paulo para participar da Semana de Arte Moderna, porque afinal jamais haviam atacado "publicamente os mestres parnasianos e simbolistas", ainda que, ao fim, Bandeira reconhecesse o quanto devia ao movimento modernista. Fora por intermédio de Ribeiro Couto, por fim, que o poeta pernambucano tomara "contato com a nova geração literária do Rio e de São Paulo, aqui [no Rio] com Ronald de Carvalho, Álvaro Moreyra, Di Cavalcanti, em São Paulo com os dois Andrades, Mário e Oswald, quando Mário de Andrade veio ao Rio para ler em casa de Ronald [de Carvalho] e depois em casa de Olegário Mariano a sua *Pauliceia desvairada*, ainda inédita. Eu já estava bem preparado para receber de boa cara os desvairismos de Mário, porque Ribeiro Couto, grande farejador de novidades na literatura da Itália, da Espanha e da Hispano-América (correspondia-se com Alfonsina Storsi e outros argentinos) me emprestava os seus livros". BANDEIRA, Manuel. "Itinerário de Pasárgada" in *Poesia completa e prosa*. Rio de Janeiro: Nova Aguilar, 1996, pp. 60-1. Na década seguinte, em correspondência com o escritor e diplomata Alfonso Reyes, então embaixador do México no Rio de Janeiro, Ribeiro Couto evocaria a figura do "homem

cordial", um "produto americano", que se tornaria célebre a partir da conceituação de Sérgio Buarque de Holanda em *Raízes do Brasil*, de 1936.

9 Antônio Carlos Couto de Barros (1894-1966) foi escritor, advogado e jornalista, além de tesoureiro ocasional de *Klaxon*. Mário da Silva Brito, historiador do modernismo brasileiro, recorda o caráter de "coletividade intelectual" da revista, cujos componentes reuniam-se no escritório de Tácito de Almeida e Couto de Barros, no centro de São Paulo, à rua Direita. Cf. BRITO, Mário da Silva. "O alegre combate de Klaxon" in *Klaxon*, ed. fac-similar comemorativa. São Paulo: Martins, 1972, s. p. No segundo número da revista, de junho de 1922, apareceriam as "Notas sobre o 'Humour'" de Couto de Barros. Já em sua acre rememoração do modernismo, vinte anos depois da Semana de Arte Moderna, Mário de Andrade refere o papel de "filósofo da malta" de Couto de Barros, "pingando ilhas de consciência em nós, quando no meio da discussão, em geral limitada a bate-bocas de afirmações peremptórias, perguntava mansinho: Mas qual é o critério que você tem da palavra 'essencial'? ou: Mas qual é o conceito que você tem do 'belo horrível'?...". ANDRADE, Mário de. "O movimento modernista" in *Aspectos da literatura brasileira*. Belo Horizonte: Itatiaia, 2002, pp. 260-1. Marcos Moraes relata que nos anos imediatamente posteriores à Semana de Arte Moderna, Couto de Barros se comunicaria com Mário, de Paris, contando maravilhas sobre o circuito de exposições na capital francesa. Cf. MORAES, Marcos Antonio de (org.). *Correspondência Mário de Andrade & Manuel Bandeira*, op. cit., p. 141, n. 75.

2 (SBH)

[*Rio de Janeiro, após 8 de maio de 1922*]

Caro Mário

Recebi sua carta respondendo à remessa do nº da *Vanity Fair* que lhe prometi. Era minha intenção escrever-lhe no dia mesmo em que enviei o número da revista. Infelizmente porém, ando com o tempo de tal forma tomado que só hoje escrevo. Mando também o artigo e poesias que prometi. Peço porém que, se quiser publicar as do Ribeiro Couto mande pedir diretamente a ele pois mandei uma cópia sem sua autorização. Ele anda mto. esquisito agora e disse-me que só enviaria se lhe pedissem diretamente. Atribuo isso a sua moléstia, pois ele foi agora para Petrópolis depois de uma congestão pulmonar que o acabrunhou mto.[1] Mando também uma poesia do Murillo Araújo[2] que ia para a minha revista.[3] Tem o grande defeito de ser soneto. Em todo o caso fica a seu critério a publicação.

Espero com ansiedade *Klaxon*. Falei com o livreiro Schettino à rua Sachet[4] para recebê-la em consignação. Ele exige 30% do lucro da venda encarregando-se de distribuir pelas livrarias. Serve? Responda logo. Os exemplares do 1º nº se já não foram enviados pode mandar diretamente a mim.

Ao contrário de minha expectativa e da de todos só pude por agora conseguir pouquíssimos assinantes.[5] Tenho porém inúmeras promessas. Espero a realização destas para enviar todo o dinheiro. Pode enviar a revista às seguintes pessoas que assinaram:

Graça Aranha[6] — Hotel dos Estrangeiros
 (fica até Dezembro)
Cláudio Ganns[7] — Red. do *Fon-Fon*
Rodrigo Octavio Fº[8] — R. S. Pedro 48
Oswaldo Beresford[9] (6 meses) — Red. do *Dia*

O Graça Aranha manda dizer que depois de seu longo silêncio na Academia, falou para defender os nossos direitos. O Afrânio Peixoto[10] falava sobre o monumento a Machado de Assis,[11] lembrou "os dois maiores escultores brasileiros, Bernardelli[12] e Correia Lima".[13] O Graça perguntou em aparte: — "E por que não Brecheret?".[14] O João Ribeiro[15] perguntou "Quem é Brecheret?". Ele respondeu: "Não conhece? Lamento".

Aceite com os amigos daí um grande abraço do

Sérgio B. Holanda[16]

P.S. Perdi o seu cartão com o endereço do Luís Aranha[17] escrito no verso. O Di[18] forneceu-me o seu endereço. Mando pois os "Poemas Elásticos"[19] para o seu endereço.

S.

Carta assinada: "Sergio B. Hollanda"; sem data; autógrafo a tinta preta; papel branco, pautado; 2 folhas; 22,6 × 17,6 cm; 2 furos. PS.

1 Em carta a Sérgio Buarque de Holanda, enviada poucos meses mais tarde, em setembro de 1922, de Campos do Jordão, onde convalescia, Ribeiro Couto lhe agradece o "interesse sincero que você tem tomado pela minha saúde. Sempre sei pelo Manuel Bandeira que você pergunta por mim". Cf. Arquivo Privado Sérgio Buarque de Holanda, Siarq-Unicamp, Cp 16 P5.

2 Murillo Araújo (1894-1980), poeta mineiro então residente no Rio de Janeiro, seria mais tarde um dos participantes do grupo da revista *Festa* (1927-9; 1934-5), de Tasso da Silveira, que congregava nomes como os de Cecília Meireles e Tristão de Athayde (Alceu Amoroso Lima). Trata-se de linhagem que vem de *Terra de Sol* (1924), na qual se inserem os modernistas "espiritualistas". Não poucas vezes se vê aí um veio conservador, mais à direita da barulheira que a gente de *Klaxon* promovera em 1922. Como diria Mário de Andrade em artigo publicado em 1928 na própria revista, os modernistas mais radicais, de São Paulo e do Rio de Janeiro, aguentaram a pancadaria, "enquanto o grupo de *Festa* na maciota passeava ileso e até ajudava [...] no assobio". Cf. GOMES, Ângela de Castro. *Essa gente do Rio...: modernismo e nacionalismo*. Rio de Janeiro: Editora Fundação Getúlio Vargas, 1999, p. 44. No entanto, em 1922 era ainda difícil, senão impossível, definir com clareza tais linhas ideológicas. Dois meses antes desta carta a Mário de Andrade, Sérgio Buarque de Holanda recebia, do próprio Murillo Araújo, uma carta, datada de 29 de março daquele ano: "tenho pensado com alegre impaciência na sua revista [...] Há tanta falta de imprensa heroica que corrija a *tábua de valores* e possa malhar valentemente os judas da mediocridade e da falsa-arte! Por minha colaboração, tão gentilmente pedida, preferia mandar-lhe algum poema livre onde pudesse *sinfonizar* à vontade. Mas os novos que compus, são longos e intrigam o burguês. Depois temo da sua ironia com os 'futurismos' e sei que os diretores de revista, em matéria poética preferem o soneto que ocupa menos espaço e está nos hábitos do público. Mando-lhe, pois, um dos meus poucos sonetos, que tem talvez apenas o mérito de ser inédito e ser enviado com a mais cordial boa vontade deste (se o permite...) já seu amigo. Murillo". Cf. Arquivo Privado Sérgio Buarque de Holanda, Siarq-Unicamp, Cp 14 P5. O soneto não seria publicado em *Klaxon*.

3 O projeto de uma nova revista se concretizaria dois anos mais tarde, quando Sérgio Buarque e seu dileto amigo Prudente de Moraes, neto editariam *Estética* (1924-5), conforme se discutirá adiante. No entanto, é provável que Sérgio pen-

sasse em editar uma revista própria já em 1922, a julgar por esta observação, pela carta de Murillo Araújo, e por outra observação que aparecera em *A Careta*, no mês anterior, em que Enéas Ferraz noticia que "o meu amigo Sérgio, crítico literário, hóspede de casa de pensão, estudante de direito, escritor de *pró-labores* a 20$000 e, mais do que tudo isso, um futurista de imensa imaginação, vai publicar uma revista intitulada *Vida Literária*. A notícia é positivamente agradável. Espera-se todo o sucesso [...]". Cf. CRISPIM, João. "Futurismo" in BOAVENTURA, Maria Eugênia (org.). *22 por 22: a Semana de Arte Moderna vista pelos seus contemporâneos*. São Paulo: Edusp, 2008, p. 387.

4 Trata-se da Livraria Editora Schettino, de Gianlorenzo Schettino e seu filho, Francisco, amigo e editor de Lima Barreto. A casa funcionou entre 1922 e 1931. Cf. HALLEWELL, Laurence. *O livro no Brasil: sua história*. São Paulo: Edusp, 2005, p. 419.

5 Mário da Silva Brito reporta que os próprios criadores e colaboradores se cotizavam para pagar a revista, que aliás teve poucos anúncios: "os rapazes da Semana eram ricos e de boa família", diz, apoiando-se em declaração de Rubens Borba de Moraes. A afirmação de Guilherme de Almeida, lembrada ainda por Mário da Silva Brito, de que *Klaxon* tivera um único assinante, não procede, como se vê aqui. Tratava-se, em todo caso, de um grupo muito restrito, e o preço final tampouco era popular, como se depreende da irônica anotação de Menotti Del Picchia no *Correio Paulistano*, sobre o valor do exemplar avulso, "magrinho", mas custoso: "*Klaxon* é orgulhoso: vende-se caro". Cf. BRITO, Mário da Silva. "O alegre combate de Klaxon", op. cit., s. p.

6 A figura de José Pereira da Graça Aranha (1868-1931) é central para o movimento modernista, e fundamental para a compreensão da trajetória de Sérgio Buarque de Holanda, que dele se afastaria definitivamente no polêmico artigo "O lado oposto e outros lados", publicado na *Revista do Brasil* em outubro de 1926. Em sua diatribe, Sérgio alinharia o escritor maranhense a Renato Almeida, Ronald de Carvalho e Guilherme de Almeida, todos àquela altura portadores, segundo o jovem crítico, de um "academismo [que] já não é mais um inimigo, porque ele se agita num vazio e vive à custa de heranças". Cf. HOLANDA, Sérgio Buarque de. *O Espírito e a Letra*, op. cit., v. 1, p. 225. Mas até esse momento, em 1922, Graça Aranha, que logo mais (1924) romperia com a Academia Brasileira de Letras e mais tarde ciceronearia Marinetti em sua visita ao Brasil, ia exercendo uma influência considerável sobre os mais novos dos modernistas, como sugere a homenagem que *Klaxon* lhe faz, no número 8/9, ou ainda a alcunha de "homem essencial" que lhe seria outorgada em *Estética*, a revista de crítica literária que Sérgio e Prudente de Moraes, neto editariam a partir de 1924, e em que, logo no primeiro número, Graça seria elevado ao nível de Pascal ou Goethe. Cf. HOLANDA,

Sérgio Buarque de. *O Espírito e a Letra*, op. cit., v. 1, p. 179. A influência de Graça Aranha é clara na idealização de *Estética* — título, aliás, que ressoa a filosofia palavrosa do autor de *Canaã*, que em 1920 publicara a *Estética da vida*. Uma influência paternal, todavia, que muito logo seria detectada como deletéria pelo próprio Mário de Andrade, cujo mal-estar em relação a Graça Aranha tornar-se-ia notório. Segundo expressão de Drummond, festejada por Mário no fim de 1925, Graça "sentou em cima de nós, e está pesando muito". Cf. SANTIAGO, Silviano (org.). *Carlos & Mário: correspondência completa entre Carlos Drummond de Andrade (inédita) e Mário de Andrade*. Rio de Janeiro: Bem-te-vi, 2002, p. 166. Em sua correspondência com Bandeira, Mário volta diversas vezes ao tema da influência de Graça Aranha, que o incomoda profundamente, como se lê em carta de 1925: "Quando o Osvaldo disse que o Graça desconhecia inteiramente o modernismo quando chegou ao Brasil, disse a mais verdadeira das verdades. Leu e observou tudo o que estávamos fazendo, bem me lembro das palavras vagas que pronunciava ouvindo e vendo as nossas pinturas e poesia! e se apossou de tudo. [...] Detesto o Graça. Essa a influência que ele tem sobre mim". MORAES, Marcos Antonio de (org.). *Correspondência Mário de Andrade & Manuel Bandeira*, op. cit., p. 206. Num artigo publicado mais tarde em alemão na revista *Duco*, da embaixada brasileira em Berlim, Sérgio Buarque se refere às diferenças entre o grupo dos modernistas paulistas e o velho Graça, não sem antes descrever, hiperbolicamente, o rompimento do escritor com a Academia Brasileira de Letras: "o povo entusiasmado carregou Graça Aranha nos ombros e o levou em triunfo até os portões da Academia". Cf. COSTA, Marcos, op. cit., v. 1, p. 45.

7 Cláudio Sales Ganns (1896-1960), jornalista e historiador, foi próximo de Américo Facó, redator da *Fon-Fon* e mais tarde da revista *Espelho*, em que Sérgio Buarque viria a publicar, em 1935, o ensaio "Corpo e alma do Brasil", espécie de *hors d'oeuvre* de *Raízes do Brasil*. Tratava-se do grupo de jornalistas com quem Sérgio convivia e trabalhava, no início da década de 1920, primeiramente no *Rio-Jornal*, depois em *O Jornal* (antes ainda que pertencesse a Assis Chateaubriand) e finalmente na agência Havas, onde traduzia telegramas ao lado de Américo Facó. Cf. BARBOSA, Francisco de Assis. "Verdes anos de Sérgio Buarque de Holanda. Ensaio sobre sua formação intelectual até *Raízes do Brasil*" in *Sérgio Buarque de Holanda: vida e obra*. Instituto de Estudos Brasileiros: Secretaria de Estado da Cultura, 1988, p. 33. Na *Fon-Fon*, Sérgio publicara diversos artigos, inclusive "O futurismo paulista", em dezembro de 1921 (ano de sua mudança de São Paulo para o Rio de Janeiro, onde cursaria direito), em que saudava a nova geração dos futuristas que, da "velha terra dos bandeirantes", não "se prendem aos de Marinetti, antes têm mais pontos de contato com os moderníssimos da França desde os passadistas Romain Rolland, Barbusse e Marcel Proust até os esquisitos Jacob,

Apollinaire, Stietz, Salmon, Picabia e Tzara". HOLANDA, Sérgio Buarque de. *O Espírito e a Letra*, op. cit., v. 1, p. 132. Na *Fon-Fon* de então (disponível no acervo on-line da Biblioteca Nacional), vê-se, logo em seguida ao artigo de Sérgio Buarque de Holanda, uma matéria fotográfica sobre as proezas aéreas de Edu Chaves, sempre a partir de São Paulo, a terra dos bandeirantes.

8 Rodrigo Octavio Filho (1892-1969), advogado e poeta, foi também colaborador da *Fon-Fon*, amigo de Álvaro Moreyra e entusiasta dos "penumbristas", que ele avaliaria num livro publicado postumamente, *Simbolismo e penumbrismo* (1970). Em seu discurso de posse na Academia Brasileira de Letras, veiculado pelo site da instituição, encontram-se os elogios ao pai, que o precedera na cadeira, e que era então lembrado como um "bandeirante espiritual", amante da poesia de Olegário Mariano, Manuel Bandeira, Ronald de Carvalho e Felipe D'Oliveira — gosto estético evidentemente compartilhado pelo filho. Cf. OCTAVIO Filho, Rodrigo. "Discurso de posse". Academia Brasileira de Letras. Web. Consultado em 23 jun. 2011. Vê-se que havia uma aguda curiosidade por *Klaxon*, ainda entre os críticos e jornalistas menos inclinados à ruidosa ruptura proposta pela escola "futurista" de São Paulo.

9 Oswaldo Beresford foi advogado e escritor, colaborador de *O Mundo Literário*, revista que congregava jovens intelectuais da roda da Livraria Leite Ribeiro, como Ribeiro Couto, ou mesmo Cecília Meireles, Tasso da Silveira e Nestor Vítor, que depois se envolveriam na já referida revista *Festa*. Cf. SILVA, Simone. "As 'rodas' literárias no Brasil das décadas de 1920-1930. Troca e obrigações no mundo do livro". *Latitude*, v. 2, n. 2, 2008, p. 200. Em suas *As amargas, não... (lembranças)*, Álvaro Moreyra registra, em relação ao ano de 1925: "O jovem escritor Oswaldo Beresford, acusado de ter publicado um livro imoral, pela Liga da Moralidade, suicidou-se". MOREYRA, Álvaro. *As amargas, não... (lembranças)*. Rio de Janeiro: Academia Brasileira de Letras, 2007, p. 105.

10 Júlio Afrânio Peixoto (1876-1947) foi médico, político e escritor baiano, membro da Academia Brasileira de Letras desde 1911, e seu presidente em 1923. Curiosamente, a cena descrita por Sérgio Buarque refere-se à estátua de Machado de Assis, enquanto o mais famoso romance de Afrânio Peixoto, *A esfinge* (1911), tematiza justamente o trabalho do escultor, um pouco à Zola. O traço regionalista e a herança positivista tornavam Afrânio Peixoto muito pouco palatável aos modernistas, cujo desconforto diante do naturalismo é patente. *Bugrinha*, seu livro publicado naquele ano, seria resenhado em *Klaxon*: "Livro tristonho. Quando iniciará [n]o Brasil a literatura da alegria? Páginas de amor e rusgas que não terminam mais. [...] Há um capítulo maravilhoso, verdadeira obra-prima de verdade e comoção: é o XVI. O resto... [...] Enfim, sem muito relevo, o

A. nos presenteia com um pedaço tristonho e ridículo da vida. Convidamos o snr. Afrânio Peixoto a definir a palavra ficção". *Klaxon*, n. 4, ago. 1922, p. 15. Afrânio Peixoto surgiria depois, circunstancialmente referido, num texto de 1950, em que Sérgio Buarque resenha a *História da literatura brasileira* de Lúcia Miguel Pereira. Ali, o autor de *A esfinge* aparece entre aqueles escritores para quem o fazer artístico podia ser simples "jogo e distração", enquanto de fato, "enlaçando--se à vida", a arte não podia jamais ser apenas a cópia servil da realidade — pecado atribuído por Sérgio aos "nossos naturalistas". Cf. COSTA, Marcos, op. cit., v. 2, pp. 16-7. Em 1928, Mário de Andrade receberia um cartão-postal de Afrânio Peixoto, de Corrêas, no estado do Rio de Janeiro, com a imagem da estátua de d. Pedro II em Petrópolis, e um agradecimento pelo envio de *Clã do jabuti*, "poesia de verdade". Cf. MORAES, Marcos Antonio de (org.). "*Tudo está tão bom*, tão gostoso..." *postais a Mário de Andrade*. São Paulo: Hucitec/Edusp, 1993, p. 192.

11 Curioso que a discussão se desse em torno da estátua de Joaquim Maria Machado de Assis (1839-1908), por quem os modernistas parecem nutrir uma admiração ambivalente, eivada de resistência. A monumentalidade do mestre e fundador da Academia Brasileira de Letras é uma criação (ou uma atribuição) longeva, embora a suposta afetação machadiana, com sua fuga às características naturalmente brasileiras, fosse, já no final do século XIX, receber a crítica irada de Sílvio Romero, depois ecoada, por meio de um diapasão ambíguo, por Sérgio Buarque de Holanda em *Raízes do Brasil*, em que Machado de Assis figura como a "flor dessa planta de estufa" que fora o horror dos românticos diante da "dura", "triste" realidade do país. Cf. HOLANDA, Sérgio Buarque de. *Raízes do Brasil*. São Paulo: Companhia das Letras, 2006 (ed. comemorativa, org. Ricardo Benzaquen de Araújo, Lilia Moritz Schwarcz), p. 178. Na mesma década de 1930, por ocasião do centenário de Machado, Mário de Andrade escreve uma série de artigos para o *Diário de Notícias* do Rio de Janeiro, apresentando, logo de início, uma questão manhosa: "Eu pergunto, leitor, para que respondas ao segredo da tua consciência, se amas Machado de Assis?". Ao fim, Machado "ancorou fundo as suas obras no Rio de Janeiro histórico que viveu, mas não se preocupou de nos dar o sentido da cidade". Cf. ANDRADE, Mário de. "Machado de Assis" in *Vida literária*. Org. Sonia Sachs. São Paulo: Hucitec/Edusp, 1993, pp. 53-69.

12 José Maria Oscar Rodolfo Bernardelli (1852-1931) foi uma das mais importantes figuras na história da escultura no Brasil, desde os últimos anos do Império, na Academia Imperial de Belas-Artes, até bem entrado o período republicano, sob o marco da Escola Nacional de Belas-Artes, de que ele foi diretor por muitos anos. O aspecto grandioso, propriamente monumental, e a inspiração neoclássica de sua obra, naturalmente incomodavam os modernistas. Manuel Bandeira, conquanto sempre mais comedido que os "futuristas" de São Paulo,

lembra, numa carta de 1924 a Mário, em que analisa um poema e lhe faz sugestões, da "*boutade* de Severiano de Rezende que chamou o Bernardelli de *marmorista ignaro*". Cf. MORAES, Marcos Antonio de (org.). *Correspondência Mário de Andrade & Manuel Bandeira*, op. cit., p. 132.

13 José Otávio Correia Lima (1878-1974) foi aluno de Rodolfo Bernardelli e depois seu colega na Escola Nacional de Belas-Artes.

14 Victor Brecheret (1894-1955), escultor italiano radicado no Brasil, vinha sendo reconhecido como um dos mais significativos representantes da arte moderna brasileira. Em 1921, a expensas do Pensionato Artístico do Estado de São Paulo, viajara a Paris, onde sua obra *Les conquérants*, alusiva aos bandeirantes, seria acolhida no Salon D'Automne, para regozijo da elite intelectual paulista. O alerta de Graça Aranha sobre a novidade de Brecheret ganha sentido especial se lembrarmos que seu *Monumento às bandeiras*, concebido para o centenário da Independência e inaugurado em 1953 no Parque do Ibirapuera, serviria mais tarde como um símbolo da novidade paulista no cenário nacional, ou porventura como sublimação da experiência bandeirante. A imagem é recorrente: o modernismo, segundo um de seus cronistas, era obra de "bandeirantes do pensamento". Cf. MORAES, Rubens Borba de. *O domingo dos séculos*. São Paulo: Imprensa Oficial, 2001, p. 26. Em suas memórias do movimento, Mário lembra que "Menotti del Picchia e Osvaldo de Andrade [sic] descobriram o escultor Vítor Brecheret, que modorrava em São Paulo numa espécie de exílio, um quarto que lhe tinham dado grátis, no Palácio das Indústrias, pra guardar os seus calungas. [...] Brecheret, para nós, era no mínimo um gênio. Este o mínimo com que podíamos nos contentar, tais os entusiasmos a que ele nos acudia. E Brecheret ia ser em breve o gatilho que faria *Pauliceia desvairada* estourar...". Mário conta, finalmente, que a reação horrorizada de sua família à recém-adquirida "Cabeça de Cristo" ("Onde se viu um Cristo de trancinha! era feio! medonho!") o pôs num estado "indestinado", e foi aí, diante da cidade noturna que ele vê pela sacada de sua casa, aborrecido com a "parentada" ignara, que lhe surge o "título que jamais pensara, *Pauliceia desvairada*". ANDRADE, Mário de. "O movimento modernista" in *Aspectos da literatura brasileira*, op. cit., pp. 255-6. Brecheret se notabilizaria ainda por suas delicadas esculturas inspiradas na arte marajoara, compostas depois da morte de Mário de Andrade, quando Sérgio Buarque de Holanda dirigia o Museu Paulista e escrevia alguns dos estudos que dariam origem a *Caminhos e fronteiras* (1957).

15 João Batista Ribeiro de Andrade Fernandes (1860-1934) foi um jornalista e filólogo, autor de ficção, crítica, um dicionário e uma *História do Brasil* (1901). Admirador da língua portuguesa cultivada no Brasil, era um apaixonado dicio-

narista e fino escritor. Manuel Bandeira o admirava muito, como se depreende desta observação feita a Mário, em carta de 1925, em que Bandeira discute a quem, no Rio de Janeiro, o poeta paulista deveria enviar sua *A escrava que não é Isaura*: "Há um velho na Academia que é muitíssimo pouco acadêmico e eu admiro e estimo grandemente. Para mim é um batuta. Você conhece-o mal: é o João Ribeiro. Ainda que ele combatesse o seu livro, será um dos poucos sujeitos com cultura para entendê-lo. E se você o influenciasse, que bela conquista!". Cf. MORAES, Marcos Antonio de (org.). *Correspondência Mário de Andrade & Manuel Bandeira*, op. cit., p. 196. Haroldo de Campos lembra que João Ribeiro perceberia mais tarde, em 1927, o sentido pioneiro da poética de Oswald de Andrade, "capaz de idear, sem o auxílio das musas, uma arte nova, inconsciente, capaz da máxima trivialidade por oposição ao estilo erguido e à altiloquência dos mestres". CAMPOS, Haroldo de. "Uma poética da radicalidade" in ANDRADE, Oswald. *Pau Brasil*. São Paulo: Globo, 2003, pp. 16-7. A julgar pela abertura de João Ribeiro, a pergunta sobre Brecheret, feita a Graça Aranha, era mesmo a simples, talvez humilde, ignorância de quem era o tal escultor cultuado pelos modernistas. O que não impediu que o episódio, narrado por Sérgio a Mário nesta carta, fosse noticiado no segundo número de *Klaxon*, na seção "Luzes e Refrações", seguido de uma agressiva explanação: "Respondemos: Victor Brecheret é um escultor paulista atualmente em Paris. Seus trabalhos *também* são aceitos no Salão de Outono. Várias revistas do Rio já reproduziram obras suas. A *Eva* descansa nos jardins do Anhangabaú. Brecheret é tão forte artista que, em vez de *copiar* a natureza, *cria* tirando apenas da natureza a causa primeira da inspiração. Mas é preferível que o sr. João Ribeiro continue a ignorar Brecheret. Este naturalmente não faria do gênio de Brás Cubas um retratinho em que se enumerassem todas as rugas e cabelos — único processo estético capaz de comover a lânguida saudade endinheirada dos srs. acadêmicos". *Klaxon*, n. 2, jun. 1922, pp. 16-7.

16 Sérgio registra seu sobrenome com os dois L ("Hollanda") que mais tarde desapareceriam, vigorando a forma mais simples, com que até hoje se o conhece.

17 O poeta Luís Aranha (1901-87), bacharel em direito e, a partir de 1929, diplomata, foi um participante de primeira hora do movimento modernista. Em agosto de 1922, apareceria em *Klaxon* uma espécie de resenha em versos da recém-lançada *Pauliceia desvairada* de Mário de Andrade ("Nem o sismógrafo de Pachwitz mede os tremores do teu coração/ Ebulição/ Sarcasmo/ Ódio vulcânico/ Tua piedade/ Escreveste com um raio de sol/ No Brasil/ Aurora de arte século XX/ Como na pintura de Anita Malfatti que pintou o teu retrato [...]"). Posteriormente, mas ainda no período efervescente do modernismo, Mário de Andrade enviaria a Prudente de Moraes, neto, para publicação em *Estética*, um poema de Aranha intitulado "Drogaria": "você vai ler a coisa mais tumultuária, mais rápida,

das mais espantosas que se escreveram no modernismo modernista", dirá Mário a Prudente em 1925. Cf. KOIFMAN, Georgina (org.). *Cartas de Mário de Andrade a Prudente de Moraes, neto (1924/36)*. Rio de Janeiro: Nova Fronteira, 1985, pp. 89-91. A admiração pelo amigo levaria Mário a escrever um ensaio, "Luis Aranha ou a poesia preparatoriana", ressaltando o "associacionismo descontrolado de imagens", revelando a intensidade sensitiva das associações ("puras sucessões") de palavras na criação de "pequenas paisagens ou dramas telegráficos". A delicada questão da descoberta da lírica na barulhenta e vertiginosa paisagem metropolitana se encontra aí. Cf. ANDRADE, Mário de. "Luís Aranha ou a poesia preparatoriana (1932)" in *Aspectos da literatura brasileira*, op. cit., pp. 59-105.

18 O pintor carioca Emiliano Augusto Cavalcanti de Albuquerque Melo, conhecido como Di Cavalcanti (1897-1976), iniciou-se profissionalmente desenhando para a imprensa carioca, e se aproximou cedo do grupo dos modernistas. Rememorando a origem do encontro, Di relata que a "exposição de Anita Malfatti em 1917 [quando ocorreu a célebre polêmica em torno da tela *O homem amarelo*, depois comprada, em 1922, por Mário de Andrade] foi a revelação de algo mais novo do que o impressionismo, mas Anita vinha de fora, seu modernismo, como o de Brecheret e Lasar Segall, tinha o selo da convivência com Paris, Roma e Berlim. Meu modernismo coloria-se do anarquismo cultural brasileiro e, se ainda claudicava, possuía o dom de nascer com os erros, a inexperiência e o lirismo brasileiros". Apud SIMIONI, Ana Paula Cavalcanti. *Di Cavalcanti ilustrador: trajetória de um jovem artista gráfico na imprensa (1914-1922)*. São Paulo: Sumaré, 2002, p. 47. Di Cavalcanti partiria para Paris em 1923. Ainda discutindo São Paulo e Rio, Mário, em suas memórias do movimento, contesta a ideia de supostas raízes cariocas do modernismo, conquanto as "manifestações impressionistas e principalmente post-simbolistas" existissem na capital da República. No entanto, em "São Paulo, esse ambiente estético só fermentava em Guilherme de Almeida e num Di Cavalcanti pastelista, 'menestrel dos tons velados' como o apelidei numa dedicatória esdrúxula". ANDRADE, Mário de. "O movimento modernista" in *Aspectos da literatura brasileira*, op. cit., p. 257. Numa crônica de 1932 para o *Diário Nacional*, Mário sugere a superação da fase dos "tons velados", pela imersão nas teorias "cubistas, puristas, futuristas", que no entanto não o desencaminharam, porque Di "nacionalizou-se conosco, ao mesmo tempo que o Modernismo o fazia mudar, de hora e de estação. Abandonou os tons velados de outono e crepúsculo, pra se servir de todas as vibrações luminosas da arraiada e da possível primavera. Principalmente com a sua admirável série de mulatas, de que ele soube revelar o rosado recôndito, Di Cavalcanti conquistou uma posição única em nossa pintura contemporânea. [...] Não confundiu o Brasil com paisagem; e em vez do Pão de Açúcar nos dá sambas, em vez de coqueiros, mulatas, pretos e

carnavais. Analista do Rio de Janeiro noturno, satirizador odioso e pragmatista das nossas taras sociais, amoroso cantador das nossas festinhas, mulatista-mor da pintura, este é o Di Cavalcanti de agora". ANDRADE, Mário de. "Di Cavalcanti" in *Táxi e crônicas no Diário Nacional*. Org. Telê Porto Ancona Lopez. São Paulo: Duas Cidades/Secretaria de Cultura, 1976, p. 528.

19 Trata-se dos *Dix-neuf Poèmes Élastiques* de Blaise Cendrars, publicação de 1919 de poemas compostos antes da guerra. Sobre Cendrars e o modernismo brasileiro, leia-se EULÁLIO, Alexandre. *A aventura brasileira de Blaise Cendrars* (2ª ed., rev. e ampl. por Carlos Augusto Calil). São Paulo: Edusp/Imprensa Oficial, 2001. Sobre a importância de Cendrars para Mário, ver o estudo crítico, depois das cartas.

3 (SBH)

[*Rio de Janeiro, junho de 1922*]¹

Caro Mário

Escrevo-lhe esta convalescendo de uma gripe que me faz por alguns dias de cama. Embora não tenha recebido sua resposta à minha última carta apresso-me em escrever-lhe esta para dar mais pormenores sobre as aventuras de *Klaxon* aqui no Rio. Como lhe prometi já foi respondido pelo *Rio-Jornal* o ataque do cronista teatral do *Imparcial*, João de Talma (Reis Perdigão).²

Mando-lhe os dois jornais. Além desse saíram mais dois artigos, dois ataques a *Klaxon*, um no *Fon-Fon*, do Gustavo Barroso³ e outro no *Mundo Literário*, creio que do Enéas Ferraz.⁴ Não respondi ao do *Fon-Fon* por ser uma nota sem importância. Quanto ao do *Mundo Literário* espero responder por essa mesma revista se me permitirem. Se não, estou em dúvida se deixo de fazer a seção paulista ou se continuarei a pregar as ideias klaxistas que são as minhas nessa mesma seção.[5] Convidaram-me para fazê-la por estar o Ribeiro Couto doente em Campos do Jordão. Com a ida dele para Marselha para onde foi nomeado auxiliar de consulado ficarei com ela definitivamente.

Apareceu agora por aqui um rapaz mto. inteligente e bastante modernista, Alberto Cavalcanti.[6] Veio de Paris recentemente e pretendia instalar-se aqui como arquiteto e decorador, nada conseguindo devido ao antediluvianismo carioca. Mando-lhe um original dele que, se fosse possível, valeria a pena publicar no segundo número.[7] Ele pretende partir para Paris neste mês e desejaria ter esse original que prometeu a um amigo. Se vocês pudessem arranjar qualquer coisa para ele aí em S. Paulo seria mais um bom auxiliar para o nosso movimento. Ele é entretanto mto. tímido e não quer ir para aí para não pensarem que quer fazer concorrência ao Graz.[8] Arranjei mais assinantes:

Ivo Arruda[9] — 9 R. Guives 9

Mlle. Augusta Chermont[10] — 402 Flamengo 402

Mário Simonsen[11] — 488 R. S. Clemente 488

Espero esgotar todos os recibos até o fim deste mês. Se vocês precisarem agora do dinheiro que já tenho à minha disposição (78$000) posso enviar. Vou agora às livrarias saber das vendas de *Klaxon*.

Pedi ao António Ferro[12] qualquer coisa para *Klaxon*. Ele deu um manifesto publicado em Portugal e que nunca saiu em revista. Para nós é de toda oportunidade.

Publicando em *Klaxon* devem ser respeitadas as correções que fez. Um dos tópicos onde se refere a Portugal ele não quer que apareça em um país estrangeiro. Em outro fala no Júlio de Mattos[13] que já morreu e ao Antero de Figueiredo[14] que já se aproximou um pouco dos novos. Escrevo ao Guilherme[15] enviando a tradução japonesa de "Era Uma Vez...".[16] Mtas. lembranças ao Luís,[17] ao Oswald,[18] ao Menotti,[19] e a todos os amigos, e um abraço do seu

Sérgio

Mário querido[20]

Muita saudade. Não te escrevi ainda por doente e por um sem-número de trabalhos insuportáveis. Até um dia próximo. Viva *Klaxon*!

Ronald

"Saudade não é klaxista"
(Graça Aranha)[21]

Sérgio B. Holanda

Carta assinada: "Sergio"/ "Ronald"; sem data; autógrafo a tinta preta e a lápis tinta; papel branco, pautado; 4 folhas; 22,4 × 17,7 cm; 2 furos; marca de grampo. PS. Nota MA: a grafite: cálculos.

---

1 Data provável, a julgar pela referência à "seção paulista" de *O Mundo Literário*, e do segundo número de *Klaxon*, que é de junho de 1922.

2 Em carta a Sérgio Buarque, datada de 27 de junho de 1922, Tácito de Almeida comentaria o caso: "João de Talma continua irresistível. *Klaxon* precisa cultivar tão sólida inimizade. Não há situação mais ridícula do que a do atleta que vê o

telhado de vidro de sua varanda apedrejado por moleques espertos e sente necessidade de reagir". Cf. Arquivo Privado Sérgio Buarque de Holanda, Siarq-Unicamp, Cp 15 P5. De fato, uma resposta klaxista ao imparcial articulista João de Talma aparecera na seção "Luzes e Refrações" do segundo número da revista, de junho de 1922: "João de Talma, lá d'*O Imparcial*, não sabe fazer uso dos seus dentes. Contemplando *Klaxon*, em vez de sorrir (de prazer ou ironia, pouco importa), arreganha-os com exagerado ódio. Diante de capa tão alegremente moderna da revista, confessa 'ter a impressão de que se trata de engenhoca réclame de um purgativo enérgico'. Ainda bem que ele o perceba: para ficarmos livres dessa alimentação pesada que há 30 ou 40 anos os nossos atuais acadêmicos vêm cozinhando para nós (e que ainda satisfaz o paladar complacente e o estômago de ferro do sr. Talma), só mesmo com o uso constante de tais medicamentos". *Klaxon*, n. 2, jun. 1922, p. 17. A "resposta", a que se refere Sérgio nesta carta a Mário, aparecera na coluna "S. Paulo", em *O Mundo Literário* de 5 de junho, publicado no Rio de Janeiro, num artigo que inicia lembrando que "há cinco anos atrás, em São Paulo, o parnasianismo imperava de tal maneira que cairia no ridículo o poeta que não fizesse do tratado de Banville o seu livro de cabeceira". Em seguida, vinha o estrepitoso elogio dos modernistas que, "guiados por Oswald de Andrade", "leram os modernos de todos os países, leram Apollinaire, Jacob, Salmon, Marinetti, Cendrars, Cocteau, Papini, Soffici, Palazzeschi, Govoni, leram os imagistas ingleses e norte-americanos. Mas em lugar de os tomarem por mestres, desenvolveram na medida do possível a própria personalidade, tomando-os apenas por modelos de rebeldia literária. A Semana de Arte Moderna, aplaudida por todos os homens decentes, consagrou-os definitivamente. Agora aparece a nova revista *Klaxon*, o órgão do movimento novo de São Paulo, destinado a grande sucesso". HOLANDA, Sérgio Buarque de. *O Espírito e a Letra*, op. cit., v. 1, p. 148.

3 O escritor cearense Gustavo Dodt Barroso (1888-1959), então diretor da revista *Fon-Fon*, merecera do jovem Sérgio Buarque de Holanda, no final de 1920, entusiasmadas considerações sobre sua tradução do *Fausto* de Goethe, publicada no *Correio Paulistano* entre novembro e dezembro daquele ano. Cf. HOLANDA, Sérgio Buarque de. "O Fausto (a propósito de uma tradução)" in *O Espírito e a Letra*, op. cit., v. 1, pp. 77-89. Considerações pelas quais o futuro líder integralista agradeceria, em carta de 20 de dezembro de 1920, ao "confrade", explicando-lhe entretanto ser aquela tradução obra de juventude, da qual ele não se orgulhava. Por fim, convidava-o a visitá-lo em Santa Teresa, quando fosse ao Rio. Cf. Arquivo Privado Sérgio Buarque de Holanda, Siarq-Unicamp, Cp 12 P5. Francisco de Assis Barbosa relata que o próprio Gustavo Barroso convidara Sérgio a escrever sobre os "futuristas de São Paulo" para a *Fon-Fon*, crente de que o futurismo deles nada tinha que ver com o de Marinetti, que ele considerava um "farsante". Cf. BARBOSA, Francisco de Assis. "Introdução" in *Raízes de Sérgio Buarque de Holanda*.

Rio de Janeiro: Rocco, 1989, pp. 15-6. Trata-se do já referido "O futurismo paulista", publicado em dezembro de 1921. Cf. HOLANDA, Sérgio Buarque de. *O Espírito e a Letra*, op. cit., v. 1, pp. 131-4. Em sua "Explicação" sobre o projeto de "Os Congos", Oneyda Alvarenga lembraria, bem mais tarde, como foram importantes para Mário de Andrade os trabalhos folclóricos de Gustavo Barroso, menos "deturpados" que outros. Referia-se a estudo da década de 1930, baseado também em materiais colhidos na famosa viagem ao Nordeste, no final da década anterior. Cf. ANDRADE, Mário de. *Danças dramáticas do Brasil*. Org. Oneyda Alvarenga. Belo Horizonte: Itatiaia, 2002, p. 359 e passim.

4 O escritor e diplomata Enéas Ferraz é autor, entre outros, da *História de João Crispim*, romance publicado nesse mesmo ano de 1922, que merecera de Sérgio Buarque uma apreciação ambivalente no *Rio-Jornal*, em março, destacando-lhe a qualidade "carioca", alinhando-o a Lima Barreto na recriação de tipos urbanos, mas ao mesmo tempo chamando a atenção para o esgotamento do "realismo" que o presidia: "creio perfeitamente razoável a pergunta dos expressionistas alemães: a verdade está aqui: para que repeti-la?". Cf. HOLANDA, Sérgio Buarque de. "Enéas Ferraz — *História de João Crispim*" in *O Espírito e a Letra*, op. cit., v.1, pp. 145-7. Sobre as crônicas de Enéas Ferraz, ver adiante o estudo crítico.

5 Sérgio Buarque assinava, na revista *O Mundo Literário*, uma seção intitulada "S. Paulo", que se inicia em 5 de junho de 1922 e se estenderia até julho de 1923. A coluna veicula as diatribes modernistas contra o "passadismo" e tenta deixar clara a raiz paulista do movimento: "São Paulo não tem mais tempo de olhar para trás. Se deu um passo errado — ninguém sabe —, deu e está dado. Os poetas do passado [...] podem berrar à vontade que ninguém tem ouvido para eles". Cf. HOLANDA, Sérgio Buarque de. *O Espírito e a Letra*, op. cit., v. 1, p. 163. Mário responderia ponto a ponto à crítica não assinada do *Mundo Literário* no n. 3 de *Klaxon*, de julho, em artigo intitulado "O homenzinho que não pensou". Cf. *Klaxon*, n. 3, jul. 1922, pp. 10-1.

6 Alberto de Almeida Cavalcanti (1897-1982) estudara arquitetura e decoração em Genebra, e se mudaria mais tarde para a França e depois Inglaterra. Na apreciação de Nicolau Sevcenko, a "túrbida Paris" de seu primeiro filme, *Rien que les heures* (1926), mantém, ao lado dos trabalhos de De Chirico e Magritte dos anos 1920, a "ambiguidade de um cenário perturbador na sua monumentalidade, bizarro nos significados que institui, evasivo nas suas perspectivas desorientadoras, misterioso e ameaçador nos perigos que oculta, falacioso nas promessas ruidosas que o seu tumulto incessante estruge". SEVCENKO, Nicolau. *Orfeu extático na metrópole: São Paulo, sociedade e cultura nos frementes anos 20*. São Paulo: Companhia das Letras, 1992, p. 19. Cavalcanti trabalharia depois em diversas funções, em filmes de ficção e documentários, e voltaria a dirigir, sobretudo na Inglaterra,

nos estúdios Ealing. Na década de 1950 ele regressaria ao Brasil, para trabalhar na Vera Cruz, e mais tarde, suspeito de simpatias comunistas, regressaria novamente à Europa. Cf. WOOD, Linda. *Reference Guide to British and Irish Film Directors.* Web (www.screenonline.org.uk). Consultado em 26 jun. 2011.

7 De fato, um belo desenho de Cavalcanti seria publicado no n. 3 de *Klaxon*, de julho, como um "extratexto".

8 Como Alberto Cavalcanti, John Graz (1891-1980) estudara na Escola de Belas--Artes de Genebra, sua terra natal. Designer, decorador, vitralista e pintor, Graz participara com diversas telas da Semana de Arte Moderna. Investigando a amizade entre Mário de Andrade e Anita Malfatti, Marta Rossetti Batista lembra a importância que teve a exposição da pintora em 1917 para o futuro autor da *Pauliceia desvairada*, relatando como eles se reencontrariam depois, numa exposição individual de Anita em 1920, mesmo ano em que John Graz expunha em São Paulo e entrava, ao lado de Brecheret e Di Cavalcanti, para o rol dos "supremos criadores", como os identificou Oswald de Andrade no famoso "banquete do Trianon", em janeiro de 1921. Cf. BATISTA, Marta Rossetti. "Introdução" in *Mário de Andrade, cartas a Anita Malfatti.* Rio de Janeiro: Forense Universitária, 1989, p. 24. Oswald comprara, na exposição de 1920, a tela *A ceia*, e Graz participaria finalmente de *Klaxon* n. 7, com um "extratexto", na verdade uma gravura de um *São Francisco*. Cf. AMARAL, Aracy. *Artes plásticas na Semana de 22.* São Paulo: Editora 34, 1998, pp. 253-4. Em outubro de 1923, Graz enviaria, de Paris, um cartão-postal a Mário de Andrade, contando dos sucessos dos brasileiros (Brecheret e Vicente do Rego Monteiro) no "salão de Outono", prometendo-lhe contar de suas viagens pela Suíça e França quando regressasse ao "sol do Brasil". Cf. MORAES, Marcos Antonio de (org.). *"Tudo está tão bom, tão gostoso..." postais a Mário de Andrade*, op. cit., p. 130.

9 Ivo Arruda trabalhava no *Rio-Jornal* e lançaria, a partir de 1932, a revista *Propaganda*.

10 Não foi possível encontrar nenhuma informação sobre Augusta Chermont, com exceção de uma entrada no *Diário da União* (que está on-line) de fevereiro de 1940, embargando obras suas, à rua Barão de Vassouras, em Andaraí.

11 Provavelmente se trata do advogado Mário Simonsen, pai do futuro ministro da Fazenda e do Planejamento sob o governo militar, Mário Henrique Simonsen.

12 O escritor português António Joaquim Tavares Ferro (1895-1956), editor da revista modernista lusitana *Orpheu* (a que se liga, como se sabe, o próprio Fernando Pessoa), viera ao Brasil e participara da Semana de 1922, quando conheceu os modernistas locais. O texto em questão, "Nós", foi publicado na *Klaxon* de julho. Trata-se de um diálogo entre "a multidão" e "eu", em que o "eu" grita às massas surdas frases como "O passado é mentira, o passado não existe", "Os livros

são cemitérios de palavras", "Que os nossos gritos sejam aeroplanos no espaço", "Estão os bailes Europeus — russos de alcunha — bailes em que cada corpo é um balé, com um braço que é Nijinsky e uma perna — Karsavina... Está Marinetti — esse boxeur de ideias; Picasso — uma régua com bocas; Cocteau — o contorcionista do Potomak; Blaise Cendrars — Torre Eiffel de asas e de versos; Picabia — Cristo novo, novíssimo, escanhoado; Stravinsky — máquina de escrever música; Bakst — em cujos dedos há marionetes que pintam; Bernardo Shaw — dramaturgo dos bastidores; Colette — o carmin da França, e vá lá, estás mesmo tu, Anatole — Homem de todas as idades... Está Ramón Gomez de la Serna, palhaço, saltimbanco, cujos dedos são acrobatas na barra da sua pena, estou EU — afixador de cartazes nas paredes da Hora!". Ao que "a multidão" responde: "Doidos varridos, doidos varridos...". *Klaxon*, n. 3, jul. 1922, pp. 1-2. Como vários dos modernistas brasileiros que, mais tarde, sob o regime de Vargas, encontrariam abrigo à sombra do Estado, Ferro se associaria ao Estado Novo salazarista em Portugal, na década de 1930, embora se entregando definitivamente à sua mensagem, responsável que seria, por vários anos, por sua propaganda. Ver, adiante, nota sobre o cunhado de Sérgio Buarque de Holanda, José Augusto Cesário Alvim.

13 Júlio Xavier de Mattos (1856-1922), psiquiatra, foi um dos editores da revista *O Positivismo* em Lisboa, e grande teórico da degenerescência. Não poucas vezes os críticos aproximam-no de Simão Bacamarte, o personagem célebre de Machado de Assis para quem a loucura revelara-se um continente, mais que uma ilha. Em seu livro *A loucura*, cuja primeira edição data de 1889, lê-se que o diagnóstico de loucura deveria ser estendido àqueles que portassem "uma completa ausência de sentido ético, uma perversão profunda dos afetos e instintos, que apresentem um embaraço da palavra coexistindo com um desvio de conduta habitual, que seja assimétrico ou um prognata, que derive de uma família condenada pela germinação constante de psicopatias multiformes". Apud GARNEL, Maria Rita Lino. *Vítimas e violências na Lisboa da I República*. Coimbra: Imprensa da Universidade de Coimbra, 2007, p. 211. Note-se que a loucura seria exatamente ponta de lança do grito renovador das vanguardas, e personagem ("Minha loucura") em que se projeta o poeta no "oratório profano" que são as "Enfibraturas do Ipiranga", na *Pauliceia desvairada* que Mário de Andrade publicaria logo mais. Cf. ANDRADE, Mário de. *Poesias completas*. Ed. Diléa Zanotto Manfio. Belo Horizonte: Villa Rica, 1993, pp. 103-15.

14 Antero de Figueiredo (1866-1953) provém da linhagem dos decadentistas e simbolistas portugueses, autor de *Recordações e viagens* (1905) e *Jornadas em Portugal* (1918). De fato, a versão de "Nós", de António Ferro, publicada em 1921, continha sentenças como estas, que seriam suprimidas na versão de *Klaxon*: "Júlio de Matos — maníaco de doidos — e o senhor Antero de Figueiredo, feminilmente a trabalhar, em coiro, a História Pátria". Cf. TORGAL, Luís Reis. "O modernismo português na formação do Estado Novo de Portugal. António Ferro e a Semana

de Arte Moderna de São Paulo" in SILVA, F. Ribeiro da; CRUZ, M. Antonieta; RIBEIRO, J. Martins; e OSSWALD, H. (orgs.). *Estudos em homenagem a Luís António de Oliveira Ramos*. Porto: Faculdade de Letras da Universidade do Porto, 2004, p. 1094.

15 O poeta campineiro Guilherme de Andrade e Almeida (1890-1969) participara também da Semana de Arte Moderna. Sobre sua poesia, Sérgio Buarque destacara, no ano anterior, na *Fon-Fon*, o que então considerava sua originalidade, com a aversão devida às regras consuetudinárias, o que permitira, à época, chamá-lo "futurista", desde que a tal qualificativo se desse largueza suficiente para nele englobar o próprio Mário de Andrade, além de Boccioni ou Marinetti. Era em verdade a paisagem metropolitana que aparecia em seus poemas ("os táxis, os telefones, os *fox-trots*, os *jazz bands* etc. ... surgem neles a cada passo"), com uma dicção que delicadamente lembrava a simples conversa, aproximando-o de Maeterlinck ou Apollinaire. Mais tarde, no entanto, no já referido artigo de 1926 ("O lado oposto e outros lados"), Sérgio descartará a poesia de Guilherme, por academizante, alinhando-a à pobreza literária atribuída a Graça Aranha e Ronald de Carvalho. Cf. HOLANDA, Sérgio Buarque de. "Guilherme de Almeida" e "O lado oposto e outros lados" in *O Espírito e a Letra*, op. cit., v. 1, pp. 113-5; 224-8. A polêmica em torno do fundamental artigo de Sérgio Buarque de Holanda, "O lado oposto e outros lados", movimentaria mais tarde o meio literário carioca e paulista, rendendo algumas boas páginas no epistolário que une Mário de Andrade e Manuel Bandeira, conforme se discutirá adiante. Já em 1940, no entanto, numa coluna do *Diário de Notícias*, a qual aliás pertencera a Mário de Andrade, um Sérgio mais sereno e maduro compara o próprio Manuel Bandeira a Ronald de Carvalho, com vantagem para o primeiro, e lembra que a estilização da natureza em Ronald teria um paralelo, conquanto "superficial e aparente", com o procedimento poético de Guilherme de Almeida, que contudo "compõe musicalmente. O ritmo interior de sua poesia é uma caprichosa música, que a dança das palavras acompanha". Será porventura o problema da naturalidade *vs.* a "construção" que aparece aí, discutido em chaves diversas ao longo do tempo, tendo sempre a poesia de Guilherme de Almeida como referência. Cf. HOLANDA, Sérgio Buarque de. "Poesias completas de Manuel Bandeira" in *O Espírito e a Letra*, op. cit., v. 1, pp. 276-82. A leitura das dedicatórias nos livros de Guilherme pertencentes a Sérgio permite compreender, finalmente, como a admiração dos primeiros anos ("espírito único, amigo incomparável", em 1924, na contracapa de *Natalika*), logo convertida no fel do desencontro, volta amornada décadas depois ("estes versos — velharia de museu... — com a minha também velha amizade", em 1956, na contracapa de *Camoniana*, na biblioteca de Sérgio, hoje guardada na Unicamp). Em 1924, Mário dedicaria suas "Danças", de *Remate de males*, a "Dona Baby Guilherme de Almeida", isto é, Belkiss Barrozo do Amaral, esposa de Guilherme.

16 *Era uma vez* é uma coleção de poemas de Guilherme de Almeida, publicada naquele mesmo ano, com desenhos de John Graz. Não consta que seus poemas tenham sido publicados em japonês naquele ano, embora Guilherme tornar-se--ia conhecido mais tarde pela composição de haicai.

17 Luís Aranha (v. nota atrás).

18 José Oswald de Sousa Andrade (1890-1954) é o nome paradigmático, ao lado de Mário, do modernismo brasileiro. Nascido em São Paulo, Oswald, que vinha de uma família rica, viajava sempre à Europa, tendo se tornado um mediador fundamental entre os dois mundos da vanguarda, europeu e brasileiro. Suas brilhantes intuições poéticas em torno da "antropofagia", na década de 1920, regressariam mais tarde, numa fase de ensaísmo crítico em que a ideia do "matriarcado de Pindorama" seria retomada, seja em sua "Crise da filosofia messiânica" (1950), seja, no mesmo ano, em seu comentário sobre o "homem cordial", do "mestre sociólogo" Sérgio Buarque de Holanda, segundo palavras suas. Cf. ANDRADE, Oswald de. "Um aspecto antropofágico da cultura brasileira: o homem cordial" in *A utopia antropofágica*. São Paulo: Globo, 1990, p. 158. Oswald, que em 1921 escrevera uma crônica saudando Mário como "meu poeta futurista" (classificação que Mário receberia com embaraço), desentendeu-se mais tarde com o amigo, embora a "briga" não se resuma a um episódio, apenas. Pode-se acompanhar o desgosto de Mário nas cartas que este enviava a Tarsila do Amaral (em 1926, a triangulação se explicita no delicioso nome composto com que Mário se dirigia ao casal: "Tarsivaldo"). Sirva como exemplo o carinho ambíguo que se nota nestas linhas, numa carta de 1924, enviada a Paris: "Osvaldo, *apesar de todo o cabotinismo dele* (quero-lhe bem apesar disso) é fraquinho agente de ligação. A gordura é má condutora, dizem os tratados de física. Era. Hoje está em Paris esse felizardo das dúzias que eu invejo quanto se pode invejar neste mundo. Que faz ele? Mostrou-te o *Serafim Ponte Grande*? Ficou (o Osvaldo) meio corcundo comigo porque eu disse que não gostei. Mas se ele conhecesse os meus trabalhos atuais, faria as pazes comigo. Estou inteiramente pau-brasil e faço uma propaganda danada do paubrasilismo". E, logo em seguida, pede, em nome "dos rapazes novos" Prudente de Moraes, neto e Sérgio Buarque de Holanda, que Oswald lhes envie o *João Miramar*, para que eles possam "dar notícia na *Estética*, revista moderna muito boa que se publica no Rio. Vou por minha conta lhes mandar o livro. O Osvaldo se não gostar que tire as calças e pise em cima. Acho idiota esta briguinha de comadres". Cf. AMARAL, Aracy (org.). *Correspondência Mário de Andrade & Tarsila do Amaral*. São Paulo: Edusp/Instituto de Estudos Brasileiros, 2001, pp. 86-90. Em sua crítica ferrenha ao "construtivismo" dos modernistas, em "O lado oposto e outros lados", de 1926, Sérgio seria bastante ambíguo em relação à obra de Mário, reservando o papel de "um dos sujeitos mais extraordinários

do modernismo brasileiro" a Oswald de Andrade. Cf. HOLANDA, Sérgio Buarque de. *O Espírito e a Letra*, op. cit., v. 1, p. 227. Já num texto para *Estética*, de 1925, Sérgio e Prudente de Moraes, neto resenhariam as *Memórias sentimentais de João Miramar*, ressaltando que "Miramar é moderno. Modernista. Sua frase procura ser verdadeira, mais do que bonita. Miramar escreve mal, escreve feio, escreve errado: grande escritor. Transposições de planos, de imagens, de lembranças. Miramar confunde pra esclarecer melhor. Brinca com as palavras. Brinca com as ideias. Brinca com as pessoas. Ele é principalmente um brincalhão". MORAES, neto, Prudente de, e HOLANDA, Sérgio Buarque de. "Oswald de Andrade — *Memórias sentimentais de João Miramar*". *Estética*, ano II, v. 1, jan./mar. 1925, p. 219.

19 Paulo Menotti del Picchia (1892-1988), advogado e poeta, participante ativo do movimento modernista, merecera grande elogio de Mário de Andrade, numa crônica para a *Ilustração Brasileira*, de maio de 1921, em que ele relata a homenagem a Menotti no Trianon (onde hoje se encontra o prédio do MASP), contando que o poeta responderá "a cada um dos inúmeros oradores, como era de esperar da bondade acolhedora do seu espírito. E disse coisas lindas também, num prosar músico de raríssimo fulgor. Estou que o artista do *Moisés* maneja com maior perfeição a prosa do que o verso. É um Euclides menos retumbante e erudito. Sai-lhe a frase em melodia flexuosa. Coroa-a de finais que se espraiam largos, lentos, lânguidos como as maretas nas marés mortas de janeiro... E um ritmo estonteante, sempre vário, sempre original... É na sua prosa que Menotti cantou os seus melhores versos — aqueles que a sua poética não permitiu ainda, enclausurada na prisão das regras alexandrinas". Cf. ANDRADE, Mário. *De São Paulo: cinco crônicas de Mário de Andrade (1920-1921)*. São Paulo: T. A. Queiroz, 1983, p. 105. Em depoimento a Aracy Amaral, Rubens Borba de Moraes conta que uma primeira rusga entre os redatores de *Klaxon* aconteceu justamente em torno de *O homem e a morte* (1922), de Menotti, que receberia uma crítica "terrível" dele, de Tácito de Almeida e Couto de Barros, não fora a intervenção de Mário, que escreve uma crítica positiva, em que alinha aquele romance a *Os condenados* de Oswald, o que pode ser uma origem remota da "briga" entre Mário e Oswald, e que também sugere o lugar apequenado de Menotti na imaginação dos jovens de *Klaxon*, que chegaram a sugerir que lhe "fossem dadas aulas", visando informá-lo "de maneira mais racional". Cf. AMARAL, Aracy, op. cit., p. 73. Nos anos seguintes, Menotti se juntaria a Cassiano Ricardo e Plínio Salgado numa cruzada nacionalista cujos rasgos fascistas não demorariam a revelar-se.

20 Bilhete autógrafo de Ronald de Carvalho, a lápis tinta, no verso da terceira folha da carta de Sérgio Buarque.

21 Anotação autógrafa de Sérgio, logo depois do bilhete de Ronald de Carvalho.

4 (MA)

São Paulo, 20 de julho [de 1922]

Querido Sérgio

Cheguei a S. Paulo, depois dum mês de férias. Venho visitar-te e dizer-te que teu conto sairá [em] *Klaxon* nº 4.[1] Está muito bom. Quando vens à Pauliceia? Traze coisas tuas. *Klaxon* segue a via, muito bem. Mas precisamos de dinheiro. Recolhe o que arranjaste por aí, e o resultado da renda; e é mandar. Envia-o ao Tácito,[2] tesoureiro.
Os amigos como vão? Renato,[3] Manuel Bandeira, Couto, Ronald, Di?...
A poesia do Ribeiro Couto saiu lamentavelmente disposta.[4] Coisas de tipografia, que, apesar do cuidado dos rapazes, foi

impossível consertar. Lidamos com os tipógrafos mais ignaros do universo. Mas... cobram pouco.
Vê se me mandas a direção do Ronald. Vivo sem ela e sofro a falta.
Um abraço enérgico.

Mário

Carta assinada: "Mario"; datada: "S Paulo 20 de Julho"; autógrafo a tinta preta; papel verde, filigrana; 1 folha; 28,2 × 21,6 cm; rasgamentos nas bordas esquerda e direita.

---

1 As primeiras páginas da *Klaxon* de agosto estampariam, de Sérgio Buarque de Holanda, "Antinous (fragmento)", um "episódio quase dramático" em que o "Imperador arquiteto" é louvado: "... o Sábio... O Construtor. O Imperador construtor por excelência. Aquele que soube submeter toda a natureza às suas ordens e às suas leis. O Haussman, O Bumham, o Passos romano! O Sábio, o Construtor...". Tudo se dá num cenário onírico, em que "duas fileiras de escravos, dobrados como canivetes estendem-se desde a porta principal do palácio até o Infinito". Dois homens conversam, esperando ser recebidos pelo imperador Adriano, que pontualmente "desce, de monóculo, mastigando um enorme havana apagado", e é novamente aclamado pela multidão. *Klaxon*, n. 4, ago. 1922, pp. 1-2.

2 Irmão de Guilherme de Almeida, Tácito de Almeida (1899-1940) foi advogado e poeta, também ativo participante da Semana de Arte Moderna. Como já referido, em seu escritório, e de Couto de Barros, na rua Direita, reuniam-se os jovens redatores de *Klaxon*, na qual se publicavam poemas de Tácito, sob o pseudônimo de Carlos Alberto de Araújo, que seria ainda responsável, no n. 7, de novembro de 1922, pela elogiosa resenha da *Pauliceia desvairada* de Mário, que nela desponta como "o poeta da cidade-rua, da cidade-pública. Ele não sabe sofrer as alcovas, admitir a penumbra que os simbolistas chegaram ao auge de provocar artificialmente fechando as janelas, asfixiando-se às vezes... Mário sente uma necessidade imperiosa de ar, de movimento, de liberdade. Ele vive, ele mora nas ruas. A cidade inteira pertence-lhe, com todos os seus dramas e comédias, ao mesmo tempo". *Klaxon*, n. 7, nov. 1922, p. 13. Tácito foi ainda uma figura importante do Partido Democrático, que depois comporia a frente de resistência à cen-

tralização da era Vargas. Quanto ao Partido Democrático, Sergio Miceli sugere que mais tarde Mário teria visto a "agremiação democrática" como um espaço para "fazer carreira na diagonal do establishment", ressaltando o "entusiasmo com que se bateu pela unificação das forças oligárquicas em 1932. Ao fim e ao cabo, os gestos bairristas atestavam sua aderência à reação anti-Vargas e devem ter sido apreciados pelos dirigentes da coligação paulista ao nomeá-lo como diretor do Departamento de Cultura da cidade de São Paulo em 1935". Cf. MICELI, Sergio. "Mário de Andrade: a invenção do moderno intelectual brasileiro" in BOTELHO, André, e SCHWARCZ, Lilia (orgs.). *Um enigma chamado Brasil: 29 intérpretes e um país*. São Paulo: Companhia das Letras, 2009, p. 165. A explicação de ordem sociológica talvez seja insuficiente, mas de toda forma resta lembrar que mais tarde, já em seu "exílio no Rio", Mário teria um cargo menor, sob o ministério de Gustavo Capanema.

3 Renato Costa Almeida (1895-1981), advogado e musicólogo, autor da *História da música brasileira* (1926), foi um folclorista importante. Nos tempos das revistas modernistas colaborou ativamente na *América Brasileira*, de Elísio de Carvalho. Em *Estética*, de Sérgio Buarque e Prudente de Moraes, neto, escreveu sobre o ceticismo, sobre Anatole France e, ainda no primeiro número, sobre "O objetivismo em arte", discutindo as ideias de Graça Aranha a respeito da liberdade subjetiva, tão extrema que faria desaparecer a "determinação psicológica": "a aspiração moderna consiste em deslocar o motivo da arte de cada indivíduo, ou mesmo transmudá-lo de função humana, para o universo, onde todas as coisas vivem independente de nós". Renato Almeida buscava um compromisso entre a permissão "panteísta" da "síntese monista" que sugeria Graça Aranha e o aspecto subjetivo do artista, evitando entretanto "a tirania individualista" e a "deformação do eu". Cf. ALMEIDA, Renato. "O objetivismo em arte". *Estética: revista trimensal*, n. 1, set. 1924, pp. 23-8. Em seu polêmico artigo de 1926, "O lado oposto e outros lados", Sérgio Buarque postaria Renato Almeida no "lado" do academismo, junto a Graça Aranha e Ronald de Carvalho. Cf. HOLANDA, Sérgio Buarque de. *O Espírito e a Letra*, op. cit., v. 1, p. 225.

4 Trata-se de "Ordem e progresso", dedicado a Tristão de Athayde, que de fato saíra, no n. 3 de *Klaxon*, maldisposta, ensanduichada como se fosse um pequeno texto de prosa, entre um poema de Menotti del Picchia e uma crônica de Mário de Andrade sobre Guiomar Novaes. Cf. *Klaxon*, n. 3, jul. 1922, p. 7.

5 (SBH)

[*Rio de Janeiro, após 20 de julho de 1922*][1]

Meu caro Mário

Recebi a sua última carta e demorei até hoje a resposta a fim de poder escrever com mais detalhes. *Klaxon*, 3º número alcançou um sucesso que ninguém esperava dada a quase frieza com que foram recebidos os dois primeiros números. Consegui dar boas notícias de seu aparecimento em alguns dos principais jornais.

O Gomes Leite[2] publicou na *Noite*, o Cláudio Ganns no *Imparcial*, o Oswaldo Orico[3] no *Dia*, o Enéas Ferraz na *Notícia* e no *Paiz* e eu no *Rio-Jornal*.[4] Além disso dei um número ao Lima Barreto[5] a fim de que escrevesse qualquer coisa na *Careta*, elogio ou ataque, de modo a despertar atenção. Entreguei outro ao Graça Aranha que está preso, visitando-o por todos vocês.[6] Ele enviou lembranças. O 3º número está quase esgotado. A sua resposta ao Agripino Grieco,[7] autor do artigo do *Mundo Literário*, fez empalidecer o autor.[8] Até há poucos dias discutia-se se ele devia ou não responder. Não sei o que decidiram. Como você talvez saiba vai-se fundar aqui mais uma revista velha, a Árvore Nova.[9] No 1º número deveria sair um artigo atacando *Klaxon* e os "futuristas". O diretor porém, que é o sr. Tasso da Silveira,[10] depois que leu o seu artigo sobre Guiomar Novaes,[11] suspendeu o ataque até chegar a um juízo mais perfeito sobre as intenções klaxistas. Eu tencionava ir passar alguns dias aí em S. Paulo no mês passado. Adiei para julho a minha viagem. Houve porém vários contratempos e agora não sei se partirei tão cedo. Em todo o caso enviarei assim mesmo todo o dinheiro angariado aqui com assinaturas e venda nos primeiros dias do próximo mês.

    Não sei se você sabe que o Ribeiro Couto está há mto. tempo em Campos do Jordão. Logo que eu cheguei aqui ele teve uma congestão pulmonar e o pai veio buscá-lo, levando-o para Santos. Como passou por S. Paulo, eu estava certo de que vocês já sabiam de tudo. Por isso não mandei dizer nada. Agora porém pela sua carta vejo que vocês ignoram.

    O seu novo endereço é "Pensão Inglesa — Campos do Jordão".[12]

    Tudo o que v. quiser com o Ronald pode escrever para o Ministério do Exterior onde ele trabalha.

    O Gustavo Barroso recebeu uma carta do diretor de uma revista francesa perguntando-lhe se já havia no Brasil esse "bêtise" de futurismo. Pediu-lhe também que escrevesse para lá qualquer coisa sobre o assunto.

    Klaxon devia comentar as entrevistas que os acadêmicos estão concedendo à *Noite* sobre o Momento Literário. Já se pronunciaram Alberto de Oliveira,[13] Coelho Neto,[14] Medeiros e Albuquerque[15] e Mário de Alencar.[16] Têm sido lastimáveis. O único que nos faz concessões é o Alberto de Oliveira que declarou mais ou menos que o parnasianismo já pertence ao passado e que os nossos melhores poetas de hoje são Guilherme de Almeida, Ribeiro Couto e Ronald de Carvalho.

Se você não possui os números da *Noite* onde saíram as entrevistas posso enviá-los.

O Olegário Mariano[17] anda preocupadíssimo com uma carta que recebeu do Guilherme, escrita sobre papel escuro com tinta branca.[18]

Aceite com todos os amigos um abraço do seu

Sérgio

Carta assinada: "Sergio"; sem data; autógrafo a tinta preta; papel branco, pautado; 6 folhas; 18,7 × 11,7 cm; 2 furos; marca de grampo.
<u>Nota MA</u>: *a lápis vermelho: "Sergio Buarque de Hollanda".*

---

1 Resposta à carta de Mário de Andrade datada de 20 de julho [de 1922].

2 Antônio Gomes Leite de Carvalho (1897-1923), informa Vera Neumann--Wood, fez parte da redação de *A Noite*, sendo também seu correspondente nos Estados Unidos. Ele morreria num acidente de automóvel no ano seguinte. *A Noite* fora fundada por Irineu Marinho em 1911 e teria, até 1925, um perfil fortemente oposicionista. Cf. FERREIRA, Marieta de Morais. "A Noite". CPDOC/FGV. Web. Consultado em 10 jul. 2011.

3 Oswaldo Orico (1900-81), advogado, escritor e jornalista, foi professor da Escola Normal no Rio de Janeiro entre 1920 e 1932. Em 1930, em carta a Mário de Andrade, Manuel Bandeira relataria o caso de que *Macunaíma*, que fora publicado em 1928, tinha vindo "à baila no concurso [de Orico] de Literatura Vernácula da Escola Normal. O Osvaldo Orico esculhambou-o depois de não ter feito a menor referência na tese que era sobre mitos ameríndios [*Os mitos ameríndios: sobrevivências na tradição e na literatura brasileira*, publicado no ano anterior]. O Alceu arguindo--o espinafrou com o Orico. Cheguei à sala no momento em que o A. irritadamente dizia que você podia ser no conceito do O. um imbecil, um cretino, não obstante o *Macunaíma* representava uma contribuição que não podia ser calada sem grave

falta: omissão imperdoável em tese de tal assunto. Orico engoliu. Depois o safadinho quis se valer do *Macunaíma* para justificar um avanço errado sobre a importância das contribuições tupis no léxico, ponto em que foi sovado pelo Alceu e pelo Nascentes, outro examinador". MORAES, Marcos Antonio de (org.). *Correspondência Mário de Andrade & Manuel Bandeira*, op. cit., p. 460.

4 Sérgio Buarque, em sua coluna "S. Paulo", publicara um artigo sobre os "novos" de São Paulo, no *Mundo Literário* de junho de 1922. Provavelmente as "boas notícias" a que se refere Sérgio eram notas pequenas dando conta do aparecimento de *Klaxon*.

5 Afonso Henriques de Lima Barreto (1881-1922) foi um dos grandes escritores da primeira República, e um dos mais notáveis críticos da nobiliarquia do espírito que então vigorava. Sua literatura surgira "na contramão do modelo da Academia Brasileira de Letras", tematizando, em claro corte autobiográfico, a situação de uma inserção incompleta no círculo literário: "a literatura parece ser, assim, refúgio e igualmente muralha; local onde o escritor busca inserir-se na sociedade, mas também de constatação de certa impotência social. Da mesma maneira, Lima Barreto oscilaria, dramaticamente, entre se ajustar aos cânones vigentes e desafiá-los; entre tomar parte dos círculos literários oficiais e criticá-los". Cf. SCHWARCZ, Lilia M. "Introdução: Lima Barreto: termômetro nervoso de uma frágil República" in BARRETO, Lima. *Contos completos* (org. Lilia Schwarcz). São Paulo: Companhia das Letras, 2010, pp. 16-7. A observação torna-se especialmente importante quando se nota que a reação irada de Lima Barreto ao exemplar de *Klaxon*, que lhe passara Sérgio Buarque, teria a ver com o despeito causado por aqueles jovens de fina estirpe, como se depreende da destruidora nota publicada em *A Careta* apenas alguns dias mais tarde: "esses moços tão estimáveis pensam mesmo que nós não sabíamos disso de futurismo? Há vinte anos, ou mais, que se fala nisto e não há quem leia a mais ordinária revista francesa ou o pasquim mais ordinário da Itália que não conheça as cabotinagens do '*il* Marinetti'". BARRETO, Lima. "O futurismo" in BOAVENTURA, Maria Eugênia, op. cit., p. 328. Não poucas vezes Lima Barreto aparece, na prosa crítica de Mário de Andrade, associado a Machado de Assis, embora o "quid" dos "bairros, das classes, dos grupos", apareça, segundo Mário, muito mais na obra de Lima (e de autores como França Júnior e João do Rio) que na de Machado. Cf. ANDRADE, Mário. "Machado de Assis" in *Vida literária*, op. cit., pp. 57-8.

6 No conturbado contexto político da vitória de Artur Bernardes nas eleições presidenciais, Graça Aranha foi considerado suspeito de conspiração contra o governo eleito, sendo preso em 6 julho, no dia seguinte ao levante do forte de Copacabana, por articular a adesão paulista à resistência. Após quase um mês de detenção, Graça "é convocado novamente para se apresentar à Polícia para uma

acareação, mas prefere se afastar do Rio de Janeiro e da perseguição policial, fugindo para o interior de São Paulo, onde se estabelece em uma das fazendas de Antônio Prado, a São Martinho". Cf. WALDMAN, Thaís. "À 'frente' da Semana de Arte Moderna: a presença de Graça Aranha e Paulo Prado". *Estudos Históricos*, v. 23, n. 45, jan.-jun. 2010, p. 76.

7 Agripino Grieco (1888-1973), crítico literário, seria, na década de 1930, responsável pelo *Boletim de Ariel*, ao lado de Gastão Cruls. Em 1944, em entrevista a Homero Senna, revelava sua ambiguidade em relação à "reação modernista" de 22: "Foi útil e foi perniciosa. Útil porque era de fato necessário que alguém reagisse contra aquele estado de coisas a que tínhamos chegado e se jogassem pelos ares os falsos ídolos que entulhavam o caminho da glória: Coelho Neto, Duque Estrada, Félix Pacheco, Laudelino... Útil também porque arejou o ambiente, agitou uma série de problemas de filosofia e de arte e permitiu a aparição de alguns verdadeiros talentos. Mas perniciosa porque barateou a literatura, tornando-a ofício predileto de ignorantes e charlatães. Indiscutivelmente o nível intelectual dos escritores brasileiros baixou depois do modernismo, e a nossa língua, a partir de então, sobretudo na poesia, se foi tornando quase ininteligível, com expressão apenas para uns poucos 'iniciados'". SENNA, Homero. *República das letras (20 entrevistas com escritores)*. Rio de Janeiro: Livraria São José, 1957, pp. 49-50.

8 Trata-se do artigo "O homenzinho que não pensou", de Mário de Andrade. Uma vez mais, a proposta de *Klaxon* fora tomada como cópia do futurismo, e Mário responde, quase ponto a ponto, aos parágrafos do manifesto de Marinetti, para provar o desvio em relação a várias das provocações do autor italiano, e a originalidade e independência dos klaxistas. Mas trata-se, afinal, de uma clara rixa com o Rio, como se lê já na primeira sentença do artigo: "Pela revista *O Mundo Literário* um anônimo da redação desesperadamente carioquiza para provar que *Klaxon* é passadista". E termina com um elogio à crítica do cinema de Chaplin, que aparecera em *Klaxon*: "nele vai a resposta a todos aqueles que pelo jornal ou no segredo nem sempre honesto das orelhas amigas vivem a entoar contra nós madrigais, sirvantes e sátiras de mal-dizer. Senão: fora dar demasiada importância às invejas ativas dum homenzinho que não pensou". ANDRADE, Mário de. "O homenzinho que não pensou". *Klaxon*, n. 3, jul. 1922, pp. 10-1.

9 *Árvore Nova* faz parte do grupo de revistas que, ao lado de *Terra de Sol* e, posteriormente, *Festa*, ofereciam resistência ao modernismo paulista, constituindo-se naquilo que Massaud Moisés chamaria de um "prolongamento do Simbolismo, na sua vertente católica, espiritualista". Cf. MOISÉS, Massaud. *História da literatura brasileira: modernismo (1922-atualidade)*. São Paulo: Cultrix, 2004, p. 35. O que não impediria, ao fim, que o próprio Sérgio Buarque colaborasse alguns meses depois

na revista, com um artigo sobre "O expressionismo", em que retomaria aquela observação feita contra o "realismo" de Enéas Ferraz, meses antes: "A tendência dos expressionistas para o irreal, o abstrato, o exótico resumiu-a Edschmid num simples epigrama: 'O mundo está aqui; seria absurdo repeti-lo'". HOLANDA, Sérgio Buarque de. *O Espírito e a Letra*, op. cit., v. 1, p. 157. Assim também Mário, que se queixa, em carta a Manuel Bandeira, no início de 1923, que sua colaboração para a revista de Tasso da Silveira viera "inçada de erros". Ao que Manuel responde, de Petrópolis: "Não tenho a Árvore Nova. Em qualquer livraria do Rio a encontrará. A redação é no Schettino, rua Sachet 18". MORAES, Marcos Antonio de (org.). *Correspondência Mário de Andrade & Manuel Bandeira*, op. cit., p. 82.

10 O poeta Tasso Azevedo da Silveira (1895-1968) é um dos principais nomes da corrente espiritualista que se reuniria em torno das revistas *América Latina* (1919), *Árvore Nova* (1922), *Terra de Sol* (1924) e mais tarde *Festa* (1927-9; 1934- -5). A relação de Mário de Andrade com os poetas católicos é tensa e intensa. Num artigo a respeito, escrito quando morava no Rio de Janeiro, em 1940, Mário lembraria que "faz mais de um ano afirmei considerar, como aspecto importantíssimo e perigoso dos nossos poetas católicos ou de tradição católica, a declarada e satisfeita de si colaboração do pecado. Há na ostensiva colaboração do pecado que transparece nos poemas de alguns dos nossos poetas católicos, uma tal ou qual complacência com a culpa, um tal ou qual consentimento — menos que o instinto de autopunição: uma espécie de viver no pecado. Pela repetição, torna-se um verdadeiro requinte de malícia, em poemas de sensualidade, evocar de repente a lembrança de Deus e suas leis. Sempre há dois poetas católicos, que escaparam desse cultivo do pecado: o sr. Tasso da Silveira rigorosamente e o sr. Augusto Frederico Schmidt com frequentes escapadas felizes para as blandícies terrenas. Entenda-se: não estou exigindo que os nossos poetas católicos virem versejadores de cromos para revistas paroquiais. Me assusta apenas verificar que, excetuados dois ou três, a conjugação que se está fazendo de Catolicismo e lirismo, não me parece sadia, não é varrida por uma clara consciência nem por nenhuma ideologia mística pessoal. O misticismo de tais poetas não deriva de nenhum sistema orgânico; é, na verdade, sentimentalismo". ANDRADE, Mário de. "A volta do condor" in *Vida literária*, op. cit., pp. 220-1. Na mesma carta referida acima, enviada por Manuel Bandeira a Mário em fevereiro de 1923, o poeta pernambucano lhe perguntaria: "Não conhece o Tasso da Silveira? É um rapaz de olhar terno, bom e triste. Muito simpático". MORAES, Marcos Antonio de (org.). *Correspondência Mário de Andrade & Manuel Bandeira*, op. cit., pp. 82-4.

11 Trata-se de um ensaio sobre Guiomar Novaes (1895-1979), em duas partes, em junho e julho de 1922, em que a figura da pianista aparece comparada à também paulista Antonieta Rudge Miller. Ao contrário do "caráter severo, tipo clás-

55

sico, diríamos cerebral" desta, as qualidades de Guiomar Novaes apontariam para o espírito romântico em sua mais alta realização: "vibratibilidade impressionável à mais fina cambiante da sensação", o que levaria Mário a afirmar, mais adiante, que nela está "toda a estesia do romantismo" — motivo pelo qual, "artista já universal", ela não deveria "imobilizar-se neste polo norte artístico que é o Brasil". Cf. ANDRADE, Mário de. "Guiomar Novaes". *Klaxon*, n. 2, jun. 1922, p. 13.

12 Conforme referido em nota anterior, Ribeiro Couto convalescia de sua tuberculose em Campos do Jordão, para onde convidaria o também tísico Manuel Bandeira. Cf. MORAES, Marcos Antonio de (org.). *Correspondência Mário de Andrade & Manuel Bandeira*, op. cit., pp. 86 e 95.

13 O poeta e acadêmico Antônio Mariano Alberto de Oliveira (1857-1937) era, ao lado de Olavo Bilac e Raimundo Correia, um dos grandes nomes do parnasianismo brasileiro. Há uma história curiosa sobre sua momentânea aproximação dos jovens modernistas. Numa resenha das crônicas de Alcântara Machado para o *Diário de Notícias* do Rio de Janeiro, de 1941, Sérgio relembraria o episódio: "a mais desconcertante e curiosa declaração de simpatia que receberam os 'modernistas' foi, porém, a de Alberto de Oliveira. [...] Houve, com efeito, um momento em que, desafiando publicamente o fácil rancor de Osório Duque Estrada e de outros zeladores das letras acadêmicas, o poeta de *Alma em flor* foi ao ponto de declarar em entrevista a um vespertino carioca seu caloroso interesse pela reação renovadora. Insinuou-se, com pasmo geral, nada menos do que uma 'adesão' do mestre parnasiano. Graça Aranha andava exultante. E o fato é que Alberto de Oliveira já se dispunha valentemente a ler as obras de Apollinaire, de Cendrars, de Max Jacob e de outros mestres queridos da 'geração revoltada'. A transição era violenta, mas o poeta não queria meios-termos. Como certa vez eu lhe chamasse a atenção para um livro de Paul Valéry, respondeu-me convictamente: 'Deste não gosto. É muito passadista'. E sublinhava com a voz a palavra 'passadista', para melhor acentuar o desdém. Pensamos, Prudente de Moraes, neto e eu, em reproduzir aquela inopinada entrevista em *Estética*, a revista que então dirigíamos. Solicitada sua licença para a transcrição, Alberto de Oliveira concedeu-a de bom grado. Apenas precisava fazer algumas emendas ao texto impresso. Dias depois, voltava-nos o jornal com as emendas anunciadas. Mas tantas eram e de tal ordem, que iriam comprometer irremediavelmente a suposta adesão. Pensando melhor, o poeta acabara por domesticar seu primeiro entusiasmo". HOLANDA, Sérgio Buarque de. *O Espírito e a Letra*, op. cit., v. 1, pp. 345-6. Em 1921, Mário publicara, no *Jornal do Comércio* de São Paulo, uma série denominada "Mestres do passado", em que estudava a poesia de Alberto de Oliveira, assim como faria com Raimundo Correia ou Bilac, ressaltando-lhe a um só tempo o sentimento e a humanidade, embora também uma "prolixidade sem assunto". Num curioso quadro, Mário o imagina regressan-

do, melancólico, de uma sessão da Academia, quando enfim ele encara a musa e se dá conta de que ela envelhecera: "o Sol do século vinte era demasiado claro para ela. Apareciam as rugas, a pequenez dos olhos piscos, os pés de galinha... Bocejou: Eu fico. Ela partiu". ANDRADE, Mário de. "Alberto de Oliveira" in BRITO, Mário da Silva. *História do modernismo brasileiro: antecedentes da Semana de Arte Moderna*. Rio de Janeiro: Civilização Brasileira, 1974, p. 283.

14 O maranhense Henrique Maximiano Coelho Neto (1864-1934), membro fundador da Academia Brasileira de Letras, que tivera sua militância abolicionista durante a juventude em São Paulo e no Recife, posteriormente seria, no Rio de Janeiro, um dos símbolos máximos do "passadismo" para os modernistas. No rompimento de Graça Aranha com a Academia Brasileira de Letras, já em 1924, ocorreria o episódio em que um grupo de modernistas e simpatizantes (que, conforme nota anterior, Sérgio mais tarde chamaria, hiperbolicamente, de "povo") entra em confronto com Coelho Neto, de acordo com o relato de Francisco de Assis Barbosa, baseado nas memórias de Josué Montello: "foram estes que vaiaram Coelho Neto e Osório Duque Estrada e levaram em charola Graça Aranha aos gritos de 'morra a Grécia', enquanto Coelho Neto respondia que seria então o 'último heleno' e Osório Duque Estrada deblaterava contra aqueles bárbaros invasores do Olimpo". Francisco de Assis Barbosa lembra ainda que também Lima Barreto se insurgiria contra a figura de Coelho Neto, e que Sérgio escreveu, "ao tempo do rompimento de Graça Aranha com a Academia, que era urgente descoelhonetizar a literatura brasileira, ao mesmo tempo que comparava a enorme bibliografia do autor de *Rei Negro* a uma 'adega de garrafas vazias'. Coelho Neto respondeu a Sérgio, sem azedume e até com bom humor, em sua coluna do *Jornal do Brasil*, empregando o mesmo título: 'Garrafas vazias'. A vida literária — retrucou o passadista Coelho Neto — impunha muitas vezes a sujeição a certas travessuras que eram intoleráveis; má-criações é que não: 'injúrias, nomes sujos, pedradas e assobios não são atos que fiquem bem a meninos que tomam chá. [...] Um deles, e bem inteligente e engraçado, que, mais hoje, mais amanhã, terá a sua poltrona na Academia, disse há dias que a minha obra não é senão uma adega de... garrafas vazias. Garrafas vazias, sim, mas são minhas, lá estão os rótulos com a data do engarrafamento. Também meu é o pequeno copo em que bebo, podendo dizer de mim o que disse de si Alfred de Musset: *Mon verre n'est pas grand, mais je bois dans mon verre*". BARBOSA, Francisco de Assis. "Verdes anos de Sérgio Buarque de Holanda. Ensaio sobre sua formação intelectual até *Raízes do Brasil*", op. cit., pp. 36-7.

15 O escritor pernambucano José Joaquim de Campos da Costa de Medeiros e Albuquerque (1867-1934), também membro fundador da Academia Brasileira de Letras, gozava de igual suspeita entre os modernistas. Numa série de artigos

para *A Cigarra*, publicados entre 1920 e 1921, sobre "Os poetas e a felicidade", Sérgio Buarque comentara os versos de Medeiros e Albuquerque, cuja sinceridade lhe parecia "duvidosíssima", bastando "ler os seus escritos posteriores, os seus artigos na imprensa diária, onde mostra extraordinário apego às coisas práticas pelas quais sempre se tem batido". A tonalidade sombria e afetada, schopenhaueriana, de suas primeiras poesias faz Sérgio alinhá-lo a Raimundo Correia e Vicente de Carvalho, embora àquela altura, mais de um ano antes da Semana de Arte Moderna, o tom do artigo não era tão intransigente quanto seria depois. Cf. HOLANDA, Sérgio Buarque de. "Os poetas e a felicidade" in *O Espírito e a Letra*, op. cit., v. 1, pp. 99-104. Num artigo sobre Tristão de Athayde, escrito em 1931 para o *Diário Nacional* quando de uma visita dele a São Paulo, Mário criticaria a defesa da "autoridade constituída", enraivecendo: "Qual! política pra intelectual, só mesmo quando esse intelectual se chama Plínio Salgado, Medeiros de [sic] Albuquerque, e outros ávidos sofistas que tais". Cf. ANDRADE, Mário de. "Tristão de Athayde" in *Táxi e crônicas no Diário Nacional*, op. cit., p. 380.

16 Mário Cockrane de Alencar (1872-1925), também acadêmico, filho de José de Alencar e próximo a Machado de Assis, colaborava nas revistas e jornais do período, e foi um grande articulador na Academia Brasileira de Letras, seu "grande espírito tutelar", nas palavras de Afrânio Peixoto. Cf. PEIXOTO, Afrânio. "Mário de Alencar" in *Guardados da memória*. Academia Brasileira de Letras. Web. Consultado em 1º jul. 2011.

17 O poeta e diplomata pernambucano Olegário Mariano Carneiro da Cunha (1889-1958), admiradíssimo por Manuel Bandeira, era um egresso daquele ambiente simbolista finissecular já referido aqui. Marcos Moraes informa que Olegário, embora jamais tenha composto versos livres, recebeu, no início dos anos 1920, Mário de Andrade em sua casa para ouvir-lhe os versos da *Pauliceia desvairada*. Cf. MORAES, Marcos Antonio de (org.). *Correspondência Mário de Andrade & Manuel Bandeira*, op. cit., p. 197. Sérgio terminara seu já referido artigo de 1921, sobre "Os poetas e a felicidade", com a "chave de ouro" de um soneto — "Felicidade" — de Olegário Mariano. Cf. HOLANDA, Sérgio Buarque de. *O Espírito e a Letra*, op. cit., v. 1, pp. 103-4.

18 Conquanto misteriosa, a referência pode lembrar o poema de Durval Marcondes (futuro fundador da Sociedade Brasileira de Psicanálise), na *Klaxon* de agosto de 1922, "Sinfonia em branco e preto", em que um quadro-negro não deixa apagarem-se as letras brancas de um nome que nele desponta, alvejando o negro, como imagens que aflorassem do inconsciente para apagar-se com a vigília do poeta. Cf. MARCONDES, Durval. "Sinfonia em branco e preto". *Klaxon*, n. 4, ago. 1922, p. 10.

6 (MA)

São Paulo, 29 [de julho de 1922]

Sérgio

Carta recebida. — Próxima *Klaxon* sai uma saudação nossa a Graça Aranha[1] — Será pelo artigo sobre Guiomar ou pelo "Homenzinho" que o homem da Árvore Nova resolveu suspender o ataque?[2] — Perdi versos do Couto "Cinema do Arrabalde".[3] Manda-me outra cópia. Farei com que fiquem mais bem dispostos que os do nº 3[4] — E António Ferro quando virá? Saúda-o por KLAXISTAS. — Porque não aproveitas para vir com ele? Traze alguma coisa tua — Manda-me a *Noite*, com as entrevistas. Responderei a elas.[5] Há dia certo de saírem tais artigos? Não compro a *Noite*, nem desejo comprá-la. — As "Luzes e Refrações"[6] são escritas por todos

os Klaxistas. Porque não nos mandas tu mesmo algumas? — Escrevi ao Couto. —
Um abraço forte
do
Mário

Carta assinada: "Mario"; datada: "S. Paulo 29"; autógrafo a tinta preta; papel verde, filigrana; 1 folha; 28,2 × 21,6 cm; rasgamento central provocado pelas dobras do papel; rasgamentos em todos os cantos e nas bordas esquerda e direita.

1 A saudação sairia no final do ano, com o número 8/9 de *Klaxon*, de dezembro de 1922 e janeiro de 1923, que é todo, completamente, elogios a Graça Aranha, "um espírito tão belo e tão alto, que soube sorrir para nós, emprestando-nos um pouco do seu entusiasmo para multiplicar o nosso. [...] Este número de *Klaxon* é mais volumoso que os outros, para que o abraço dos klaxistas a GRAÇA ARANHA seja mais forte e mais longo". *Klaxon*, n. 8/9, dez. 1922/jan. 1923, p. 32. O número contém um texto de Graça ("Ins") e textos de homenagem de Ronald de Carvalho, Renato Almeida, Motta Filho, Rubens Borba de Moraes, Luís Aníbal Falcão, Guilherme de Almeida, Sérgio Milliet, Mário de Andrade, Carlos Alberto de Araújo (Tácito de Almeida) e Luís Aranha, além de um retrato feito por Tarsila do Amaral e a partitura de um "Sextetto mystico" a "Graça Aranha" de Villa-Lobos.

2 Referência a Agripino Grieco, que escrevera críticas a *Klaxon* no *Mundo Literário* e posteriormente recebera uma virulenta resposta de Mário, conforme nota anterior.

3 O poema seria publicado em outubro em *Klaxon* e posteriormente faria parte de *Um homem na multidão* (1926), resenhado por Sérgio Buarque na *Revista do Brasil*, naquele mesmo ano: "Em *Um homem na multidão*, a mesma curva que começa a se manifestar no *Jardim das confidências*, ele continua a desenvolver, com igual habilidade e com mais nitidez. Ribeiro Couto se compraz no vulgar, no pequenino, no quotidiano e não suporta o epíteto 'poético'. Através de todos os seus livros, esse traço permanece inalterado". HOLANDA, Sérgio Buarque de. *O Espírito e a Letra*, op. cit., v. 1, p. 222.

4 Referência a "Ordem e Progresso", que ficara ensanduichado na página de *Kla-*

xon, entre um poema de Menotti del Picchia e uma crônica de Mário. Cf. COUTO, Rui Ribeiro. "Ordem e progresso". *Klaxon*, n. 3, jul. 1922, p. 7.

5 Os klaxistas não reagiriam, nos próximos números da revista, a nenhum artigo saído especificamente em *A Noite*. Pouco mais de três anos depois desta carta, a começar em 11 de dezembro de 1925, *A Noite* reservaria um "mês modernista" a seis escritores "futuristas" (o próprio Mário de Andrade, Carlos Drummond de Andrade, Manuel Bandeira, Sérgio Milliet, Martins de Almeida e Prudente de Moraes, neto). Mário encadernaria os recortes das matérias como o "Mês modernista de *A Noite*". Cf. BATISTA, Marta Rossetti; LOPEZ, Telê Porto Ancona; e LIMA, Yone Soares de (orgs.). *Brasil: 1º Tempo Modernista: 1917/29*. São Paulo: Instituto de Estudos Brasileiros, 1972, pp. 232-79.

6 Trata-se da coluna que encerrava cada número de *Klaxon*, em que os modernistas comentavam as reações, em geral negativas, à revista, ou ainda comentavam brevemente lançamentos e pequenos eventos envolvendo personagens do mundo literário contemporâneo, no Brasil e no exterior.

7 (SBH)

[*Rio de Janeiro, agosto de 1922*]

Meu caro Mário

Estava para lhe escrever desde o princípio do mês não tendo sido possível devido a uma série de ocupações que tenho tido ultimamente. Não enviei ainda ao Tácito o dinheiro da *Klaxon* devido a uma complicação que lhe explicarei breve em uma carta mais minuciosa. Não sei se ele recebeu minha última carta. Tive notícias pelo Pamplona[1] das últimas novidades daí entre outras a de que o Oswald está passadista (?).[2]

— A comissão do monumento a Santos Dumont está inclinada a escolher o Brecheret para executar em [tudo] devido a insinuações minhas e do Di.[3]

Pretendo fazer uma campanha a esse respeito no *Rio-Jornal*. Se for possível, desejaria que v. me enviasse com urgência notas biográficas do grande escultor paulista a fim de que eu possa fazer qualquer coisa no *Rio-Jornal*. Posso afirmar com a maior segurança que o Brecheret é o mais cotado entre os escultores indicados naturalmente à Comissão. Mande dizer isso a ele. O Di já escreveu uma carta para ele, em Paris, que foi enviada por um dos membros da mesma comissão, o Castro e Silva.[4]

— *Klaxon* é esperada com ansiedade aqui no Rio. Já falei ao Schettino, e isso depende agora de uma resposta, para tratar diretamente com vs. sobre a venda da *Klaxon* aqui no Rio e liquidar mensalmente as contas. Fica assim melhor para vocês por se tratar de uma casa comercial. Nesse caso vs. enviarão juntamente com as revistas, do 4º número em diante, a fatura. O dinheiro que está em meu poder e que ascende quase a 200$000 enviarei por estes dias ao Tácito, talvez até o fim desta semana. Mandarei também algumas belas colaborações de alguns rapazes daqui. Já entrevistei o Ruy Coelho[5] infelizmente só há poucos dias e mandarei a vs., para o 5º número se for possível.[6]

    Aceite um abraço
    klaxista do   Sérgio

Carta assinada: "Sergio"; sem data; autógrafo a tinta preta; papel branco, pautado; 2 folhas; 22,6 × 17,6 cm; 2 furos.

---

1 Sobre o cineasta Armando Lemos Pamplona, Manuel Bandeira lembra que, na célebre noite em casa de Ronald de Carvalho, em 1921, quando Mário lera poemas da *Pauliceia desvairada* para os cariocas, voltaram no bonde ele, Mário e Pamplona. Cf. MORAES, Marcos Antonio de (org.). *Correspondência Mário de Andrade & Manuel Bandeira*, op. cit., p. 277. Sobre os antecedentes desse episódio, Mário da Silva Brito relata que a "bandeira futurista" — de acordo com a notação de Menotti del Picchia no *Correio paulistano* de 1921 — que fora ao Rio

63

"conquistar adeptos para as novas ideias" compusera-se de Mário de Andrade, Oswald de Andrade e Armando Pamplona, "para esse trabalho de catequese". Cf. BRITO, Mário da Silva, op. cit, p. 316.

2 Dentro dos parênteses Sérgio colocara exclamação seguida de interrogação "(!?)", em seguida o ponto de exclamação é riscado como se Sérgio quisesse desistir dele, em prol da interrogação. Até aqui, a presença de Oswald de Andrade nas hostes modernistas não causara ainda o trauma que, apenas mais tarde, o separaria de Mário, conforme referido em nota anterior.

3 Há um monumento a Santos Dumont (1873-1932) no Rio de Janeiro, em frente ao aeroporto hoje homônimo, de Amadeo Zani, um discípulo de Bernardelli. Brecheret seria mais tarde responsável pelo busto em bronze de Santos Dumont que, a partir de 1954, comporia a paisagem da entrada principal do Aeroporto de Congonhas, em São Paulo.

4 Não foi possível localizar fontes que esclareçam a pressão que teriam feito Sérgio Buarque de Holanda e Di Cavalcanti para que Brecheret fosse o preferido. Sobre a já referida admiração de Mário de Andrade por Brecheret e Di Cavalcanti, vale a pena lembrar que, em correspondência com Anita Malfatti, Mário queixava-se com frequência (e humor) da ausência de cartas do amigo escultor, também na França: "aquele animal não há meio de me escrever nem uma linha. Estou danado com ele. Por que não pede pra noiva, não?". BATISTA, Marta Rossetti, op. cit., p. 93. No entanto, há uma belíssima carta de Brecheret enviada de Paris a Mário, em 1924, em que a mensagem, em seu delicioso português italianizado, comprime-se em torno ao desenho de uma *mater dolorosa*. Na carta, Brecheret pede que Mário interceda junto a dona Olívia Guedes Penteado, mecenas dos modernistas, para que comprasse uma obra sua. Cf. *Brasil: 1º Tempo Modernista: 1917/29*, op. cit., pp. 90-1.

5 Ruy Coelho (1892-1986), compositor das *Sinfonias camoneanas*, além de sua militância modernista à época, quando se aproximaria de António Ferro, se revelaria mais tarde um ardente nacionalista, dotado de "um portuguesismo de outra época, de arrogo patriótico: autossugestão de uma mentalidade que se mira como expoente musical do 'gênio da raça', ideia tão cara a um Teófilo Braga e hoje tão desacreditada". BRANCO, João de Freitas. *História da música portuguesa*. Mem Martins: Publicações Europa América, 1995, p. 313. Como Ferro, que recentemente colaborara com *Klaxon*, Ruy Coelho se entregaria, nas décadas seguintes, à propaganda de corte fascista de Salazar: guerra e mistério se mesclariam, finalmente, no balé *D. Sebastião*, de 1943, com texto de António Ferro e música de Ruy Coelho. Cf. CARVALHO, Mário Vieira de. "L'opera come estetizzazione della politica e della propaganda dello stato" in SCHARNECCHIA, Paolo. *La musica in Portogallo*. Roma: CIDIM, 1986, p. 65.

6 A entrevista não seria publicada em *Klaxon*.

1924

8 (SBH)

[*Rio de Janeiro, maio de 1924*]

Querido Mário

Há vários dias, desde aquelas poucas horas em que estivemos juntos tencionava reparar uma falta que estava cometendo deixando de lhe escrever (há quanto tempo?). Felizmente estou certo por minha parte que falta de cartas não quer dizer falta de saudades. Posso afirmar por longa experiência própria. Tencionava escrever a cada um de vocês uma longa carta que exprimisse o que sinto. Entretanto como estarei aí com toda a certeza nos primeiros dias de junho fica isso um pouco adiado.

O Rio continua cada vez menos Rio com a chegada do inverno. Menos Mulher portanto. Mas não sei se o Álvaro[1] teria razão. Eu proporia para isto aqui o nome de cidade-criança: criança depois da dentição. Em S. Paulo, parece, os dentes de siso já crescem escandalosamente e há motivos velhos para isso. Estou cansado das casas de seis andares da Avenida. Em junho nos encontraremos se v. aí estiver.

Agora um pedido. Vai ser fundada aqui no Rio uma grande revista de "Arte moderna", de meu amigo Prudente de Moraes, neto[2] (não pertence à Liga Nacionalista),[3] publicação trimensal de grande formato e mais ou menos no tipo da revista inglesa *Criterion*.[4] O primeiro número sairá em setembro próximo e só falta para isso alguma colaboração e... título. O pedido v. já adivinha, é contribuir para que diminua a primeira [ilegível]. Quanto ao título aceita-se também uma sugestão sua. (Propus dois: *Revista Contemporânea* e *Construção* — não foram aceitos com razão — não sirvo para títulos).[5] Mas sem falta. Se v. permite peço ao Guy[6] uma cópia das "Danças" para o 1º número.[7] Se não vê se pode enviar o que v. quiser, um poema, uma crítica, um capítulo do romance...

Encarrego v., se não lhe for mto. trabalhoso, de arranjar colaboração de nossos amigos daí.

Adeus. Aceita abraços
de teu
Sérgio

P.S. Perdoa a "saudade" e a "longa experiência". Até breve

Carta assinada: "Sergio"; sem data; autógrafo a tinta preta; papel branco, pautado; 2 folhas; 27,4 × 20,2 cm; 2 furos; marca de grampo. PS.

---

1 O poeta gaúcho Álvaro Moreyra (1888-1964), redator da *Fon-Fon* e criador, em 1927, do Teatro de Brinquedo, esteve também à testa da revista *Ilustração Brasileira* (ou "*Illustração Brazileira*"), onde Mário de Andrade publicara suas crônicas "de São Paulo". Eclética, a revista "namora timidamente o século xx; inclina-se sobre um Brasil urbano e ignora contradições sociais. Na literatura, mescla par-

nasianos e simbolistas. [...] Álvaro Moreyra é, entre os escritores do Rio de Janeiro que ali figuram, quem mais arrisca mudanças". LOPEZ, Telê Porto Ancona. "Mário de Andrade, cronista do modernismo: 1920-1921" in *De São Paulo: cinco crônicas de Mário de Andrade*, op. cit., pp. 19-20. O velho tópos da cidade-mulher aparece no título de um livro seu, publicado no ano anterior a esta carta (1923), *A cidade mulher*, em que o Rio é imaginado como uma mulher que rejuvenesce com o tempo: "de então para hoje, ficou assim... Menina e moça, pouco a pouco se desembaraçou, perdeu o ar acanhado, quis viver... O corpo tomou o ritmo das ondas, a graça das árvores esguias. Tem um resto de sonho nos olhos, o voo de um desejo alegre nas mãos... Mulher bem mulher, a mais mulher das mulheres... Conhece o presente. Adivinha coisas deliciosas do futuro. Mas, não lhe falem em datas, épocas, feitos, criaturas do passado... Não lhe falem, que se atrapalha. Em compensação, enumera todos os costureiros e chapeleiros de Paris... diz de cor a biografia de todos os artistas de cinema... entende de *sports* como ninguém entende... Conversa em francês, inglês, italiano, espanhol... Ama os poetas... Toma chá, com furor... E dança tudo... É linda!...". MOREYRA, Álvaro. *A cidade mulher*. Rio de Janeiro: Secretaria Municipal de Cultura, Turismo e Esportes, 1991, p. 15.

2 Prudente de Moraes, neto (1904-77) foi amigo dileto de Sérgio Buarque de Holanda desde seus primeiros tempos cariocas, quando eles se conheceram na Faculdade de Direito. Percebe-se que o projeto de uma revista, à altura da redação desta carta, era do próprio Prudente. De fato, num texto da década de 1970, escrito para a apresentação da edição fac-similar de *Estética*, Pedro Dantas (pseudônimo de Prudente) conta que a revista literária era um "sonho de adolescência", em que logo mais embarcaria o amigo Sérgio (que, como se viu atrás, tivera também a ideia de fundar uma revista, dois anos antes): "O assunto era apenas segredado a amigos de confiança. Nada de planos que pudessem malograr e esvair-se em bafo. Falar, só na hora de fazer. Com Sérgio Buarque de Holanda, na interminável conversação retomada cada dia ou, melhor, cada noite, nas caminhadas da cidade para Botafogo, a revista foi tomando configuração em nosso espírito e pudemos debater seus problemas". Uma vez "fixados quanto à linha" da publicação, passariam a convidar os participantes, certos de que "seria o órgão que o modernismo deixara de ter, desde o desaparecimento da *Klaxon*". DANTAS, Pedro (Prudente de Moraes, neto). "Vida da *Estética* e não *Estética da Vida*" in *Estética: 1924/1925* (ed. fac-similada). Rio de Janeiro: Gernasa, 1974, p. VII. A aproximação entre Mário e Prudentico (como o autor da *Pauliceia desvairada* passaria a chamá-lo mais tarde) se iniciaria então em torno a *Estética*, para logo se tornar mais e mais fraterna. Já em agosto desse mesmo ano de 1924, Mário escreve: "do passageiro trato que tive consigo conservo sempre lembrança.

Somos amigos, me parece. Escreva acusando recepção desta e dando-me notícias suas, da revista, dos camaradas". Cf. KOIFMAN, Georgina, op. cit., p. 25. A correspondência mais assídua que seguiria entre os dois sugere que, em parte, o próprio Prudente passaria a exercer o papel de Sérgio como uma espécie de agente literário carioca, como no caso em que, em 1927, Mário lhe envia duzentos exemplares do livro de poemas *Clã do jabuti*, para que os distribuísse pelas livrarias do Rio, arrematando a carta com uma lembrança sobre o silêncio de Sérgio: "E faça o Sérgio pelo menos me agradecer o exemplar que mandei pra ele". Idem, p. 259. A proximidade entre Sérgio e Prudente era tão clara àquela altura, e se tornaria tão mais evidente (ambos assinando conjuntamente alguns dos artigos de *Estética*), que eles seriam amistosamente referidos como uma única entidade: o "Prudente Sérgio". Cf. CARVALHO, Marcus Vinicius Correa. "O exagero na historiografia de Sérgio Buarque de Holanda" in MONTEIRO, Pedro Meira, e EUGÊNIO, João Kennedy. *Sérgio Buarque de Holanda: perspectivas*. Campinas/Rio de Janeiro: Editora da Unicamp/Eduerj, 2008, p. 462. O epíteto divertiu Mário de Andrade que, em carta a Prudente, no ano de 1925, mandaria um abraço "pros dois ou antes pro prudente Sérgio como disse com tanta graça *O Jornal*". Cf. KOIFMAN, Georgina, op. cit., p. 83.

3 A Liga Nacionalista fora fundada em 1916 em São Paulo, com uma proposta cívico-educacional regeneradora, de corte liberal e ilustrado, apoiada fortemente pelo jornal *O Estado de S. Paulo*. Suas origens apontam para a Liga Brasileira pelos Aliados, dirigida por Rui Barbosa durante a Guerra, e a entusiasmada fala de Olavo Bilac aos estudantes da Faculdade de Direito de São Paulo, sobre a defesa de valores patrióticos, em 1915. Cf. MARTINS, Ana Luiza. *Revistas em revista: imprensa e práticas culturais em tempos de República, São Paulo (1890-1922)*. São Paulo: Edusp, 2001, p. 538. O alerta de Sérgio pode ser lido como um afastamento irônico em relação ao conservadorismo da Liga Nacionalista, mas se deve também ao fato de que um primo homônimo de Prudente de Moraes, neto, também neto do ex-presidente da República Prudente de Moraes, era de fato membro da Liga Nacionalista, e seria um dos fundadores do Partido Democrático em São Paulo em 1926, assim como entusiasta da Revolução Constitucionalista de 1932. Cf. HIPÓLITO, Regina. "Prudente de Morais neto". CPDOC. Web. Consultado em 11 jul. 2011. Em São Paulo, Mário seguiria uma linha semelhante, no que diz respeito às opções democráticas que se desviavam mais ou menos dos moldes do velho PRP (Partido Republicano Paulista), reafirmando no entanto a centralidade de uma elite paulista no conturbado quadro político que precede a era Vargas e desemboca, já no contexto varguista, na Revolução de 1932, quando o conflito entre os desejos da velha oligarquia de São Paulo e o poder central se torna mais agudo. Muitos dos colaboradores e redatores de *Klaxon*, inclusive Mário,

alinharam-se em torno do Partido Democrático. Cf. MICELI, Sergio. *Intelectuais à brasileira*. São Paulo: Companhia das Letras, 2001, p. 251, n. 14. Segundo os apontamentos que a esposa de Sérgio, Maria Amélia Buarque de Holanda, colecionou no final dos anos 1970, a pedido de Francisco de Assis Barbosa, Sérgio teria sido preso, em 1932, "soltando vivas a São Paulo, em pleno mangue". Cf. HOLANDA, Maria Amélia Buarque de. "Apontamentos para a cronologia de Sérgio Buarque de Holanda" in HOLANDA, Sérgio Buarque de. *Raízes do Brasil*, op. cit., p. 433.

4 *The Criterion*, dirigida por T. S. Eliot, começara a circular na Inglaterra em 1922 e permaneceria viva até 1939. Sérgio e Prudente assinavam-na, e proximamente enviariam a Eliot os dois primeiros números de *Estética*. F. S. Flint resenharia então, em julho de 1925 em *The Criterion*, o primeiro número da revista brasileira, tomando entretanto o artigo de Graça Aranha, que abria *Estética*, como uma declaração de princípios dos editores, o que talvez explique o tom derrisório de sua apreciação: "It is apparently the ambition of the founders of *Estética* to conquer the world, or at least to convince it that there are young men in Brazil who are not steep in sloth". (Aparentemente é a ambição dos fundadores de *Estética* conquistar o mundo, ou pelo menos convencê-lo de que há jovens brasileiros que não estão afundados na preguiça [tradução minha].) Cf. LEONEL, Maria Célia de Moraes. *Estética e modernismo*. São Paulo/Brasília: Hucitec/INL, 1984, pp. 34-5. Sérgio explicitaria, num artigo sobre "Romantismo e tradição", no primeiro número de *Estética*, sua atenção extrema aos debates que ocorriam na revista inglesa: "*Estética* que apesar de mover-se por um impulso nitidamente nacional, e talvez por isso mesmo procurará dar aos seus leitores uma resenha de todas as tendências modernas do pensamento, lamenta não poder transcrever por inteiro o notável artigo de Middleton Murry limitando-se a dar um ligeiro resumo". HOLANDA, Sérgio Buarque de. "Romantismo e tradição" in *O Espírito e a Letra*, op. cit., v. 1, p. 109. Tratava-se do debate entre T. S. Eliot e John Middleton Murry, importante para a compreensão do fundo religioso na concepção da "cultura", como se verá adiante, no estudo crítico ao fim deste livro.

5 Há quem diga o contrário: Sérgio seria muito dado a títulos, nomeando trabalhos que nunca escreveria. Ver, a propósito, nota sobre a ficção de Sérgio Buarque de Holanda, atrás. Há um detalhe curioso na alegada incapacidade de dar títulos, já que "Construção", um dos nomes pretendidos para a nova revista, seria precisamente a palavra-chave que, dois anos depois, num ácido e importante artigo publicado na *Revista do Brasil*, Sérgio Buarque empunharia contra vários de seus colegas da frente modernista, acusando-os de insistirem "nessa panaceia abominável da *construção*. Porque para eles, por enquanto, nós nos agitamos no caos e nos comprazemos na desordem. Desordem do quê? É indispensável essa pergun-

ta, porquanto a ordem perturbada entre nós não é decerto, não pode ser a *nossa ordem*; há de ser uma coisa fictícia e estranha a nós, uma lei morta, que importamos, senão do outro mundo, pelo menos do Velho Mundo". HOLANDA, Sérgio Buarque de. "O lado oposto e outros lados" in *O Espírito e a Letra*, op. cit., v. 1, p. 226 (ênfase no original). O título da revista seria, de fato, de autoria de Graça Aranha, conforme será discutido adiante, ao fim das cartas. A relação ambígua com o escritor maranhense fica ainda mais clara nas lembranças de Sérgio, que se recorda que Blaise Cendrars lhes dissera, a ele e a Prudente, sobre o autor de *Estética da vida*: "cuidado com esse homem. Ele se toma terrivelmente a sério, e ainda há gente que se presta a servir-lhe de plateia". Cf. HOLANDA, Sérgio Buarque de. "Apresentação" in *Tentativas de mitologia*. São Paulo: Perspectiva, 1979, p. 26.

6 Guilherme de Almeida (ver nota, atrás).

7 De fato, o poema "Danças" seria publicado no primeiro número de *Estética*, em setembro de 1924, e depois incluído, em nova versão, em *Remate de males*, de 1930. Trata-se de um poema que gira, ele mesmo, em torno da paisagem urbana e do próprio movimento dançarino da linguagem, em cadeias semânticas que deslizam num glissando constante: "Eu danço manso, muito manso,/ Não canso e danço,/ Danço e venço,/ Manipanso/ Só não penso...". ANDRADE, Mário de. "Dansas". *Estética*, v. 1, set. 1924, p. 19. A poesia é dedicada à mulher de Guilherme de Almeida, que apresentara o poema a Manuel Bandeira, no Rio, que por sua vez escreveria a Mário: "Guilherme leu-me as suas 'Danças'. Encheram-me as medidas". Cf. MORAES, Marcos Antonio de (org.). *Correspondência Mário de Andrade & Manuel Bandeira*, op. cit., p. 121.

1925

9 (SBH)

[*Rio de Janeiro, após abril de 1925*]

Mário amigo,

é inútil tentar justificar a minha atitude pra com você. Se[1] não tenho respondido às cartas que v. me escreve não é por falta de tempo nem por falta de coragem. Você sabe muito bem que também não é por falta de amizade. O Prudente é testemunha de que a amizade que eu sinto por você e a confiança que tenho em tudo que v. faz são muito sinceras e v. deve saber disso por ele. Tudo quanto v. escreveu a ele sobre meu artigo na *Estética*[2] merece uma resposta um pouco longa e eu me comprometo a dar ela logo que possa com bastante vagar. Acredito que v. tenha razão em muitas coisas (p. ex. em tudo quanto escreve sobre o mal da sutileza — Góngora,[3] Laforgue[4] etc...), mas penso que principalmente v.

erra. Isso porque v. talvez tenha dado à última frase do "Perspectivas" uma importância que ela não tem.⁵ Não sou cético nem pessimista. Mas não é impossível que do seu ponto de vista seja um bocadinho dessas duas coisas. A verdade é que não creio na "vaidade de todas as coisas" senão como uma das atitudes possíveis neste mundo. De fato, não é a minha atitude. Ou melhor não é minha atitude <u>permanente</u>. Ao contrário quero aceitar a realidade cotidiana tal como é, embora pense que ela vale principalmente pelo que contém de promessa. Tudo isso, você vê está muito longe do super-realismo. Não nego, entretanto, que ele tenha exercido sobre mim uma grande influência e mais tarde hei de escrever minuciosamente sobre o assunto a você.⁶ Acho que tudo quanto v. me escrever será muito bom para mim. Imagino que v. deva ter passado um pouco por uma experiência semelhante à que me trouxe ao meu atual estado de espírito. De qualquer modo a sua influência me fará bem: tenho fé nisso. O interesse que v. demonstra por mim me sensibilizou muito, mas a sua confiança nas minhas capacidades é absurda e me envergonha: não sei se poderei fazer muito mais do que tenho feito. Em todo o caso não desespero.

Por enquanto isso que te mando dizer é bastante. E até a semana que vem,

Sérgio

P.S. Minha nova residência é a <u>Rua dos Gitys nº 6</u>

Carta assinada: "Sergio"; sem data; datiloscrito original, fita roxa; autógrafo a tinta preta; papel azul, filigrana, tarja azul na parte superior; 1 folha; 26,1 × 17,0 cm; 2 furos. <u>PS</u>. *<u>Nota MA</u>: a grafite: desenhos: rostos feminino e masculino; fichamento de obra não identificada.*

1 "Si", no original. Vale notar que a forma "si", bastante comum em Mário de Andrade, seria mais rara em Sérgio, que no entanto a utiliza nas cartas deste período. Em especial nesta carta, diante de uma questão melindrosa (a ausência de resposta à correspondência enviada por Mário), parece especialmente significativa a utilização de uma forma que poderia imediatamente identificar o missivista ao destinatário. Quanto a seu tom mais ou menos urgente, trata-se, possivelmente, de uma resposta ao recado que Sérgio recebera através de Prudente de Moraes, neto, com quem Mário, a essa altura, se correspondia com mais frequência. Ao fim de uma carta datada de março, enviada a Prudente, o poeta da Pauliceia mandara um abraço também a Sérgio, com uma pequena ressalva: "Diga pra ele que se não me escrever mando-o àquela parte". Cf. KOIFMAN, Georgina, op. cit., p. 80.

2 Referência a "Perspectivas", publicado no terceiro e último número de *Estética*, de abril-junho de 1925. O artigo é um dos momentos altos na crítica do jovem Sérgio que, inspirado, discutia a "letra" como negação da "vida": "Nada do que vive se exprime impunemente em vocábulos. Os mais sábios dentre os homens têm sofrido um pouco das necessidades a que essa lei os subordina. Eu, Sérgio Buarque de Holanda, acho indiscutível que em todas as cousas exista um limite, um termo, além do qual elas perdem sua instabilidade, que é uma condição de vida, para se instalarem confortavelmente no que só por eufemismo chamamos sua expressão e que na realidade é menos que seu reflexo. Só os pensamentos já vividos, os que se podem considerar não em sua duração, mas objetivamente e já dissecados, encontram um termo. Quero dizer: esse termo só coexiste com o ponto de ruptura com a vida". HOLANDA, Sérgio Buarque de. *O Espírito e a Letra*, op. cit., v. 1, p. 214. Nas *Cartas de Mário de Andrade a Prudente de Moraes, neto*, organizadas por Georgina Koifman (op. cit.), não há nenhuma missiva desse período em que Mário comunicasse suas impressões sobre o artigo de Sérgio Buarque.

3 O grande poeta espanhol Luis de Góngora y Argote (1561-1627) aparecera brevemente numa discussão de Mário sobre a "arte pura", numa carta a Bandeira datada de dezembro de 1924, em que ele se refere à trinca "Mallarmé, Góngora, Reverdy" como exemplos do rebuscamento, numa linhagem que Mário não hesita em classificar como "cacete". Cf. MORAES, Marcos Antonio de (org.). *Correspondência Mário de Andrade & Manuel Bandeira*, op. cit., p. 160. Mário voltaria ao tema em palestra de 1938 sobre o fazer artístico, em que ele defende a "desnecessidade imediata da virtuosidade", afirmando que "as diversas soluções métricas, estróficas, sonoras, a própria linguagem poética de Góngora, de Quevedo, de Encina eram desnecessárias, em princípio. Bastava que no meio do verso houves-

se talento, isto é, na acepção em que o grande poeta empregou a palavra, justamente o que não se ensina". Cf. ANDRADE, Mário de. "O artista e o artesão" in *O baile das quatro artes*. São Paulo: Martins, 1963, p. 15.

4 A relação de Mário de Andrade com a poesia de Jules Laforgue (1860-87) terá sido mais complexa que no caso anterior, de Góngora. Embora questionasse a possibilidade de estabelecer paralelos entre artes diversas, em artigo de 1939 Mário escreveria sobre "Laforgue e Satie", sugerindo existir entre eles uma distância considerável, porquanto a "simplicidade procurada, reacionária" do compositor nada tivesse que ver com "a espontaneidade explosiva de Laforgue". ANDRADE, Mário de. "Laforgue e Satie" in *Música, doce música*. Belo Horizonte: Itatiaia, 2006, p. 290.

5 "Direi provisoriamente que a vida, apesar de tudo, continua a nutrir sub-repticiamente por uma espécie de *verba-secreta* as regiões mais ocultas de nossas ideologias. É incontestável que os nossos atos e mesmo aqueles que comportam uma série de movimentos irremediavelmente previstos pela lógica e pelo cálculo mais precisos não prescindem dessa parcela de contingente que participa do divino. Diante dessa impossibilidade de opor uma resistência mais eficaz ao mistério que nos sitia por todos os lados, diante do absurdo dessa resistência não há duas atitudes igualmente legítimas. Nada mais cômodo, é verdade, que concluir pela vaidade de todos os nossos gestos e pela inutilidade de qualquer atitude — ideia que o Universo nos fornece a troco de um simples bocejo." HOLANDA, Sérgio Buarque de. *O Espírito e a Letra*, op. cit., v. 1, p. 218.

6 A influência do surrealismo não é um tema que regressaria com frequência nos textos críticos de Sérgio Buarque de Holanda. Mesmo no caso de "Perspectivas", é razoável supor que o toque de surrealismo ("Hoje mais do que nunca toda arte poética há de ser principalmente — por quase nada eu diria apenas — uma declaração dos direitos do Sonho. [...] Só à noite enxergamos claro") ali detectado por Mário seja menos a aposta na viagem aventurosa por um inconsciente mirífico e mais o reconhecimento da extensão infinita e prodigiosa da *memória* — donde a presença incontornável de Proust, no ensaio de Sérgio. Cf. id., ibid., p. 215.

10 (SBH)

[*Rio de Janeiro*], 2 de dezembro de 1925

Mário amigo,

escrevo a você neste papel mesmo à falta de outro aqui na "United Press".[1] Também é só pra mandar este livrinho que eu desconfio que você não achará muito desinteressante, se é que v. já não conhece. Me lembrei de lhe mandar porque acho que ele fez qualquer coisa pra Rússia de seu tempo que não está muito longe do que os melhores da nossa geração (?) desejam fazer ou já têm feito pro Brasil. Há uma frase de Dostoiévsky que eu não me lembro bem a propósito de Nekrassov[2] (está, creio no volume do Plon intitulado *Confession de Stavroguine*, onde tem alguns artigos que só agora foram traduzidos em francês além do suplemento inédito dos *Possedés*. Se v. tiver o livro procure o trecho)[3] e que diz mais ou menos: "é ainda o maior poeta da Rússia".

Agora chega de cultura, como diz o Osvaldo.[4] O Prudente entrou agora na "United" e está me dizendo que soube por uma carta sua que você me escreveu. Estou ansioso por ler ela. Ele (o Prudente) já escreveu duas coisas estupendas pra *Noite*. Uma Historinha do Brasil e um trecho super-realista que ficou simplesmente magnífico.[5] O Manuel também escreveu um extraordinário "Cidade Nova" (poema).[6]

Agora até logo, e espero que quando v. tiver em mão este bilhete já estará completamente bom.

Sérgio

Mário do coração da gente[7]

Eu disse pro Sérgio que você ia escrever. Ele é que se esganou. Faço exame de D. comercial[8] sábado e só por isso não respondo já a carta gostosíssima que você mandou.[9] Fique bom logo.[10] Assim que me libertar um pouco escrevo.

Um baita abração.

Prudente

*Carta assinada: "Sergio"/ "Prudente"; datada: "2/12/25"; datiloscrito original, fita roxa; autógrafo a lápis e a tinta preta; papel branco, timbrado: "*CABOGRAMA*"; 2 folhas; 21,2 × 17,8 cm; 2 furos; marca de grampo.*

---

1 Como já referido, Sérgio ganhava a vida como jornalista e tradutor de telegramas para agências internacionais de notícias, especialmente Havas e, neste caso, United Press. Francisco de Assis Barbosa recorda que "o noticiário internacional era remetido pelos telegramas da Western Telegraph redigidos em inglês. As condições técnicas de um redator de telegramas não se limitavam ao bom conhecimento da língua inglesa. Tinham que ser datilógrafos. Sérgio reunia as

duas qualificações. Tornou-se um dos melhores e mais rápidos tradutores, com um salário acima do comum". BARBOSA, Francisco de Assis. "Verdes anos de Sérgio Buarque de Holanda. Ensaio sobre sua formação intelectual até *Raízes do Brasil*", op. cit., p. 33.

2 Nikolay Nekrassov (1821-77) foi um dos mais importantes poetas a tematizar a vida camponesa na Rússia czarista, além de ter sido editor de Dostoiévsky. Mário de Andrade possui em sua coleção *Who can be happy and free in Russia?*, uma edição inglesa sem data que é, muito provavelmente, o livro enviado por Sérgio junto a esta carta.

3 "A confissão de Stavroguine" é um capítulo originalmente censurado do livro *Os possuídos* (ou *Os demônios*, a depender da tradução) de Dostoiévsky (1821--81), publicado postumamente. Nele, o bispo Tikhon lê a confissão de Stavroguine, em que crime e prazer se mesclam, diante de uma redenção sempre impossível ou inatingível. Cf. DOSTOIÉVSKY, Fyodor. *Demons*. New York: Alfred A. Knopf, 2000. A edição de Dostoiévsky a que se refere Sérgio Buarque é: DOSTOIÉVSKY, Th. *La confession de Stavroguine. Complétée par une partie inédite du Journal d'un écrivain*. Traduction et commentaires par E. Halpérine-Kaminsky. Paris: Librairie Plon, 1922.

4 Sobre a campanha "anticultural" de Oswald de Andrade, Manuel Bandeira, em carta a Mário, datada de novembro de 1926, indispõe-se com Ronald de Carvalho: "Não há senão nós, você, Oswald, eu e alguns rapazes que procuramos inspiração brasileira em certas manifestações de arte popular primitiva. Logo trataram de chamar a isto primitivismo, reação contra a cultura, *art nègre* e por aí assim. Um homem inteligentíssimo como o Ronald não tem o direito de desconhecer o verdadeiro sentido que Oswald põe na campanha anticultural. No fundo a verdadeira cultura está com Oswald; o que pertence ao Ronald é a erudição". Cf. MORAES, Marcos Antonio de (org.). *Correspondência Mário de Andrade & Manuel Bandeira*, op. cit., p. 320.

5 Trata-se de referência a textos que *A Noite* publicaria em algumas semanas, naquilo que viria a chamar-se o "Mês Modernista". A "Historinha do Brasil do diário de um tupiniquim" sairia no dia 19 de dezembro, seguida de vários outros textos ("Sinal de alarma", no dia 28 de dezembro, "O indiferente", no dia 4 de janeiro de 1926, e "Copacabana, o verão e outras coisas" e "História de Chopin", no dia 12 de janeiro). Na "Historinha", o Brasil é "achado" pelos portugueses, e é "um vasto hospital hospitaleiro, sempre pronto a receber de braços abertos como o Cruzeiro do Sul, os seus verdadeiros amigos". O "trecho super-realista" a que se refere Sérgio Buarque é "Sinal de Alarma", em que "na varanda na frente da casa palavras preservam pensamentos entrincheirados", e um homem fala, até que "as

palavras pesadas" se esborrachassem no chão, e "os outros se entreolharam e quando a criada serviu os poemas e os licores, o que meditou mais e que pela atitude e pelo olhar devia ser eu, levantou-se e tirando um punhal fincado na parede", duvida da fala do homem e o mata. Cf. *Brasil: 1º Tempo Modernista: 1917/29*, op. cit., pp. 249, 257-8.

6 Trata-se do poema de Manuel Bandeira que, publicado às vésperas do Natal na seção do "Mês Modernista" de *A Noite*, tem o Mangue como espaço mitopoético, "Meriti Meretriz" em que o mundo afro-brasileiro emerge: "Era aqui que choramingava o primeiro choro dos carnavais cariocas/ Tia Ciata compunha os sambas/ Que Sinhô cantou que Tupinambá estilizou que Villa-Lobos sublimou/ Cadê mais a tia Ciata/ Talvez em D. Clara meu branco/ Ensaiando chegança pra o Natal". Cf. *Brasil: 1º Tempo Modernista: 1917/29*, op. cit., pp. 252-3. Modificado (e encurtado), o poema viria a compor *Libertinagem*, de 1930, que Mário de Andrade consideraria "um livro de cristalização", a qual se notaria "muito particularmente pela rítmica e escolha dos detalhes ocasionadores do estado lírico". ANDRADE, Mário de. "A poesia em 1930" in *Aspectos da literatura brasileira*, op. cit., p. 38.

7 Bilhete autógrafo de Prudente de Moraes, neto, logo depois da assinatura de Sérgio.

8 Direito comercial. Como referido, Prudente e Sérgio foram colegas no curso de direito.

9 Alusão provável à carta que Mário enviara a Prudente no dia 29 de novembro, comentando a poesia que se faz a partir dos "fedivers" (*faits divers*), do cotidiano retratado em tom jornalístico, falando da "morte" de *Estética* (cujo derradeiro número é de abril-junho de 1925) e do sentimento que o ligava ao jovem Prudente, naquele momento ("se estivesse perto de você botava a mão no seu ombro e bastava, relando um momentinho os olhos nos seus olhos. [...] Solidariedade que não é eterna, ponho reparo nisso, porém que pra ser eterna depende só dos gestos de você. Da minha parte sei que você (e quero) conserva a mesma independência. É o que conforta e enrija, esses olhares-de-Deus que a amizade põe na vida quotidiana da gente. Vontade de errar brota na certa, mas porém não se erra de medo da infelicidade que traz a dureza entrevista nesses olhos-de-Deus"). No dia 23 de novembro, Mário enviara outra carta, pedindo a Prudente que avisasse Sérgio que em breve responderia à missiva que Sérgio lhe enviara (conforme aludido aqui, na presente carta), e noticiando, ainda, que *A Noite* vinha preparando o "Mês Modernista", de que participariam o próprio Mário, Sérgio Milliet, Drummond e Martins Almeida — grupo a que Mário propunha somar Prudente e Manuel Bandeira, ambos no Rio de Janeiro. Cada um dos seis teria uma

coluna semanal, durante um mês, e receberia um estipêndio razoável por um texto livre ("de crítica, de fantasia, uma historieta, e mesmo versos"). Cf. KOIFMAN, Georgina, op. cit., pp. 153-61.

10 Na mesma carta de 23 de novembro, Mário dissera a Prudente: "Estou pra escrever uma carta séria pra você porém agora não posso, você já deve de saber pelo Osvaldo [de Andrade] que ando doente e precisado do maior repouso. É só por isso que inda não respondi a carta do Sérgio, fale pra ele. Me escrevam, por favor! ando enfarado de cama de solidão de abatimento físico. Um risinho de vocês me diverte, a gente fica pensamenteando no amigo, tempo passa mais depressa. Assim mesmo abatido creio que estou em vésperas de fazer um livro novo. Não escrevo nada por enquanto, imagino, jururu numa cama que eu nunca pensei que fosse tão amaldiçoada. Prudentinho me escreva, faz favor, estou carecendo de você. Quando você vem pra São Paulo?". Id., ibid., pp. 153-4.

1926

11 (SBH)

[*Rio de Janeiro, 12*] *de janeiro de 1926*

Mário amigo,

Gostei muito do seu artigo na *Manhã* de hoje.[1] Ia te enviar um telegrama de parabéns mas surgiu esta nota da *Noite* que não sei se v. iria ler.[2] Não me lembro de ter lido na *Noite* que o Graça fora lá protestar. Mas em todo o caso, seja como for isto que lhe mando deve interessar a v. Do sempre seu

Sérgio

Escrevo-te às pressas. É só para enviar o recorte da *Noite*
Sérgio

Carta-bilhete assinada: "Sergio"; autógrafo a tinta preta; papel branco, bordas picotadas; 19,0 × 12,7 cm; selo/carimbo. PS. Postagem: carimbo ilegível. Recebimento: carimbo: São Paulo, 13 de janeiro de 1926.

1 Nessa data, *A Manhã* publicava a "Carta aberta a Graça Aranha", em que Mário de Andrade expunha suas muitas diferenças em relação ao autor de *Canaã*, analisando as causas do "desprestígio intelectual da sua literatura e pessoa", a partir do "erro de vaidade com que você [Graça Aranha] confundiu a função de orientar com a de tiranete e chefe político de comarca". Graça, no entender de Mário, "em filosofia não passa dum inventor que vive abrindo portas abertas. Isso se você fosse deveras um filósofo. Porém observando o seu dogmatismo imperial, a insegurança de se reportar ao passado citando-o, esse apenas meio conhecimento da filosofia histórica e ainda essa leviandade de se acreditar novo, a gente percebe facilmente que você não faz filosofia que Farias Brito foi o único a praticar aqui, mas persevera naquele filosofismo por demais lírico e alaridal que vem sendo a tiririca do pensamento brasileiro". Mário se refere também à suposta visita de Graça Aranha à redação de *A Noite*, onde ele teria ido protestar "contra a chefia do Modernismo que em hora errada lá se lembraram de me dar", numa alusão à forma como fora anunciado o "Mês Modernista" naquele jornal carioca, como se fosse uma escola chefiada por Mário de Andrade. Cf. KOIFMAN, Georgina, op. cit., pp. 185-90.

2 Na edição de *A Noite* desse mesmo dia, lê-se, em seguida ao poema de Prudente de Moraes, neto, "Copacabana, o verão e outras coisas", uma "Nota da redação", sustentando que "não é verdade que o escritor Graça Aranha tenha vindo a esta casa protestar por termos dado ao Sr. Mário de Andrade e não a ele o papado do futurismo no Brasil. Não veio nem podia vir, dada a sua bela linha de discrição e elegância de espírito. O caso de dizer-se que o autor de *Canaã* se sensibilizara por ter *A Noite* dado a tiara papal ao Sr. Mário de Andrade, não passa de pilhéria, pilhéria inocente, das muitas que surgem nas rodas literárias e das muitas que surgiram com a criação do 'Mês Modernista' feita por nós". Cf. *Brasil: 1º Tempo Modernista: 1917/29*, op. cit., p. 279. Vale lembrar que Manuel Bandeira, em carta remetida de Pouso Alto em 20 de janeiro de 1926, pediria a Sérgio que lhe enviasse dois exemplares da *Manhã* com o artigo de Mário sobre o Graça, interessado que estava em saber se "houve ecos" do rompimento. Tão mais interessante se torna a preocupação de Bandeira se lembrarmos que entre ele e Mário vinha se desenrolando, desde dois anos antes, um diálogo sobre a proximidade entre o

escritor maranhense e os jovens editores de *Estética*. Em 24 de novembro de 1924, duas semanas depois de motejar sobre o artigo de abertura daquela revista, assinado por Graça Aranha, Mário inquiria Bandeira sobre os jovens do Rio: "E a propósito de rapazes... Não me saberás dizer como esses do Rio, Prudente, Sérgio, [Rodrigo] Mello Franco [de Andrade] recebem a filosofia do Graça? Blagueando ou não? Preciso saber". A resposta ambígua de Bandeira é faceta e reveladora, seja de sua simpatia pelos jovens, seja da antipatia comum por Graça Aranha: "Nem Sérgio nem Prudentinho aceitam filosofia de Graça. Fazem blague. Admirando, como todos, é claro, o mestre da perpétua alegria". Cf. MORAES, Marcos Antonio de (org.). *Correspondência Mário de Andrade & Manuel Bandeira*, op. cit., pp. 148, 156.

12 (SBH)

Rio de Janeiro, 10 de fevereiro de 1926[1]

Mário amigo,

Recebi sua cartinha de ontem e achei besta. V. tem o direito de supor tudo da gente menos dar a entender o que v. deu a entender. Vou me explicar sobre os dois pontos da melhor maneira possível:

1. Só li *O Globo* com a carta do Teixeira Soares[2] dois dias depois de saída. Não mandei imediatamente porque soube que ele tinha mandado. Achei ela ruim e não esperei que v. ainda se desse o trabalho de responder. Tinha escrito uma longa carta a v. quando recebi o *Losango* (1).[3] Deixei de enviar logo porque pretendo falar sobre ele na mesma carta. Isso me foi impossível até agora. Vai brevemente.

2. Distribuí *Terra Roxa* com grande dificuldade pelas livrarias.[4] Algumas se recusaram a receber devido ao formato de jornal (Garnier, Pimenta de Mello).[5] Não mandei nada porque só hoje passo a máquina meu artigo que enviarei hoje mesmo.[6] Estou escrevendo outro (pª o 4º número) sobre dois livros do Jackson de Figueiredo[7] que saíram há dias. Vou escrever ao Alcântara[8] detalhadamente.

Aceite um abraço do

Sérgio

(1) os teus *Losangos*: o do Graça e o do [ilegível] foram entregues no mesmo dia.

Carta-bilhete assinada: "Sergio"; autógrafo a grafite; papel branco, bordas picotadas; 1 folha; 18,9 × 12,7 cm; 2 furos; rasgamento na borda esquerda; resíduo de cola na borda direita; selo/carimbo. Postagem: Rio de Janeiro, 10 de fevereiro de 1926. Recebimento: São Paulo, 11 de fevereiro de 1926.

---

1 Conforme carimbos dos Correios, a carta foi postada no Rio de Janeiro em 10 de fevereiro de 1926 e recebida em São Paulo em 11 de fevereiro de 1926.

2 O escritor e diplomata Álvaro Teixeira Soares, nascido em 1903, colega de Sérgio e Prudente no curso de direito, acabara de defender Graça Aranha no *Globo* de 25 de janeiro, numa reação à carta aberta de Mário que saíra em *A Noite* no dia 12 daquele mês, conforme nota anterior. Em sua própria carta aberta a Mário de Andrade, Teixeira Soares afirma que "quem teve a ideia, quem fez a Semana de Arte Moderna de 1922, quem organizou um 'movimento', quem serviu de blindagem a este movimento foi Graça Aranha". E reage fortemente contra os argumentos de Mário: "O núcleo da sua carta é o que se refere à questão do 'brasileiro'. Você diz que Graça Aranha criou um brasileiro diferente. Não vou na sua corrida. O brasileiro de Graça Aranha é o brasileiro sem anemia verminótica, brasileiro com escola pública e hospital, sanguíneo, musculoso, múltiplo e moderno, e não um brasileiro primitivo, resignado, índio-preto. Naturalmente: à tristeza resignada preferimos uma alegria contundente. A uma arte hu-hu-hu primata

preferimos uma arte brasileira e moderna, que seja um espetáculo alegre e colorido". Cf. KOIFMAN, Georgina, op. cit., pp. 240-4. Teixeira Soares participara ainda de *Estética* com a narrativa "Vida em espiral", que se estende pelos três números da revista, e também com resenhas de Conrad e D. H. Lawrence. Cf., também, LARA, Cecília de (org.). *Pressão afetiva & aquecimento intelectual: cartas de Antônio de Alcântara Machado a Prudente de Moraes, neto, 1925-1932*. São Paulo: Giordano/Lemos/Educ, 1997.

3 Referência ao recém-publicado *Losango cáqui; ou afetos militares de mistura com os porquês de eu saber alemão*, que meses mais tarde, no polêmico artigo "O lado oposto e outros lados", Sérgio consideraria, ao lado de *Um homem na multidão*, de Ribeiro Couto, e *Pau Brasil*, de Oswald de Andrade, um dos três "mais belos livros do *modernismo* brasileiro". Cf. HOLANDA, Sérgio Buarque de. *O Espírito e a Letra*, op. cit., v. 1, p. 228. No exemplar do *Losango cáqui* de Sérgio Buarque, em sua coleção particular, encontra-se a seguinte dedicatória: "A Sergio Buarque de Hollanda misteriosa riqueza nossa, of[erece] o Mario de Andrade. S. Paulo 25/1/926".

4 *Terra Roxa e outras terras* teve sete números e circulou apenas nesse ano de 1926. É possível vê-la como uma espécie de continuação de *Klaxon*, num momento entretanto em que a questão do "brasileirismo" tomava o primeiro plano das preocupações de muitos dos modernistas da primeira hora. Cf. LARA, Cecília de. *Klaxon & Terra Roxa e outras terras: dois periódicos modernistas de São Paulo*. São Paulo: Instituto de Estudos Brasileiros, 1972. Alcântara Machado, codiretor (com Couto de Barros) de *Terra Roxa e outras terras*, vinha pedindo a colaboração de Sérgio na revista desde o ano anterior, como nesta carta de dezembro de 1925: "Procura o Prudente, Sérgio. Logo. Imediatamente. Há novidade. E grossa. Fique sabendo só que, a contar de hoje, v. é o crítico de prosa do *Terra Roxa*. E que, até o dia 15 de janeiro, impreterivelmente, tem que me enviar a primeira crônica. Pegue qualquer livro nacional, moderno, ultimamente produzido. Surre-o. Eleve-o. Como quiser. Sem falta. Isso é que é o importante". Em seguida, alude à distribuição: "aí vão (pelo mesmo correio desta), cincoenta *Terra Roxa*, que você dará em consignação ao Buffoni, ao Garnier, e às livrarias que v. entender. Não fazemos questão de condições para a revenda. Está claro!". Cf. Arquivo Privado Sérgio Buarque de Holanda, Siarq-Unicamp, Cp 361 P11.

5 A revista tinha o tamanho de um jornal. Além das medidas consideradas inadequadas pelas livrarias cariocas, o tom "paulista" da revista é evidente. Na primeira página de seu primeiro número, que Sérgio distribuía então no Rio de Janeiro, aparecia a notícia de uma carta autógrafa do padre Anchieta, que estava naquele momento à venda numa livraria em Londres: "Para um Paulista é com intensa

emoção que se lê esse documento, escrito em letra miúda e firme...". Imediatamente ao lado, na página, se lê, na "Apresentação": "Parece que este jornal, ao nascer, dá prova de uma coragem digna do Anhanguera: destina-se a um público que não existe. O seu programa é isso mesmo: ser feito para o homem que lê./ A nossa terra roxa, mercê de sua fertilidade complexa e exagerada, tem dado à luz tudo que é sonho de uma imaginação de pioneiro: açúcar, café, arranha-céus, trens elétricos, lança-perfumes, diretórios políticos, ônibus, e até literatos. Tudo. Menos ali nesse banco de jardim inglês, ou nessa poltrona de varanda de bengalô, ou nesse clube, ou nessa rede de fazenda, ou nesse pullman da Paulista, a entidade rara e inestimável que é um homem que lê. Pois é para esse homem imaginário, ou pelo menos ainda incógnito como um rei em viagem de recreio, que decidimos imaginar, criar e jogar no mundo TERRA ROXA... e outras terras". Cf. *Terra Roxa e outras terras*, 29 jan. 1926, ano I, n. 1, p. 1. (Ed. fac-similar: São Paulo: Livraria Martins Editora/Secretaria da Cultura, Ciência e Tecnologia, 1977.)

6 Provável alusão à resenha de *Pathé Baby*, de Alcântara Machado, que seria publicada em *Terra Roxa e outras terras* em julho daquele ano de 1926 e na qual Sérgio discorreria sobre a "moralidade" do livro, a apontar para uma busca do estilo nacional, em parte recendendo aos românticos, ao mesmo tempo que revelava um objetivismo a toda prova: "livro seco, quase todo de frases incisivas e cortantes que nem tiririca. Irritante por isso mesmo. Mas, por outro lado, em compensação, pedaços onde se derrama um sentimentalismo bem brasileiro, terno e comunicativo". HOLANDA, Sérgio Buarque de. *O Espírito e a Letra*, op. cit., v. 1, pp. 219-20.

7 Jackson de Figueiredo (1891-1928) foi uma das mais importantes figuras do catolicismo laico no Brasil, tendo exercido uma influência central sobre pensadores como Alceu Amoroso Lima e Gustavo Corção. Foi o fundador do Centro Dom Vital e da revista *A Ordem*, cuja linha dogmática levaria Sérgio Buarque a referir mais tarde, embora em chave cifrada, o poder absoluto que se atribui à "inteligência" na tradição intelectual brasileira, em oposição ao valor do trabalho manual, como se lê em *Raízes do Brasil* a partir de sua segunda edição, quando o visconde de Cairu é lembrado, num diálogo claro com o pensamento católico e o neotomismo: "ao economista baiano deveria parecer inconcebível que a tão celebrada 'inteligência' dos seus compatriotas não pudesse operar prodígios no acréscimo dos bens materiais que costumam fazer a riqueza e prosperidade das nações". HOLANDA, Sérgio Buarque de. *Raízes do Brasil*, op. cit., p. 83. Nesse momento, entretanto, entre os anos de 1926 e 1928 (quando Jackson de Figueiredo viria a morrer prematuramente), a crítica de Sérgio Buarque ao pensamento católico de direita ainda se ensaiava, o que não o impediria, ao fim, de colaborar com um livro de homenagem ao pensador católico, publicado pelo Centro Dom

Vital em 1929, em que a imagem mais corriqueira e superficial de um defensor da "ordem" e do "bom senso" cede à apreciação do aspecto "sombrio e mais profundo" que podia torná-lo, a Jackson de Figueiredo, uma personalidade interessante, já que, nele, segundo Sérgio Buarque de Holanda, "os esforços para vencer a atração da anarquia e superar o conhecimento dissolvente" não se realizavam sem uma tensão cuja riqueza e complexidade o crítico supõe estarem em "Pascal e a inquietação moderna e esses humilhados e luminosos que [Jackson de Figueiredo] evocou em um livro onde se encontram as primeiras influências e as primeiras impressões de seu espírito". HOLANDA, Sérgio Buarque de. *O Espírito e a Letra*, op. cit., v. 1, pp. 246-7.

8 Antônio de Alcântara Machado (1901-35) era o fundador e diretor, com Couto de Barros, de *Terra Roxa e outras terras*, e seria especialmente conhecido pela publicação, dois anos mais tarde, de *Brás, Bexiga e Barra Funda*. Participaria ainda da *Revista de Antropofagia*, com Oswald de Andrade e Raul Bopp, e da *Revista Nova*, em 1931 e 1932, com Paulo Prado e o próprio Mário de Andrade. Num obituário do amigo, publicado em *O Espelho* em 1935, Sérgio Buarque de Holanda lembraria sua prosa que, "feita de sentenças curtas, precisas, explosivas", como que restituía a realidade apreendida "em descrições onde o traço forte predominava até a caricatura". Recordaria ainda, em tom lírico, "os tempos em que juntos frequentamos o Ginásio de São Bento, em São Paulo, onde fizemos o nosso curso de humanidades. São Paulo, então metade do que é hoje, em número de habitantes, achava-se em plena crise de crescimento. Já estava bem longe de ser a cidade romântica e triste de Álvares de Azevedo e de Castro Alves, mas já ensaiava para grande metrópole. Entre os andaimes, que se erigiam, as ruas, que se alargavam e que se estendiam, italianos e estudantes punham alguma vivacidade colorida no ambiente tradicionalmente grave e às vezes soturno. Os contrastes eram ríspidos e desconcertantes. A mesma gente que exultava ante uma vitória dos aliados na Grande Guerra, ria-se de imaginar o desconcerto do carcamano ante um desastre de Cadorna". HOLANDA, Sérgio Buarque de. *O Espírito e a Letra*, op. cit., v. 1, pp. 257-9. Comentando, quatro anos depois da morte de Alcântara Machado, os diálogos e a oralidade na prosa, Mário exclamava: "A maldita morte que nos levou Antônio de Alcântara Machado, levou, creio, o sistematizador dessa forma dupla de linguagem que consiste em acertar gramaticalmente quando é o autor quem escreve, e errar livremente quando os personagens falam. Distinção, por certo, muito prudencialmente acertada, mas que não adianta nada, a meu ver, o problema da organização da língua nacional." ANDRADE, Mário de. "Diálogos" in *Vida literária*, op. cit., p. 28.

13 (MA)

São Paulo, 13 [de fevereiro de 1926]

Sérgio, caro mio,

quase que assustei-me com o bilhete de você. Porém estou seguro da nossa amizade e inda sobre ela me assegurava o resto do bilhete. Você escreveu: "Você tem o direito de supor tudo da gente menos dar a entender o que você deu a entender". Por Deus que <u>não</u> <u>dei</u> <u>a</u> <u>entender</u> coisíssima nenhuma! Com amigos nunca dou a entender, falo franco e rijo, te juro. Estive matutando no meu bilhete escrito a 200 quilômetros por hora e creio que seja aquilo de eu falar "pra você me mandar à merda" que você imaginou que eu imaginei que você estava me abandonando.[1] Palavra que foi brincadeira sem mais nada. Se feri rasgue

o bilhete porque minha intenção não foi a imaginada. Estou esperando a carta sobre o *Losango* e o artigo. Mande este loguíssimo que *Terra Roxa* vai entrar no prelo.[2]
Ciao com um abraço forte do
Mário

Carta assinada: "Mario"; datada: "S. Paulo 13"; autógrafo a tinta preta; papel creme; 1 folha; 21,6 × 16,6 cm.

1 Provavelmente, o bilhete aludido foi destruído por Sérgio Buarque de Holanda, cumprindo o pedido de Mário de Andrade: "Se feri rasgue o bilhete [...]".

2 Ver nota anterior, sobre a contribuição de Sérgio a *Terra Roxa e outras terras.*

1928

14 (SBH)

[*Rio de Janeiro, março ou abril de 1928*]¹

Mário amigo,

    segue aí o famoso artigo sobre Thomas Hardy.² Faça dele o uso que entender. Estou para começar todos os dias o meu trabalho sobre *Clã do jaboti*³ ou melhor, sobre a obra de Mário de Andrade, conforme já prometera em "O lado oposto...".⁴ Estou <u>muitíssimo interessado</u> em escrever esse artigo. Imagino mesmo que já tenho ele de cor, antes de escrever. As minhas ideias sobre Mário não mudaram. Faltava, porém, fixar o meu ponto de vista e, portanto, a minha perspectiva. Suponho que isso já está feito. Pelo menos está feito em meu cérebro e só falta pôr mãos à obra. Quanto ao *Clã* a minha opinião é que é o seu melhor livro de poesia.⁵

Um pedido: O Augusto Schmidt[6] escreveu ontem na *Gazeta* sobre o Tristão de Athayde[7] e refere-se de passagem a um artigo do mesmo Tristão publicado "em um jornal de S. Paulo", sobre o Nosso Dilema.[8] Você conhece esse artigo? Tenho muito interesse em conhecê-lo e penso que você talvez me possa arranjar.

Sérgio.

P.S. Caso você precise de alguma coisa pode telefonar à noite na Agência Brasileira. Estou desde as nove horas da noite até a madrugada.

Minha residência é:
39, rua Maria Angélica, 39
Rio

Carta com assinatura datilografada: "Sergio"; sem data; datiloscrito original, fita preta; autógrafo a tinta preta; papel amarelo; 1 folha; 28,1 × 21,5 cm; 2 furos; marca de queimado; rasgamentos nas bordas direita, inferior e superior; perfurações provocadas pelo tipo da máquina de escrever e pela corrosão da tinta. PS.

---

1 O IEB atesta como tendo sido enviada do Rio de Janeiro, antes de 22 de abril de 1928, porque a resposta de Mário de Andrade é desta data.

2 O escritor inglês Thomas Hardy (1840-1928) ocupa um lugar especial no diálogo epistolar entre Mário de Andrade e Sérgio Buarque de Holanda nesse período. O texto de Sérgio sobre Hardy seria publicado no *Diário Nacional* em abril, três meses depois da morte do autor de *Tess of the d'Ubervilles* e *Jude the Obscure*. Nele, o crítico destaca o "sentimento convulsivo" com que Hardy expressara os dramas da existência no momento de "saciedade" e "paz proclamada" que fora o período vitoriano, tomando como ponto de referência e contraste a literatura russa, Dostoiévsky e Tolstói em particular. A questão da ordem transcendente e do vertiginoso e sutil movimento que a experiência individual pode detonar, pondo em ação a força que desmantela estas "sínteses

admiráveis" que são os grandes sistemas filosóficos, é o cerne de uma discussão que aparece ali, naquele necrológio, em toda a sua força, e que reapareceria depois em momentos fundamentais do ensaísmo de Sérgio Buarque, notadamente no primeiro capítulo de *Raízes do Brasil*. Curioso é que o artigo sobre Hardy respondia a um desejo do próprio Mário de Andrade, que, correspondendo-se com Prudente de Moraes, neto, pedira ao amigo que instasse Sérgio a escrevê-lo, numa carta datada provavelmente de janeiro ou fevereiro daquele ano: "Você pediria pro Sérgio Buarque de Holanda escrever um artigo sobre Thomas Hardy pro Diário Nacional? Diário pagaria 50$000. Máximo duas colunas. E o Sérgio nem delicadeza tem pra me agradecer o *Clã* [*do jabuti*]?". Numa carta seguinte, retomava o tema: "Aperte sempre o Sérgio pra que escreva o artigo. Também se vier em Setembro, você compreende, não tem oportunidade mais. Você gosta de Tomás Hardy?". KOIFMAN, Georgina, op. cit., pp. 265-7.

3 Sérgio recebera o livro de poesias de Mário de Andrade em dezembro do ano anterior, a julgar pela dedicatória do exemplar que hoje se encontra na coleção Sérgio Buarque de Holanda, na Unicamp. Sobre o *Clã do jabuti*, publicado em 1927, Mário escreveria, em carta a Prudente de Moraes, neto: "E mande contar, mandem, como gostaram do *Clã*. Pra mim esse livro tem um mérito pessoal muito grande. Me libertou do Brasil. Agora tenho a impressão que vou ser mais eu, sem tese de Brasil". KOIFMAN, Georgina, op. cit., p. 240.

4 De fato, no célebre "O lado oposto e outros lados", publicado dois anos antes, Sérgio anunciara o desejo de escrever sobre Mário de Andrade: "eu gostaria de falar mais longamente sobre a personalidade do poeta que escreveu o *Noturno de Belo Horizonte* e como só assim teria jeito pra dizer o que penso dele mais à vontade, pra dizer o que me parece bom e o que me parece mau na sua obra — mau e sempre admirável, não há contradição aqui —, resisto à tentação. Limito-me a dizer o indispensável: que os pontos fracos nas suas teorias estão quase todos onde elas coincidem com as ideias de Tristão de Athayde. Essa falha tem uma compensação nas estupendas tentativas para a nobilitação da fala brasileira. Repito entretanto que a sua atual *atitude* intelectualista me desagrada". HOLANDA, Sérgio Buarque de. *O Espírito e a Letra*, op. cit., v. 1, p. 227.

5 Sérgio de fato nunca escreveria o prometido artigo "sobre a obra de Mário de Andrade". O que publicaria, no entanto, tendo como referência aspectos mais pontuais da poética marioandradina, seria um pequeno ensaio, num número da revista *Espelho* de 1935, sobre as fontes folclóricas que, filtradas pela etnologia alemã, forneceram a Mário elementos para a criação do *Macunaíma*, publicado nesse mesmo ano de 1928. Ou ainda, muitos anos depois, a propósito da

morte recente de Mário de Andrade, a revista *Sombra*, do Rio de Janeiro, publicaria o discurso preparado por Sérgio Buarque de Holanda para a sessão de homenagem rendida à memória do poeta paulista, intitulado "O líder morto", em que era destacada sua capacidade aparentemente insólita de harmonizar o equilíbrio crítico e a simpatia — qualidades com que Mário se tornara "uma força criadora, mas ainda, e principalmente, uma força construtora". A compreensão desse mesmo princípio construtivo então se dava, naqueles meses de 1945, pela rememoração da participação intensa e significativa do poeta no Congresso da Associação Brasileira de Escritores (ABDE), ocorrido em janeiro daquele ano, em São Paulo, de que resultaria a conhecida declaração de princípios que punha em xeque a ditadura Vargas, colaborando de forma importante para o fim do Estado Novo. Cf. HOLANDA, Sérgio Buarque de. "O mito de Macunaíma" e "O líder morto" in *O Espírito e a Letra*, op. cit., v. 1, pp. 260-7; 370-2. Cf., também, MONTALVÃO, Sérgio. "O intelectual e a política: a militância comunista de Caio Prado Jr. (1931--1945)" in *Revista de História Regional*, 7(1), 2002, pp. 115-9.

6 A poesia de Augusto Frederico Schmidt (1906-65), que logo mais se tornaria um importante editor, podia despertar reações ambivalentes. A propósito, em 1940, no rodapé de crítica que pertencera a Mário de Andrade, Sérgio destacaria, num juízo ambíguo sobre elas, as fontes românticas que nutrem a lírica de Schmidt, alinhando-a entretanto a determinadas "experiências poéticas de um Manuel Bandeira". O que não o impediria de associar ao ano de 1930 uma quina valorosa de livros de poesia, "destinados a marcar época: *Remate de males*, de Mário de Andrade, *Pássaro cego*, de Augusto Frederico Schmidt, *Alguma poesia*, de Carlos Drummond de Andrade, *Poemas*, de Murilo Mendes, e *Libertinagem*, de Manuel Bandeira". Cf. HOLANDA, Sérgio Buarque de. "Fagundes Varela" e "Romance metropolitano" in *O Espírito e a Letra*, op. cit., v. 1, pp. 290-7; 313-6. Já Mário de Andrade, meses antes, no mesmo ano de 1940 e no mesmo rodapé, acentuaria o misto de "pobreza técnica" e "força lírica" de Schmidt, sugerindo que, nele, a repetição de "imagens-símbolo" avassalava a "liberdade lírica" — algo cuja semente já se encontraria, contudo, em sua poesia inicial. Cf. ANDRADE, Mário. "Estrela Solitária, I e II" in *Vida literária*, op. cit., pp. 205-14. Schmidt pertence ainda ao "grupo espiritualista" que mais tarde se reuniria em torno das revistas *Terra de Sol* e *Festa*, em que está o berço da poesia católica que floresceria com vigor, pelos anos seguintes, nas obras de Jorge de Lima e Murilo Mendes. Cf. PINHEIRO FILHO, Fernando Antonio. "A invenção da ordem: intelectuais católicos no Brasil" in *Tempo Social: revista de sociologia da USP*, v. 19, n. 1, 2007, pp. 33-49.

7 Alceu Amoroso Lima, o Tristão de Athayde (1893-1983), é um dos personagens centrais no diálogo entre Sérgio Buarque de Holanda e Mário de Andrade

nesses anos. Seguidor convicto das ideias de Jackson de Figueiredo, e seu sucessor depois de 1928, Tristão foi um dos intelectuais mais importantes do laicato católico no Brasil, desde a revista *A Ordem* e o Centro Dom Vital, criados no início da década de 1920, até a relativização profunda de suas crenças dogmáticas da juventude, numa complexa e relativa aproximação em relação ao campo da esquerda católica, tanto no plano da política nacional, durante a última ditadura, quanto no plano teológico, depois do Concílio Vaticano II — o que é especialmente interessante se tomada em conta sua postura abertamente reacionária na década de 1930 e sua agressiva militância anticomunista. No momento desta carta, Sérgio já sugeria um parentesco remoto entre o pensamento de Tristão e o de Mário de Andrade, conforme será discutido à frente, no estudo crítico ao fim deste livro. "O lado oposto e outros lados", o barulhento artigo publicado dois anos antes na *Revista do Brasil*, fora responsável por uma reação que se tornaria absolutamente clara em 1929, quando, em carta aberta a Sérgio Buarque de Holanda, Tristão de Athayde declara seu "Adeus à disponibilidade". O embate entre Sérgio e Tristão, no entanto, começara com "Perspectivas", publicado em *Estética* em 1925, que seria rebatido por Tristão em "A salvação pelo angélico" e depois, já em 1926, em "Construtivismo e destrutivismo". Cf. REIS, Véra Lucia dos. *O perfeito escriba: política e letras em Alceu Amoroso Lima*. São Paulo: Annablume, 1998, p. 143. Cf., também, COSTA, Marcelo Timotheo da. *Um itinerário no século: mudança, disciplina e ação em Alceu Amoroso Lima*. Rio de Janeiro/São Paulo: Editora PUC-Rio, Loyola, 2006. Quanto a Mário de Andrade, a crítica de Tristão de Athayde mereceria um longo texto em 1931, em que se destaca a integridade de sua "obra sectária", ao mesmo tempo que se lhe nota o caráter sintético, "se contentando de generalizações muitas vezes apressadas, outras inteiramente falsas", além de uma "quase dolorosa incompreensão poética", o que leva Mário a afirmar que, "por todos estes defeitos tradicionais, a crítica literária de Tristão de Athayde já se ressentia duma tosquidão esboçadora muito grave, duma falta de sutileza de análise, que a entrada no Catolicismo só veio aumentar". ANDRADE, Mário de. "Tristão de Ataíde" in *Aspectos da literatura brasileira*, op. cit., pp. 16-7. Mário refere-se então à "conversão" de Alceu Amoroso Lima, em 1928.

8 Provável referência a um artigo de Alceu Amoroso Lima que seria publicado em seus *Estudos, 2ª série*, nesse mesmo ano, intitulado "O dilema", em que o longo século XIX (1789-1914) é analisado como o "século que abusou estranhamente da palavra Liberdade" ao valorizar o "individualismo econômico" que degeneraria "em dois fenômenos aparentemente contraditórios, mas que são oriundos da mesma causa e tendem para o mesmo efeito: o Capitalismo e o Comunismo". A crítica severa não o impediria de afirmar que "moralmente" o

"capitalismo é ainda mais condenável que o comunismo", porque a concentração da propriedade nas mãos de uma plutocracia levara ao "luxo suicida" e à "dissolução moral da vida", embora também a Rússia revolucionária invertera "os valores da vida", deixando-se dominar por um partido cujo espírito "é o messianismo judaico embebido de utilitarismo norte-americano". O dilema, finalmente, era "esse de sermos manejados por misteriosas empresas financeiras anônimas, com sede em Pittsburg ou Glasgow, no Rhur ou em Birey, e com tentáculos comerciais agindo em todos os cantos da terra, ou por sindicatos de comunismo político, com sede em Moscou ou em Shantoung, e com ramificações universais, por ora em forma de 'células', nas fábricas e nos regimentos, amanhã em forma de representantes políticos com plenos poderes". LIMA, Alceu Amoroso (Tristão de Athayde). "O dilema" in *Estudos*, 2ª *série*. Rio de Janeiro: Terra de Sol, 1928, pp. 243-51.

15 (MA)

São Paulo, 22 de abril de 1928

Sérgio

Recebi, li, dei pro Couto,[1] foi publicado, o Couto já deve de ter te escrito sobre o artigo de você.[2] Esta é só mesmo pra contar que jamais não ouvi falar no tal artigo do Tristão, Nosso dilema. A promessa do artigo é ouro pra mim.[3] Você tá cada vez mais subtil (não zangue) e me delicio com você. Tenho esperança de alguma coisa que me interesse de verdade porque, repare, com exceção dumas poucas coisas, ditas pelo Tristão,[4] ninguém até agora, não percebeu direito em mim coisa que me interessasse. Isso é horrível.

Aliás nem é artigo publiquento e publicável que espero. Basta carta, ali, uma carta que me falasse coisas mais subtis (ergo: mais profundas) sobre este vulcão de complicações que eu sou! Prudentinho, nem bem saído o *Clã*, prometeu carta.[5] Já não espero mais ela apesar da esperança que tinha nele. Jamais não consegui saber o que eu sou. Mas ponha reparo nos que escrevem sobre mim: sou fácil como água pra eles, questão fácil de resolver, dois mais dois. Tenho esperança em você que soube falar sobre Hardy e inda melhor de vez em quando inventa coisas.

E ciao.

Abraço do
Mário

Carta assinada: "Mario"; datada: "S. Paulo 22-IV-28"; autógrafo a tinta preta; papel creme, filigrana; 1 folha; 27,5 × 21,2 cm; rasgamento na borda direita.

---

1 Couto de Barros.

2 Trata-se do artigo sobre Thomas Hardy, publicado no dia 8 daquele mês de abril, como obituário do autor inglês, no *Diário Nacional*, que tinha então Antônio Carlos Couto de Barros como redator chefe. Cf. HOLANDA, Sérgio Buarque de. "O testamento de Thomas Hardy" in *O Espírito e a Letra*, op. cit., v. 1, pp. 238-45.

3 Referência ao artigo sobre "a obra de Mário de Andrade", que Sérgio Buarque vinha prometendo escrever desde 1926, conforme notas anteriores.

4 Ainda no calor da primeira hora modernista, Tristão de Athayde publicara um estudo da poesia de Mário de Andrade, ressaltando-lhe "a ironia, a sátira, a gargalhada, todos os recursos e portanto a própria justiça" que funcionavam como "elementos desse lirismo sub e supraconsciente". Pensando na *Pauliceia desvairada*, Tristão recusava a ideia de um "libertarismo incondicional" ao lembrar que o desejo de Mário era "conservar ao estado lírico o máximo de sua frescura, de seu arroubo original". LIMA, Alceu Amoroso (Tristão de Athayde). "Mário de Andrade" in TELES, Gilberto Mendonça (org.). *Tristão de Athayde: teoria, crítica e história literária*. Rio de Janeiro/Brasília: Livros Técnicos e Científicos/INL, 1980, pp. 331-8. Numa carta enviada em março de 1928 a Tristão, Mário lhe agradece as críticas, além de deter-se sobre a ideia de uma clareza de intenções em sua própria obra — clareza cujos limites o crítico seria um dos poucos capazes de perce-

ber: "Além da força que dá pra gente a palavra escrita de Tristão de Ataíde, o que eu gosto mesmo quando falam de mim é que me digam coisas esclarecedoras sobre mim mesmo. Acho mesmo que é difícil encontrar um fulano escrevendo e que esteja mais seguro das suas intenções do que eu agora. [...] Minha obra às vezes me parece um teorema, de tão nítidas que tenho as minhas intenções. Porém está reconhecido que por mais que um artista queira fazer uma coisa, tem o X da incógnita que esse o artista não consegue saber qual é. E me parece que será ótimo pra ele saber pelo menos uma perninha do X, se repor melhor dentro de si mesmo porque por mais que o artista esteja socializado, como é o meu caso, carece não esquecer que até nos caçadores de renas das cavernas paleolíticas são fáceis de se perceber os traços individualistas. Você é dos que me têm demonstrado um pouco a perninha do X". FERNANDES, Lygia (org.). *71 cartas de Mário de Andrade*. Rio de Janeiro: Livraria São José, s.d., pp. 24-5.

5 Em carta não datada, mas provavelmente de 1927, ano da publicação de seu livro de poemas *Clã do jabuti*, Mário de Andrade escrevera a Prudente de Moraes, neto, enviando-lhe duzentos exemplares para que ele os distribuísse "pelas livrarias d'aí, a quantidade que ajuizar melhor pra cada uma, nas mais frequentadas mais, nas menos, menos, como quiser. A porcentagem também pouco me importa, será o que pedirem. [...] Quando tiver tempo me escreva sobre o *Clã*. E faça o Sérgio pelo menos me agradecer o exemplar que mandei pra ele. Um abraço gratão do Mário". KOIFMAN, Georgina, op. cit., p. 259.

1931

16 (SBH)

Rio de Janeiro, 10 de maio de 1931

Mário amigo

Vai aí a colaboração prometida para a *Revista Nova*.[1] Não sei se agradará, mas é o que posso mandar no momento. A mim, na verdade, não me satisfaz muito esse exercício de ficção, salvo na sua parte final.[2] Foi composto em Berlim em fins do ano atrasado. Refi-lo depois, linha por linha, durante a viagem de volta e aqui no Rio. Mas, por outro lado, sinto-me no momento inteiramente incapacitado para retomar o assunto. A gente não volta a Pasárgada quando quer, como voltam as pombas aos pombais.[3] Seria preciso que eu tornasse a escrever tudo, sem ver o texto atual, escrever com mais fluência e abandono. Com tudo aquilo que você consegue tão espontaneamente nos seus "Poemas da amiga",[4] por exemplo. Não sei se porque conhecia quase todo o resto do *Remate de Males*, mas o certo é que eles (os "Poemas à Amiga" [sic]) me encantaram mais de tudo. Admiro muito essa sua capacidade de renovação constante, renovação sem descontinuidade (como é, por exemplo, o caso do Ronald),[5] portanto sem artifício. Não sei se está certo quando imagino que você consegue espontaneamente realizar aquelas coisas deliciosas. Não que exalte em tese a espontaneidade — essa exaltação parece-me até, ser o grande defeito dos escritores brasileiros — mas porque não vejo vantagem nem felicidade em nenhuma das alterações que você faz em seus poemas. É possível que se trate de uma ilusão de ótica de minha parte mas veio-me essa impressão comparando imparcialmente a versão atual das *Danças* com a que saiu em *Estética*.[6] Sinto que você violou um direito. As *Danças* já não pertenciam mais a você para tratá-las com essa sem-cerimônia. Diante disso receio às vezes que você venha a tornar-se por acaso um católico apostólico romano ultramontano tomista, legionário, partidário do Ensino Religioso, revolte-se com o Tristão contra o que ele chama o laicismo de nossa política e depois de todas essas coisas lamentáveis resolva, por coerência, publicar o *Macunaíma* expurgado, para uso das excelentíssimas famílias dos ilustres funcionários públicos desta imaculada República Nova que Deus Santíssimo guarde para os séculos dos séculos Amém.[7]

É o estilo da época. E você que está livre das besteiras aceite um abraço afetuoso do sempre seu

Sérgio

Endereço: Rua Maria Angélica 39
Jardim Botânico

Carta assinada: "Sergio"; datada: "Rio, 10/5/1931"; autógrafo a tinta preta; papel azul, filigrana; 2 folhas; 33,2 × 21,6 cm.

1 Em 1931, Mário era ainda coeditor, com Paulo Prado e Antônio de Alcântara Machado, da *Revista Nova*, onde seria publicado o conto de Sérgio Buarque de Holanda, de corte surrealista e autobiográfico, "A viagem a Nápoles", atualmente disponível numa publicação ilustrada. Cf. HOLANDA, Sérgio Buarque de. *A viagem a Nápoles*. São Paulo: Terceiro Nome, 2008. Aparentemente, Mário perderia o conto enviado por Sérgio em meio a suas coisas, para somente encontrá-lo mais tarde, em setembro, depois de muita procura, como relataria em carta a Bandeira: "Hoje nado em pleno Paraíso, satisfeito nesta minha curtida vaidadinha de jamais não perder nada neste mundo. Mas o que me deu de caceteação, de mal-estar, de inquietação a presumida perda das três folhas você não imagina. E já tinha escrito pro Prudente, como foi seu conselho, não me atrevendo mesmo em carta, a aparecer assim nu e cru diante do Sérgio. Já desescrevi e estou feliz". Cf. MORAES, Marcos Antonio de (org.). *Correspondência Mário de Andrade & Manuel Bandeira*, op. cit., p. 528.

2 No conto, o jovem Belarmino foge da rígida disciplina de um colégio onde tudo é controle e reverência pelo passado, escapando para uma Nápoles mirífica com dona Leonor, que é uma mistura de mãe e professora. Ao fim, o jovem se vê jogado entre se entregar à figura feminina ou esconder-se num buraco com os ratos, até que por fim escapa do ambiente onírico pelas mãos de uma empregada que o sacode. Cf. HOLANDA, Sérgio Buarque de. "A viagem a Nápoles" in MONTEIRO, Pedro Meira, e EUGÊNIO, João Kennedy (orgs.). *Sérgio Buarque de Holanda: perspectivas*, op. cit., pp. 565-82.

3 Referência, evidentemente, ao poema de Manuel Bandeira, "Vou-me embora pra Pasárgada", incluído em *Libertinagem*, publicado no ano anterior, 1930.

4 "Poemas da amiga" é uma série de treze poemas escritos entre 1929 e 1930, publicados em *Remate de males* no ano anterior a esta carta, e posteriormente em *Poesias*, de 1941. Dedicados a Jorge de Lima, os poemas brincam com a referência galaico-portuguesa das cantigas de amor, jogando entretanto com a ambiência da grande cidade e as referências da paisagem nacional, assim como de um erotismo que quer explicitar-se, mas não pode. São, além disso, poemas que mobilizam um imaginário cristão, trágico, em que o indivíduo sofre a incompatibilidade eterna das relações, rente a uma alegria fugaz ("Eu sofro, Êh, liberdade, essência perigosa.../ Espelhos, Pireneus, caiçaras e todos os desesperos,/ Vinde a mim que outros agora aboiam pra eu marchar!/ Tudo é suavíssimo na flora dos

milagres.../ Um pensamento se dissolve em mel e à porta/ Do meu coração há sempre um mendigo moço esmolando... [IV — "Ôh trágico fulgor das incompatibilidades humanas!"]; "Eu poderia dormir no teu regaço, ôh mana.../ Abri-vos, rincões do sossego,/ Não cuideis que é minha amante, é minha irmã!// Porém é muito cedo ainda, e no portão do Paraíso/ O anjo das cidades vigia com a espada de fogo na mão." [VII — "É hora. Mas é tal em mim o vértice do dia"]). ANDRADE, Mário de. *Poesias completas*, op. cit., pp. 271-9.

5 Ronald de Carvalho já merecera uma crítica severa de Sérgio em "O lado oposto e outros lados", de 1926, e o tema do artificialismo de sua poesia regressaria no contraste com Manuel Bandeira ("seu antípoda na poesia"), num artigo de 1940: "Ronald é um colorista. Entre ele e o mundo exterior intervém apenas a vontade de estilização, pura operação da inteligência. A parte de artifício e deliberação é excessiva, a do acaso pouco mais do que insignificante. Nos intervalos de uma poesia que se quer matinal e inocente, que quer ferir o gosto como a polpa adstringente de um fruto verde, deparamos meditações requintadas, de uma sabedoria sentenciosa e asiática". HOLANDA, Sérgio Buarque de. "Poesias completas de Manuel Bandeira" in *O Espírito e a Letra*, op. cit., v. 1, pp. 279-80. Mário, por seu turno, dedicara seus "Dois poemas acreanos", no *Clã do jabuti*, de 1927, a Ronald de Carvalho. Cf. ANDRADE, Mário de. *Poesias completas*, op. cit., pp. 203-6.

6 Entre a publicação das "Danças" em *Estética* e a forma final do poema, há diferenças relativamente pequenas, tanto na alteração do léxico quanto em sua distribuição visual (que é fundamental para criar um efeito de glissando, como referido atrás). A diferença mais importante, contudo, refere-se a um parágrafo na parte VIII. Onde, na versão definitiva, lê-se "Há terras incultas além...// Mas quem que as visitou?/ Ninguém./ A confusão é enorme!...", na versão de *Estética*, de 1924, lê-se "Infelizmente há também os tratados políticos. O Brasil se obstina em cumpri-los. País idealista! Rondon passou rasgando a terra virgem. O telégrafo corta agora as paisagens incultas, trazendo notícias europaicas: 'Inventa-se o Dadaísmo'; 'Aragon escreve *Anicet*'; '*Der Sturm* inebria a Alemanha'; 'Em Moscovia o teatro popular é cubista'; 'Ultraísmo em Madrid'... Chassé! En avant! En arrière! Balancé! Tour!... Em São Paulo sabe-se vagamente que há terras incultas ao longe. Mas quem as visitou? Ninguém. A confusão é enorme". Cf. ANDRADE, Mário de. "Danças". *Estética*, v. 1, set. 1924, p. 21. Para a versão definitiva, cf. ANDRADE, Mário de. *Poesias completas*, op. cit., p. 223.

7 A provocação brincalhona ganha sentido especial se considerado o papel importante de Alceu Amoroso Lima, o Tristão de Athayde, na mirada crítica que Sérgio então lançava sobre a obra de Mário, conforme se discutirá à frente. Quanto a *Macunaíma*, publicado três anos antes desta carta, em 1928, é conheci-

da a importância das "bocagens" e da linguagem erótica na formação do personagem título. Em carta a Prudente de Moraes, neto, na qual acertava a contabilidade da venda do *Clã do jabuti* no Rio de Janeiro, Mário referia-se ao prazer do texto: "Pra junho: *Macunaíma*. Ontem já datilografei a morte de Venceslau Pietro Pietra que era o gigante Piaimã comedor de gente. Está gozada. Mas palavra de honra que agora relendo pra datilografação estou sarapantado. É o livro mais imoralíssimo do mundo. Isso me inquisila porque minha intenção foi mesmo botar sujeira no livro porém, como falaria o Graça, uma sujeira integralista e transcendental. Não me parece que está não". KOIFMAN, Georgina, op. cit., p. 268.

1933

17 (SBH)

Rio de Janeiro, 6 de agosto de 1933

Mário amigo

Peço a v. receber com atenção e interesse a minha apresentada, srta. Ana Carolina[1] que pretende dar concertos em São Paulo. Embora ignorante em questões de música sei do valor de Ana Carolina por alguns amigos e pela excelente repercussão de algumas das audições dadas aqui no Rio. Suponho que v. há de apreciá--la. Assim espero que possa facilitar-lhe alguma coisa que seja necessária para seus projetos de concertos aí em São Paulo.[2]

Receba um sincero abraço e as saudades do sempre seu
Sérgio

Carta assinada: "Sergio"; datada: "Rio, 6/ VIII/ 1933"; autógrafo a tinta preta; papel branco, timbrado: "JORNAL DO ESTADO"; 1 folha; 29,2 × 21,6 cm; 2 furos; rasgaduras na borda superior e inferior. Nota SBH: a tinta preta: traços anulando o timbre do papel e acréscimo: "Sérgio Buarque de Holanda".

---

1 No *Diário de S. Paulo* de 29 de setembro deste ano, Mário relataria a "simpática" apresentação da pianista no Teatro Municipal, no dia anterior, realçando "a solidez de seus estudos pianísticos e a alta escola donde vem", embora lhe parecesse "prematuro" que ela se apresentasse como recitalista, erro que ele atribui não à pianista, mas à tradição do recital com "solista único": "Ana Carolina ainda não é uma virtuose completada, nem era lícito a gente esperar tanto da sua extrema juventude. Mas é uma promessa das mais auspiciosas. Apresenta já um conjunto de qualidades técnicas admiravelmente bem trabalhadas, a que um maior domínio da pianista sobre si mesma dará certamente mais constante clareza, bem como a maturidade lhe trará maior riqueza e perfeição de som. E que espantosa facilidade de execução tem Ana Carolina! Com tais dotes, ela irá longe, sem dúvida, e é o que todos lhe desejávamos ontem com os aplausos nutridos que lhe demos". ANDRADE, Mário de. "Ana Carolina" in *Música e jornalismo*. Org. Paulo Castagna. São Paulo: Hucitec/Edusp, 1993, p. 58. Mário guardou o programa daquela noite, que trazia trechos de críticos como O. Bevilacqua, Oscar Guanabarino e Arthur Imbassahy, uma foto da concertista, e a referência ao "1º Prêmio Medalha de Ouro do Instituto Nacional de Música". O repertório era o seguinte: na primeira parte, Loeilly — "Giga (original)", Loeilly-Godowski — "Giga", e Bach-Busoni — "Toccata e Fuga"; na segunda parte, Chopin — 5 "Estudos", Bortkiewicz — 5 "Estudos" (1ª audição); na terceira parte, Henrique Oswald — "2 Estudos", F. Vianna — "Dança de Negros", "Valsa elegante", "A bacanal dos elfos" (1ª audição), Mignone — "El retablo del Alcazar". Num segundo volante também guardado por Mário, este referente a concerto no Rio de Janeiro em 28 de setembro de 1944, reapareceria a pianista, em programa literomusical, acompanhada da cantora Cristina Maristany e de Werther Pulitano, tocando o "Terceiro Estudo" de Henrique Oswald, a "Congada" de Mignone, e "O Polichinelo" de Villa-Lobos. A apresentação de 1944 aconteceu junto a palestra do folclorista Luís Heitor Correa de Azevedo, que, segundo Flávia Toni, pode ter enviado o volante para Mário. Agradeço a Flávia Toni o levantamento e esclarecimento desse material que se encontra no IEB.

2 Entre 1927 e 1932, Mário de Andrade fora crítico de arte no *Diário Nacional*. Poucos meses antes desta carta, em maio de 1933, ele fora contratado pelo *Diário de S. Paulo*, onde retomaria a crítica artística, sobretudo musical, até 1935, quando assumiria a direção do Departamento de Cultura da cidade de São Paulo, deixando o jornal. Como se viu na última nota, ele podia simplesmente informar o leitor sobre a atuação dos músicos em concerto na noite anterior, mas a coluna se tornaria cada vez mais densa, constituindo-se por fim numa "mistura de crônica, artigo e ensaio. O público de concertos encontrava [nela] oportunidade das mais interessantes para entrar em contato com as impressões que circulavam na plateia e com o trabalho dos músicos, no palco ou durante o estudo e escolha do repertório. Em poucos instantes, era levado à época dos compositores, aos estúdios deles, analisava-lhes o pensamento, a produção, sentia-se também parte do século XVIII ou XIX. E o leitor que não houvesse presenciado o espetáculo certamente acabava estimulado a procurar o próximo concerto. Ou, no mínimo, curioso...". CASTAGNA, Paulo. "De volta ao jornalismo musical" in *Música e jornalismo*, op. cit., p. XVI.

1941

18 (MA)

São Paulo, 8 de março de 1941

Sérgio, meu caro,

vou cacetear você. Aliás ando distribuindo caceteações pelos amigos, com a liquidação das minhas coisas do Rio de Janeiro,[1] e o melhor jeito é mesmo distribuir uma caceteação pra cada um. A sua é de peso e você não poderá carregar nos seus braços intelectuais. Se trata de receber os 5 exemplares do álbum de Portinari[2] que subscrevi. O melhor jeito é você se utilizar, se possível, de algum funcionário subalterno do Instituto,[3] lhe dando a gorjeta que você julgar útil e de que reembolsarei você quando for pra aí. E não mande os exemplares, não. Feche eles aí na sua secretária institutal. O melhor meio de remessa é o seguinte: você chama o Expresso Paulista, faz do todo um embrulho, e manda ele trazer aqui, com o porte a pagar aqui. É o melhor meio, e não pesará no seu bolso que é o que mais me interessa. Quanto ao tempinho que você perder indo até o DIP[4] com este ofício, isso é ofício mesmo do nosso Instituto e você levará em conta do doce tempo que perdíamos com nossas conversinhas.

Cá me vou indo já mais bem das pernas tanto intelectuais como morais. Faz frio e já estou voltando a tomar chá de tardinha. Ainda trabalho pouco, todo entregue a esta paixão gostosa de arranjar coisas. Uma coisa: nas suas leituras, me ajude. Toda e qualquer referência que você encontrar sobre artistas e artífices paulistas ou trabalhando em S. Paulo até fim do séc. XIX, desde os inícios, tome nota e me mande com referência bibliográfica simplória, por exemplo: Frei Jesuíno do Monte Carmelo, in Fulano de Tal, obra tal, 1ª (2ª ou 3ª) edição, p. tanto. O resto me encarregarei de acrescentar pros nossos fichários oficiais do Serviço do Patrimônio,[5] daqui. Não caceteia?

Adeus, como dizem os nortistas. Lembrança pro Facó,[6] pro Honório,[7] pro Cardia[8] e pro Meyer.[9] Outra mais afetuosa e grata pra Maria Amélia[10]

e este seu abraço verdadeiro do
sempre
Mário

Carta assinada: "Mario"; datada: "S. Paulo 8-III-41"; autógrafo a tinta preta; papel creme, filigrana; 1 folha; 27,4 × 21,0 cm.

---

1 Mário de Andrade vivera no Rio de Janeiro entre 1938 e 1941, num pequeno apartamento na rua do Catete, e depois em Santa Teresa. A mudança para a Guanabara guarda estreita relação com o desapontamento que lhe causara o malogro do projeto do Departamento de Cultura da cidade de São Paulo, de que fora chefe entre 1935 e 1938. Os anos à frente daquela pasta lhe propiciaram experimentar, no plano das políticas públicas, o ideal de um mergulho sistemático na

cultura popular e nacional: fora o tempo da criação da Discoteca Municipal (dirigida por Oneyda Alvarenga), dos parques infantis, das bibliotecas ambulantes, do projeto do SPHAN (Serviço do Patrimônio Histórico e Artístico Nacional) e das missões folclóricas enviadas ao Norte e Nordeste. Afastado do cargo na gestão do "prefeito vesgo" Prestes Maia (como diria em carta ao amigo Rodrigo Mello Franco de Andrade, diretor do SPHAN), já sob o Estado Novo, Mário rumara para o Rio em junho de 1938, para assumir o curso de Filosofia e História da Arte da Universidade do Distrito Federal. Posteriormente, trabalharia no Instituto Nacional do Livro (sob a direção de Augusto Meyer), onde também esteve Sérgio Buarque de Holanda à testa da seção de publicações. Regressaria a São Paulo, como se percebe nesta carta, em março de 1941, comissionado no SPHAN. Para o tempo à frente do Departamento de Cultura, leia-se BARBATO Jr., Roberto. *Missionários de uma utopia nacional-popular: os intelectuais e o Departamento de Cultura de São Paulo*. São Paulo: Annablume, 2004. Para o tempo carioca, a referência obrigatória é CASTRO, Moacir Werneck de. *Mário de Andrade: exílio no Rio*. Rio de Janeiro: Rocco, 1989.

2 A pintura de Cândido Portinari (1903-62) fora "descoberta" por Mário de Andrade em 1931, quando, no Salão de Belas-Artes do Rio de Janeiro, eram exibidos dois retratos de Manuel Bandeira, de autoria de Friedrich Maron e do próprio Portinari. A despeito da impressão e da discussão que causara a tela de Maron entre os modernistas, Mário preferiria o retrato pintado por Portinari, cuja qualidade ele reconhece numa crítica severa dirigida ao "realismo" e às deficiências de Maron, como se lê em carta enviada naquele mesmo ano a Bandeira. Cf. MORAES, Marcos Antonio de (org.). *Correspondência Mário de Andrade & Manuel Bandeira*, op. cit., pp. 523-7. Mário teve uma convivência fecunda e próxima com Portinari e sua esposa, cuja casa constituíra para ele, "neste deserto de afeições verdadeiras que é o Rio de Janeiro", um refúgio familiar, como se lê em carta enviada em outubro de 1940 ao próprio pintor, em cuja residência carioca Mário dera um ciclo de conferências, organizado pela aluna de Portinari, Lota de Macedo Soares (futura idealizadora do aterro do Flamengo e companheira de Elizabeth Bishop), enquanto o mestre viajava pelos Estados Unidos, no momento em que o Museu de Arte Moderna de Nova York exibia sua obra. Cf. FABRIS, Annateresa (org.). *Portinari, amico mio: cartas de Mário de Andrade a Candido Portinari*. Campinas: Mercado de Letras/Autores Associados/Projeto Portinari, 1995, pp. 76-7. O álbum que Mário pede que Sérgio envie a São Paulo é muito provavelmente aquele de 1939, com ensaios do próprio Mário de Andrade e de Manuel Bandeira. Cf. *Portinari*. Rio de Janeiro: Ministério da Educação e Saúde Pública, 1939.

3 No Instituto Nacional do Livro, Mário desenvolvera o projeto de uma *Enciclopédia brasileira*, que seria comissionada a intelectuais brasileiros, e tão barata,

segundo seus planos, que pudesse "viver nos lares operários". Cf. ANDRADE, Mário de. *A enciclopédia brasileira*. Ed. Flávia Camargo Toni. São Paulo: Giordano/Loyola/Edusp, 1993. O cargo não o obrigava a sentar praça num escritório, mas ainda assim, no fim de 1939, ele se preocupara em pedir ao ministro Gustavo Capanema que fizesse vistas grossas a um afastamento para tratamento de saúde, em carta enviada de sua casa em São Paulo: "meu cargo não exige presença diária no Instituto do Livro e lá só vou quando necessário. Aliás levarei comigo o trabalho sobre verbetes, que trarei pronto. Também meu cargo não permite licença, por ser de contrato. Se você puder fechar os olhos sobre este meu descanso e tratamento, é um grande favor. Se não puder, paciência. Apenas lhe peço me avisar por uma palavrinha sua ou do Carlos [Drummond de Andrade, chefe de gabinete de Capanema], pra meu governo". Cf. SCHWARTZMAN, Simon; BOMENY, Maria Helena Bousquet; e COSTA, Vanda Maria Ribeiro. *Tempos de Capanema*. São Paulo: Paz e Terra/Fundação Getúlio Vargas, 2000, p. 391.

4 O Departamento de Imprensa e Propaganda, criado em 1939, era o órgão do Estado Novo responsável pela censura dos meios de comunicação, e pela orientação nacionalista e personalista das políticas culturais da era Vargas. Funcionava, ademais, como "elemento auxiliar de informação dos ministérios e entidades públicas e privadas", com ampla precedência sobre os órgãos públicos federais. Sobre as funções e o perfil do DIP, cf. ARAÚJO, Rejane. "Departamento de Imprensa e Propaganda". CPDOC/FGV. Web. Consultado em 25 out. 2011.

5 O Serviço do Patrimônio Histórico e Artístico Nacional (atual IPHAN), então dirigido por Rodrigo Mello Franco de Andrade, tivera Mário de Andrade como um de seus idealizadores. Desde 1935, Gustavo Capanema pretendia que Mário trabalhasse junto ao seu Ministério. Na correspondência com Drummond, a primeira sondagem é de setembro de 1935, quando o poeta mineiro, já residindo no Rio e trabalhando como chefe de gabinete de Capanema, pergunta se "interessar--lhe-ia receber um convite para trabalhar no Rio, direção do Departamento de Extensão Cultural, coisa de três contos mensais e possibilidade de lecionar no Instituto de Música, talvez mesmo transferir-se como catedrático daí para aqui? Interrogação do Capanema, que eu lhe transmito cheio de alvoroço". A resposta viria em seguida, negativa, porque Mário não queria "abandonar o Fábio Prado, seria uma deslealdade, e mesmo no gozo do Rio iria carregar uma mancha em mim que não me daria sossego". SANTIAGO, Silviano (org.). *Carlos & Mário: correspondência completa entre Carlos Drummond de Andrade (inédita) e Mário de Andrade*, op. cit., pp. 439-42. Como já referido, Mário somente trocaria São Paulo pelo Rio depois da exoneração do cargo de diretor do Departamento de Cultura da cidade de São Paulo, em 1938. A comunicação com Capanema, entretanto, começara antes, pelo menos já em abril de 1935, que é a data de uma longa

carta ao ministro, em que Mário discorre sobre a reordenação das disciplinas na "Universidade [do Distrito Federal]", imaginando a criação "dum departamento especial de alta cultura artística", que compreenderia a "Estética (na sua concepção filosófica), a História das Artes e a Etnografia". Cf. SCHWARTZMAN, Simon; BOMENY, Maria Helena Bousquet; e COSTA, Vanda Maria Ribeiro. *Tempos de Capanema*, op. cit., pp. 376-80.

6 O cearense Américo Facó (1885-1953), além de redator da *Fon-Fon* e da revista *Espelho*, fora colega de Sérgio Buarque de Holanda na agência Havas, na década de 1920 (ver, atrás, nota sobre Cláudio Ganns). No momento desta carta, era chefe da Seção de Enciclopédia e Dicionário do Instituto Nacional do Livro. Bastante depois da morte de Mário, Sérgio voltaria algumas vezes, em seus artigos de crítica, à figura de Facó, que em 1952 ele associa aos "mallarmismos" que via na obra de João Cabral de Melo Neto, para finalmente, numa análise de sua poesia e crítica, elogiar-lhe a compreensão da "tradição, colhida em suas próprias nascentes". Em artigo para o *Diário Carioca*, Sérgio se assombra, passadas três décadas da era heroica do modernismo, diante da capacidade de Facó "de conciliar na mesma e desenvolta estima um Sá de Miranda e um William Blake, um Gil Vicente e um Paul Valéry, ou de fazer inteira justiça — em artigo para *Estética* — à obra de Joseph Conrad, na mesma época que alguns dos nossos ainda cometiam a barbaridade de ver no autor de *Lord Jim* o 'Coelho Neto da Inglaterra'". HOLANDA, Sérgio Buarque de. *O Espírito e a Letra*, op. cit., v. 2, p. 539.

7 O historiador José Honório Rodrigues (1913-87) se notabilizaria por suas pesquisas sobre a história da historiografia brasileira. Nos anos seguintes a esta carta, ele viajaria aos Estados Unidos, assumindo depois, por mais de dez anos, a direção do setor de Obras Raras da Biblioteca Nacional do Rio de Janeiro e, a partir de 1958, a direção do Arquivo Nacional. Seria mais tarde um dos historiadores brasileiros mais reconhecidos nos Estados Unidos e se notabilizaria, também, como "erudito pesquisador da história do Brasil holandês", como o classificaria Sérgio Buarque num artigo publicado no fim de 1941 no *Diário de Notícias* do Rio de Janeiro. Cf. HOLANDA, Sérgio Buarque de. "Do rancho ao palácio" in COSTA, Marcos (org.). *Sérgio Buarque de Holanda: escritos coligidos*, op. cit., p. 260. Cf. STEIN, Stanley J. "Obituary: José Honório Rodrigues". *The Hispanic American Historical Review*, v. 68, nº 3, 1988, pp. 573-6. José Honório seria mais tarde um "impaciente" e "combativo" pesquisador do conservadorismo historiográfico brasileiro. Cf. MOTA, Carlos Guilherme. "José Honório Rodrigues, a obra inacabada". *Estudos Avançados*, 1988, v. 2, nº 3, pp. 107-10. À época desta carta, trabalhava ainda no Instituto Nacional do Livro com Sérgio Buarque de Holanda.

8 Adroaldo de Almeida Cardia trabalhava no almoxarifado do Instituto Nacional do Livro, a julgar por diversos registros de conta no *Diário da União* da época.

9 O crítico e poeta gaúcho Augusto Meyer (1902-70) foi diretor do Instituto Nacional do Livro por muitos anos. Mário mantivera correspondência assídua e calorosa com ele, desde 1928 até sua mudança para o Rio de Janeiro. No plano crítico, Sérgio jamais escondeu a admiração pela prosa de Meyer, como na resenha de 1949 de *Segredos da infância*, recém-publicado numa editora de Porto Alegre: "livro de prosador, e prosador dos mais admiráveis entre os que escrevem atualmente em língua portuguesa, é também, e antes de tudo, obra de poesia. A inteligência crítica tão aguda, que o autor soube demonstrar em alguns dos ensaios de *À sombra da estante*, para lembrar apenas esse exemplo, é serviçal constante do poeta em sua maravilhosa excursão ao país da meninice. Um analista de peculiaridades estilísticas não encontraria talvez diferença fundamental entre a linguagem destes dois livros de prosa". HOLANDA, Sérgio Buarque de. *O Espírito e a Letra*, op. cit., v. 2, p. 156. Na coleção de Augusto Meyer, na Fundação Casa de Rui Barbosa, encontram-se duas cartas de Sérgio Buarque de Holanda datadas de 1946, evidenciando que, já de volta a São Paulo, Sérgio fez a intermediação para que Meyer colaborasse com *O Estado de S. Paulo*. Cf. Coleção Augusto Meyer, Ame 104 CP III-07. (Agradeço a Vera Neumann-Wood, a quem devo a referência.) À altura desta carta de Mário para Sérgio, no início de março de 1941, um ligeiro desentendimento acontecera entre o poeta paulista e Meyer, como se vê em carta de Mário a Portinari, contando do novo emprego, comissionado pelo Serviço do Patrimônio, numa passagem bastante esclarecedora sobre a rede que fora mobilizada para a transferência de Mário de volta a São Paulo: "vou tombar cadeira velha! Foi o Rodrigo [Mello Franco de Andrade] que arranjou, porque o nosso Meyer desta vez fez bastante feio quando se tratou de traspassar o meu contrato do Inst. do Livro pro Serviço. Primeiro se opôs, depois a mim pessoalmente me falou que precisava do meu lugar, isto é, da verba pra nomear outro funcionário pra fazer outra coisa (o que não era possível) mas em todo caso, se de fato eu ia perder tudo, por não poder reassumir o meu cargo aqui do Departamento de Cultura, então ele sacrificava o Instituto pra salvar o amigo. Até dei risada porque era difícil decidir se se tratava duma ingenuidade ou de um jeito de querer me pôr em brios. Respondi que isso não, eu era incapaz de sacrificar um serviço público por um benefício pessoal. Mas como o Capanema estava muito bem disposto a meu respeito, o Rodrigo virou, mexeu e acabou descobrindo o que era mais fácil: mandou ver como era a minha requisição feita pelo Ministério e como ela não determinava meu cargo, foi facílimo. Pedi rescisão do meu contrato pro Inst. do Livro mas continuei a serviço do Ministério e o Rodrigo me manda pra 6ª Região, fazer pesquisas bibliográficas sobre a Colônia e tal-

vez visitar Mato Grosso que também pertence à 6ª Região. Foi ótimo. Ainda não sei quanto vou ganhar, mas mesmo que seja apenas um conto de réis já é muito bom pois eu vinha pra cá apenas com quatrocentos mil-réis pra começar! E assim não perco, ainda por enquanto, o meu cargo efetivo na Prefeitura, coisa que de outra forma fatalmente aconteceria, pois estava disposto e decidido a não reassumir meu posto aqui. Está salva a pátria". FABRIS, Annateresa (org.). *Portinari, amico mio: cartas de Mário de Andrade a Candido Portinari*, op. cit., pp. 80-1.

10 Maria Amélia Cesário Alvim Buarque de Holanda (1910-2010) se casara com Sérgio em 1936, tendo como padrinhos Prudente de Moraes, neto e sua esposa Inah, e Rodrigo Mello Franco e sua esposa Graciema. Sobre Mário de Andrade, em seu tempo no Rio de Janeiro, ela lembra, em cronologia elaborada em 1979, que ele "aparecia sempre" em sua casa, na avenida Atlântica, no Leme, e posteriormente no Lido, à rua Ronald de Carvalho. Cf. HOLANDA, Maria Amélia Buarque de. "Apontamentos para a cronologia de Sérgio Buarque de Holanda" in HOLANDA, Sérgio Buarque de. *Raízes do Brasil*, op. cit., pp. 421-46. Maria Amélia seria uma espécie de guardiã e fiel companheira de Sérgio durante toda a vida. Depois da morte dele, em 1982, ela descobriria e organizaria, antes de repassá-los a Antonio Candido, os originais então inéditos que resultariam nos *Capítulos de literatura colonial*. Cf. SOUZA, Antonio Candido de Mello e. "Introdução" in *Capítulos de literatura colonial*. São Paulo: Brasiliense, 1991, p. 7.

19 (SBH)

[*Rio de Janeiro, anterior a 21 de março de 1941*][1]

Mário

Abraço.

1º Comuniquei ao J. Jobim[2] seu endereço para a remessa dos Portinaris.

2º Trecho de uma carta que recebi do Levi Carneiro,[3] escrita de Petrópolis: "...não pude dirigir-me ao Mário de Andrade, cujo endereço ignoro e que muito desejava figurasse no primeiro número da Revista. Leonídio Ribeiro,[4] meu amigo e dele, prometeu-me falar-lhe; mas ainda não o fez. Suponho que v. esteja em contato com ele, Mário. E nesse caso quereria fazer-me o obséquio de obter dele o artigo que desejo? Tudo isso está atropelado e sem formalidades... Mas tem de ser assim — e eu prefiro assim. Espero que v. — e o Mário de Andrade, a quem só conheço de vista e de leitura — concordem comigo. E acedam ao meu desejo".

A revista em questão é a que a Academia vai publicar agora para uso externo. O Levi é presidente da Academia. Os artigos, disse-me ele em conversa na rua, serão pagos à razão de 100$000 no mínimo, havendo acréscimo de vinte mil réis por página de texto que exceda de cinco. Não escreverei porque não tenho tempo. Vou escrever ao Levi comunicando-lhe seu endereço. O dele é o seguinte:
744 Quarteirão Brasileiro. Remanso.
Petrópolis.
Se v. tiver artigo pronto é mandar para lá.

Abraços do

Sérgio

Carta assinada: "Sergio"; sem data; datiloscrito original, fita preta; papel branco, filigrana; 1 folha; 30,6 × 21,9 cm; rasgamento na borda direita e inferior. Nota MA: a grafite: "Buarque de Holanda".

---

1 A data foi atestada pela resposta de Mário de Andrade em 21 de março de 1941.

2 Não foi possível localizar informações sobre J. Jobim. Não se o confunda entretanto com Jorge de Oliveira Jobim (pai de Tom Jobim), com quem Sérgio Buarque convivera nas rodas da livraria Garnier, na década de 1920. Cf. HOLANDA, Maria Amélia Buarque de. "Apontamentos para a cronologia de Sérgio Buarque de Holanda" in HOLANDA, Sérgio Buarque de. *Raízes do Brasil*, op. cit., p. 427.

3 O jurista Levi Fernandes Carneiro (1882-1971) foi um dos fundadores e primeiro presidente da Ordem dos Advogados do Brasil. Fora eleito para a Acade-

mia Brasileira de Letras em 1936 e buscava a essa altura artigos para sua revista, como sugere também a carta de Manuel Bandeira a Mário, de 23 de abril de 1941: "Recebi há coisa de um mês a sua primeira carta de São Paulo, a qual deve ter cruzado em caminho com a minha (recebeu?). Nela eu lhe mandava propor, em nome do Levi Carneiro, uma colaboração na revista que ele pretende fazer a Academia editar. Andei pedindo outras colaborações (a serem pagas aliás), mas hoje me arrependo do favor, porque o homem é um confusionista, se não pescador de águas turvas, pois convidou para fazer a bibliografia da tal revista quem, meu Deus? o [professor do Colégio Militar do Rio de Janeiro] Berilo Neves!". MORAES, Marcos Antonio de (org.). *Correspondência Mário de Andrade & Manuel Bandeira*, op. cit., p. 655.

4 O médico Leonídio Ribeiro (1893-1976) era então professor de Medicina Legal, autor de estudos sobre as "causas endócrinas do homossexualismo masculino" e, em 1950, publicaria uma biografia de seu mestre Afrânio Peixoto. Cf. "Ciência e preconceito, uma história social da epilepsia no pensamento médico brasileiro, 1859-1906", PUC-RJ. Web. Consultado em 27 out. 2011.

20 (SBH)

[*Rio de Janeiro, anterior a 21 de março de 1941*]

Mário

Responda sobre o caso colaboração de que lhe falei, ou a mim, ou ao Levi Carneiro diretamente.[1] Ele está ansioso por alguma coisa sua para o primeiro número da revista.

Sérgio

Bilhete assinado: "Sergio"; sem data; datiloscrito original, fita preta; cartão branco, 10,3 × 20,4 cm. <u>Nota MA</u>: *a grafite: "Buarque de Holanda"; a lápis azul: "devo 15$000".*[2]

1 Ver, na p. 115, nota sobre Levi Carneiro.

2 A nota "devo 15$000", provavelmente, refere-se ao transporte dos "5 exemplares do álbum de Portinari", pedido da carta de Mário de Andrade datada de 8 de março de 1941.

21 (MA)

São Paulo, 21 de março de 1941

Sérgio, não. Não colaboro numa revista pra leigos se exporem, caritativamente instituída pela Academia Brasileira de Letras, sem primeiro saber bem o que é. Não tenho a mínima confiança na Academia (confiança literária, entenda-se) e muito menos no sr. Levi Carneiro. Diga assim como estou ocupadíssimo, gravemente enfermo, que morri e estou cuidando do meu sepultamento ou me kidnaparam[1] para todo o sempre, amen.

Estou indignado com *Cultura Política*[2] a que o meu sublime e tresloucado amigo Pedro Dantas[3] deu a honra insensata da sua colaboração. Por sinal que gozei porque saiu circuncisfláutica, nebulosa e anti-Pedrodantas no mais não poder. Se esquecimento não vier antes, escacharei com ele quando escrever ao dito, arre!

Vamos viver ares mais puros: acabo de chegar de Brodowski onde fui ver a capelinha de família pintada pelo Portinari, tem coisas geniais, principalmente um São Pedro, mais pescador e mais papa que todos os papas e pescadores.[4] Estou encantado, rindo sozinho na rua. Aqui chegado hoje recebo nesta mesma data os cinco Portinari em forma de livro que você teve a generosidade de me mandar com transporte preliminarmente pago. Boa maneira de me obrigar a não pedir mais favores a você, ingrato e infiel amigo![5] Também não tenho pedidos de favor em perspectiva: estou principiando a me assentar na vida nova.

Creio que é só. Deus lhe pague pelo envio dos livros que chegaram uma perfeição. Quando vamos pros States?[6] Maria Amélia vai também?[7] Eu, cada vez mais desistindo de ir e talvez desistindo de tudo, não sei, ando com nojo do tudo que não é minha vidinha de deserto-mãe. Amo o deserto, requeimado pegureiro de mim mesmo, beduíno ou quiçá camelo. Deve dar camelo. Mas é uma gostosura hipermajestática e tem seu trágico.

O mais é um abraço de vasta saudade, vasta e rara, sou parco em sentir saudade de
Mário

Carta assinada: "Mario"; datada: "S. Paulo 21-III-41"; autógrafo a tinta preta; papel creme, filigrana; 1 folha; 27,4 × 21,0 cm.

---

1 Anglicismo, ou mais propriamente galicismo, já que o verbo "to kidnap" (sequestrar) gerou em francês *kidnapper* — provável referência de Mário —, termo utilizado desde o século XIX, segundo o dicionário da Academia Francesa.

2 *Cultura Política* foi a revista oficial do DIP (Departamento de Imprensa e Propaganda) e um dos principais veículos ideológicos do Estado Novo. Sob a direção de Almir de Andrade, e com colaboração de homens fortes do regime, como Lourival Fontes, Francisco Campos e Cassiano Ricardo, mas também de

Graciliano Ramos, Gilberto Freyre e Nelson Werneck Sodré, circularia até outubro de 1945, tendo sido lançada neste mesmo mês de março de 1941. A "visão totalitária da cultura", em Freyre, atrairia Almir de Andrade, cuja concepção da história dialogava diretamente com a percepção do predomínio do poder local e do personalismo na matriz societária brasileira, num diálogo com Oliveira Vianna, Alberto Torres, e o próprio Sérgio Buarque de Holanda, cuja concepção do "homem cordial" serve também a Almir de Andrade, embora o encaminhamento de sua crítica seja totalmente diverso, com a justificativa das soluções autoritárias do Estado Novo: "a seu ver, são as raízes culturais, o localismo e o personalismo que legitimam o novo regime e a figura de Vargas". Cf. GOMES, Ângela de Castro in OLIVEIRA, Lúcia Lippi; VELLOSO, Mônica Pimenta; e GOMES, Ângela de Castro. *Estado Novo: ideologia e poder*. Rio de Janeiro: Zahar, 1982, p. 42.

3 Prudente de Moraes, neto, sob o pseudônimo de Pedro Dantas, assinaria, até o ano seguinte, a coluna "Literatura de ideias" em *Cultura Política*. Seu primeiro número, de março, a que se refere Mário, trazia a seguinte explanação, na abertura da coluna que Prudente então estreava: "Sob o pseudônimo de Pedro Dantas há, como se sabe, a figura de um intelectual que já exerceu cargos públicos de responsabilidade, tendo sido diretor de uma das mais importantes Faculdades da extinta Universidade do Distrito Federal, e que, como crítico de livros e de ideias, é um dos de maior prestígio em nosso país.

— Em sua crônica inaugural, acentua o autor que o Brasil entra hoje na posse de si mesmo e que esse movimento — presente na vida pública e conscientemente proclamado pelos dirigentes políticos do país — repercute profundamente na vida do pensamento, criando a necessidade de nos conhecermos melhor e nos estudarmos a nós mesmos. O Brasil passou a ser, depois da Grande Guerra e muito especialmente depois da Revolução de 1930, o grande assunto do espírito brasileiro e a sua maior descoberta. Trata-se, não obstante, de um processo em evolução, que está longe de se haver completado. No dia em que conquistarmos a plena posse de nós mesmos, nosso pensamento poderá ir mais longe e nossas preocupações poderão abranger algo de mais universal que a nossa própria realidade. Essa plenitude é o que ainda nos falta atingir; tudo parece indicar, não obstante, que encontramos o caminho que a ela conduz". *Cultura Política: revista mensal de estudos brasileiros*, mar. 1941, ano 1, n. 1, p. 257.

4 Mário vinha ansiando pela visita à capelinha pintada pelo amigo em Brodowski. No dia 10 de março de 1941, pouco mais de uma semana portanto antes desta carta enviada a Sérgio, ele escrevera a Portinari agradecendo-lhe "as duas remessas de fotografias": "fiquei delirando. Há coisas que mesmo

assim em ruins fotografias me parecem admiráveis, e quanto à Santa Luzia e o São Pedro, causam espanto de tão grandiosas e magníficas, parece Van Eyck, parece Nuno Gonçalves no tríptico. Estou louco pra ver tudo isso e também vou escrever sobre para a rotogravura do *Estado*". FABRIS, Annateresa (org.). *Portinari, amico mio: cartas de Mário de Andrade a Candido Portinari*, op. cit., p. 82. De fato, conforme será discutido em maior detalhe no estudo crítico que segue estas cartas, a capela causara enorme impressão em Mário de Andrade, e as comparações feitas na carta a Portinari apareceriam novamente em seu artigo para *O Estado de S. Paulo*. Em carta enviada no dia 15 de março a Murilo Miranda, a mesma expectativa se revela, embora temperada pela azáfama do trabalho: "Na segunda de-noite parto pra Brodowski ver a capela que o Portinari acabou, um dever inalienável das minhas obrigações pra com ele e aliás um prazer. Mas fico lá só dois dias no máximo. E levo trabalho pra fazer lá". Cf. ANTELO, Raúl (org.). *Mário de Andrade: cartas a Murilo Miranda (1934--1945)*. Rio de Janeiro: Nova Fronteira, 1981, p. 74.

5 Ver, atrás, carta de 8 de março de 1941, sobre a remessa dos Portinaris.

6 A viagem anunciada seria a primeira excursão acadêmica de Sérgio Buarque de Holanda pelos Estados Unidos, resultado, no caso, da "política de boa vizinhança" da era Roosevelt e, como nota Halperin Dongui, fruto também do "deslocamento do centro de estudos hispano-americanos da Europa para os Estados Unidos", no contexto da Segunda Guerra Mundial e depois da Guerra Civil Espanhola. Foi Rubens Borba de Moraes, segundo a criteriosa reconstituição de Robert Wegner, quem pôs Sérgio Buarque em contato com o historiador Lewis Hanke (que tinha também a intenção de encontrar Mário de Andrade no Brasil), em 1940, no Rio de Janeiro. Em 1941, por fim, Sérgio seria convidado pela Divisão Cultural do Departamento de Estado norte-americano a viajar, na companhia de Luís Jardim, representando o Ministério da Educação do Brasil, passando, ao longo de aproximadamente três meses, por Nova York, Washington, Wyoming e Chicago. Cf. WEGNER, Robert. *A conquista do oeste: a fronteira na obra de Sérgio Buarque de Holanda*. Belo Horizonte: Editora UFMG, 2000, pp. 74-6. Em artigo publicado no *Diário de Notícias* do Rio de Janeiro em outubro de 1941, Sérgio relembra passos de sua viagem, e o interesse pelas coisas e pela língua do Brasil nos mais diversos cantos dos Estados Unidos, com destaque para o trabalho de William Berrien, que, egresso do ambiente de reflexão dos estudos de línguas românicas, inaugurara o primeiro curso de literatura brasileira entre os norte-americanos, na Universidade da Califórnia, e depois na Northwestern University, para finalmente patrocinar um curso de verão na Universidade de Wyoming, de que participara Sérgio, além de Paulo Duarte, e outros brasileiros encarregados do ensino de por-

tuguês. Cf. HOLANDA, Sérgio Buarque de. "Americanismo e letras" in COSTA, Marcos (org.). *Sérgio Buarque de Holanda: escritos coligidos*, op. cit., v. 1, pp. 243-7. A proximidade com a academia norte-americana faria ainda com que Sérgio Buarque encontrasse e auxiliasse, no ano seguinte, Stanley J. Stein, então um jovem pós-graduando em viagem pelo Brasil, também financiado pelo Departamento de Estado norte-americano. Nos anos seguintes, Stein escreveria sua tese de doutorado sobre a decadência da economia cafeeira no vale do Paraíba, e por fim, já como professor em Princeton, receberia, duas décadas mais tarde, Sérgio Buarque de Holanda em mais uma viagem pelos Estados Unidos. Cf. Arquivo Privado Sérgio Buarque de Holanda, Siarq--Unicamp, Cp 281 P10. Agradeço a Stanley Stein as informações sobre seus primeiros contatos com Sérgio Buarque de Holanda, Rubens Borba de Moraes e José Honório Rodrigues.

7 Dona Maria Amélia não acompanhou o marido, segundo informação colhida por Vera Neumann-Wood.

1942

22 (SBH)

[*Rio de Janeiro,*] *9 de janeiro de 1942*

Mário

Abraço

Vai aí correspondência chegada para você. Vejo que algumas são bem antigas. Creio mesmo que do tempo da minha viagem aos EE.UU.[1] Mandarei o que for chegando daqui em diante. Do Sérgio

Bilhete assinado: "Sergio"; datado: "9/I/1942"; autógrafo a tinta preta; cartão branco; 10,2 × 15,3 cm. PS. Nota T: *a grafite: "B".*

1 Ver nota anterior, sobre a viagem de Sérgio Buarque aos Estados Unidos.

23 (MA)

São Paulo, 15 de setembro de 1942

Sérgio

Concebi um desejo ousado. Vamos a ver se desta vez eu chego antes do Rodrigo.[1] Como você deve saber, bibliófilo inveterado e sem vergonha como todos, tenho uma coleção de originais (manuscritos ou datilografias de primeira versão, corrigidos)[2] que é uma já bonita coisa. Entre outras importâncias tem o *Brás, Bexiga e Barra Funda*,[3] o *João Miguel*[4] e *As Três Marias*[5] da Raquel,[6] um Lins do Rego,[7] um Marques Rebelo,[8] um quarteto inédito do Henrique Oswald,[9] etc. etc. Já uns quarenta números sem contar as poesias está claro, Manuel,[10] o Drummond,[11] o livro retirado do mercado do Murilo Mendes[12] etc. Acresce que deixo tudo pro Estado, Biblioteca Municipal, não deixo pra família. Concebi a

ideia de ter os originais, projetos, rascunhos, etc. do livro que você está escrevendo pro tal concurso nos States, é possível?[13] Ficava numa vaidade danada, e havia de tomar um drinque bom em honra vossa. Mande contar se é possível, pra eu ficar me rindo todo.
   Lembrança pra Maria Amélia e este
   abraço amigo do
   Mário

Carta assinada: "Mario"; datada: "S. Paulo, 15-IX-42"; autógrafo a tinta preta; papel creme, filigrana; 1 folha; 25,5 × 20,7 cm; rasgamentos no canto superior direito, inferior esquerdo e na borda direita.

---

1 Rodrigo Mello Franco de Andrade.

2 Ver, a propósito, MACHADO, Marcia Regina Jaschke. *Manuscritos de outros escritores no Arquivo Mário de Andrade: perspectivas de estudo*. São Paulo: Faculdade de Filosofia, Letras e Ciências Humanas, 2008.

3 MACHADO, Antônio de Alcântara. *Brás, Bexiga e Barra Funda: notícias de São Paulo*. São Paulo: Editorial Hélios Ltda., 1927. Os originais datiloscritos guardados por Mário vêm num envelope enviado pelo próprio autor, junto a uma receita: "Originais do 'Brás, Bexiga e Barra Funda' notícias de São Paulo 1927 oferecidas pelo autor Antônio de Alcântara Machado ao seu confrade Mário de Andrade dez. 930 Acompanhadas desta receita de 'fudge'". MACHADO, Marcia Regina Jaschke. *Manuscritos de outros escritores no Arquivo Mário de Andrade: perspectivas de estudo*, op. cit., p. 182.

4 QUEIROZ, Rachel de. *João Miguel*. Rio de Janeiro: Schmidt, 1932. Os originais são autógrafos, datados de Itabuna, set.-7 nov. 1931. Mário guardou dois exemplares em sua biblioteca, um dos quais com dedicatória: "Ao Mário de Andrade — o grande Mário — toda a admiração de Rachel". Cf. MACHADO, Marcia Regina Jaschke. *Manuscritos de outros escritores no Arquivo Mário de Andrade: perspectivas de estudo*, op. cit., p. 225.

5 QUEIROZ, Rachel de. *As três Marias*. Rio de Janeiro: José Olympio, 1939. Os originais, autógrafos, são de 1937. Mário guardou também dois exemplares do

livro, um com dedicatória: "Para o Mário de Andrade este livrinho, com um grande abraço Rachel 23/8/39". Cf. MACHADO, Marcia Regina Jaschke. *Manuscritos de outros escritores no Arquivo Mário de Andrade: perspectivas de estudo*, op. cit., p. 226.

6 A escritora cearense Rachel de Queiroz (1910-2003) nutria admiração pelos experimentos modernistas e, muito jovem, conta que "lia e relia escondido para suas primas o recém-lançado *Macunaíma* de Mário de Andrade, obra censurada na família pela presença ostensiva de palavrões não propriamente adequados a moças bem-educadas". HOLLANDA, Heloísa Buarque de. *Rachel de Queiroz*. Rio de Janeiro: Agir, 2005, p. 14. Mário saudara já seu primeiro romance, lançado em 1930, o qual, apesar do prefácio e versos de "uma literatice mas da gorda", afastava-se saudavelmente do exagero de Euclides da Cunha: "tanta literatice inicial se soverter de repente, e a moça vir saindo com um livro humano, uma seca de verdade, sem exagero, sem sonoridade, uma seca seca, pura, detestável, medonha, em que o fantasma da morte e das maiores desgraças não voa mais que sobre a São Paulo dos desocupados. Rachel de Queiroz eleva a seca às suas proporções exatas. Nem mais, nem menos. É horroroso mas não é Miguel Anjo. É medonho mas não é Dante. É a seca". ANDRADE, Mário de. "Rachel de Queiroz" in *Táxi e crônicas no Diário Nacional*, op. cit., p. 252. Sobre *As três Marias*, em 1939 Mário situaria o livro dentro de um "período de cristalização da arte" de Rachel de Queiroz, ressaltando sua visão "fundamente desencantada dos seres e da vida", apoiada numa análise sempre "curta e incisiva, à maneira de Machado de Assis". ANDRADE, Mário de. "As três Marias" in *O empalhador de passarinho*. Belo Horizonte: Itatiaia, 2002, pp. 119-23.

7 O paraibano José Lins do Rego (1901-57) estreara o chamado "ciclo da cana-de-açúcar" com *Menino de engenho*, em 1932. É o manuscrito de *Riacho doce*, escrito em Maceió ou talvez no Rio de Janeiro, antes de setembro de 1939, que se encontra na coleção de Mário de Andrade. Cf. MACHADO, Marcia Regina Jaschke. *Manuscritos de outros escritores no Arquivo Mário de Andrade: perspectivas de estudo*, op. cit., p. 231. O exemplar pertencente a Mário (Rio de Janeiro: José Olympio, 1939) traz uma dedicatória "para o mestre Mario de Andrade, com a velha amizade José Lins do Rego 1939, setembro", e seria resenhado no mesmo ano, em dois artigos em que se enaltece "o escritor de linguagem mais saborosa, colorida e nacional que nunca tivemos; o mais possante contador, o documentador mais profundo e essencial da civilização e da psique nordestina", "um dos mais poderosos analistas de almas que já tivemos em nosso romance" — o que não impede Mário de lamentar as justificativas dadas publicamente pelo romancista sobre a "forma requinte", nas quais ele se lançara a "confusionismos vertiginosos". Ao mesmo tempo, louva-lhe o aspecto melódico das repetições "entorpe-

centes", as quais aproximariam a criação popular da criação musical culta. ANDRADE, Mário de. "Riacho doce" e "Repetição e música" in *O empalhador de passarinho*, op. cit., pp. 141-52. Sérgio Buarque, por seu turno, em suas recém-publicadas "Notas sobre o romance", em que opusera o naturalismo de Zola ao mergulho de Dostoiévsky naquela "zona mediana" em que o trabalho humano pouco conta, aponta para uma possível crise do "romance documento sociológico, do romance que delicia à maneira de uma reportagem de sensação", satisfazendo "certo gosto pelo exótico e pelo fantástico". Tal crise expunha um "problema inquietante": "o de saber até que ponto vários desses escritores regionalistas seriam bem-sucedidos se colocados perante assuntos menos sugestivos para a imaginação do leitor, e que exijam mais engenho e arte. Não há dúvida de que alguns suportariam a prova. Penso em José Lins do Rego, por exemplo. E sobretudo em Graciliano Ramos e Rachel de Queiroz". HOLANDA, Sérgio Buarque de. "Notas sobre o romance" in *O Espírito e a Letra*, op. cit., v. 1, pp. 317-21.

8 Trata-se dos originais datiloscritos de *Rua Alegre nº 12* (Curitiba: Guaíra, 1940), de Marques Rebelo (pseudônimo de Edy Dias da Cruz, 1907-73). Cf. MACHADO, Marcia Regina Jaschke. *Manuscritos de outros escritores no Arquivo Mário de Andrade: perspectivas de estudo*, op. cit., pp. 229-31. Sobre o escritor (e futuro prolífico tradutor) Marques Rebelo, Mário saudara seu primeiro livro de contos, *Oscarina*, filiando-o a uma longa tradição da ficção carioca, que remonta a Manuel Antônio de Almeida e Lima Barreto: "a cidade do Rio de Janeiro possui uma raça de escritores que se especializam na descrição nua e crua da pequena burguesia ou do alto proletariado. O que me parece curioso é o jeito com que esses escritores tratam a matéria que os torna excepcionais em todo o Brasil. [...] Creio que foram as *Memórias de um sargento de milícias* que iniciaram esta Tradição, essa verdadeira escola de prosistas cariocas. Machado de Assis algumas vezes coincidiu com ela e afinal o admirável criador de *Isaías Caminha* fixou definitivamente a tradição, a que Ribeiro Couto também se filiou [...] Marques Rebelo é um produto dessa pura linhagem de que venho tratando e a impressão que tenho é que sustentará as tradições de família na mesma altura a que as elevaram os melhores membros dela". Apud FRUNGILLO, Mário Luiz. "O Rio é o mundo: sobre Marques Rebelo no seu centenário". *Revista Rio de Janeiro*, nº 20-21, 2007, p. 120.

9 Em sua coleção, Mário possuía duas cópias manuscritas do Quarteto em sol maior opus 26 de Henrique Oswald (1852-1931). Cf. OSWALD, Henrique. *Quarteto em sol maior opus 26*. Org. José Eduardo Martins. São Paulo: Edusp, 2001, p. 26. Quando da morte do compositor, Mário de Andrade escrevera um tocante retrato, em que ao mesmo tempo se afastava dele e lhe prestava homenagem: "sem nunca o ter propriamente atacado, eu era, digamos, teoricamente, inimigo de

Henrique Oswald. Tínhamos, não apenas da música, mas, preliminarmente, da própria vida, um conceito muito diverso pra que doutrinariamente eu pudesse considerá-lo um companheiro de vida". Oswald provinha, dirá Mário em relação ao ambiente romântico em que se formara o compositor, "duma geração terrível e, por assim dizer, sem drama", ao mesmo tempo que lhe incomodava o fato de que o compositor pouco tivesse feito "música nacional": "Henrique Oswald foi talvez o mais despaisado, o mais desfuncional de quantos artistas vieram dessa segunda metade do século XIX, e estragaram aquela sumarenta ignorância romântica com que os Álvares de Azevedo e os Cândido Inácio da Silva iam abrasileirando sem querer a nossa fala e o nosso canto. Henrique Oswald foi incontestavelmente mais completo, mais sábio, mais individualistamente inspirado que Alberto Nepomuceno, por exemplo; porém a sua função histórica não poderá jamais se comparar com a do autor da *Suíte Brasileira*. Seu "epicurismo fatigado" o tornava finalmente um diletante, distante da "expressão" da "raça": "Contentou-se em viver o que individualmente era, sem nada abandonar de si, pra se afear com as violentas precariedades do povo. Foi o que se pode imaginar de visão linda aparecendo no sonho do Brasil quando dormia. O Sol bruto espantará sempre de nós essa visão, mas será impossível que, pela sua boniteza encantadora, pela sua perfeição equilibrada, e ainda pela nossa saudade das civilizações mais completas, a visão não volte dentro de nós, sereia, cantar nos momentos em que nos dormirmos de nós". ANDRADE, Mário de. "Henrique Oswald" in *Música, doce música*, op. cit., pp. 158-60.

10 São vários os autógrafos de poemas de Manuel Bandeira na coleção de Mário de Andrade. Cf. MACHADO, Marcia Regina Jaschke. *Manuscritos de outros escritores no Arquivo Mário de Andrade: perspectivas de estudo*, op. cit., pp. 81-99. Para uma análise dos manuscritos em questão, consultem-se os textos de Telê Ancona Lopez e Marlene Gomes Mendes. Cf. LOPEZ, Telê Porto Ancona (org.). *Manuel Bandeira: verso e reverso*. São Paulo: T.A. Queiroz, 1987, pp. 125-75.

11 Como no caso de Manuel Bandeira, são diversos os poemas de Drummond em sua versão original, alguns autógrafos, outros datiloscritos, na coleção de Mário de Andrade. Cf. MACHADO, Marcia Regina Jaschke. *Manuscritos de outros escritores no Arquivo Mário de Andrade: perspectivas de estudo*, op. cit., pp. 67-74. A relação de Mário e Carlos Drummond de Andrade (1902-87) gerou um conjunto epistolar quase tão poderoso quanto aquele que uniria Mário e Bandeira, e que data de muito antes da convivência intensa entre os dois (Mário e Drummond) no Rio de Janeiro, quando ambos formavam nas fileiras do serviço público, estavam ligados à pasta de Gustavo Capanema, conforme notas anteriores. Silviano Santiago observa como, de certa forma, a sombra de Bandeira se projeta sobre a correspondência de Mário e Drummond, em seus inícios: "Carlos solicita

cópia do poema 'Noturno de Belo Horizonte', elogiado por Manuel Bandeira, em carta dirigida a ele. Bandeira já o distingue, por que Mário não o distinguirá?/ Na carta de abertura, Carlos esgota o estoque de armas de que dispõe e, abandonado, fica à espera da carta resposta. Esta pode tudo: mimá-lo e até esquartejá-lo. Responde-lhe Mário, reconhecendo o discípulo no desespero que lhe é próprio: 'Já começava a desesperar da minha resposta? Meu Deus! comecei esta carta com pretensão... Em todo caso de mim não desespere nunca. Eu respondo sempre aos amigos. Às vezes demoro um pouco, mas nunca por desleixo ou esquecimento'. Depois de ter montado o solilóquio, Carlos vai passar pela experiência do dilaceramento da personalidade, que é fundamento do diálogo exigente com Mário". SANTIAGO, Silviano. "Suas cartas, nossas cartas" in *Carlos & Mário: correspondência completa entre Carlos Drummond de Andrade (inédita) e Mário de Andrade*, op. cit., pp. 12-3.

12 São também diversos os originais de Murilo Mendes, datiloscritos ou autógrafos, na coleção de Mário de Andrade. Cf. MACHADO, Marcia Regina Jaschke. *Manuscritos de outros escritores no Arquivo Mário de Andrade: perspectivas de estudo*, op. cit., pp. 189-94. Neste caso, trata-se da versão autógrafa de *O sinal de Deus*, do início de 1936. Marcia Regina Machado sustenta que o livro de poemas em prosa teria sido recolhido logo depois de ter sido publicado pela José Olympio, "por intervenção de Adalgisa Nery, ex-musa de Murilo Mendes, que ia se casar com Lourival Fontes, ligado ao governo de Getúlio Vargas". Já Julio Castañon Guimarães, num estudo preliminar sobre a correspondência entre Murilo Mendes e Lúcio Cardoso, e também Drummond, sugere não se saber ainda com clareza o motivo por que a publicação foi sustada, depois de o livro haver sido impresso. Cf. GUIMARÃES, Júlio Castañon. *Distribuição de papéis: Murilo Mendes escreve a Carlos Drummond de Andrade e a Lúcio Cardoso*. Rio de Janeiro: Fundação Casa de Rui Barbosa, 1996 (Papéis avulsos, n. 27). Mário dedicara um artigo, em abril de 1939, a *Poesia em pânico*, elogiando o momento em que Murilo Mendes se "fixou" a partir da "religião, que ele herdou desse amigo tirânico que foi Ismael Néri [ex-esposo de Adalgisa, então falecido]. A religião, dando valor ao tempo e organizando a eternidade, colocou o poeta dentro do alto espiritualismo da sua poesia". Entretanto, incomoda a Mário a "confusão de sentimentos" profanos e religiosos, e o "largo jogo de palavras, vermelhantemente lírico", com que Murilo Mendes expressa o desconhecimento da amada, que, identificada ao Cristo, se chamará "Christiana": "O próprio poeta sente que o seu misticismo devastador (religião é coisa construtiva, social) não é a religião dos padres, embora ele não esteja longe de ser um apologista". Ao mesmo tempo, "há mesmo uma velocidade irrespirável. As frases não expiram: acabam. Mas novas frases lhes sucedem, montando umas nas outras, galopada tumultuária envolta numa

polvadeira de gritos, imprecações, apóstrofes. E o movimento toma a contextura de um pranto compulsivo. Tudo isso é belo, vigorosíssimo, mas não há descansos, não há pousos, isto é, não há combinação". ANDRADE, Mário de. "Poesia em pânico" in *O empalhador de passarinho*, op. cit., pp. 49-56.

13 Em entrevista a Richard Graham, publicada em 1982, Sérgio Buarque de Holanda, quando perguntado sobre a origem de *Monções*, referiu-se a um "prêmio internacional" a que ele concorrera com "alguns ensaios para uma espécie de *Casa-grande & senzala* ao avesso. Esse livro do Freyre faz o Brasil parecer estático; dominado pelo açúcar; olhando para o Atlântico; parado. Eu queria algo mais dinâmico, apontando para as Minas, para o interior. Brasil em movimento. O livro ganhou menção honrosa, mas o vencedor do prêmio foi um peruano chamado Ciro Alegría". Cf. MARTINS, Renato (org.). *Sérgio Buarque de Holanda*. Rio de Janeiro: Beco do Azougue, 2009, p. 205. Entretanto, *Monções* e *Caminhos e fronteiras* são dois livros que se misturam não apenas pelo tema semelhante (as entradas no sertão, por meios fluviais e terrestres, e muitas vezes ambos), mas porque o início de sua escrita data conjuntamente desse período, quando Sérgio trocava suas cartas com Mário, num momento em que este já estava de volta a São Paulo. A primeira edição de *Monções* é de 1945, e a reunião de ensaios que daria origem a *Caminhos e fronteiras* é de 1957, embora Sérgio tivesse publicado, já em 1939, na *Revista do Brasil*, um ensaio intitulado "Caminhos e fronteiras", que forneceria a base para os primeiros capítulos do livro homônimo. A julgar pela carta seguinte a esta, Sérgio deve ter enviado uma coleção de ensaios (inclusive "Caminhos e fronteiras", e talvez com este título) para o prêmio. Na "Introdução" a *Caminhos e fronteiras*, redigida em 1956, é esclarecida a origem compósita do livro que, num primeiro formato, nunca publicado, conteria não apenas o que veio a publicar-se como a primeira edição de *Monções*, mas também os ensaios preliminares que mais tarde, retrabalhados, comporiam *Caminhos e fronteiras*. Cf. HOLANDA, Sérgio Buarque de. *Caminhos e fronteiras*. São Paulo: Companhia das Letras, 1994, pp. 9-12. O ensaio publicado na *Revista do Brasil*, em março de 1939, pode ser consultado entre os escritos coligidos por Marcos Costa. Cf. HOLANDA, Sérgio Buarque de. "Caminhos e fronteiras" in *Sérgio Buarque de Holanda: escritos coligidos*, op. cit., v. 1, pp. 83-90.

24 (SBH)

Rio de Janeiro, 12 de outubro de 1942

Amigo Mário.

Recebi seu folheto com a conferência sobre o Modernismo.[1] A impressão de leitura foi melhor do que a do ouvido, porque pela primeira vez consegui entender perfeitamente o que v. disse. Aquela sala do Itamarati, o lugar onde me coloquei, as campainhas insistentes, não me deixaram escutar o orador. Certas frases mal-entendidas deixaram-me a impressão só em parte exata de que v. tratou quase só dos "salões" modernistas, fazendo uma espécie de concessão ao ambiente itamaratiano. Lendo agora o trabalho verifico que disse mto. bem o que pretendeu dizer e que sua conferência representa de qualquer modo uma contribuição muitas vezes oportuna e importante para a história do movimento.

Li também o bilhete que v. me mandou entre as páginas do livrinho. Confesso que me envaideci mto. com seu convite para que meu trabalho para o concurso entrasse para sua preciosa coleção de originais. Tão amável convite põe-me em graves dificuldades. Acontece que, desde a publicação das *Raízes do Brasil*[2] tenho promessa de uma obra autógrafa ao nosso querido diretor do Patrimônio.[3] Naquela ocasião, quando ele me fez pedido semelhante, tive de recusar-lhe os originais, porque já os prometera a minha irmã.[4] Ficou para a próxima vez. Embora ele não me tenha dito nada expressamente agora — sobre *Caminhos & Fronteiras*[5] — creio que devo cumprir a velha promessa. Não acha? Não ouso impingir-lhe a *Antologia da Poesia Brasileira da Fase Colonial*,[6] que de meu só tem prefácio e notas. Nem, e por motivos semelhantes, o prefácio do Gonçalves de Magalhães,[7] que ainda guardo na gaveta, datilografado. Se o impulso tomado com *Caminhos & Fronteiras* prosseguir no mesmo ritmo espero poder mandar-lhe, dentro em breve (não muito breve) o trabalho meu sobre *Romantismo*,[8] que deixei interrompido por causa do concurso americano[9] e agora por causa da Antologia capanemiana.[10] Fica feita a promessa, se v. se dignar a aceitá-la. Abraços do
Sérgio

Carta assinada: "Sergio"; datada: "Rio, 12/x/1942."; datiloscrito original, fita preta; papel branco, filigrana; 1 folha; 30,6 × 22,0 cm.
<u>Nota MA</u>: *a grafite: "B. de Holanda".*

---

1 Trata-se da célebre conferência de balanço dos vinte anos da Semana de Arte Moderna, proferida na sede do Ministério das Relações Exteriores, no Rio de Janeiro. Nela, Mário discorre sobre as condições que impuseram "a criação de um espírito novo", exigindo "a reverificação e mesmo a remodelação da Inteligência nacional". Um tom melancólico atravessa sua fala: "É todo um passado agradável, que não ficou nada feio, mas que me assombra um pouco também."

Como tive coragem para participar daquela batalha! [...] se aguentei o tranco, foi porque estava delirando. O entusiasmo dos outros me embebedava, não o meu". A descoberta de Brecheret, a figura incômoda de Graça Aranha, o contraste de São Paulo ("Caipira de serra-acima") com a capital da República, os tempos de exaltação e o período glorioso dos salões abertos pela aristocracia paulista, as reuniões na rua Lopes Chaves, onde vivia Mário, a casa de Paulo Prado, de Lasar Segall, a figura de dona Olívia Guedes Penteado, Tarsila do Amaral, a cisão entre simpatizantes do Partido Democrático e integralistas, todo esse caldo anterior à Revolução de 1930 ressurge em tintas vivas: "nós estávamos longe, arrebatados pelos ventos da destruição". Aí estala, então, o módulo de compreensão dos impasses do movimento, a partir do instante em que a "construção" se postava no horizonte dos modernistas: "é justo por esta data de 1930, que principia para a Inteligência brasileira uma fase mais calma, mais modesta e quotidiana, mais proletária, por assim dizer, de construção. À espera que um dia as outras formas sociais a imitem". Surge aí, também, a tarefa triádica que o modernismo impusera aos intelectuais: "o direito permanente à pesquisa estética; a atualização da inteligência artística brasileira; e a estabilização de uma consciência criadora nacional". O que não impediria que uma vasta porção de modernistas se perdesse num "conformismo acomodatício", com o Brasil se tornando "uma dádiva do céu. Um céu bastante governamental...". Ainda assim, a "normalização do espírito de pesquisa estética, antiacadêmica, porém não mais revoltada e destruidora", assomava como a grande conquista modernista, a que Mário apõe o momento fundamental de afirmação do "espírito romântico", sugerindo que muitos dos que gozavam então "uma liberdade (infelizmente só estética)" não suspeitavam "o a que nos sujeitamos, pra que eles pudessem viver hoje abertamente o drama que os dignifica". E no entanto, num toque final de melancolia, num verdadeiro arranque autobiográfico, Mário nota que a festiva revolução dos modernistas esquecera de mudar o principal: "a atitude interessada diante da vida contemporânea. E isto era o principal!". ANDRADE, Mário de. "O movimento modernista" in *Aspectos da literatura brasileira*, op. cit., pp. 253-80. O folheto a que se refere Sérgio é provavelmente este: ANDRADE, Mário de. *Movimento modernista. Conferência lida no salão de conferências do Ministério das Relações Exteriores*. Rio de Janeiro: Casa do Estudante do Brasil, 1942.

2 *Raízes do Brasil* fora publicado em 1936, como primeiro volume da coleção "Documentos brasileiros", dirigida por Gilberto Freyre. Cf. HOLANDA, Sérgio Buarque de. *Raízes do Brasil*. Rio de Janeiro: José Olympio, 1936.

3 Rodrigo Mello Franco de Andrade.

4 Cecília Buarque de Holanda (1908-99), que organizou um álbum de resenhas

de *Raízes do Brasil*, publicadas entre 1936 e 1938, hoje guardado na Unicamp. Cf. Arquivo Privado Sérgio Buarque de Holanda, Siarq-Unicamp, Pt 176 P61.

5 Ver nota anterior, sobre o "concurso nos States".

6 Sérgio refere-se à *Antologia dos poetas brasileiros da fase colonial*, que seria de fato publicada entre 1952 e 1953, em dois volumes, pelo mesmo Instituto Nacional do Livro onde ele trabalhava na época em que escreveu esta carta. Na "Apresentação" de sua segunda edição, de 1979, ele recordaria que, "feita por encomenda do Ministério da Educação, ainda ao tempo de Gustavo Capanema, devia a *Antologia dos poetas brasileiros da fase colonial* inserir-se na série que já compreendia os da Fase Romântica e da Fase Parnasiana, que Manuel Bandeira organizou, a convite do mesmo ministro, e aos quais se deveriam juntar mais tarde os da Fase Simbolista, confiados ao crítico Andrade Murici". HOLANDA, Sérgio Buarque de. "Apresentação" in *Antologia dos poetas brasileiros da fase colonial*. São Paulo: Perspectiva, 1979, p. xiii. A preparação da antologia, que de fato se estenderia até a década de 1950, confunde-se ao estudo da literatura colonial que por sua vez resultaria tanto nos textos publicados postumamente como *Capítulos de literatura colonial*, já referidos aqui, quanto em *Visão do paraíso*. Para acompanhar em detalhe aquilo que configura o momento em que "o historiador encontra o crítico", leia-se: NICODEMO, Thiago Lima. *Urdidura do vivido: Visão do paraíso e a obra de Sérgio Buarque de Holanda nos anos 1950*. São Paulo: Edusp, 2008, pp. 47-102.

7 Trata-se de MAGALHÃES, Domingos José Gonçalves de. *Suspiros poéticos e saudades*. Edição anotada por Sousa da Silveira, com prefácio literário de Sérgio Buarque de Holanda. Rio de Janeiro: Serviço Gráfico do Ministério da Educação, 1939. O texto pode ser consultado na reunião de estudos introdutórios de Sérgio Buarque de Holanda, publicada mais recentemente. Cf. HOLANDA, Sérgio Buarque de. "Suspiros poéticos e saudades" in *Livro dos prefácios*. São Paulo: Companhia das Letras, 1996, pp. 353-70.

8 De fato, Sérgio Buarque nunca publicaria todo um livro sobre o romantismo. À época desta carta, havia publicado dois artigos — "A vida de Paulo Eiró" e "Fagundes Varela" — no *Diário de Notícias* do Rio de Janeiro, ambos em outubro de 1940, e que, unidos e retrabalhados, dariam origem a "Romantismo", inserido em *Cobra de vidro*, de 1944. Cf. HOLANDA, Sérgio Buarque de. *O Espírito e a Letra*, op. cit., v. 1, pp. 283-97. HOLANDA, Sérgio Buarque de. "Romantismo" in *Cobra de vidro*. São Paulo: Perspectiva, 1978, pp. 15-21.

9 Ver nota anterior, sobre o "concurso nos States".

10 Ver, acima, nota sobre a *Antologia dos poetas brasileiros da fase colonial*.

25 (SBH)

[*Rio de Janeiro, fevereiro de 1941 - agosto de 1944*][1]

Mário amigo
Recebi através de meu cunhado,[2] que mora em Lisboa, esta encomenda para v. Vai com um abraço e mt^{as} saudades do
Sérgio

P.S. No Instituto do Livro só tem chegado para v. aquela correspondência de propaganda americana que v. rasga. Por isso não mando mais nada. S.

Bilhete assinado: "Sergio"; sem data; autógrafo a tinta preta; cartão branco; 6,9 × 10,4 cm. PS. Nota MA: *a grafite: "B".*

1 Este bilhete pode ter sido escrito a qualquer momento entre o início de 1941, quando Mário abandona o Rio de Janeiro e volta a morar em São Paulo, e meados de 1944, quando Sérgio deixa o Instituto Nacional do Livro e passa a chefiar a Divisão de Consultas da Biblioteca Nacional. Sobre a relação de Sérgio com as "instituições de cultura letrada", consulte-se CARVALHO, Marcus Vinicius Corrêa. *Outros lados: Sérgio Buarque de Holanda, crítica literária, história e política (1920--1940)*. Tese de Doutoramento. Campinas: Instituto de Filosofia e Ciências Humanas da Unicamp, 2003.

2 Trata-se de José Augusto Cesário Alvim. Em seu estudo, Marcus Vinicius Corrêa Carvalho reporta que o cunhado de Sérgio, irmão de sua esposa Maria Amélia, José Augusto Cesário Alvim, seria acionado, na época do Instituto Nacional do Livro, para conseguir um raro manuscrito em Paris. Cf. CARVALHO, Marcus Vinicius Corrêa. *Outros lados: Sérgio Buarque de Holanda, crítica literária, história e política (1920-1940)*, op. cit., pp. 205-6. Nos arquivos de Sérgio na Unicamp, encontra-se ainda uma carta de José Augusto, datada de outubro de 1940, escrita em Lisboa, tratando também de buscas arquivísticas. Cf. Siarq-Unicamp, Cp 47 P6. Como delegado do Departamento de Imprensa e Propaganda do governo Vargas em Lisboa, o cunhado de Sérgio era, nessa época, ao lado de António Ferro, um dos responsáveis pela Seção Brasileira no Secretariado de Propaganda Nacional, um equivalente do DIP na Portugal de Salazar. Cf. COSTA, Maria Cristina Castilho. "Travessias: afinidades eletivas da censura no Brasil e em Portugal na primeira metade do século XX". Comunicação no XXXII Congresso Brasileiro de Ciências da Comunicação, Curitiba, setembro de 2009. Web. Consultado em 31 out. 2011.

1944

26 (MA)

São Paulo, 23 de julho de 1944

Meu caro Sérgio

em desespero de causa, me socorro de você. Peço pagamento pela propaganda que tenho feito de você e da *Cobra de Vidro*.[1] O próprio Martins,[2] outro dia, me olhou assim com ar de sarapantado, quando eu lhe disse outro dia o que eu pensava do livrinho pequeno infelizmente que você nos deu, e especialmente de você. Pois peço paga.

É o seguinte. Preciso em absoluto e com alguma urgência de saber exatamente o ano ou mais ou menos isso, em que pela primeira vez veio o gelo importado pro Rio de Janeiro, em blocos. Sei que essa 1ª vez é anterior a 1840 e deve se situar provavelmente de 182.?. a 1839. Sabendo isso, consigo datar um lundu que possuo e que satiriza essa chegada. E isso tem importância muita num estudo que estou fazendo e tem alguma urgência.³ Aliás já planejava, antes de publicar, lhe mandar esse trabalho pra controle seu. Cheguei a conclusões sociais bem curiosas a respeito do lundu. Foi a primeira forma negra que se "nacionalizou" brasileira, não só subindo pro salão burguês e se difundindo por todas as classes da sociedade brasileira, como por ser a primeira fusão dos elementos técnicos e formais afronegros e fusoeuropeus musicais. Fusão que daria na música folclórica atual. E provo isso nesse estudo. De maneira que o lundu é a primeira manifestação, nas artes do movimento digo, poesia, dança e música, que pela poesia e a música, se nacionaliza definitivamente. E pelos seus textos "de salão", é o primeiro consentimento da burguesia em aceitar o negro, ou melhor a negra, como elemento da nossa mestiçagem. Não parece de alguma importância isso? Estou muito interessado. A negra e a mulata, enfim consentidas, não como objeto de Amor e da família, mas de vazão sexual. E consentida risonhamente, pela comicidade (o lundu é sempre risonho e não sentimentalmente triste), fenômeno idêntico ao consentimento social do povo em várias fases da música histórica europeia, como nas farsas medievais e na ópera bufa.

Veja se me ajuda, por favor. Lembrança afetuosa pra Maria Amélia e guarde este abraço do

Mário

As Antiqualhas do Vieira Fazenda,⁴ pelo menos pelos títulos de capítulos, não dão nada.⁵

Carta assinada: "Mario"; datada: "S. Paulo, 23-VII-44"; autógrafo a tinta preta; papel creme, filigrana; 1 folha; 28,3 × 21,3 cm; rasgamentos em todas as bordas. PS.

139

1 *Cobra de vidro*, já referido aqui, e recém-publicado pela Livraria Martins Editora, é uma antologia de artigos publicados em jornal, em especial aqueles veiculados pelo *Diário de Notícias* do Rio de Janeiro, entre 1940 e 1941.

2 José de Barros Martins (1909-93) recém-começara a editar em 1940. Laurence Hallewell sugere que Martins foi um dos primeiros editores a dar-se conta de que a diminuição do trânsito de livros europeus, por conta da guerra, era uma oportunidade editorial interessante. No plano dos estudos históricos, acercou-se de Rubens Borba de Moraes, confiando-lhe a "Biblioteca Histórica Brasileira", em que apareceriam traduções dos viajantes estrangeiros; era notável, além disso, sua preocupação com o esmero gráfico e artístico na produção de livros. Cf. HALLEWELL, Laurence. *O livro no Brasil: sua história*, op. cit., pp. 500-5. Na coleção "Biblioteca de literatura brasileira", logo no primeiro ano da editora, saíram as *Memórias de um sargento de milícias*, com estudo crítico de Mário de Andrade e desenhos de Francisco Acquarone. Aos cinquenta anos (portanto quase ao fim da vida), Mário pretendia cuidar de suas obras completas. Numa entrevista publicada no início de 1944, confessava que "quando o editor Martins me convidou para organizar uma edição das minhas 'Obras Completas', depois do susto inicial que um convite inesperado sempre causa, percebi que era uma ocasião boa de alimpar minhas obras duma porção de defeitos inúteis, que eu hoje consigo perceber, e também de renegar umas tantas coisas que positivamente consigo hoje perceber também que nada valem". Quando perguntado quanto ao número de volumes que teriam as obras completas, reage dizendo: "Não sei nem posso saber, por causa das obras que ainda pretendo escrever e dependem da maior ou menor paciência da morte em me esperar. Em todo o caso, consegui reunir os trinta números de minha bibliografia em quinze volumes, ajuntando ensaios que publiquei esparsos, e até mesmo livros de estudos num livro só. Só os livros de ficção, aliás poucos, deixei intactos como concepção de volume, para que não perdessem a unidade". LOPEZ, Telê Porto Ancona (org.). *Mário de Andrade: entrevistas e depoimentos*, op. cit., pp. 111-2. (Agradeço a Sílvio D'Onofrio pela informação da data de morte de José de Barros Martins.)

3 Trata-se de "Cândido Inácio da Silva e o lundu", que seria publicado na *Revista Brasileira de Música* neste mesmo ano de 1944, e que em seu parágrafo de abertura retoma a ideia de um estudo ainda introdutório: "ainda não é tempo de tecer num estudo pormenorizado, as várias dezenas de notas sobre o lundu brasileiro, que venho ajuntando pelas minhas vidas de folclorista, de leitor sem muito método e de colecionador ocasional de músicas antigas. Decerto eu imagino que chegarei aos duzentos anos por tudo quanto ainda pretendo fazer, mas a verdade invencível é que não tenho tempo agora para estudo especial do lundu. Porém

quero mostrar desde já um dos seus marcos históricos mais notáveis que conheço, e lhe acentuar a importância na evolução da música brasileira. O marco histórico a que me refiro é o lundu de salão 'Lá no Largo da Sé', de Cândido Inácio da Silva". Mário lembra ainda que já chamara atenção para "a beleza das modinhas desse artista" em seu estudo sobre as *Modinhas imperiais*, publicado em 1930, e que Cândido Inácio fora aluno "do padre José Maurício Nunes Garcia, na escola gratuita deste à rua das Marrecas". A história de Cândido Inácio da Silva se mistura à análise das *Memórias de um sargento de milícias*, de Manuel Antônio de Almeida, onde é referida uma canção célebre do modinheiro, "Quando as glórias que gozei". A modinha, ao fim "é hoje, não tem dúvida, uma manifestação anônima, mas sempre popularesca no caráter, e insistentemente urbana". Mas é especificamente "Lá no largo da Sé", com letra de Manuel Araújo Porto Alegre, que interessa a Mário: "ainda graças à indicação da chegada do gelo, 'água em pedra', no Rio de Janeiro e graças ao auxílio de Sérgio Buarque de Holanda, posso lhe fixar a data, que é 1834. Dentre os mais razoáveis 'alguns lundus' do necrológio do *Jornal do Comércio* [de 1839, transcrito por Renato Almeida], também foi esse o único que consegui obter nas minhas aventuras de colecionador, numa edição ainda em água-forte, desses utilíssimos editores que foram Fillipone e Tornaghi. Por gentileza da *Revista Brasileira de Música*, o faço reproduzir junto, para gozo e estudo. O gozo não será beethoveniano, imagino, embora musicalmente a obrinha seja encantadora. E é rica de lições nacionais. [...] Cândido Inácio da Silva já sistematiza a síncopa de colcheia no primeiro tempo do dois-por-quatro, como se fosse um lunduzeiro do Segundo Império, e, mais que estes, com ouvido fino, as antecipações rítmicas do nosso canto popular; é extraordinário. [...] Cândido Inácio da Silva seria também um mulato, como o seu professor José Maurício? Não consegui saber, mas a minha curiosidade não é ociosa, nem deriva de nenhuma preocupação de negrismo excessivo para a nossa gente. Deriva mais da extraordinária 'brasileirice' popularesca desse lundu, que lhe dá um interesse técnico de valor creio que básico na evolução do folclore musical brasileiro. Os seus numerosos brasileirismos implicam a pergunta: até que ponto esse lundu não terá sido apenas uma colheita? Ele não será uma melodia recolhida inteira da boca popular?". A resposta de Mário, em traços largos, será que a modinha em questão era ainda demasiado erudita, e que o tempo em que ela se compôs ainda não vira a completa "integração da mestiçagem negra na sociedade brasileira", que no entanto viria sobretudo com o lundu. A propósito das resistências àquela integração, ele chega a lembrar "o escritor Florestan Fernandes [que] salientava, com muita acuidade, o caso de José de Alencar, que com os seus romances teve incontestavelmente a intenção consciente de abarcar a sociedade brasileira num painel cíclico, [e] não apresenta[va] nenhum herói negro". Tanto Spix e Martius como Rugendas, que serão objeto das cartas seguintes trocadas com Sérgio, aparecem também insistentemente no texto que Mário então compunha, sobre o lundu. O artigo foi republicado recentemente, com aparato crítico de Flávia Toni. Cf. ANDRADE, Mário de. "Cândido Inácio da Silva e o lundu". *Latin American Music Review*, v. 20, n. 2, 1999, pp. 215-33.

4 Referência às "Antiqualhas e memórias do Rio de Janeiro pelo Dr. José Vieira Fazenda", publicadas na *Revista do Instituto Histórico e Geográfico Brasileiro*, em cinco tomos, nos números de 1919 a 1924.

5 PS escrito na vertical, na margem esquerda da página.

27 (MA)

São Paulo, 29 de julho de 1944

Meu caro Sérgio. Muitíssimo obrigado pela sua resposta mais que pronta. Chegou ainda a tempo de eu introduzir a data no rascunho tão mal copiado pela minha secretária,[1] desta vez. Também era um legítimo "rascunho", de tão misturado, que a coitada teve que botar em legibilidade.

Não tenho tempo pra lhe escrever. Aqui vai a cópia do trabalho, mas tem ida-e-volta. A volta não tem urgência, a não ser que haja algum erro palmar no escrito. Fiquei aliás muito contente com a sua promessa da *Viola de Lereno*,[2] que li faz muito tempo e não possuo. Li e me ficou lembrança de alguma chateação. Neste trabalho que não é o definitivo, pra livro, mas foguete de ensaio pra revista,³ só consultei o que tinha aqui em casa, do Caldas Barbosa,⁴ em antologias, uns trinta entre lundus e modinhas. A sua sugestão do lundu nos ter vindo e ser imposto aqui por Portugal é dessas coisas bem próprias da sua sensibilidade intelectual que eu tanto admiro. É bem possível mas não sei. Nem quero destrinçar isso por enquanto, não tenho tempo. Boto a sua carta entre as fichas do lundu pra pesquisa futura. Mas que é possível, e provável, além do argumento da maior recusa do negro pelo brancarano mestiço do Brasil que do portuga de Portugal bem firme na sua alvura, tem o caso da fofa e do sarambeque,⁵ que a secretária esqueceu de copiar das costas do rascunho e tive de acrescentar em manuscrito na cópia de você. Mas são casos esses da fofa e do sarambeque a destrinçar com mais firmeza, e a musicologia portuguesa prefere falar em Schoemberg e Stravinsqui⁶ que penetrar atrás, nos seus próprios séculos, é o diabo.

Ciao. Lembrança pra Maria Amélia e
guarde este abraço grato do
Mário

Carta assinada: "Mario"; datada: "S. Paulo, 29-VII-44"; autógrafo a tinta preta; papel creme, filigrana; 1 folha; 28,3 × 21,3 cm; marca de fita adesiva no verso; rasgamentos nas bordas superior, esquerda e direita.

---

1 O secretário de Mário de Andrade, José Bento Faria Ferraz, andava pelo Rio de Janeiro à época e fora temporariamente substituído por uma secretária, de quem Mário se queixaria também em carta a Murilo Miranda, datada de outubro de 1944, quando se desculpa por atrasar a remessa de cartas de Cecília Meireles, que o amigo pretendia publicar: "Está claro que lhe mandarei cópia das cartas da Cecília [...] Mas o Zé Bento está no Rio, fazendo exames no Dasp [Departamento Administrativo do Serviço Público], e as minhas cartas desde 41 não estão catalogadas, procurar é impossível, só ele mesmo quando chegar e reassumir o posto de secretário. A secretária que o substituiu não tem tempo, trabalha pouco e tem

já serviço muito. Aliás estou nessa melancolia surda de precisar imaginando em ter um secretário mais cotidiano, que trabalhe mais horas pra mim, é o diabo". ANTELO, Raúl (org.). *Mário de Andrade: cartas a Murilo Miranda (1934-1945)*, op. cit., p. 175. Para um tocante retrato do secretário de Mário, pelas lentes da epistolografia, leia-se MORAES, Marcos Antonio de. *Orgulho de jamais aconselhar: a epistolografia de Mário de Andrade*. São Paulo: Edusp, 2007, pp. 192-9.

2 A *Viola de Lereno*, de Domingos Caldas Barbosa, ganhara havia pouco uma nova edição pelo Instituto Nacional do Livro, com prefácio de Francisco de Assis Barbosa, em dois volumes. O juízo severo de Antonio Candido, que consideraria o mulato Caldas Barbosa "um simples modinheiro sem relevo criador", não lhe retira a importância como figura paradigmática para o estudo das modinhas: "quanto ao temário e atitude poética os seus versinhos são interessantes pela candura e amor com que falam das coisas e sentimentos da pátria, definindo de modo explícito os traços afetivos correntemente associados ao brasileiro na psicologia popular: dengue, negaceio, quebranto, derretimento". SOUZA, Antonio Candido de Mello e. *Formação da literatura brasileira: momentos decisivos*. Belo Horizonte: Itatiaia, 1981, v. 1, pp. 149-50. Na apresentação aos poemas de Caldas Barbosa, na referida antologia que então organizava por encomenda do Ministério da Educação, em que aliás se incluem dois "lunduns" do poeta, Sérgio Buarque assim o descrevia: "mestiço e natural do Rio de Janeiro, foi Domingos Caldas Barbosa, entre os poetas de seu tempo, quem mais vivamente exprimiu a 'meiguice brasileira'. Por essa qualidade, entre algumas outras, que o faz um antepassado dos atuais cantores populares, seu nome merece ser lembrado. Depois de ter sido soldado na Colônia do Sacramento, durante alguns anos, seguiu para Portugal, onde logo encontrou protetores fidalgos e prestigiosos. Conseguiu rápida celebridade, como introdutor da 'modinha' brasileira nos salões lisboetas. Entre as várias publicações de sua autoria distingue-se a *Viola de Lereno*, cujo primeiro volume se publicou em 1798 e o segundo em 1826. Teve essa obra algumas edições. A mais recente é de 1944 e foi lançada por iniciativa do Instituto Nacional do Livro". HOLANDA, Sérgio Buarque de (org.). *Antologia dos poetas brasileiros da fase colonial*, op. cit., p. 231.

3 Trata-se do já referido "Cândido Inácio da Silva e o lundu", publicado na *Revista Brasileira de Música*, em 1944.

4 Ver nota, logo acima, sobre a *Viola de Lereno*.

5 Em seu inacabado *Dicionário musical brasileiro*, Mário de Andrade lista dois significados para "fofa", que primeiro aparece como "dança portuguesa muito popular no séc. XVIII, que se executava aos pares e com acompanhamento de guitarra ou bandolim. Era considerada muito desonesta e indecente, o que se pode

deduzir da afirmativa de Desotteaux: '(...) dança lasciva a tal ponto, que o pudor cora ao ser dela testemunha, e não ousaria eu descrevê-la'. [...] No Brasil dançaram a fofa, o que era de se esperar... Segundo uma relação do padre Bento de Capeda citado em Pereira da Costa [...] até os cônegos da catedral de Olinda 'dançavam a fofa (que é dança desonesta) com mulheres de má reputação'. Luís Edmundo a enumera entre as danças coloniais do tempo dos Vice-Reis no Rio. [...] Teófilo Braga afirma que a fofa era uma espécie de fado e que foi usada como sinônimo deste". Em seguida, a fofa aparece da seguinte forma: "Segundo Silva Campos a fofa é um repique de sino que se executa antes de quaisquer outros repiques, 'repique de muito trabalho, cantado pelo meião, e exigindo bons tintins para o acompanhamento'". ANDRADE, Mário de. Dicionário musical brasileiro. Ed. Oneyda Alvarenga, Flávia Toni. Belo Horizonte/São Paulo/Brasília: Itatiaia/IEB/Edusp/Ministério da Cultura, 1989, p. 228. Já o "sarambeque" traz quatro entradas: "1. O mesmo que samba, sarambé e sorongo, na Bahia [...] 2. Dança afro-brasileira semelhante ao caxambu mineiro [...] 3. Dança, dada como de origem africana, popularizada um tempo em Portugal [...] 4. O mesmo que baile [...]". Idem, p. 464.

6 Mário não chegou a saudar o dodecafonismo de Arnold Schoenberg (1874--1951) nem se estenderia sobre o universo pós-tonal em que se amplia o campo do serialismo na música do século XX. No Brasil, a música "moderna", nesse sentido, ficaria a cargo de Koellreutter e o grupo Música Viva, a partir sobretudo da década de 1940. Mas não se pode dizer que Mário de Andrade fosse alheio à questão da música pós-tonal, e é interessante que Schoenberg e Stravinsky (1882-1971) — cujo "primitivismo" encantara as vanguardas europeias, e mais tarde apavoraria um crítico como Adorno — apareçam quase casualmente nesta carta, como sinal da despreocupação dos musicólogos portugueses com elementos nacionais. Num manuscrito de 1924, sobre cuja publicação Mário tinha dúvidas, a "predominância da harmonia" já encontrava, no "sinfonismo" dramático de Wagner, uma encruzilhada: "A tonalidade domina cada vez menos, porque a modulação não é mais fixa e abandona aos poucos a ordenação sonatística. Wagner destrói o conceito napolitano da melodia, substituindo a quadratura pelo recitativo básico e pelo *leit-motiv* de poucas notas. Quedê o tratado de Rameau? A série das quintas reaparece [...] Agora a harmonia predomina veemente, e a França que domina em todas as artes novecentistas, com a Alemanha na música, dão o clímax do harmonismo com Cláudio Debussy e Schoenberg. Debussy chegou a dizer que não tinha melodia nas obras que compunha. [...] E agora não basta a dissolução da tonalidade, já encontrada em Wagner, dá-se a criação de novos ambientes harmônicos, raríssimos, *exquis*, esquisitos, que surpresa pra gente escutando as fusões evasivas do *Pierrot lunaire* [de Schoenberg]!... A har-

monia se desfaz na atonalidade e na pluritonalidade". É o que levava Mário a fazer a pergunta agônica — "Pra onde vamos? Estaremos ainda na fase harmônica?" —, conquanto sua resposta fosse, àquela altura, o regresso a "uma nova fase rítmica", que tinha Stravinsky de permeio e chegava a todo aquele núcleo do pós-guerra, com que o próprio Mário tinha uma relação complexa, por vezes conflituosa: "A predominância dos instrumentos de percussão na orquestra; a decadência dos instrumentos de cordas; a influência incontestável do jazz; a aceitação do ruído como valor expressivo musical, por meio da bateria; as danças atuais, foxtrots, shimmies e maxixes, essencialmente rítmicas, consideradas como motivos de inspiração por Falla, Hindemith, Milhaud, Casella, Auric, e tantos. [...] Os que estão mais avançados sob esse aspecto da música moderna são o russo e o brasileiro". ANDRADE, Mário de. "(Conferência literária)" in MORAES, Marcos Antonio de (org.). *Correspondência Mário de Andrade & Manuel Bandeira*, op. cit., pp. 695-702. Há que lembrar que, desde 1943, o sentimento antigermânico de Mário, no contexto da Segunda Guerra, o levava a imaginar — num verdadeiro delírio interpretativo que Jorge Coli realçou com precisão — Schoenberg como o cúmulo de um processo de "nazificação" por que passara a música entre os alemães: "E vem a sombra malestarenta de Schoenberg, caso grave de consequências ainda nazistificantes, indo logo às do cabo em suas teorias, sem a menor delicadeza, sem a menor sensibilidade de inteligência, em que a regra é substituída pela ordem, pelo mando, pelo comando, o eterno fuehrismo germano". Cf. COLI, Jorge. *Música final: Mário de Andrade e sua coluna jornalística Mundo Musical*. Campinas: Editora da Unicamp, 1998, p. 284. (Ver também os dois artigos de Mário a que se refere Coli, "A bela e a fera", idem, pp. 74-82.)

28 (MA)

São Paulo, 7 de dezembro de 1944

Meu caro Sérgio

Ando sofrido com você porque não me mandou ainda nenhuma palavrinha sobre o meu Lundu que lhe mandei com pedido de conselho e controle. Está claro que não peço o seu elogio, não porque ele não me interesse, arre! mas porque ele não adianta e eu preciso de você. Erigi você em meu primeiro controlador das minhas aventuras histórico-sociais, não sei se o título lhe ilustra, mas você tem que aguentar a função.

E agora, dentro em breve, é que vai ser a função grossa, depois você poderá descansar, porque vou me afundar no folclore o ano que vem. Mas estou acabando o meu estudo sobre o padre Jesuíno do Monte Carmelo,[1] e disso a parte histórica e a descrição do estado social de Itu por 1780-1820 você vai ser meu único controlador e conselheiro, tenha a paciência. Mas não me meto em grandes cavalarias, não pense, é coisa pouca porque geralmente conheço o meu lugar. Mas às vezes derrapo. E por isso venho lhe pedir controle, desde já, sobre uma dessas derrapagens que agora mesmo acabo de pescar no meu trabalho, derrapagem de que tenho a vaga lembrança de ter lido isso não sei onde, e meu pobre fichário histórico não consegue autenticar. É o seguinte.

Me referindo à época de d. João VI ainda regente, por 1812, escrevi esta frase: "Já nesse tempo era intensa a navegação de cabotagem e principiavam se sistematizando as comunicações por mar entre São Paulo e Rio, desprezada a viagem mais lerda pelo caminho do norte". Onde li isso, meu Deus! Minha memória é a minha maior falha de estudante, talvez minha melhor qualidade de ficção... O padre Jesuíno, em Itu, vai ao Rio. Se vai por mar isso esclarece muita coisa. Sei de outras pessoas do tempo, escolhendo a viagem por mar. Mas estavam em Santos. Será que você pode, não precisa documentação, me garantir apenas que a minha frase está certa?

Mais uma perguntinha apenas: Será que você já ouviu falar numas "notas históricas referentes à capitania de S. Paulo, e principalmente relativas à Ordem carmelitana", escritas por frei António da Penha de França, um santista? Quem fala nisso é o levianíssimo Francisco Nardy Filho,[2] mas não consegui achar nem traço nem memória por aqui, desse escrito.

É só e desculpe. Estou em plena trabalheira, como você. Mas amanhã parto pra São Roque, onde vou comprar por 40 contos o sítio de Sto. Antônio, do bandeirante ou quase Capitão Fernão Paes de Barros.[3] Vinte contos consegui salvar dos meus gastos, vinte emprestei.[4] Aliás vou doar isso ao Brasil, pra uma futura colônia de férias pra artistas, só usufruindo a vaidade da posse, em

vida. Mas em minha vida o sítio será colônia de férias pra você com Maria Amélia e herdeiros, que abraço de amigo certo.
Mário

Carta assinada: "Mario"; datada: "S. Paulo, 7-XII-44"; autógrafo a tinta preta; papel creme, filigrana; 1 folha; 28,3 × 21,3 cm; rasgamentos em todas as bordas.

---

1 A monografia sobre o pintor, escultor, músico e arquiteto Padre Jesuíno do Monte Carmelo (Jesuíno Francisco de Paula Gusmão, 1764-1819) fora uma encomenda de Rodrigo Mello Franco de Andrade, diretor do SPHAN, que vinha ocupando longamente Mário de Andrade, como se nota nesta e em diversas outras cartas, enviadas a amigos. Sirva como exemplo, na correspondência com Murilo Miranda, a missiva de agosto de 1944, quando Mário já então se angustiava com a tarefa: "Tenho absolutamente que terminar meu trabalho para o Serviço do Patrimônio (a monografia sobre o pintor Jesuíno do Monte Carmelo) até dezembro, senão abandono o emprego e perco 2 contos mensais — o que é impossível". ANTELO, Raúl (org.). *Mário de Andrade: cartas a Murilo Miranda (1934-1945)*, op. cit., p. 170. O livro seria publicado pelo SPHAN e Ministério da Educação e Saúde no ano seguinte, logo depois da morte de Mário, que data sua "Introdução" em "31 de dezembro de 1944", e o final do livro, propriamente, em 15 de dezembro daquele mesmo ano. Em seu "Prefácio", Rodrigo Mello Franco conta que Mário trabalhara como assistente técnico do SPHAN desde 1941 (ano de sua volta a São Paulo), e desde aí se dedicara à pesquisa sobre Padre Jesuíno, na região de Itu. O diretor do SPHAN nota ainda que "boa parte da interpretação psicológica dada por Mário de Andrade à figura do artista de Santos" repousa sobre sua condição de mulato, o que replica as preocupações prevalecentes quando, na década de 1930, Mário escrevera sobre o Aleijadinho. A respeito da "engenhosa construção do biógrafo-crítico", Rodrigo observa, ainda: "E se porventura estranhar o leitor certa insistência do escritor em apoiar-se na explicação 'mulata' de Jesuíno, com a dramatização decorrente, que tenha em vista a própria ressalva de Mário de Andrade, ao manifestar o desejo, que não chegou a realizar, de suprimir algumas das referências à mão escura do pintor, sempre cruelmente exposta aos olhos de seu dono, como a lembrar-lhe a humilhação inelutável". Cf. "Prefácio" in ANDRADE, Mário de. *Padre Jesuíno do Monte Carmelo*. Estabelecimento de texto: Aline Nogueira Marques e Maria Silvia Ianni Barsalini. Rio de Janeiro: Nova Fronteira, 2012, p. 29. Maria Silvia Ianni Barsalini rastreou os primórdios

do projeto, lembrando que Mário, já em 1937, quando era ainda diretor do Departamento de Cultura da cidade de São Paulo e se comunicava com Rodrigo Mello Franco de Andrade no Rio de Janeiro, descobrira, em Itu, "duas obras magistrais, o teto da Matriz e o teto da Carmo, esplêndidos, o primeiro como fatura principalmente e o segundo como estilo, dum barroquismo cheio de anjinhos, delicioso, apesar de". ANDRADE, Mário de. *Mário de Andrade: cartas de trabalho: correspondência com Rodrigo Mello Franco de Andrade, 1936-1945*. Brasília: Secretaria do Patrimônio Histórico e Artístico Nacional/Fundação Pró-Memória, 1981, p. 111. Apud BARSALINI, Maria Silvia Ianni. *Mário de Andrade constrói o Padre Jesuíno do Monte Carmelo*. Tese de doutoramento, Universidade de São Paulo, 2011. A consecução do projeto do livro, findo o ano de 1944, seria festejada por um aliviado Mário, como se nota em carta a Henriqueta Lisboa, datada de 18 de dezembro: "No começo de janeiro devo ir ao Rio, levar o padre Jesuíno pela mão. Mas creio que o Rodrigo virá por esse tempo e talvez comigo. Se eu for e não esperá-lo aqui. E terei que pajear ele, nosso querido diretor. Aliás faço isso com felicidade, gosto muito dele". Cf. SOUZA, Eneida Maria de (org.). *Correspondência Mário de Andrade & Henriqueta Lisboa*. São Paulo: Edusp/Instituto de Estudos Brasileiros/Peirópolis, 2010, p. 313.

2 Francisco Nardy Filho é autor de um estudo sobre a cidade de Itu, originalmente publicado entre 1928 e 1930 e novamente em 1951. Na coleção de Sérgio Buarque de Holanda, na Unicamp, existem os exemplares de 1951 (NARDY Filho, Francisco. *A cidade de Itu*. São Paulo: s. n., 1951, 4 v.), enquanto Mário de Andrade lista, em seu livro, dois volumes da primeira edição. Nardy é ainda o autor das *Notas históricas do Convento do Carmo de Itu*, cuja edição de 1919 é também referida por Mário, além de artigos publicados em *O Estado de S. Paulo*, igualmente listados ao fim do livro. No já mencionado prefácio a *Padre Jesuíno do Monte Carmelo*, Rodrigo Mello Franco de Andrade atribui a atitude esquiva de Mário diante de Nardy a escrúpulos em relação à própria obra: "chega a furtar-se ao contato com outro estudioso da vida de São Paulo--colônia, o sr. Francisco Nardy Filho, porque vinha este labutando na mesma seara, e poderia sentir-se prejudicado na divulgação imediata a que procedia de suas próprias descobertas". Cf. "Prefácio" in ANDRADE, Mário de. *Padre Jesuíno do Monte Carmelo*, op. cit., p. 25.

3 A compra se efetivaria, e a oferta do sítio aos amigos se tornaria quase um tópos na correspondência de Mário, como se nota na já referida carta de 18 de dezembro de 1944, enviada a Henriqueta Lisboa: "Talvez mesmo princípios de fevereiro seja o ideal e eu creio que você prefere também essa data, não? Haverá mais sossego. E conforme as condições de tempo, levarei você no meu sítio de Santo Antônio, aqui perto, onde tem uma capelinha do séc. XVII e vou construir um

estúdio". Nas notas à correspondência com a poeta mincira, preparadas pela organizadora e pelo padre Lauro Palu, são reproduzidas cartas de Mário a Paulo Duarte e a Rodrigo Mello Franco de Andrade, dando conta da compra do sítio e de sua futura doação ao SPHAN. Na carta a Paulo Duarte, o poeta reafirmava que doaria "uma parte com capela e casa grande ao Brasil, que entrará na posse da doação da minha morte. Em compensação o SPHAN me nomeia conservador de tudo (já tombado, você sabe), aliás já está restaurado e constrói em troca da doação, um pombal para mim. Pombal por ser só o absolutamente necessário, mas vai ser do modernismo, no alto fronteiro, e por enquanto week-endíssimo apenas". Cf. SOUZA, Eneida Maria de (org.). *Correspondência Mário de Andrade & Henriqueta Lisboa*, op. cit., p. 314, 65n.

4 No tocante retrato que faz da morte de Mário de Andrade, Marcos Moraes lembra a angústia do poeta com "uma dívida, grande, vinte contos: a compra do sítio Santo Antônio, em São Roque, que conservava os restos da capela do tempo das bandeiras". MORAES, Marcos Antonio de. *Orgulho de jamais aconselhar: a epistolografia de Mário de Andrade*, op. cit., p. 14.

29 (MA)

São Paulo, 13 de dezembro de 1944

Sérgio

Aqui lhe mando o trecho mais delicado do meu escrito sobre o padre Jesuíno. Imaginei fazer uma curta evocação de Itu por 1780 e indo até 1820, que é o tempo em que Jesuíno vive lá. O Rodrigo[1] me incitou ainda mas quando soube dessa minha imaginação, a... culpa é dele.

O meu trabalho é dividido em duas partes, a Vida e a Obra. Reservei pra esta o estudo exclusivamente técnico, mas pra Vida, dadas as incertezas de cronologia e o interesse anedótico do que se sabe ou descobri, dei redação resolutamente literária. Daí a inexistência de indicações bibliográficas nesta evocação de Itu. Essas indicações vêm nas Notas que terminam o estudo.

Mas não há um só dado inventado.[2] Se algum estiver errado não é meu, é dos Autores. Está claro que não peço a você ir controlar os dados, percorrendo suas fichas ou Autores, isso seria desaforo. Lhe peço apenas ler e controlar a ortodoxia do escrito. Quando a gente não "sabe" uma coisa, a orelha da ignorância aparece onde menos se espera: numa observação de ordem crítica, numa palavrinha falsa, num engano de terminologia. Como faz pouco, me peguei empregando noutra parte deste estudo, a palavra "rei", onde devia pôr "regente".

É dessas coisas que espero o seu controle e de tudo o mais que você puder negar ou recusar ou discutir ou consertar. Sem nenhuma responsabilidade sua, está claro. Quando alguém me puxar as orelhas, como devo merecer, deixarei que puxem apenas as minhas.

Desculpe e abrace este seu amigo inquieto,
Mário
Ah, você saberá sem dificuldade quanto fariam em moeda de hoje 20$000 em 1778, e três mil cruzados em 1812? Mário[3]

Carta assinada: "Mario"; datada: "S. Paulo, 13-XII-44"; autógrafo a tinta preta; papel creme, filigrana; 1 folha; 28,3 × 21,3 cm; rasgamentos em todas as bordas. PS. Nota SBH: autógrafo a grafite.

---

1 Rodrigo Mello Franco de Andrade.

2 Na estruturação do livro, Mário reproduzira precisamente o que anuncia nesta carta. Na "Introdução", desenvolve a ideia de um escrito híbrido, semificcional, ainda "literário": "recentemente, lendo Álvaro Lins, vi George Santayana reconhecendo que a História, se por um lado é ciência na tradução dos documentos, é também 'arte dramática' pelo em que é obrigada a personalizar as ideias e as paixões dos mortos. Mais que isso, me reconfortou recente a opinião de um professor universitário estrangeiro, o qual, diante de uma recusa minha de me aceitar mais que amador, por causa do aspecto literário e apaixonado das pesquisas a que às vezes me dedico, obtemperava contra essa necessidade desamável que

muitos presumem ser própria da ciência. Eu sei muito bem que a VIDA, do padre Jesuíno do Monte Carmelo, foi concebida quase como um 'conto' biográfico. Interpretei dramaticamente. Mas as NOTAS provam, esclarecem ou justificam a minha interpretação, e repõem tudo no lugar. Quanto à OBRA, reservei para ela o melhor do meu esforço, fazendo-a intencionalmente de ordem técnica, cerceando ao possível os arroubos do entusiasmo". ANDRADE, Mário de. *Padre Jesuíno do Monte Carmelo*, op. cit., p. 33. O "professor universitário estrangeiro" é ninguém menos que Roger Bastide que, em entrevista a Irene Cardoso, no início da década de 1970, relembrou o episódio, afirmando que Mário não fora incorporado à Universidade de São Paulo (onde estava então Bastide, que substituíra Lévi-Strauss) "porque ele não quis. Quando Lavínia [Costa Villela] fez seu doutoramento, era uma tese sobre folclore, pedi a Mário de Andrade para ser membro do júri, ele me disse: 'Não, eu sou um amador'. Era um homem de uma consciência intelectual muito grande. Eu, que não era especialista em folclore do Brasil, fui obrigado a presidir a banca examinadora em lugar de Mário de Andrade. [...] Encontrei com ele alguns dias antes de sua morte, muito doente. Mas era um homem de uma autenticidade humana extraordinária. E sempre dizendo: 'eu não sou um cientista, sou um amador do folclore, sou um músico, sou um músico'". CARDOSO, Irene. "Entrevista com Roger Bastide (1973)". *Discurso*, n. 16, 1987, p. 192.

3 Aqui, aparece uma anotação de Sérgio Buarque de Holanda, a grafite, que servirá de base para a carta seguinte, em que ele responde a Mário: "Em 1815 (apud Martius) não havia no termo, mais de 7000 almas/onze mil habitantes, se tanto, é mto. para Itu antes de 1825. Oliveira César, em 1867, em artigo publicado no jornal *A Esperança*, dá uma cifra, ou antes 10 a 11 mil almas (no folheto, publicado dois anos depois, está 11 ou 12 mil), e isso para todo [o] município".

30 (SBH)

[*Rio de Janeiro, dezembro de 1944*]

Caro Mário

Recebi duas cartas suas com pequeno intervalo, depois de ter deixado uns meses sem responder à que acompanhava o excelente trabalho sobre o lundu. Li esse trabalho logo que o recebi. Só por desleixo deixei de escrever logo a você. Agora precisarei relê-lo para poder dizer alguma coisa além dos elogios merecidos; o que farei sem falta nestes dias. Sua penúltima carta deixou-me em apuros. Preciso verificar alguns dados para responder às suas questões com precisão. Peço também um prazo de poucos dias para isso.

Desta vez respondo somente à última carta, do dia 13, que veio justamente com o trecho do livro sobre o padre Jesuíno, que há muito ando esperando impresso. A evocação de Itu entre 1780 e 1825 está de primeira ordem. V. não poderia dizer melhor nem mais, salvo se recorresse a papéis que existem aí no Arquivo do Estado, o que seria ir além do seu objetivo, uma vez que Itu em seu trabalho é simples fundo de quadro.

As melhores fontes publicadas v. as debulhou, principalmente os *Documentos Interessantes* e creio que também o trabalho de Oliveira César.[1] É o que tem de melhor no assunto, apesar dos dois grossos volumes do Nardy. Do Oliveira César tenho cópia do texto primitivo que saiu no jornal *A Esperança* de Itu, em 1867. É um pouco diferente do que apareceu mais tarde em folheto e foi reproduzido na *Revista do Instituto Histórico de S. Paulo*, mas, embora menos resumido, nada há nele de interesse para seu estudo. Vejo também que foi aproveitado o que interessa a Itu nas Reminiscências do Distrito de Campinas de Ricardo Gumbleton Daunt.[2] Deste há ainda umas cartas ao barão Homem de Melo no Instituto Histórico daqui, onde se trata de algumas velharias ituanas.[3] De uma delas dei cópia que tinha, ao Gilberto Freyre, que a utilizou nos *Problemas Brasileiros de Antropologia*.[4] Consta-me que o original manuscrito está no Museu Paulista. Valeria a pena consultar os <u>Jornaes de Viagem</u> de Martim Francisco, publicados no tomo 45 da *Revista do Instituto Histórico Brasileiro*.[5] Ali há algum dado interessante a respeito da população ituana: seus traços mouriscos, o furor dos casamentos, etc. Esses aspectos pitorescos dão vida a um estudo biográfico. Outro detalhe interessante, registrado pelos antigos é a abundância dos papudos "de Outú". A eles já se refere Joseph Rodrigues de Abreu em sua *Historiologia Médica* publicada em Lisboa, 1733.[6] Não me lembro bem de suas expressões, mas declara mais ou menos que a quase totalidade da população constava de papudos. No *Erário Mineral* de Luís Gomes Ferreira, publicado em 1735 diz-se a gente de Itu é muito sujeita a essa doença e que muitos apareciam nas minas gerais pela mesma época.⁷ Outro pormenor típico: a mobilidade da população, maior do que em outros lugares da capitania e província, e que não cessa mesmo depois que o desenvolvimento da lavoura do açúcar predispôs a população a certa sedentariedade, prolongando-se até bem entrado o século passado. Ituanos ou da tribo ituana — de Porto Feliz, Piracicaba, Capivari etc. — são os fundadores e povoadores da maioria das cidades paulistas dessa época e as estatísticas conhecidas mostram, por muito tempo uma predominância mais do que normal da população feminina.⁸

Nessas notas meio desconchavadas vai o que eu sei e só poderia adiantar se v. pretendesse esticar a Evocação. Neste caso lembraria a v. escrever ao meu amigo o Cônego Luís Castanho de Almeida,⁹ de Sorocaba (endereço: Rua Ruy Barbosa, 78), que pode fornecer, talvez, dados inéditos, inclusive sobre a parte artística. Ele conhece bem os arquivos e, embora especializado em coisas sorocabanas, não deixa de saber muita coisa sobre Itu. Por indicação minha mandou ao Otávio Tarquinio muitos dados úteis que serviram para o livro sobre o Feijó.¹⁰ Se v. não o conhece pessoalmente pode escrever que ele dirá tudo o que sabe. Se quiser, me encarregarei de ser o intermediário.

V. me diz ainda para "controlar a ortodoxia do escrito". Se eu merecesse tamanha honra talvez mandasse algumas observações pelo prazer de discordar. Mas como isto é um bate-papo onde pode haver enganos de parte a parte confesso francamente que só tenho dúvidas sobre o que v. acrescentou a tinta numa passagem do escrito, dizendo "Pequena, com seus onze mil habitantes, nem tanto"... Acho que mesmo com a ressalva, onze mil é demais para a vila. Seria, se tanto, o total para o município ou termo, que progredira muito em população, no correr do século XVIII, sobre os 800 casais de 1724 (*Docs. Inter.* vol. XXXII, p. 93).¹¹ O município era imenso e incluía numerosas pessoas que não precisavam ir à vila nem para a desobriga da Quaresma. Em 1867, Oliveira César dá dez a onze mil habitantes (dois anos depois diria onze ou doze mil) e o Relatório da Comissão de Estatística, de 1888 dá para 1872, 10.821. Em 1837, no tempo de Daniel Pedro Müller,[12] antes de sofrer vários desmembramentos, 11.146. Em 1815, na estatística citada por Martius,[13] 7.037. Isso para todo o município. Nem metade desses sete mil constituiria, talvez, a população "permanente" da cidade. "Permanente" no sentido em que se pode entender essa palavra para a população de uma vila colonial, isto é a gente que mora efetivamente na vila e a que aparece nos domingos e dias santos.

Segundo a tabela do Simonsen,[14] a de que disponho, 20$000 em 1778 corresponderiam para o atual poder aquisitivo da moeda (atual em 1937), a mais de um conto e quinhentos, uma vez que o real valia $078. Três mil cruzados de 1812 equivaleriam a mais de cento e quinze contos, na base de 38$389 o cruzado ($480).

Abraços do
Sérgio Buarque de Holanda

Encontrei agora o trecho da *Historiologia Médica* do Joseph Rodrigues de Abreu.[15] Está no 1º vol. do livro, publicado em Lisboa Ocidental, 1733, à pg. 584: "Na America em huma das Villas de Serra acima do districto dos Paulistas, chamada Ottû, há huma tal aguada de que se usa commumente, que faz a todos os seus moradores disformes os Pescoços, são grandissimos os papos, que tem hum, e outro sexo, Velhos, Moços, e Minimos; nacem proporcionados, porém o tempo os vay pondo com esta diformidade [sic]; he tal o costume, que não fazem caso do achaque; não podem mudar de agua, porque toda a daquelle termo tem as mesmas qualidades, o que senão encontra sahindo dalli por outra qualquer parte".[16]

É interessante o documento pela época, pela atribuição da doença à água consumida e pela observação de que o papo só ocorria então em Itu. Mais tarde se disseminaria pelos outros lugares da Capitania. Abreu não escrevia de ouvido, pois residira longos anos em São Paulo, onde teria tido ocasião de observar essa então particularidade ituana.

Carta assinada: "Sergio Buarque de Hollanda"; sem data; datiloscrito; 2 folhas; original na série Manuscritos Mário de Andrade, Padre Jesuíno do Monte Carmelo. PS. Nota MA: "Jesuíno" e traços de destaque.

---

1 Referência aos célebres *Documentos interessantes para a história e costumes de São Paulo*, publicados ao longo de um século, desde 1895, com diversas interrupções. Concebidos originalmente a partir do Instituto Histórico e Geográfico de São Paulo, os *Documentos interessantes* figurariam também abundantemente nos estudos de Sérgio da época, que resultariam em *Monções* (1945) e depois em *Caminhos e fronteiras* (1957). À altura desta carta, Sérgio entregara já os originais de *Monções*, cujo prefácio é datado de outubro de 1944. Cf. HOLANDA, Sérgio Buarque de. *Monções*. Rio de Janeiro: Casa do Estudante do Brasil, 1945, pp. 5-8. O trabalho de Joaquim Leme de Oliveira César a que se refere são as *Notas históricas de Itu*, publicadas na *Revista do Instituto Histórico e Geográfico de São Paulo* em 1928. Oliveira César foi um prolífico jornalista, nas cidades de Sorocaba e Itu, em meados do século XIX, e morreu "no hospício de D. Pedro II", de acordo com carta de Lopes Mendes a Pedro Augusto Ferreira, de 1883. Cf. *Boletim da Sociedade de Geographia de Lisboa*. Lisboa: Imprensa Nacional, 1893, p. 408.

2 Embora não sejam listadas na "Bibliografia Consultada", as *Reminiscências do Distrito de Campinas* de Ricardo Gumbleton Daunt, originalmente publicadas em 1878, foram utilizadas por Mário, que no trecho sobre "A Vida" de Jesuíno refere a chegada do "mulato e moço" à farfalhante matriz do Carmo em Itu, cujos habitantes "primavam pelo apego às artes e decorações das igrejas, e das próprias casas. Representavam a 'civilização' bandeirante do paulista velho, diria cinquenta anos mais tarde o dr. Ricardo Gumbleton Daunt, saudosistamente". ANDRADE,

Mário de. *Padre Jesuíno do Monte Carmelo*, op. cit., pp. 44-5. Sérgio Buarque utilizaria as informações de Daunt nas notas acrescidas a *Raízes do Brasil*, a partir de sua segunda edição, de 1948. Cf. HOLANDA, Sérgio Buarque de. *Raízes do Brasil*, op. cit., p. 140.

3 Uma das tais cartas seria posteriormente utilizada por Richard Morse em sua "biografia" da cidade de São Paulo, fruto de uma pesquisa que ele faria no Brasil, como aluno de doutorado, entre 1947 e 1948, quando conheceu e tornou-se amigo de Sérgio Buarque de Holanda, que lhe indicou a fonte, muito provavelmente. Cf. MORSE, Richard M. *Formação histórica de São Paulo*. São Paulo: Difusão Europeia do Livro, 1970, pp. 167-8. Cf., também, CAMPOS, Eudes. "A cidade de São Paulo e a era dos *melhoramentos materiaes*. Obras públicas e arquitetura vistas por meio de fotografias de autoria de Militão Augusto de Azevedo, datadas do período 1862-1863". *Anais do Museu Paulista*. São Paulo, v. 15, n. 1, 2007, pp. 11-114.

4 Cf. FREYRE, Gilberto. *Problemas brasileiros de antropologia*. Rio de Janeiro: Casa do Estudante do Brasil, 1943. À altura desta carta, Sérgio Buarque não procurara ainda se afastar das teses principais de Gilberto Freyre (1900-87), como faria mais tarde, sobretudo depois da publicação da segunda edição de *Sobrados e mucambos*, no início dos anos 1950. Mas seu afastamento pode plausivelmente ter uma de suas razões fundamentais num dos capítulos deste livro, intitulado "A propósito de paulistas". Nele, Freyre põe em questão a qualidade "distintamente bandeirante" de muitos paulistas, desenhando as linhas de força que oporiam seu projeto historiográfico àquele que, mais tarde, seria o do próprio Sérgio Buarque de Holanda, e o fazia através da figura de Daunt: "é curioso que a apologética paulística — denominemo-la assim para não classificá-la de mística exagerada quando pretende, por exemplo, apresentar o Brasil inteiro como expressão de *ruralismo* bandeirante em oposição ao *urbanismo* litorâneo de reinóis e colonos — tenha tido o iniciador de sua fase moderna numa figura ainda mais em contraste com a aparência e os modos do paulista-velho do que qualquer fluminense ou semibaiano do próprio Brasil: o irlandês Daunt. O doutor — era médico — Ricardo Gumbleton Daunt. E entretanto foi o que sucedeu quando Daunt, depois de estabelecido no Brasil ainda na primeira metade do século XIX (1845), ganhou amor a São Paulo e à gente paulista. Amor que transformaria o irlandês num quase místico da meia-raça brasileira, na qual se integrou pelo sangue, casando-se com paulista de família antiga e ilustre. [...] Sucede que o nome de Daunt está sendo bem pouco lembrado pelos brasileiros de hoje. Conhecem-no um ou outro Afonso de E. Taunay, Octavio Tarquinio de Sousa ou Sérgio Buarque de Holanda — este último meu iniciador nos escritos do ardoroso convertido. Convertido pela graça. Não era porém homem que se contentasse com a con-

versão pela graça. Quis se afirmar também paulista-velho e brasileiro integral pelas obras. E afirmou-se. Não só constituindo família no Brasil como escrevendo a Francisco Inácio Marcondes Homem de Melo uma série de cartas sobre a História de São Paulo que à riqueza de informações colhidas com uma pachorra pouco irlandesa juntam o significado psicológico e sociológico de documento de uma conversão profunda". As cartas de Daunt são então abundantemente comentadas por Freyre. Cf. FREYRE, Gilberto. "A propósito de paulistas" in *Problemas brasileiros de antropologia*. Rio de Janeiro: José Olympio, 1962, pp. 48-9 e passim.

5 "Jornaes das viagens pela capitania de São Paulo, por Martim Francisco Ribeiro de Andrada" in *Revista Trimensal do Instituto Historico, Geographico e Etnographico do Brasil*, tomo 40, parte I, 1882, pp. 5-49. A obra não consta nem do índice onomástico nem da bibliografia de *Padre Jesuíno do Monte Carmelo*.

6 ABREU, José Rodrigues de. *Historiologia medica, fundada, e estabelecida nos princípios de George Ernesto Stahl, e ajustada ao uso practico deste paiz*. Lisboa Occidental: Officina da Musica, 1733-52.

7 Trata-se de um dos primeiros tratados de medicina brasileira escritos em português, e tampouco foi referido por Mário de Andrade em *Padre Jesuíno do Monte Carmelo*. Ganhou recentemente uma edição acadêmica. Cf. FURTADO, Júnia Ferreira (org.). *Erário Mineral. Luís Gomes Ferreira*. Belo Horizonte/Rio de Janeiro: Fundação João Pinheiro/Fiocruz, 2002.

8 Aqui se desenha, em certo sentido, o projeto historiográfico que então ocupava Sérgio Buarque de Holanda, e o ocuparia por pelo menos mais uma década, resultando, em 1957, na publicação de *Caminhos e fronteiras*, como já mencionado. A "mobilidade da população" é um dos elementos centrais, seja na apreciação do movimento das bandeiras, seja nas "longas jornadas fluviais" que amorteceriam o "ânimo tradicionalmente aventuroso daqueles homens", como se lê numa passagem de *Caminhos e fronteiras* que retoma, *ipsis litteris*, o texto de *Monções*. Cf. HOLANDA, Sérgio Buarque de. *Caminhos e fronteiras*, op. cit., p. 136. O tema vazaria também a nota adicionada, alguns anos depois desta carta, ao segundo capítulo de *Raízes do Brasil* em sua segunda edição (1948), intitulada "Persistência da lavoura de tipo predatório", a qual termina com uma observação sobre os "lavradores de São Paulo" que "dizia, em 1776, segundo d. Luís Antônio de Sousa, que iam 'seguindo o mato virgem, de sorte que os Fregueses de Cutia, que dista desta Cidade sete léguas, são já hoje Fregueses de Sorocaba, que dista da dita Cutia vinte léguas'. E tudo porque, ao modo do gentio, só sabiam 'correr trás do mato virgem, mudando e estabelecendo seu domicílio por onde o há'". HOLANDA, Sérgio Buarque de. *Raízes do Brasil*, op. cit., p. 66.

9 O cônego Luís Castanho (1904-81) apareceria reiteradamente como fonte em *Monções* e *Caminhos e fronteiras*. Na introdução deste último, datada de 1956, Sérgio Buarque registra sua gratidão para com o amigo, "autor, entre diversas obras publicadas, de um opulento estudo que ainda se conserva lamentavelmente inédito, acerca dos antigos tropeiros e feiras de Sorocaba", e notável conhecedor "da história da expansão paulista". HOLANDA, Sérgio Buarque de. *Caminhos e fronteiras*, op. cit., p. 14. Sob o pseudônimo de Aluísio de Almeida, o cônego Castanho publicaria mais tarde *Contos do povo brasileiro* (1949) e a *História de Sorocaba* (1951). Além disso, havia publicado, nesse mesmo ano de 1944, *A revolução liberal de 1842*, e publicaria mais à frente *O tropeirismo e a feira de Sorocaba* (1968), dos quais Sérgio Buarque conservaria um exemplar com dedicatória autógrafa em sua biblioteca. Ainda mais tarde, seria publicado *Vida e morte do tropeiro* (1971) e *Sorocaba: 3 séculos de história* (2002, ed. José Gagliardi Júnior).

10 Referência a SOUSA, Octavio Tarquinio de. *Diogo Antônio Feijó (1784-1843)*. Rio de Janeiro: José Olympio, 1942 (volume 35 da Coleção Documentos Brasileiros, que fora inaugurada em 1936 com *Raízes do Brasil*). O historiador Octavio Tarquinio de Sousa (1889-1959) e sua esposa, a crítica literária Lúcia Miguel Pereira, eram amigos diletos de Sérgio Buarque, até sua morte trágica num acidente aéreo. Mário de Andrade também convivera com o casal, enquanto Lúcia Miguel Pereira, como se lê em carta enviada por Bandeira ao poeta paulista em junho de 1938, participara ativamente da campanha para levar o autor de *Macunaíma* ao Rio de Janeiro: "a Lúcia Miguel-Pereira acaba de me telefonar, pedindo-me que lhe escrevesse instando com você para que aceite o lugar de diretor do Instituto de Artes da Universidade do Distrito Federal...". Cf. MORAES, Marcos Antonio de (org.). *Correspondência Mário de Andrade & Manuel Bandeira*, op. cit., p. 648. Octavio Tarquinio seria ainda, junto a Mário e Sérgio, membro-fundador da Associação Brasileira de Escritores, destacando-se na resistência à ditadura do Estado Novo.

11 Ver, atrás, nota sobre os *Documentos interessantes*.

12 Sérgio possuía a edição de 1923 do *Ensaio d'um quadro estatistico da provincia de S. Paulo: ordenado pelas leis provinciaes de 11 de Abril de 1836, e 10 de março de 1837*, de Daniel Pedro Müller (São Paulo: Seção de obras de *O Estado de S. Paulo*, 1923), originalmente publicado em 1838.

13 Do viajante e botânico alemão Karl Friedrich Philipp von Martius (1794-1868) Sérgio possuía, em sua biblioteca, três volumes de sua *Viagem ao Brasil* (*Reise in Brasilien*), dele e de Johann Baptist von Spix, publicados em Munique entre 1823 e 1831, de onde, por certo, sai a referida estatística.

14 Referência às "Tabelas de conversão das moedas usadas nos tempos coloniais

ao poder aquisitivo do mil-réis brasileiro atual", em SIMONSEN, Roberto Cochrane. *História econômica do Brasil.* São Paulo: Companhia Editora Nacional, 1937.

15 Ver nota, atrás.

16 ABREU, José Rodrigues de. *Historiologia medica, fundada, e estabelecida nos princípios de George Ernesto Stahl, e ajustada ao uso practico deste paiz,* op. cit., p. 584 ("De Ottû Villa Celebre", in Livro Sexto, da Pathologia). (Corrigi a passagem — que contém algumas imprecisões na transcrição de Sérgio Buarque — de acordo com o original, disponível na Biblioteca Digital da Faculdade de Medicina da Universidade de Lisboa. Web. Consultado em 2 nov. 2011.)

31 (MA)

São Paulo, 26 de dezembro de 1944

Meu caro Sérgio

recebi sua carta e muitíssimo obrigado. Você não imagina quanto me ajudaram as suas sugestões e conhecimentos. É engraçado como às vezes uma palavra pequenina aclara e põe em luz certa coisa. É o caso da fúria de casamentos, que como que esclare[ce] Jesuíno pedido em casamento duas vezes, e da 2ª vez parece que nem bem viúvo.[1]

Vou consultar o cônego Luís Castanho de Almeida, me servindo do seu nome, como v. me autoriza.

No caso dos 11 mil habitantes, redigi errado. Me servi de estatísticas existentes aqui no Arquivo Público que dão 11.146 hab. pra 1836. Deduzi e calculei muito mal, como você mostra, me esquecendo ingratamente do meu querido von Martius, que graças a Deus ainda dou pra ler no original. Por sinal que faz pouco não vendi o meu exemplar por oito contos.[2] Como custou menos de quinhentos mil réis, faz vinte anos, e faltam uns três mapas, valia a pena. Mas fiquei com pena nem sei de quê! Vou deixar pra dentro de 10 anos, se viver tanto, quando o bruto chegar a dez contos. Pois o meu Rugendas,[3] que comprei por menos de um conto, já não alcançou oferta de quinze! Mas não vendi também. Bom basta de parolagem, que tenho demais que fazer pra preparar o Jesuíno até 31 deste como prometi ao Rodrigo.[4]

Ah! se ainda não releu o lundu, não releia não, não perca tempo. Se tivesse alguma besteira grossa você pegava quando leu e me avisaria. E não sei quando repegarei nisso pro trabalho pra livro, certamente não o ano que vem, dado a outras coisas.

E quando me referi à "ortodoxia" que você deveria controlar, são dessas em parte desatenções, em parte espero que menor, ignorâncias, que faz, por exemplo, dizer "frade" Jesuíno como tantos, quando é "padre"; "cidade de Itu", quando era "vila"; "regente d. João VI" quando já "rei", etc. Essas coisas tenho medo que me escapem por causa desta cabeça no ar. Sou sonhador, excusez du peu.[5]

Bom, um bom ano de 1945 pra você, Maria Amélia, filhotes e esta nossa triste humanidade.

Com o abraço mais grato do
Mário

Carta assinada: "Mario"; datada: "S. Paulo, 26-XII-44"; autógrafo a tinta preta; papel creme, filigrana; 1 folha; 28,3 × 21,3 cm; rasgamento central provocado pelas dobras do papel e rasgamentos no canto inferior esquerdo, nas bordas superior, esquerda e direita.

---

1 "A quinze de abril de mil setecentos e noventa e três morre Maria Francisca pelos vinte e quatro anos da sua mocidade, deixando Jesuíno viúvo. O artista está

na força do homem, com vinte e nove anos completos, e se vê na conjuntura de pajear quatro filhos menores. A mais velha, a Maria, ainda não fez seis anos, e o menor tem poucos dias. E por um desastre novo, a morte da mãe, ele está com os manos menores, três, por trazer pra Itu e educar! As cunhadas o ajudavam, mas eram ainda mais pobres que ele, e uma tinha também um filhinho, o João Paulo. Aliás já está correndo no sussurro da vila casamenteira que existe um viúvo em disponibilidade lá. E se aproveitando desse estado de coisas tão sem jeito, alguém quer conquistar para si o artista que já se provara bom marido, e varão ótimo. Não durou muito, e Jesuíno Francisco foi pedido em casamento outra vez. Mas agora, ainda lutando contra o hábito da morta e as memórias saudosas, Jesuíno não quer saber. Já lhe devoram a vontade experiências novas. O espírito religioso se desenvolve com fúria, refreado por nove anos matrimoniais, aconselhado agora pela dor. Jesuíno Francisco não só recusa a oferta, mas inventa um expediente exibicionista que, mesmo na época e na vila padresca, abre o escândalo e os comentários. Manda fazer uma espécie de burel negro e nele se enfurna, amarrando o camisolão à cintura com uma correia de couro. Frade no aspeto e no desejo. E assim o viam passar nas ruas de Itu, afugentando os desejos da carne, quebrando com acinte quaisquer esperanças, indo para os últimos retoques nas pinturas do Carmo". ANDRADE, Mário de. *Padre Jesuíno do Monte Carmelo*, op. cit., p. 53.

2 Mário possuía em sua biblioteca a mesma edição que tinha Sérgio Buarque de Holanda de *Reise in Brasilien* de Spix e Martius, publicada entre 1823 e 1831 em Munique.

3 Em sua biblioteca, Mário tinha a primeira edição (francesa) de *Voyage pittoresque dans le Brésil* de Johann Moritz Rugendas (Paris: Engelmann & cie., 1835). Sobre a conhecida bibliofilia marioandradina, Vera Neumann-Wood lembra que, em entrevista da década de 1930, Mário discorreu sobre as principais obras raras que então possuía. Em resposta ao "inquérito" da editora Macaulay, que em 1933 publicara *Amar, verbo intransitivo* nos Estados Unidos, o poeta relatava: "Sim, sou bibliófilo. Além de primeiras edições raras de obras sobre o Brasil, coleciono grandes edições de luxo, em grandes papéis e ilustradas por grandes gravadores modernos. Possuo a primeira edição da ópera *Il Guarany* de Carlos Gomes; as *Reise in Brasilien* de Spix e Martius; a *Voyage pittoresque dans le Brésil* de Rugendas, com as suas maravilhosas gravuras. Desta última tenho também alguns dos desenhos originais que serviram para a gravação". LOPEZ, Telê Porto Ancona (org.). *Mário de Andrade: entrevistas e depoimentos*, op. cit., p. 39. Dois dos desenhos ("Cabeça de mulato" e "Cabeça de baiana") são reproduzidos em BATISTA, Marta Rossetti, e LIMA, Yone Soares de. *Coleção Mário de Andrade: artes plásticas*. 2ª ed. rev. São Paulo: Instituto de Estudos Brasileiros, Universidade de São Paulo, 1998, p. 286. Em sua coluna no *Diário de Notícias* do Rio de Janeiro,

Mário saudara, em março de 1940, a publicação recente, pela Editora Livraria Martins, do livro de Rugendas, em tradução de Sérgio Milliet, louvando ademais a qualidade das reproduções e lembrando que "apesar dos seus alindamentos românticos, os magistrais desenhos de Rugendas são de um valor iconográfico legítimo". ANDRADE, Mário de. "Miscelânea" in *Vida literária*, op. cit., pp. 159-60. Uma consulta (novembro de 2011) ao site da Christie's revela que uma edição semelhante, com as litogravuras, foi arrematada em 2004, num leilão em Nova York, por 113 525 dólares. Para que se tenha uma ideia aproximada do valor, à época, Mário havia comprado o sítio em São Roque, referido atrás, por quarenta contos; portanto, só a venda do Rugendas poderia quase saldar a dívida de vinte contos que lhe restava.

4 Rodrigo Mello Franco de Andrade.

5 Antífrase comum em francês que serve para ironicamente ressaltar a importância daquilo que se está referindo. Algo semelhante a "nem mais nem menos", em português.

"COISAS SUTIS, *ERGO* PROFUNDAS"
O DIÁLOGO ENTRE MÁRIO DE ANDRADE E SÉRGIO BUARQUE DE HOLANDA

Pedro Meira Monteiro

Para Arcadio Díaz Quiñones
"*todas las preguntas suscitadas por la proteica palabra siguen abiertas*"

E à memória de Luiz Dantas
"*um veludo silencioso amaciou a rigidez, a linha aguda, a reta crua da vida*"

"Um abraço no Sérgio. Diga pra ele que si não me escrever mando-o àquela parte."
(Mário de Andrade, em carta a Prudente de Moraes, neto, março de 1925)

"... a letra mata."
(2 Cor 3:6)

ABERTURA: PARA UMA RELEITURA DO MODERNISMO

Num iluminador estudo sobre os últimos anos de Mário de Andrade, Eduardo Jardim desenvolve a hipótese de uma longa e sentida "morte do poeta",[1] que teria começado a acontecer quando Mário se mudou para o Rio de Janeiro em 1938, fugindo ao espectro da exoneração do cargo de diretor do Departamento de Cultura da cidade de São Paulo, que ele assumira em 1935, a convite do então prefeito Fábio Prado, e ocupara até 1938, depois que o golpe do Estado Novo, em novembro de 1937, redesenhou o campo de forças da política brasileira, com consequências profundas no plano da administração e concepção da cultura.

A perda do cargo, sentida e relatada em cartas que Mário escrevia aos amigos, tem um significado maior: era também seu projeto para o Brasil que malograva, sem que no entanto sua crença no aspecto regenerador da cultura popular fosse abalada. O que a angústia do poeta então revelava era a precariedade e, a rigor, a inviabilidade do sonho de um Brasil grande, como se no fundo se anunciasse, mais ainda que o fim do ciclo modernista, a impotência do intelectual diante do descalabro da cultura. Tal impotência pode ser compreendida a partir de um marco existencial, dentro do qual se explicaria o desespero de Mário diante do avanço da guerra na Europa, em especial a partir da queda de Paris, em 1940.[2] Mas, num plano diverso, havia um desespero de outra ordem, ainda mais profundo, embora menos evidente: ruídas suas crenças no destino compartilhado pelo povo brasileiro, ameaçava-se a inteireza de um futuro ardentemente desejado e poeticamente intuído. Ao apontar para os desvãos do sujeito, as cartas sinalizam os impasses do modernismo brasileiro, que cada vez mais se aproximava de seu ponto de cristalização. Um movimento cuja institucionalização hoje em dia nos parece patente, mas cujo frescor e cuja viragem inicial nem sempre conseguimos compreender, ou sentir em sua plenitude.

A correspondência entre Mário de Andrade e Sérgio Buarque de Holanda permite, em suma, repensar o empuxo inicial do movimento, deixando-nos vê-lo através de seu próprio esgotamento. O projeto de liberação que se gestava mostrava-se inviável, sempre que repontava, no horizonte dos dois autores, o tema da *construção* e, com ele, o fecundo balanço entre *ordem* e *desordem*.

O caráter agônico das cartas não terá escapado ao leitor, ainda que o dissimule o diálogo rápido e lacunar entre os dois missivistas. Entretanto, em torno à agonia de Mário se formam duas das mais poderosas matrizes de interpretação da cultura brasileira. Os limites do modernismo estão dados, precisamente, no momento em que a *construção* se torna um anátema no pensamento de Sérgio Buarque, ao mesmo tempo que é para ela que caminha, malgrado de si mesmo, o pensamento de Mário de Andrade. Mais que revelações anedóticas, a correspondência aqui reunida traz um verdadeiro quebra-cabeça interpretativo, em que Mário parece sondar o fundo de sua própria obra, esperando do amigo mais jovem, e crítico excelente, uma explicação para o "vulcão de complicações" que ele se considerava, como se lê em carta de abril de 1928. A prometida interpretação nunca veio de todo, mas a amizade parece ter se selado ali, na promessa não cumprida de uma compreensão que desse conta da angústia do poeta.

As peças do quebra-cabeça oferecido pela correspondência incluem a formação católica de Mário, sua fé no papel revelador da literatura, e algo que se poderia identificar como um horizonte escatológico de que ele talvez nunca tenha se livrado, e que Sérgio, por razões que convém esclarecer, era capaz de perceber. Não que Mário acreditasse no fim dos tempos ou que portasse uma visão teleológica simples do desenvolvimento do homem e da sociedade; o que o incomodava era viver num mundo em que o sentido não se cerra jamais, como se a revelação fosse um acontecimento eternamente esperado, mas nunca alcançável. *Sentido* e *revelação* são categorias que não se deixam compreender fora de um marco religioso. Para além daquele marco, contudo, são categorias que dizem muito sobre crenças poéticas e políticas que Mário de Andrade viveu de forma tormentosa, até que se quebrasse o "encadeamento" que liga o escritor ao "todo" da coletividade.[3] Em termos ainda mais dramáticos, propriamente agônicos, era o escritor que se separava, doloroso, da "humanidade", como aliás se vê, com todas as letras, na última carta que Mário envia a Sérgio, entre o Natal de 1944 e o Ano-Novo, numa despedida que cala fundo: "um bom ano de 1945 pra você, Maria Amélia, filhotes e esta nossa triste humanidade".

Recuperar esse intrincado quebra-cabeça interpretativo é uma forma de inserir esse conjunto epistolar num quadro mais amplo, através do qual seja possível notar que, por trás de uma troca à primeira vista escassa ou simplesmente prosaica, desenham-se as grandes questões do tempo, cifradas nas aproximações e nos afastamentos que estas poucas cartas promovem, entre dois dos mais importantes nomes da história intelectual brasileira.

PRIMEIRO MOVIMENTO: VERTIGEM, LUCIDEZ E PRIMITIVISMO

Das 31 cartas hoje conhecidas, há um primeiro núcleo que se concentra em 1922, iniciando-se quando Sérgio, então com dezenove anos, encarregava-se da distribuição de *Klaxon* no Rio de Janeiro, ao receber de Mário, em maio daquele ano, um mandato que generosamente o incluía nas coortes da vanguarda artística: "Trabalha pela nossa Ideia, que é uma causa universal e bela, muito alta". É ainda tempo de um jovem que vai firmando a voz diante do amigo pouco mais velho, mas já reconhecido como um dos chefes do movimento.

Salta aos olhos o sentido de *missão* que os conectava, como se dependesse deles a invenção de um público para as novidades das artes e da literatura, na onda das inovações das vanguardas que eles recebiam com entusiasmo. Fica também claro, desde as primeiras cartas, que se tratava de um grito paulista, e que no Rio de Janeiro seria preciso ainda descobrir solo fértil para as ideias daqueles que ganhariam o ambivalente epíteto de "futuristas".

Passado quase um século daqueles sucessos, podemos entender que a rivalidade entre Rio e São Paulo tem aí um de seus momentos mais importantes. Não são poucas as vezes em que os paulistas serão vistos, ou verão a si próprios, como "bandeirantes" do espírito, anunciadores da boa-nova da arte moderna. Em seu *Domingo dos séculos,* publicado no Rio de Janeiro em 1924 e depois resenhado por Sérgio Buarque de Holanda, o paulista (de Araraquara) Rubens Borba de Moraes sugeria que "a arte moderna é uma manifestação *natural* e *necessária.* Os artistas modernos são homens convencidos de que é preciso criar novas formas, porque as que existem já não traduzem mais a vida contemporânea. Bandeirantes do pensamento".[4]

A identificação não vinha exclusivamente de São Paulo, porém. Num recorte de jornal guardado por Mário de Andrade, sem indicação de procedência, encontra-se um artigo de 1922, provavelmente de Ronald de Carvalho, em que os "independentes" paulistas são apresentados como uma frente civilizadora:

> O papel histórico de São Paulo é o de produzir bandeirantes. Aos bandeirantes da terra, os Leme e os Raposo, seguiram-se os do ar, os Bartholomeu Lourenço e os Santos Dumont. Com eles, vieram os homens do ouro, os criadores da fortuna, os "self-made", os desbravadores do solo, os agricultores, os pastores, os fazendeiros, os industriais, toda essa família de gente forte e destemerosa que trouxe às nossas arcas a moeda valorizadora dos destinos econômicos do Brasil. Enquanto os outros estados, na sua maioria, exportam gramáticos e bacharéis, críticos e doutores para a capital, S. Paulo prepara indivíduos práticos, de gênio claro e positivo, que, apesar dos políticos e da política, sabem conquistar desassombradamente o seu lugar ao sol. [...] Mas o paulista não se satisfez com os saldos materiais da sua opulência. Acima dela, vai desenhando, agora, uma bela imagem de idealismo, do são idealismo nascido da força e da confiança no próprio destino. Depois do agricultor, aparece o artista, segundo o ritmo de todas as verdadeiras civilizações, em que o rapsodo é precedido pelo pastor.[5]

Há um excepcionalismo latente nos escritos do primeiro período modernista, cujas origens mais remotas talvez estejam no gosto aristocratizante das correntes finisseculares, que na São Paulo entre provinciana e cosmopolita do período podia desaguar na experimentação ensaiada pelos jovens no ambiente refinado dos salões, como no caso célebre da Villa Kyrial, palacete de José de Freitas Valle, verdadeiro "oásis" em que se encontravam "todas as raças de arte: ultraístas extremados, com os dois pés no futuro e passadistas-múmias", segundo as palavras de Mário de Andrade, em crônica de 1921.[6] Em sua primeira carta a Sérgio Buarque, o poeta paulista noticia a preparação de uma conferência "sobre a nova estética", que ele leria, justamente, no salão de Freitas Valle.

Uma leitura sociológica aponta aí uma origem que viria a moldar um caminho mais ou menos inelutável para os escritores modernistas, como se os movesse um ideário político que "nenhuma artimanha estetizante será capaz de fazer descarrilhar". Com uma fórmula assumidamente brutal, Sergio Miceli, num provocativo e fundamental estudo comparativo que tem Jorge Luis Borges e Mário de Andrade como foco, sugere que

> os vanguardistas argentinos e brasileiros eram tributários, ainda quando não tivessem plena consciência disso, de um pujante movimento de reação oligárquica que lhes permitiu adotar, em sintonia com os móveis da luta cultural desses grupos ameaçados, uma postura estética renovadora como fachada produtiva de uma prática política regressiva.[7]

No entanto, as "artimanhas estetizantes" são capazes de apontar para as rupturas, tanto quanto para as continuidades. No caso de Mário de Andrade, uma crise se instaura em sua narrativa e sua poética, o que termina por aproximá-lo de um ambiente outro que o dos salões bem-pensantes, por meio de uma voz que não é apenas o suporte de um conjunto de valores tradicionais. Até aí, o resultado dessa aproximação poderia ser apenas a idealização desse mundo "outro", isto é, o universo das ruas, em tudo contrário ao bom gosto dos salões. Há em Mário, contudo, uma complexa compreensão do lugar ocupado pela voz lírica, que é questionada a cada esquina dos textos de ficção, que vão sendo produzidos ao mesmo tempo que se desenrola a correspondência com Sérgio Buarque, já um pouco depois do entusiasmo e das dúvidas diante da circulação e recepção de *Klaxon*.

No primeiro dos "contos de Belazarte", de 1923, Rosa encontra João, o entregador de pães a quem no fim ela vai se recusar. Aí se dá a descoberta do corpo, que teria tudo para descarrilhar numa cascata de metáforas de gosto duvidoso, não fora a intervenção do cronista, desconfiado diante do poder das "belas-artes" que ele mesmo detém:

> Porém duma feita quando embrulhava os pães na carrocinha percebeu Rosa que voltava da venda. Esperou muito naturalmente, não era nenhum malcriado não. O sol dava de chapa no corpo que vinha vindo. Foi então que João pôs reparo na mudança da Rosa. Estava outra. Inteiramente mulher com pernas bem delineadas e dois seios agudos se contando na lisura da blusa que nem rubi de anel dentro da luva. Isto é... João não viu nada disso, estou fantasiando a história. Depois do século dezenove os contadores parece que se sentem na obrigação de esmiuçar com sem-vergonhice essas coisas. Nem aquela cor de maçã camoesa amorenada limpa... Nem aqueles olhos de resplendor solar... João reparou apenas que tinha um mal-estar por dentro e concluiu que o mal-estar vinha da Rosa.[8]

O desarme dos lugares-comuns se dá na experimentação da voz narrativa, que se mantém em diálogo tenso com a tradição beletrista, já aqui sob a sombra sedutora que o "inconsciente" ofereceria a Mário de Andrade, desde muito cedo interessado em Freud. É verdade que as "italianinhas" e os "portugueses" dos seus contos são personagens da cidade que se expandira por conta do café e do capital, que juntos marcam o lugar inalienável dos elementos "populares", pelos quais Mário desenvolve uma espécie de amor e desejo de aproximação, sem que, evidentemente, possa jamais se entregar àquele "outro lado", a não ser, é claro, no plano de sua poética. Ainda assim, há aí um movimento fundamental de afastamento em relação à tradição oligárquica que, tomada ao pé da letra, deveria gerar uma visão absolutamente idealizada, propriamente estetizada, dos estratos menos qualificados da sociedade. O próprio Sergio Miceli é preciso ao lembrar a composição do "passeio lírico" de Mário de Andrade pela Pauliceia, notando, em termos mais amplos e conclusivos, que o "intelectual" reponta como a figura central na história das vanguardas, "desejoso de concatenar sintonia e dissonâncias entre os resíduos da modelagem europeia e o aguilhão das vozes do novo mundo".[9]

A complexa relação dos modernistas com o "passado" não admite, a rigor, pensar em termos de condicionamento absoluto ou de liberdade irrestrita. Sua reação às heranças do *fin de siècle* podia ser profundamente ambígua. Se por um lado o grito de renovação estética supunha um corte radical com o que vinha antes (vide o tom das primeiras cartas trocadas entre Mário e Sérgio), por outro lado as matrizes "esquisitas" dos escritores finisseculares eram tentadoras, em especial em sua reação ao naturalismo de Zola, que será uma besta negra também para o modernismo brasileiro. Ainda em 1921, Sérgio Buarque de Holanda, com dezenove anos apenas, pouco antes de iniciar sua correspondência com Mário, publicava um artigo na revista *A Cigarra*, intitulado "O gênio do século", onde lembrava que a "maranha inefável" dos simbolistas e decadentes aparecera como um "prelúdio à literatura revolucionária do século XX", numa comparação que o faz pensar no futurismo italiano e em figuras como Palazzeschi e Soffici, que por seu turno seriam tão importantes para a primeira poesia propriamente "modernista" de Mário de Andrade.[10]

O sarcasmo reservado aos jovens artistas em sua autoatribuída missão prevaleceu em grande parte da recepção da Semana de

Arte Moderna, que acontecera em fevereiro de 1922 no Teatro Municipal de São Paulo. A pecha de "futurista" seria por um bom tempo utilizada como sinal derrisório, a depender, é claro, de quem criticasse o novo fenômeno, cujos ecos Sérgio Buarque de Holanda estava encarregado de amplificar no Rio de Janeiro, como se lê em carta de junho de 1922: "quanto ao [ataque] do *Mundo Literário* espero responder por essa mesma revista se me permitirem. Se não, estou em dúvida se deixo de fazer a seção paulista ou se continuarei a pregar as ideias klaxistas que são as minhas nessa mesma seção".

Dentre as reações contrárias ao movimento, destaca-se a zanga de Lima Barreto, que, em *A Careta* de julho de 1922, dirige-se diretamente a Sérgio:

> São Paulo tem a virtude de descobrir o mel do pão em ninho de coruja. De quando em quando, ele nos manda umas novidades velhas de quarenta anos. Agora por intermédio do meu simpático amigo Sérgio Buarque de Holanda, quer nos impingir como descoberta dele, São Paulo, o tal de "futurismo" [...] Recebi, e agradeço, uma revista de São Paulo que se chama *Klaxon*. Em começo, pensei que se tratasse de uma revista de propaganda de alguma marca de automóveis americanos. [...] O que há de azedume neste artiguete não representa nenhuma hostilidade aos moços que fundaram a *Klaxon*; mas sim, a manifestação da minha sincera antipatia contra o grotesco "futurismo", que no fundo não é senão brutalidade, grosseria e escatologia, sobretudo esta.[11]

O artigo de Lima Barreto seria imediatamente rebatido no número de agosto de *Klaxon*, na seção "Luzes & refrações", na qual os klaxistas ensaiavam respostas à recepção conservadora. O tom é duro, azedume contra azedume:

Cansado com o descobrimento, eis o snr. Lima azedo, obfurgatoriando [sic], mais ou menos com razão, contra Marinetti. Mas que temos nós com o italiano, oh! fino classificador? Mas o herbolário carioca sabe que certos arbustos naturais de Itália e da mesma família de apenas *alguns* registrados em Klaxon, são comuns à Rússia, à Áustria e à Alemanha saqueada... [...] Snr. Lima, como seu artigo "não representa *Klaxon*" amigavelmente tomamos a liberdade de lhe dar um conselho: Não deixe mais que os rapazes paulistas vão buscar no Rio edições da *Nouvelle Revue,* que, apesar de numeradas e valiosíssimas pelo conteúdo, são jogadas como inúteis embaixo das bem providas mesas das livrarias cariocas. Não deixe também que as obras de Apollinaire, Cendrars, Epstein, que a Livraria Leite Ribeiro de há uns tempos para cá (dezembro, não é?) começou a receber, sejam adquiridas por dinheiros paulistas. Compre esses livros, Snr. Lima, compre esses livros![12]

As provocações de parte a parte sobem de tom, num jogo em que os mais novos tentam destacar-se de um "passado" que se quer associar, muitas vezes, ao Rio de Janeiro. A nota de "Luzes & refrações" é, sem dúvida, do próprio Mário de Andrade que, no número anterior da revista, respondera àquele artigo do *Mundo Literário,* de autoria de Agripino Grieco, com a mesma cena dos livros jogados embaixo da mesa de uma livraria carioca:

> É preciso que o nobre articulista de hoje em diante não confunda suavidade com penumbrismo. E si conhecera certos franceses contemporâneos, Duhamel, Romains e especialmente Vildrac (encontrei edições numeradas de Vildrac e Romains jogadas por inúteis embaixo de uma mesa em livraria carioca!) a eles irmanaria com mais eloquência e talvez menos fineza crítica o nosso colaborador Carlos Baudouin.[13]

É claro que a prestigiosa livraria Leite Ribeiro recebia diferentes personagens, e as novidades não seriam, por fim, exclusivamente degustadas pelo fino paladar dos jovens de São Paulo.[14] Tratava-se muito mais de demarcar campos, e do orgulho por pertencer à turma dos modernos. Já se discutiu a origem oligárquica desse grupo de jovens. Basta pensar na figura paradigmática de Paulo Prado como um mecenas inspirador, para notar que todo aquele arroubo inovador tinha também a ver com a afirmação aristocrática de um lugar especial, de que os "salões" paulistanos são apenas uma face. Ainda assim, quando se compreende o modernismo a partir de mecanismos de condicionamento social, é preciso lembrar que Mário, por exemplo, pertencia à banda dos "primos pobres".[15] De uma forma ou outra, a autoatribuída missão modernizadora constituía, na literatura e nas demais artes, uma frente que não se resumia àquelas injunções sociais, embora seja sempre curioso escutar a ira mal contida de Lima Barreto e logo em seguida ler a reação quase esnobe de *Klaxon*, cujos redatores imaginavam o verdadeiro tesouro moderno como matéria mal apreciada em certas rodas cariocas. Daí a brincadeira, de gosto duvidoso, com aqueles "dinheiros paulistas" que viriam para comprar tudo o que o gosto falho dos cariocas os impedia de aproveitar.

Não deixa de ser engraçado, e porventura sintomático, que o termo "futurista" pudesse ser associado, em chave sarcástica, a um empréstimo a perder de vista. Muito antes que, em 1931, Lamartine Babo e Noel Rosa compusessem "A. B. Surdo", satirizando o "futurismo" e pondo-o sob a marca dos maus pagantes, Enéas Ferraz — um "limabarretiano" injustamente esquecido na história da literatura brasileira, de acordo com Francisco de Assis Barbosa[16] — publicava, no *annus mirabilis* de 1922, sua *História de João Crispim*. O livro mereceria de Sérgio Buarque de Holanda uma apreciação algo ambivalente no *Rio-Jornal*, em março daquele mesmo ano, destacando-lhe por um lado a qualidade "carioca" (no que se alinharia a Lima Barreto na recriação de tipos urbanos, com o "Diógenes bárbaro" que era João Crispim), mas chamando a atenção, por outro lado, para o esgotamento do "realismo" que presidia sua narrativa: "creio perfeitamente razoável a pergunta dos expressionistas alemães: a verdade está aqui: para que repeti-la?", perguntava Sérgio.[17]

Logo mais, no mês de abril de 1922, um artigo assinado por um "João Crispim" (Enéas Ferraz, é claro) aparece em *A Careta*, repreendendo com ironia, mas sem sombra do azedume de Lima Barreto, o "futurismo". Dessa vez, é a um genérico "Sérgio" que se dirigem as críticas:

> O meu amigo Sérgio, crítico literário, hóspede de casa de pensão, estudante de Direito, escritor de pró-labores a 20$000 e, mais do que tudo isso, um futurista de imensa imaginação, vai publicar uma revista intitulada *Vida Literária*. A notícia é positivamente agradável. Espera-se todo o sucesso... Mas Sérgio, que usa um pedaço de monóculo no olho direito, sempre que me topa aí pelas esquinas, atravessa-me o caminho com um gesto alto e discreto, ajeita no olho o seu brunhido cristal e entra a definir copiosamente o que seja o futurismo. Entretanto, eu vou cometer aqui uma imperdoável irreverência para com esses moços que ajeitam os seus monóculos parados às esquinas, o braço em arco, pálidos, faces encovadas, a mão branca e longa nos acenando gestos nervosos — com a afirmação que, a respeito do futurismo, me fez o meu vendeiro, o Sr. Manuel, português do Minho, homem de tamancos, proprietário abastado e, no fundo, muito bom coração [...]
>
> — Aí é que está a coisa! O *sinhoiri* João está a *vieiri* que o homem não é um literato e, vai daí, cada vez que lhe mando cobrar a conta, insulta-se, torna-se fulo, diz que espere, pois que ele é um futurista.

E faz assim com o padeiro, com o açougueiro e até com o *sinhoiri* farmacêutico, que eu soube![18]

Que o jovem de monóculo era Sérgio Buarque de Holanda não há dúvida. É conhecida a descrição de Manuel Bandeira, que relembra a figura excêntrica do amigo caminhando pelas ruas do centro do Rio de Janeiro:

> A classe de Sérgio! Foi a primeira qualidade que me chamou a atenção para ele há uns trinta anos. Nunca me esqueci de sua figura certo dia em pleno largo da Carioca, com um livro debaixo do braço, e no olho direito o monóculo que o obrigava a um ar de seriedade. Naquele tempo não fazia senão ler. Estava sempre com o nariz metido num livro ou numa revista — nos bondes, nos cafés, nas livrarias. Tanta eterna leitura me fazia recear que Sérgio soçobrasse num cerebralismo cuja única utilidade seria ensinar a escritores europeus de passagem pelo Rio a existência, desconhecida por eles, de livros e revistas de seus respectivos países. Sérgio talvez não tivesse lido ainda a *Ilíada* ou a *Divina Comédia*, mas lia todas as novidades das leituras francesa, inglesa, alemã, italiana e espanhola. Sérgio não soçobrou: curou-se do cerebralismo caindo na farra.[19]

Para além dos dados anedóticos, havia de fato um orgulho, um sentimento de diferença, que no entanto o jovem de monóculo perderia, como corretamente supôs Bandeira. No caso de Lima Barreto, havia mesmo uma simpatia mútua,[20] e é notável como Sérgio o "desculparia", quando, já em 1941, resenhando um livro de crônicas de Alcântara Machado para o *Diário de Notícias* do Rio de Janeiro, perguntava-se:

> Quantos não se lembram de que já em seu quarto número, *Klaxon* respondia a um artigo de Lima Barreto, onde os "futuristas da Pau-

liceia" se viam assimilados aos estridentes discípulos de Filipo Marinetti? Creio, aliás, que o azedume, se existiu nesse caso, veio antes do lado dos klaxistas, indignados com a confusão. O criador de *Isaías Caminha* fora até moderado e mesmo maliciosamente simpático quando se referiu ao pessoal de *Klaxon*. Todo o seu mau humor reservara-o para o italiano.[21]

De uma forma ou outra, o mecanismo de resposta de *Klaxon* às reações da imprensa carioca baseava-se em grande medida no monitoramento de Sérgio Buarque de Holanda, que comunicava a Mário de Andrade as manifestações dos "passadistas". Ao mesmo tempo, parece que, à altura do início da correspondência entre os dois, em maio de 1922, Sérgio desistira da ideia de uma revista própria, que segundo Enéas Ferraz se chamaria *Vida literária*, e que talvez se possa imaginar como um embrião de *Estética*, que ele viria a dirigir, entre 1924 e 1925, em parceria com seu querido amigo Prudente de Moraes, neto.

No vaivém das referências, aquilo que num primeiro lançar de olhos parece apenas um intercâmbio de nomes soltos — em que se incluem os assinantes da nova revista, bem como os amigos e os inimigos da causa modernista — termina por ser um sutil intercâmbio de ideias, que se dá pelo envio, junto às cartas, do exemplar de uma revista norte-americana, por exemplo. Eis a primeiríssima frase de Mário, em carta a Sérgio, antes ainda que saísse o número inaugural de *Klaxon*: "Recebi o número da *Vanity Fair*". Em seguida, lê-se: "Interessantíssimos os poemas". Difícil saber a que poemas se referia Mário de Andrade. Entretanto, àquela altura *Vanity Fair* era o modernismo em toda a sua pujança: na obsessão americana por Paris, nos anúncios sofisticados, no design de mercadorias que se aproximavam de obras de arte, e obras de arte que se aproximavam de mercadorias. Ali se construía o leito que, décadas mais tarde, a pop art escavaria a fundo. Ali também a arte ensaiava a perda definitiva de sua aura, conforme o alerta de Walter Benjamin em texto clássico, cuja redação se iniciaria apenas catorze anos mais tarde.[22]

Teria Sérgio enviado ao amigo a *Vanity Fair* de março de 1922? Nela, a propósito, Edmund Wilson escreve sobre os balés de Jean Cocteau, numa matéria luxuosa, que trazia uma fotografia do artista francês a escutar, atento, um "fonógrafo". Nela, ainda, analisavam-se os figurinos de seus balés, inclusive *Le Boeuf sur le toit*, com música de Darius Milhaud, cujas ressonâncias brasileiras as cartas dos nossos dois escritores podem insuspeitadamente ecoar, como tratarei de argumentar logo mais.

Edmund Wilson se refere ironicamente ao espanto do público francês diante dos balés de Cocteau: "*The French are too sophisticated and too reasonable to understand the beauty of the absurd*" [os franceses são demasiado sofisticados e razoáveis para entender a beleza do absurdo].[23] Trata-se de um golpe estranho, que advoga a superioridade dos leitores de língua inglesa — eles que, tendo em sua galeria de escritores um Lewis Carroll, jamais se surpreenderiam com o "nonsense" proposto na França pelos surrealistas. Por "nonsense", entenda-se aquela perda de sentido que marcaria diversos experimentos poéticos modernos, inclusive dos modernistas brasileiros, que no entanto nunca passariam pelo mesmo que o crítico norte-americano, capaz de motejar os franceses, pondo em perspectiva sua superioridade estética.

Se não foi o número de março, talvez tenha sido o número anterior da *Vanity Fair* que Mário recebera de Sérgio, aquele, porventura, em que aparece um poema de John Dos Passos, intitulado "Venice":

The Doge goes down in state to the sea
To inspect, with beady traders' eyes,
New cargoes from Crete, Mytilene,

> *Cyprus and Joppa; galleys pilled*
> *With bales off which, in all the days*
> *Of sailing, the sea-wind has not blown*
> *The dust of Arabian caravans.*
>
> *In velvet the Doge goes down to the sea*
> *And sniffs the dusty bales of spice:*
> *Pepper from Cathay, nard and musk;*
> *Strange marbles from ruined cities, packed*
> *In unfamiliar-scented straw.*
> *Black slaves sweat and grin in the sun.*
> *Marmosets pull at the pompous gowns*
> *Of burguesses. Parrots scream*
> *And cling, swaying, to the ochre bales...*
> *Dazzle of the rising dust of trade,*
> *Smell of pitch and straining slaves...*
>
> *And, out on the green tide, towards the sea,*
> *Drift the rinds of orient fruits*
> *Strange to the lips; bitter and sweet.*[24]

Eis-nos em terras modernistas: o exótico se converte em matéria estranhamente familiar, como convém às paisagens oníricas, enquanto o doce-amargo da cena retém o gosto da matéria oriental secularmente buscada, mercadoria entre mirífica e concreta, revelada como um milagre numa Veneza que se abre para o mundo de além, para tudo aquilo que se guarda, como surpresa e riqueza, fora das vistas da Europa. Complementando o quadro, escravos suarentos, próximos à vida animal, sustentam o sonho improvável dessas delícias de um mundo que a gula imperialista dissipava e arruinava: "*Strange marbles from ruined cities, packed/ In unfamiliar-scented straw*".

Difícil saber com exatidão se esse foi mesmo um dos poemas lidos por Mário de Andrade. Ainda assim, convém notar que, em sua brevidade e caráter aparentemente prosaico, as cartas podem dissimular afinidades profundas que então se estabeleciam, baseadas na experiência da leitura compartilhada, provocada pelo outro, como se a conexão com a literatura moderna se desse a partir de sucessivos convites ao descobrimento de novos autores, ou de novos trabalhos de autores que se consagravam no gosto dos modernistas. O que se vê nas cartas são muitas vezes sinais rápidos, que cabe interpretar tão amplamente quanto possível, como se fossem pontas de um novelo à espera de que nós, leitores, os puxemos.

Na carta de maio de 1922, Sérgio diz aguardar com ansiedade os exemplares do primeiro número de *Klaxon*, que Mário enviaria de São Paulo para que ele os distribuísse no Rio de Janeiro. Eis então que Sérgio remata com um P.S., em que conta haver conseguido, através de Di Cavalcanti, o endereço do poeta Luís Aranha, a quem enviaria alguns poemas: "Perdi o seu cartão com o endereço do Luiz Aranha escrito no verso. O Di forneceu-me o seu endereço. Mando pois 'Poemas Elásticos' para o seu endereço". Uma leitura rápida e superficial ficaria por aí, como se se tratasse apenas de um endereço trocado entre amigos, e de um livro que circula inocentemente. No entanto, se interrogamos aquele pequeno sinal, notaremos que se trata, nem mais nem menos, dos *Dix-neuf Poèmes Élastiques* de Blaise Cendrars, compostos antes da guerra e publicados três anos antes, em 1919, na França. O que fazer desse pequeno sinal?

Nessa espécie de *rêverie* crítica em torno da viagem que o poeta franco-suíço fez ao Brasil em 1924 — quando aliás seria recebido no cais do Rio de Janeiro por, entre outros, Graça Aranha e Sérgio Buarque de Holanda —, Alexandre Eulálio lembra ser em 1919 que a nomeada de Cendrars chega ao auge. A N.R.F. [*Nouvelle Revue Française*] edita *Du Monde Entier*, acrescentando a *Pâques* [à New York] e ao *Transsibérien* [*La prose du Transsibérien et de la Petite Jehanne de France*] o mais recente *Panama ou l'Aventure de mes Sept Oncles*, quase ao mesmo tempo que os *Dix-neuf Poèmes Élastiques* são lançados pela editora Au Sans Pareil: dois livros que servem de modelo aos jovens. É preciso não esquecer também algumas plaquetes ilustradas pelos pintores cubistas mais conhecidos, e que os colecionadores disputam. A *Anthologie Nègre*, de 1921, vem a ser um êxito de público e de crítica; consegue mesmo rejuvenescer um pouco ainda a moda primitivista, já em desfavor nos meios mais à vanguarda.[25]

A observação sobre a reincidência do primitivismo entre as vanguardas de Paris é fundamental para a compreensão do modernismo brasileiro, que afinal herdaria o encanto com o primitivo, quando seus jovens autores e artistas se descobrem os naturais portadores daquele elemento exótico que encantara os europeus. O imbróglio aí contido dá origem, como bem se sabe, a um dos módulos da poesia de Oswald de Andrade, que dedicaria *Pau Brasil*, publicado em 1925 em Paris pela mesma editora dos surrealistas, Au Sans Pareil, "a Blaise Cendrars por ocasião da descoberta do Brasil", numa alusão à célebre viagem pela região de Ouro Preto, quando o barroco da época colonial, que fora visto com suspeita e incompreensão no século XIX, seria redescoberto e reavaliado.[26]

Claro está que o "primitivo" se referia, na voga do tempo, não apenas aos diversos povos exóticos que a etnografia nascente vinha estudando mundo afora, em meio à teia esgarçada de um imperialismo que fraquejava. Antes, e sobretudo, o primitivo era o "africano".[27] As consequências desse olhar voltado para o "exótico" são vastas, com desdobramentos fundamentais para a experiência de nações pós-coloniais, em especial o Brasil, onde a questão racial não ganhara ainda os contornos que a década de 1930 lhe daria, quando, em certo sentido, a agenda lançada pelos modernistas na década anterior se normalizaria em grandes interpretações da origem mestiça do país.[28] Mas convém desenrolar um pouco mais o fio dessa história: lembremos que, ainda em Paris, a publicação da antologia "negra" de Blaise Cendrars atrairia a atenção de Darius Milhaud, que comporia mais tarde um balé sobre o texto do poeta, com cenografia e figurino de Fernand Léger, cujo ateliê em Paris seria, por seu turno, frequentado por Tarsila do Amaral, quando ela e Oswald ofereciam — reza a lenda — feijoadas com caipirinha aos confrades da Europa. Tarsila, que ainda em 1924 ilustraria o *Feuilles de route* de Cendrars, despertando a cobiça de Mário, o qual pede à amiga pintora que lhe consiga um exemplar de luxo, diretamente na editora, Au Sans Pareil...[29] Na capa do livro de Cendrars, que no ano seguinte Mário resenharia para a revista *Estética*, editada por Sérgio Buarque de Holanda e Prudente de Moraes, neto, aparece o esboço de uma "Negra" de Tarsila, cujo primeiro traçado Alexandre Eulálio sugere que Cendrars testemunhara, e cuja inspiração nas "mulheres legerianas", com sua "solenidade arcaizante, que poderíamos mesmo chamar etrusca", parece evidente ao crítico.[30] O balé referido acima, *La création du monde*, com cenário desenhado por Léger, seria decisivo para a pintura posterior de Tarsila e para o *Abaporu*, que é já uma conexão direta com a Antropofagia.

Tarsila do Amaral tivera sua própria mãe preta na "infância sul-americana de filha de fazendeiro", e sua "Negra" emana, ainda segundo Alexandre Eulálio, da imaginação de Fernand Léger. Tal emanação não impede, entretanto, que a pintora descubra e invente seu universo, que ganhará espessura própria:

> A tela é antes provocada pela preocupação temática contígua, num segundo nível de contaminação, nem por isso menos decisivo. Nesse

momento de tensão cultural a artista brasileira repensa em profundidade caráter, função e linguagem da sua arte. As informações recentes, frescas ainda, sobre o tema em pauta, que ela recebe nessa Paris de 1923 — leituras da *Anthologie Nègre*, visitas aos estúdios ilustres decorados com máscaras e fetiches, o bailado primordial dos Suédois — incorpora-se com patética intensidade à experiência vivida da pintora, funcionando em autêntico processo de aceleramento intelectual. Silencioso momento de mergulho inventivo, que pressupõe vertigem e lucidez.[31]

Vertigem e lucidez, em silêncio, sugerem processos inconscientes, não falados, que vêm à tona pelas linhas arrebatadas da pintura ou pelas palavras soltas da poesia. O interdito, que a arte vai dizer, aponta para a herança racial que, de maldita ou embaraçosa, convertia-se em motivo de festa, ainda que o festejo se desse em lugares pouco frequentados pelos negros — a menos que nos ponhamos a imaginar quem servia, quem limpava os salões e os apartamentos etc. É claro que essa redescoberta, bem como o resgate desse Outro silenciado, se dão num país, no caso do Brasil, em que as linhas que separavam brancos e não brancos eram sempre um pouco confusas, ao menos à primeira vista. O caso de Mário de Andrade é aí exemplar. Mas voltemos ao novelo, e sigamos a desenrolá-lo um tantinho mais, o que ao fim permitirá jogar mais luz sobre a correspondência entre Mário e Sérgio.

Darius Milhaud, que compôs o balé que inspirou Tarsila, viera ao Brasil no meio da guerra, a convite de Paul Claudel, que compunha a delegação diplomática francesa no Rio de Janeiro. Milhaud se encantaria por um grupo de músicos talentosos, capazes, "de tempos em tempos, [de] uma grande explosão de sensibilidade tropical", segundo suas próprias palavras em carta escrita imediatamente depois da chegada ao Brasil, em 1917.[32] Correndo paralelo ao encantamento dos poemas "negros" de Cendrars, a inspiração musical de Milhaud apontava não apenas para o jazz norte-americano, que ele exaltava, mas também para o maxixe e o choro que ele ouviria no Rio de Janeiro, onde, em 1918, o futuro compositor de *Le Boeuf sur le toit* (o balé cujo cenário ficaria a cargo de Jean Cocteau, como se viu há pouco) conheceria Villa--Lobos, que se encantaria pela música de Stravinsky...[33] Essa enovelada e densa trama transatlântica, cosida em meio a um encantamento sempre menos ingênuo do que podemos supor, torna-se ainda mais interessante se lembrarmos que, no mesmo ano em que Mário de Andrade e Sérgio Buarque de Holanda começavam a se corresponder, os Oito Batutas, de Pixinguinha e Donga, excursionavam pela Europa. Pixinguinha que depois, em 1926, passaria por São Paulo com a Companhia Negra de Teatro, dirigindo a orquestra do espetáculo *Tudo é preto*, e forneceria a Mário dados sobre a "macumba do Rio de Janeiro", que viriam a compor o famoso capítulo de *Macunaíma*.[34]

Mas onde parar, depois que se começou a desenrolar o novelo? E por que parar, se ele chega até nós?

Enquanto Alexandre Eulálio deslinda as influências brasileiras de Milhaud, cuja inspiração está também na música de Ernesto Nazareth, José Miguel Wisnik identifica, a partir da análise do texto de Machado de Assis, a mutação da polca em maxixe, quando justamente o que fora recalcado regressa numa forma compósita, a romper com a métrica tradicional, numa espécie de realização suprema que relativizaria a polca, inscrevendo nela "um testemunho musical que vem de fora das injunções do paradigma clássico, falando de um lugar outro cuja verdade pulsional não há como refugar".[35]

Mas que "lugar outro" é esse, senão o lugar não dito que procuram habitar os artistas e escritores modernistas? Lugar, porventura, onde as almejadas pulsões do "subconsciente" vão confundir-se com a reação ao recalque milenar do corpo na tradição ocidental, e com o encantamento diante de tudo o que queira desviar-se de uma idealizada — a um só tempo amada e odiada — cultura clássica europeia. Aí se encontra, finalmente, a atração pelo que a alta cultura era incapaz de ouvir, o que permitirá a Sérgio, numa carta dirigida a Mário em 1924, interromper uma referência erudita com uma exclamação oswaldiana: "Agora chega de cultura, como diz o Osvaldo".

Ainda em 1924, quando Cendrars recém-aportara no país e iria proximamente a São Paulo, Mário o saúda na *Revista do Brasil*, lembrando a paixão de um projeto em que a verdade do sujeito poético pulsava contra toda forma de organização e disciplina:

> Ingenuidade primitiva, voluntariamente pobre, Cendrars descobriu o segredo de certas frases musicais de primitivos, selvagens ou populares, e a rigidez crua, plástica, sáxea, das lendas negras que tão bem soube reunir na *Anthologie*. Frases musicais ou lendas que através de gerações e gerações vieram construindo, estratificando, condensando, para finalmente adquirir sóbria concisão, como que indiferente e estoica, mas que no fundo guarda a dor continuada, a força em luta aberta, a alegria intercadente dos homens em sucessão. [...] Cendrars aproxima-se do lirismo puro mais do que nenhum outro poeta moderno. Nunca a subsconsciência foi posta a nu com tanta exatidão e sinceridade como nos *Dix-neuf Poèmes Élastiques* (escritos em 1913 e 1914). Si ainda na *Pâques à New York* (1912) uma certa organização intelectual e consciente (germinação de versículos rimados, certa lógica na concatenação das ideias) se percebe (desconheço a *Légende de Novgorode*, 1909, e *Séquences*, 1913, inteiramente inacháveis); si nas obras-primas do poeta, *Prose du Transsibérien* e *Le Panama* a própria designação do assunto obriga a um esforço de atenção dirigente que intelectualiza um tanto esses poemas; já nos *Dix-neuf Poèmes Élastiques* o lirismo subconsciente é expresso quase de modo integral. Só um espírito

JULHO 15 1922

klaxon

MENSARIO DE ARTE MODERNA

REDACÇÃO E ADMINISTRAÇÃO:
S. PAULO — Rua Direita, 33 - Sala 5

ASSIGNATURAS — Anno 12$000
Numero avulso — 1$000

REPRESENTAÇÃO:
RIO DE JANEIRO — Sergio Buarque de Hollanda
Rua S. Salvador, 72-A.
FRANÇA — L. Charles Baudouin (Paris).
SNISSA — Albert Ciana (Genebra Rampe de la Treille, 3).
BELGICA — Roger Avermaete (Antuerpia — Avenue d'Amèrique, n. 160)

A Redacção não se responsabiliza pelas ideias de seus collaboradores. Todos os artigos devem ser assignados por extenso ou pelas iniciaes. E' permittido o pseudonymo, uma vez que fique registrada a identidade do autor, na redacção. Não se devolvem manuscriptos. — São nossos agentes exclusivos para annuncios os srs. Abilio Nobre Cruz e Antonio da Costa Boucinhas.

SUMMARIO

NÓS	Antonio Ferro
VOYAGE	Serge Milliet
BONHEUR LYRIQUE	Manoel Bandeira
INTERIOR	Ronald de Carvalho
OS DISCÓBOLOS	Guilherme de Almeida
L'ARBRE	Henri Mugnier
NENIA	Menotti del Picchia
ORDEM E PROGRESSO	Ribeiro Couto

CHRONICAS:

GUIOMAR NOVAES	Mario de Andrade
O HOMENSINHO QUE NÃO PENSOU	Mario de Andrade
PENUMBRISMO	Motta Filho
LIVROS & REVISTAS	
CINEMA	
LUZES & REFRACÇÕES ...	
EXTRA TEXTO	Alberto Cavalcanti

Contracapa da *Klaxon*, n. 3, de julho de 1922, com o nome de Sérgio Buarque de Holanda como representante da revista no Rio de Janeiro. Também estão as crônicas de Mário de Andrade "Guiomar Novaes", sobre a pianista, e "O homenzinho que não pensou", em que responde às críticas de Agripino Grieco ao modernismo.

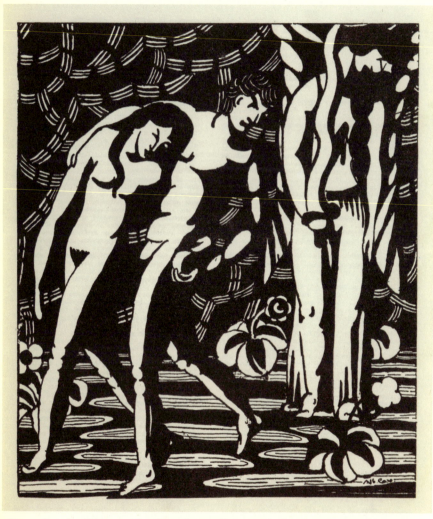

Desenho de Alberto Cavalcanti que fora enviado por Sérgio Buarque de Holanda a Mário de Andrade junto a uma de suas primeiras cartas, em junho de 1922, para publicação na revista *Klaxon*, n. 3, de julho daquele ano.

Esboço para *A negra*, de Tarsila do Amaral, lápis e aquarela sobre papel, 23,4 × 18 cm, 1923.

Recepção do poeta franco-suíço Blaise Cendrars no Rio de Janeiro, em sua chegada ao Brasil, em 1924. Da esq. para dir., Paulo da Silveira, Américo Facó, Ronald de Carvalho, Cendrars, Sérgio Buarque de Holanda, Graça Aranha, Prudente de Moraes, neto, e Guilherme de Almeida.

Sumário da revista *Estética*, onde foi publicado pela primeira vez o poema "Noturno de Belo Horizonte", de Mário de Andrade, e o artigo "Perspectivas", de Sérgio Buarque de Holanda, em 1924.

Revista do Brasil, ano I, n. 3, de 15 de outubro de 1926, em que foram publicados "O lado oposto e outros lados", de Sérgio Buarque de Holanda, e "Crítica do gregoriano", de Mário de Andrade.

Mário de Andrade e Sérgio Buarque de Holanda com Inale, mulher de Prudente de Moraes, neto na residência do casal no Rio de Janeiro, em 1927.

Residência de Prudente de Moraes, neto no Rio de Janeiro, em 1927. Da esq. para dir., Prudente de Moraes, neto, Sérgio Buarque de Holanda e Mário de Andrade.

O coqueiro Chico Antônio, que Mário de Andrade conheceu em sua viagem ao Nordeste, em 1928-9, e inspirou o personagem de *Vida do cantador*, de 1943-4.

Sérgio Buarque de Holanda na lagoa Rodrigo de Freitas, no Rio de Janeiro, em 1934.

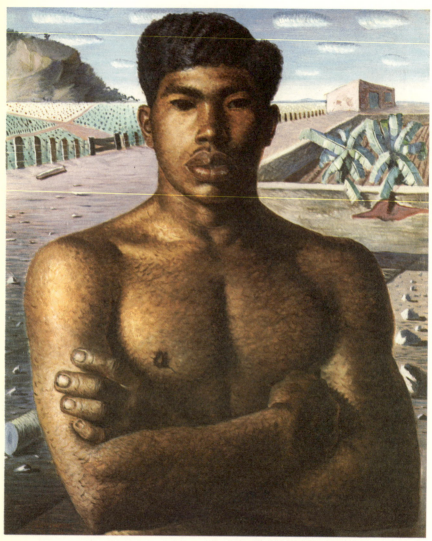

Mestiço, de Cândido Portinari, óleo sobre tela, 81 × 65 cm, 1934.

Retrato de Mário de Andrade, de Cândido Portinari, óleo sobre tela, 73,5 × 61 cm, 1935.

Detalhe de São Pedro, pintado por Cândido Portinari à têmpera na Capela da Nonna, em Brodowski, São Paulo. Mário comenta em carta a Sérgio, de março de 1941, a impressão que lhe causaram as pinturas, que ele conhecera primeiramente em fotos enviadas pelo artista, e depois na própria capelinha da família.

Detalhe de São Francisco de Assis pintado por Portinari na capelinha de Brodowski, em 1941.

Detalhe de Jesus Cristo pintado por Portinari na capelinha de Brodowski, em 1941.

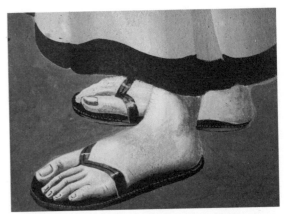

Detalhe dos pés de Maria na cena da visita a Santa Isabel, pintura de Portinari na capelinha de Brodowski, 1941.

Documento do Departamento do Patrimônio Histórico e Artístico Nacional, do Ministério da Educação, referente ao sítio Santo Antônio, em São Roque, no interior paulista, que Mário de Andrade compraria e, como brincou em carta de dezembro de 1944 para Sérgio Buarque, transformaria em "colônia de férias pra você com Maria Amélia e herdeiros".

Sítio Santo Antônio, em São Roque, do "bandeirante ou quase Capitão Fernão Paes de Barros", comprado por Mário de Andrade já no fim da vida.

Foto da capelinha do tempo das bandeiras, no sítio Santo Antônio, em São Roque.

Primeira página do artigo de Mário de Andrade sobre o lundu na *Revista Brasileira de Música*, de 1944. O tema foi discutido com Sérgio Buarque nas últimas cartas enviadas.

Capa de *Padre Jesuíno do Monte Carmelo*, de Mário de Andrade, publicado postumamente, em 1945, pelo Departamento do Patrimônio Histórico e Artístico Nacional.

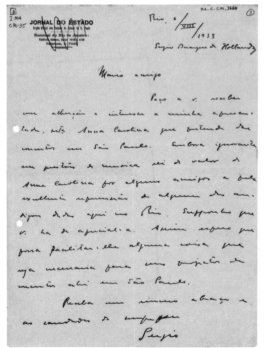

Carta de agosto de 1933 em que Sérgio Buarque de Holanda apresenta a Mário de Andrade a jovem pianista Ana Carolina, que pretendia apresentar-se em São Paulo.

Última carta enviada por Mário de Andrade a Sérgio Buarque de Holanda, em 26 de dezembro de 1944.

Mário de Andrade, década de 1940.

despido de qualquer vaidade literária e de retórica pode atingir essa expressão por assim dizer completa do lirismo puro."[36]

Aí estão, quase intactos, os termos do projeto poético de Mário de Andrade, que apareceria num texto da época, *A escrava que não é Isaura* (a que regressarei logo mais). Em ambos os casos, tratava-se — para pensá-lo em termos simples — de um desejo profundo de soltura, de entrega da alma àquelas áreas que a consciência, com seu apelo de construção e disciplina, interditava. Na grande fantasia de matriz europeia, e na ressaca do imperialismo europeu que é o período entreguerras, tratava-se de se abrir ao primitivo. No caso brasileiro, tanto melhor que o primitivo estivesse tão perto, confundido à paisagem familiar, numa experiência cultural diante da qual era inadmissível seguir calando, nos termos de José Miguel Wisnik, aquela "verdade pulsional" refugada. Wisnik, para quem aliás Machado de Assis e Mário de Andrade funcionam como dois signos gritantes de indefinição criadora: dois mulatos, um entregue a um "negaceio secreto"[37] com sua condição jamais nomeada, outro mergulhado num produtivo e doloroso "balanço perpétuo e irresolvido"[38] — uma espécie de metrônomo hipnótico a pender inelutavelmente para o polo que, à falta de melhor expressão, vai chamar-se "primitivo".

Talvez as cartas trocadas entre Sérgio Buarque de Holanda e Mário de Andrade ajudem a compreender, afinal, que o "primitivo" não se subsumiria nas figurações poéticas (plásticas, musicais, discursivas) do "negro", mas podia apontar, mais propriamente, para uma desejada e longamente adiada liberação dos instintos. Claro está que ao "negro" será imputado, a partir daí, a função incômoda de dar conta de tudo aquilo que a disciplina artística europeia, em sua vertente apolínea e clássica, refugava: o lugar do corpo, do irracional, do espontâneo. Mas, ao mesmo tempo, há aí uma resposta, que se dá quase simultaneamente no centro e na periferia, na Europa e no Brasil, ao predomínio da justa medida, da contenção, dessa espécie de decoro do fazer artístico que é, precisamente, aquilo com que o jovem de monóculo — e a despeito de seu brunhido monóculo — se debatia. Tratava-se de um alvo, enfim, que o unia ao amigo pouco mais velho: o desejo de soltura, de ver-se livre das amarras do controle, de qualquer controle.[39]

A agenda modernista nunca apaga totalmente sua matriz romântica. Basta lembrar, por exemplo, os artigos de Mário de Andrade em *Klaxon*, quando, preocupado com a sina do "pianismo" paulista, termina imaginando, no número de junho de 1922, que a "senhorinha" Guiomar Novaes é sobretudo uma "pianista romântica", não apenas porque era com "Schumann, Liszt e especialmente Chopin" que ela atingia sua "maior força de expressão", mas sobretudo porque sua "sensibilidade finíssima", sua "impetuosidade apaixonada levam-na a milhor realizar a mesma impetuosidade, a mesma dor sem *controle* que o misticismo romântico realizou".[40] O artigo, como aprendemos lendo uma carta de Sérgio a Mário, fez com que Tasso da Silveira suspendesse um programado ataque a *Klaxon*. De toda forma, a palavra "controle" aparecerá ainda uma vez no texto, sempre em negrito, como se Mário sentisse necessidade de dizer que ali estava o alvo contra o qual ele atirava, e vinha atirando, como nos poemas que sairiam logo mais a público em sua *Pauliceia desvairada*, onde não poucas vezes o leitor se vê embalado por um espasmo, como se a paisagem de São Paulo se abrisse em mil possibilidades, para logo se fechar num meio-tom, ou num soluço impotente.

Para além de todos os lugares-comuns, a impotência seguiria a assombrar Mário de Andrade, porque o arroubo construtivo, que num futuro próximo ganharia plena forma nos mais variados projetos, confrontava-se àquele desejo de soltura, de descompromisso com a rigidez disciplinar e com as traves de toda construção. Não por acaso, *construção* seria uma palavra-chave nos anos seguintes. A ideia de uma tarefa edificante jogada no colo dos iconoclastas expunha um intrincado problema, que levaria Sérgio Buarque de Holanda a publicar, quatro anos mais tarde, um artigo tão incômodo quanto revelador, num momento, precisamente, em que a barca do modernismo já começara a fazer água.

SEGUNDO MOVIMENTO: UMA PORÇÃO DE LADOS E
A PANACEIA DA CONSTRUÇÃO

A publicação de *Estética*, abertamente inspirada em *The Criterion* de T. S. Eliot, acontece entre 1924 e 1925, quando a crítica de Sérgio Buarque de Holanda vai se firmando sobre bases mais sólidas. Não à toa, é o momento em que despontam as primeiras crises em relação ao modernismo, como se a dor do crescimento resultasse na quebra daquele corpo original, coeso, que se opunha com clareza ao "passadismo".

Mário, um pouco mais velho e àquela altura muito mais maduro, fixaria a ideia do crescimento num comentário feito em carta a Manuel Bandeira, datada de dezembro de 1924, quando, queixando-se da "pobreza de fluxo lírico" em Pierre Reverdy, desabafava:

> O melhor é mandar o homem plantar batatas e dizer pro Sérgio que se contenha mais nos entusiasmos. Não. O Sérgio é menino ainda. Melhor que continue nas besteiras de mocidade, sempre tão lindas e que provam paixão e inteligência apaixonada. Deixe ele gostar de Reverdy. A calma virá quando a calma tem de vir. Então os frutos das paixões serão grandes.[41]

Mário se referia à simpatia de Sérgio pelo escritor francês, para quem a imagem poética só importava quando fosse "remota e exata" a associação de ideias que ela encerra.[42] Não importam tanto os detalhes da discussão, mas sim a ideia de que o irrequieto e jovem crítico ainda não ganhara de Mário a admiração irrestrita que viria a seguir, nos anos posteriores àquela quebra de uma unidade original que, como toda unidade, era fruto de uma fantasia com data de vencimento marcada. O que evidentemente não impedia que a imprensa colaborasse, em grande medida, para a ideia da unidade, como se o movimento modernista resultasse de um único vetor.

Em 11 de dezembro de 1925, *A Noite* anunciava — num texto que se espalha pela página, acima e abaixo de uma caricatura de Mário de Andrade — a "contratação" de "seis escritores futuristas para escreverem durante um mês": o próprio Mário, Prudente de Moraes, neto, Martins de Almeida, Manuel Bandeira, Sérgio Milliet e Carlos Drummond de Andrade.[43] O episódio daria origem àquilo que viria a chamar-se o "mês modernista":

> A verdade é que o futurismo é hoje um caso chocantemente sensacional. Uns proclamam-no, outros o agridem, o repudiam, o guerreiam e o arrasam. Outros ainda acham-lhe uma infinita graça... [...] E foi para sacudir, para agitar, para estender uma corrente elétrica sobre a escola artística, que *A Noite* se lembrou de criar o "mês modernista".[44]

No dia seguinte, o jornal estampava uma entrevista com Mário de Andrade, "o papa do futurismo", que por sua vez resistia fortemente à "tabuleta" de "futurista", exigindo que fossem todos chamados de "modernistas". A cena é divertidíssima, com Mário recusando-se a responder oralmente às perguntas, temeroso de que lhe traíssem os solecismos — "ou melhor, aquilo que vocês passadistas chamam solecismo", teria dito o escritor aos repórteres vindos do Rio de Janeiro.

Há algo delirante na cena descrita, ou imaginada pelo redator de *A Noite*: um escritor senta-se à máquina para escrever as respostas às perguntas que lhe são feitas oralmente, e para defender a oralidade de fundo daquela linguagem... escrita! Entretanto, diante do incontornável incômodo do público, Mário desenvolve um arrazoado pedagógico, afirmando que até ali o modernismo ia muito bem e merecia o "grau 9 das escolas", e que logo mais mereceria "distinção". Desponta então o sentimento da excepcionalidade do modernismo brasileiro que, melhor que o futurismo italiano, teria encontrado boas soluções para seus próprios impasses. Vale a pena "escutar" o escritor:

> Toda tentativa de modernização implica a passadistização da coisa que a gente quer modernizar. Assim nos sujeitos indivíduos que *tentam* é natural, quase imprescindível a psicologia do revoltado. A gente se revolta contra o que parou. Isso perturba o indivíduo, faz ele praticar exageros, leviandades e perder principalmente muito da posse de si mesmo. Foi o que sucedeu em quase todo o Modernismo artístico da nossa época. Como primeiro trata-se de destruir, os exageros até são úteis, porém depois carece construir e aí é que são elas! A gente tem precisão de muita calma e de munheca rija, senão não aguenta o repuxo. Veja o Futurismo italiano. Fez um chinfrim danado, destruiu, destruiu, encasquetou de matar o *chiaro di luna* e outras bobagens, matou? Matou nada! E vai, o Futurismo ficou matando o luar até agora e não achou uma saída humanamente artística. Que nota a gente pode dar para ele? Zero. O Futurismo italiano tomou bomba.[45]

O problema, para o escritor paulistano, era que o "alarma" disparado pelos modernistas não poderia seguir soando indiscriminadamente. Depois do gesto original de revolta, a necessidade de "construir" tornava-se urgente. Mas construir o quê?

A "moléstia-de-Nabuco" (a "saudade do cais do Sena em plena Quinta da Boa Vista", como se lê então) era o sintoma de um mal-estar profundo em relação àquilo que definiria a coletividade, e que forçosamente serviria de base a qualquer construção.[46] Mas, antes de se tornarem as "coisas nossas" que Noel Rosa celebraria em canção de 1932 ("O samba, a prontidão/ E outras bossas/ São coisas nossas etc."), as características definidoras de um "caminho" nacional compartilhado eram matéria de acirrada disputa. Atravessada pelo sentimento de estar fora do lugar, a fantasia intelectual sobre o Brasil oscilava entre o desejo de assemelhar-se à Europa e a vontade de encontrar-se consigo mesmo. Obviamente, encontrar-se consigo mesmo era também uma forma de dar vazão à imaginação erudita sobre o "popular".

Ainda que nos resguardemos da ideia simplista de que os modernistas foram os únicos a "descobrir" o Brasil (como se todo cronista alheio ou avesso à renovação proposta por eles fosse um elitista nato, eurocêntrico e cego diante do próprio país), há que reconhecer o gesto interessante que era o voltar-se para uma "realidade" que gritava nas ruas, e o fazia numa língua que dificilmente se enquadrava nos moldes acadêmicos. A "lírica do exílio", que João Cezar de Castro Rocha estudou pensando numa longa linhagem de intelectuais brasileiros, desde o século XIX, está entranhada na sensação de impertinência que move um modernista como Mário de Andrade na direção do "popular".[47] Encontrar o país era voltar a um lugar que a imaginação dos ilustrados e acadêmicos teria abandonado, como se o exílio pudesse ser contornado, regressando-se a um ponto original poeticamente intuído, que o escritor tende a projetar como real.[48] O encontro com o popular sugeria, portanto, um regresso fantástico à própria pátria, como se fosse possível aniquilar a angústia da impertinência através da busca convicta das origens.

Não há dúvida de que o projeto marioandradino leva a imaginação ao plano edificante de uma cultura brasileira, cuja delimitação passa a ser matéria a um só tempo estética e política. Os termos dessa busca, com o desejo de *construção* que a guia, passariam muito em breve a incomodar Sérgio Buarque de Holanda. *Raízes do Brasil*, de 1936, constitui, nesse sentido, uma investigação que poria em suspenso o lugar das "raízes", antes de imaginá-las a serviço de uma afirmação identitária. Mas convém ir devagar. Estamos ainda em 1925.

Na mesma entrevista para *A Noite*, o sentido de *missão*, tão presente nos primeiros momentos do movimento, vai também ganhando contornos diferentes, associando-se agora a uma "função histórica", nas palavras de Mário:

> Todo o segredo da nossa revolta estava em dar uma realidade eficiente e um valor humano para nossa construção. Isso estamos descobrindo. Ora o maior problema atual do Brasil consiste no acomodamento da nossa sensibilidade nacional com a realidade brasileira, realidade que não só é feita de ambiente físico e dos enxertos de civilização que grelam nele, porém comportando também a nossa função histórica para conosco e social para com a humanidade. Nós só seremos de deveras uma Raça o dia em que nos tradicionalizarmos integralmente e só seremos uma Nação quando enriquecermos a humanidade com um contingente original e nacional de cultura. O Modernismo brasileiro está ajudando a conquista desse dia.[49]

O imaginário orgânico é notável: "enxertos de civilização" se atêm mal ao corpo nacional, ao menos enquanto este for considerado apenas como "ambiente físico". Há, nas observações de Mário de Andrade, o afastamento do molde determinista que, ao associar as conquistas e os retrocessos civilizacionais ao meio físico, admitia mediações mais ou menos mecânicas entre os produtos do espírito e os condicionamentos do clima e da paisagem. Euclides da Cunha era deixado para trás, embora o sentimento de embate civilizacional seguisse assombrando o escritor modernista. Se para Mário não há mais o confronto entre civilização e barbárie, tornava-se necessário encontrar, na "realidade brasileira", uma função histórica que permitisse imaginar o pleno desenvolvimento da coletividade, como se o corpo social devesse livrar-se dos enxertos desajeitados, de modo a entregar-se a suas próprias forças. Forças que comandam e dão sentido à cultura, erguendo-a. Vetores construtivos, em suma.

Em 1924, quando Sérgio Buarque buscava ainda título para sua revista, antes que ela se chamasse *Estética* por sugestão de Graça Aranha (ou talvez, de fato, em homenagem a ele), era a Mário que o jovem crítico pedia sugestões, como se lê em carta de maio: "quanto ao título aceita-se também uma sugestão sua. Propus dois: *Revista Contemporânea* e *Construção* — não foram aceitos com razão — não sirvo para títulos".[50] Os títulos abortados são tão mais interessantes quanto se recorde que exatamente a ideia da "construção" irritaria profundamente Sérgio, mais adiante, já no primeiro momento de radical desencanto em relação ao desenrolar do movimento modernista.

Mas é em seguida, a partir de 1925, que a correspondência atinge novo patamar, passando a mover-se por terreno mais acidentado, quando a relação entre os dois será pautada pelo âmbito da interpretação e do julgamento, quando Sérgio é já capaz de escrever ao amigo que "principalmente você erra" — como se lê em carta de abril daquele ano. O verdadeiro impulso desse diálogo que se adensava terá vindo da publicação, no terceiro (e último) número de *Estética*, de abril-junho de 1925, de um artigo intitulado "Perspectivas", em que Sérgio Buarque marca a distância entre o "espírito" e a "letra":

Nada do que vive se exprime impunemente em vocábulos. [...] Só os pensamentos já vividos, os que se podem considerar não em sua duração, mas objetivamente e dissecados, encontram um termo. [...] Os homens que sentiram nitidamente essa ausência do princípio de vida, essa atmosfera irrespirável que nos propõem as formas inteligíveis, já mandam ao diabo tudo quanto possa preencher um termo, tudo quanto caiba entre as quatro paredes de um pensamento comunicável ou expresso. A palavra escrita ou falada só se concilia com a dificuldade vencida, com a energia satisfeita e a paz proclamada depois da guerra. É em vão que se tentará atrair a tempestade, invocar o demônio ou realizar o mistério dentro do cotidiano, quando não se renunciou à virtude ilusória da linguagem dos cemitérios.[51]

Em tom de manifesto, nota-se aí o incômodo diante das fórmulas, mediado por uma ampla desconfiança no poder da linguagem. Os ecos das vanguardas europeias do começo do século fornecem o diapasão para o texto: diante da incapacidade da linguagem articulada, a arte se entregaria ao sonho, aos demônios e às possessões que, somente eles, levariam de novo a vida a sua natural "instabilidade", revelando que a tentativa de pôr o mundo em palavras foi sempre, afinal, o resultado de uma vã intenção. Sérgio queria transpor, em suma, aquele momento sagrado no qual, segundo Proust, o inefável e o invisível se esvaem, quando, precisamente, mais perto parecem estar de nós.[52]

Para além dos ecos românticos, que nunca se apagam totalmente quando se trata dessa angústia — de sabor todavia finissecular — diante do que se pode ou não dizer com a linguagem, está a ideia, que depois regressará na obra buarquiana de diversas maneiras, de que uma dignidade irredutível subsiste naquilo que se furta às fórmulas, escapando a nossa "vã filosofia" — de acordo com a sentença hamletiana que o jovem articulista trata de recuperar em seu texto.[53] Tudo se passa como se um núcleo de vida resistisse, e devesse resistir sempre, às construções especiosas dos homens. Aí estão, numa primeira e fundamental manifestação, as traves dos argumentos com que, pouco mais de uma década depois, em *Raízes do Brasil*, Sérgio Buarque selaria sua crítica ao pensamento totalitário, o qual seria incapaz de conviver com aquele "mundo de essências mais íntimas" que permanece, "intato, irredutível e desdenhoso das invenções humanas", como se lê nas últimas linhas do livro que o tornaria célebre.[54]

Sem que avancemos ainda à década de 1930, note-se que, em 1925, as ideias desenvolvidas em "Perspectivas" espicaçaram a curiosidade de Mário de Andrade, que reagiria ao conteúdo do artigo num diálogo com Prudente de Moraes, neto. Em meados daquele ano, com o terceiro número de *Estética* já lido e treslido por Mário, havia algo que incomodava o futuro autor de *Macunaíma*, que àquela altura já tentara uma primeira sistematização de sua teoria estética em *A escrava que não é Isaura*, publicada naquele mesmo ano e escrita logo depois do calor da primeira hora modernista.[55] Nesse opúsculo, cujo subtítulo é "Discurso sobre algumas tendências da poesia modernista", e que Mário dedica ao então querido "Osvaldo de Andrade", ouve-se ainda um tom de manifesto e de festa diante das possibilidades da expressão modernista. Nele, ressoam os termos do "Prefácio interessantíssimo" que abrira a *Pauliceia desvairada*, de 1922, em que "Dom Lirismo" contrabandeia matéria do "Eldorado do Inconsciente" para a "terra do Consciente", não sem antes sofrer a vistoria médica da "Inteligência", bem como da "Censura", recém-descoberta por Freud.[56]

Em *A escrava que não é Isaura*, é de fato possível sentir o sabor da poesia de 1922, regida por um misto de candor e arrebatamento, orientada que ia pela angústia do pós-guerra, seguindo a inspiração de figuras como Verhaeren e Soffici, para ficar com apenas duas das referências que a crítica já perscrutou em detalhe.[57] Em tom desvairado e juvenil, Mário remata essa espécie de tratado poético com uma sentença que aponta para uma conjunção com os princípios esposados por Sérgio Buarque de Holanda em "Perspectivas". No último parágrafo de *A escrava*, lê-se: "Ao rebate dos sinos que imploram a conservação das arquiteturas ruídas respondemos com o 'Larga!' aventureiro da vida que não para".[58] Chama a atenção, nessas linhas finais, a imagem arquitetônica a serviço de uma estrutura caduca. Mas o que seria esse "largar" aventureiro senão, justamente, a tentativa de fixar, por meio da imaginação, o momento da mais extremada liberdade poética, quando é evocada, enfim, a "palavra solta", "fecundante, evocadora"?[59] Um primeiro e ligeiro flerte com o surrealismo é fundamental naqueles anos, tanto para Mário quanto para Sérgio. O momento de soltura, quando a estrutura do sentido parece prestes a ruir, é aquilo que as vanguardas, com sua potência regressiva apontando para o grito e o mito, reclamavam de mais valioso.

Tudo isso não se deixa compreender, no entanto, sem a sombra da Grande Guerra (1914-8). O impasse da "construção" é também uma pergunta angustiada, agônica, diante das ruínas deixadas pela potência letal da destruição. Nesse sentido, há ainda muito a estudar sobre o rompimento de vários dos modernistas com Graça Aranha. Mário, como se sabe, nunca o engoliu completamente, enquanto os jovens editores de *Estética* o toleraram e mesmo o incensaram até certo ponto. Mas, no momento aqui referido, em 1925, Graça se tornava um lastro incômodo, logo mais insuportável. Emprestemos ouvidos às recordações de Sérgio Buarque, para quem o autor da *Estética da vida* jamais abraçara o lado sombrio, propriamente trágico, da destruição:

> A própria guerra, que a seu modo viveu [Graça Aranha], tomando-se de paixão pela causa das potências aliadas ou, mais exatamente,

da França, onde, com isso, ganhou a estima de algumas celebridades, não chegaria a desprendê-lo de uma juventude que, nele, parecia eterna. Continuará a viver como se as coisas, os homens, as ideias, não tivessem mudado de lugar durante os quatro anos de morticínio, como se a verdadeira conflagração não tivesse acontecido [...]. Resultado: por paradoxal que assim pareça, o paladino, entre nós, do "espírito moderno", só sabia sentir o mundo do após--guerra, como se vivêssemos numa espécie de prorrogação da belle époque.[60]

A recusa preconceituosa de Proust ("Esse não *nos* rejuvenesce", Graça teria dito a Sérgio, que aliás faz questão de frisar, pondo--o sob suspeita, o pronome utilizado na primeira pessoa do plural), bem como de Freud e dos surrealistas, revelaria que Graça Aranha apenas acreditava, contra aquilo que ele mesmo alcunhara de "terror cósmico", na "perpétua alegria". A proximidade com Marinetti, enfim, o levaria, ainda segundo as recordações de Sérgio, a acompanhar admirativamente o poeta italiano em seu "apostolado pré-fascista" pelo Brasil.[61] A inimizade entre o autor italiano e Blaise Cendrars, que estiveram ao mesmo tempo no Brasil, levou Graça Aranha, como era de esperar, a formar nas fileiras do exército futurista, desconfiado diante da ascendência que o poeta suíço exerce sobre os mais jovens. Tal suspeita, recorda ainda Sérgio Buarque,

> mais se aguçou quando [Graça Aranha] soube que frequentemente íamos ao encontro de uns sambistas mulatos (Donga, Pixinguinha, Patrício Teixeira etc.), levados por Cendrars, que já os conhecia da temporada parisiense do grupo dos 8 Batutas. E seriam esses músicos também acumpliciados com o terror cósmico? Mas como separar a música popular do carnaval que, em seus folguedos dionisíacos, seria como uma antecipação da "perpétua alegria"?[62]

No namoro com o universo popular nascia, é claro, uma relação nova com a música e a dança, para não falar de toda a tradição oral que trazia consigo a memória da escravidão, recalcada no bem pensar de muitos dos intelectuais da República, num período em que pululavam "revoltas" cujo caráter popular, de classe, mesclava-se muitas vezes à questão racial.[63] Tal flerte com o popular permitia, a alguém como Sérgio Buarque, frequentar um espaço intermediário, constituindo-se porventura naquilo que Hermano Vianna, pensando especialmente em Gilberto Freyre, identificaria como um mediador cultural na história da música brasileira.[64]

É sempre razoável supor que essa história não se compreenda sem um contraponto transatlântico. Uma culposa consciência colonial vinha abrindo, desde o início do século, os flancos pelos quais passaria o olhar europeu fascinado pelo Outro, tradicionalmente expulso do horizonte das belas-artes, ou nele presente através das lentes fascinadas do orientalismo.[65] Seria, é claro, um equívoco gigantesco reduzir o interesse dos intelectuais brasileiros pelo samba a uma revivescência tropical do gosto pelo *art nègre* que orientara as vanguardas europeias. A busca de um passado africano ou afro-brasileiro, por idealizado que possa resultar, era também o surgimento de uma pergunta lancinante a respeito das raízes (para onde apontam?), bem como dos materiais que viriam a compor qualquer edifício da cultura nacional. Era também uma forma de abrir os ouvidos ao que se passava nas ruas, mesmo que dessa escuta não poucas vezes resultasse uma empolgante idealização.

Em 1925, no entanto, a pergunta sobre a *construção* era assombrada de perto pelo demônio da destruição. O espírito do pós-guerra seguia bafejado pela desconfiança nas fórmulas civilizacionais, que levaram o mundo à beira da dissolução. Eis o xis da questão: ao fazer despontar o onírico e o mítico, a atração pelo "largar" aventureiro — e pela tensão polêmica com o *sentido* —

entrava em franca contradição com a necessidade da *construção* que, desde que o mundo é mundo, é o grande apanágio da civilização. Aí vai se delineando uma diferença importante entre Sérgio Buarque de Holanda e Mário de Andrade. Em Mário, o desejo de construção não se apagaria jamais, embora também o atraísse aquela soltura poética, que seria afinal o resultado de uma batalha *contra* toda e qualquer construção. Já para Sérgio, como se pode ler no artigo da revista *Estética*, as "formas inteligíveis" criavam uma "atmosfera irrespirável", e a tentação — de acordo com um campo semântico que, ao invocar o *demônio*, regressará com insistência na obra buarquiana — era mandar "ao diabo tudo quanto possa preencher um termo". Significativamente, abria-se para Sérgio Buarque um abismo entre a vida e a letra, entre o que podia a linguagem escrita ou falada e aquilo que fugia dessa mesma linguagem — como o diabo foge da cruz, aliás. A solução, se houvesse, estaria em entregar-se ao "desenho rígido e anguloso das cousas" (frase que, em 1925, prenuncia o "mundo de essências mais íntimas" que se lerá em 1936, em *Raízes do Brasil*), o que o levava a dizer, em tom de manifesto, que naquele momento, "mais do que nunca toda arte poética há de ser principalmente — por quase nada eu diria apenas — uma declaração dos direitos do Sonho".[66]

Ainda no plano da relação entre os missivistas, é no início de 1926 que um pequeno e passageiro desentendimento ("Recebi sua cartinha de ontem e achei besta", dirá Sérgio ao "Mário amigo") deixa ver uma relação que se punha ainda mais igual, ou mais equilibrada, com Mário respondendo meio às pressas de São Paulo, ao "Sérgio, caro mio", e exclamando: "Por Deus que não dei a entender coisíssima nenhuma! Com amigos nunca dou a entender, falo franco e rijo, te juro". E ao final da carta, na qual Mário pede que Sérgio simplesmente rasgue o bilhete que o ofendera, vemos o sinal de um primeiro desejo de ver-se interpretado pelo jovem amigo crítico, quando Mário declara-se "esperando a carta sobre o Losango e o artigo". De fato, Sérgio prometera comentar o recém-lançado *Losango cáqui; ou afetos militares de mistura com os porquês de eu saber alemão*, composto ainda em 1922 e publicado havia pouco.

Entre 1925 e 1928, gestou-se, da parte de Mário de Andrade, o desejo confesso de que Sérgio Buarque viesse a interpretar também sua obra, como fariam outros de seus amigos críticos. São anos porventura complicados para Sérgio, espécie de *coming of age*, quando o desencanto com o grito juvenil das vanguardas — desencanto que o próprio Mário sistematizaria muito mais tarde[67] — transpareceria, sem sombra alguma de diplomacia, num artigo que, publicado em 1926 na *Revista do Brasil*, fez muita bulha entre os modernistas. Trata-se do célebre "O lado oposto e outros lados", onde, num exorcismo amplo e impiedoso, o jovem crítico imagina campos diversos e opostos, tendo de um lado aqueles que, como Guilherme de Almeida e Ronald de Carvalho, vinham se entregando a uma arte que pouco fazia além de reproduzir o gesto academizante que o movimento originalmente execrara, enquanto, de outros lados, autores como Oswald de Andrade, Prudente de Moraes, neto, Couto de Barros ou Alcântara Machado representavam "o ponto de resistência necessário, indispensável contra as ideologias do construtivismo".[68] Entretanto, esse mesmo artigo não foge ao desejo de uma "arte nacional", projetada não em termos nativistas ou telúricos, mas sim na fuga deliberada da "ordem", que Sérgio Buarque de Holanda vê associada à ideia de uma hierarquia rígida, que viria para estrangular "de vez esse nosso maldito estouvamento de povo moço e sem juízo".[69] Tal imagem ressurgiria mais tarde em *Raízes do Brasil* (1936), em que o elogio do "estouvamento de povo moço e sem juízo" (termos de 1926) toma a forma de uma crítica àqueles que querem "ensaiar a organização da nossa desordem segundo esquemas sábios e de virtude provada".[70] O paralelo merece desenvolvimento mais detido, até mesmo porque aí está a origem de argumentos bastante conhecidos, que supõem, no balanço entre ordem e desordem, a marca fundamental da experiência brasileira transferida à forma da reflexão, ou à forma literária mesma. Refiro-me, é claro, à matriz interpretativa de Antonio Candido, selada em sua análise do romance de Manuel Antonio de Almeida.[71]

Quando Roberto Schwarz chamou atenção para os "pressupostos, salvo engano", da "dialética da malandragem", Sérgio Buarque de Holanda era uma referência inescapável.[72] No entanto, em Schwarz se nota um mal-estar em relação ao "mundo sem culpa" que paira em certa idealização do universo popular, de que Candido parece paradoxalmente "culpado", se exagerarmos na chave crítica. Mas convém exagerar, para perceber que aí pulsa o coração do problema. Afinal, para a boa compreensão da correspondência, e da relação entre Mário de Andrade e Sérgio Buarque de Holanda, é preciso notar que a "pouca interiorização da ordem" estabelece um polo paradoxalmente positivo na experiência civilizacional brasileira. Na fraca assimilação das instâncias normativas, no esvaziamento dos mecanismos internos de controle (instâncias "superegoicas", no jargão psicanalítico), residem, para Sérgio Buarque, muito antes de Antonio Candido, e num diálogo sinuoso com Mário de Andrade, o segredo e o futuro do modernismo brasileiro e — por que não dizê-lo? — da modernidade no Brasil. Segredo, em suma, ligado ao *desvio* em relação à norma, e à *soltura* diante do controle e do poder interiorizado.

Mas quem são, em "O lado oposto e outros lados", os representantes dessa "ordem" que a experiência brasileira poderia promissoramente subverter? Aí figura, como seu inequívoco defensor, Alceu Amoroso Lima (Tristão de Athayde), que logo mais se converteria definitivamente à fé e, finalmente, à direita. Aí irrompe, também, um espectro amplíssimo, que esbarra em Mário de Andrade. Vejamos:

Não é para nos felicitarmos que esse modo de ver [isto é, criar uma arte sujeita a regras e ideais prefixados] importado diretamente da França, da gente da *Action Française* e sobretudo de Maritain, de Massis, de Benda talvez e até da Inglaterra do norte-americano T. S. Eliot comece a ter apoios em muitos pontos do esplêndido grupo *modernista* mineiro de *A Revista* e até mesmo de Mário de Andrade, cujas realizações apesar de tudo me parecem sempre admiráveis. Eu gostaria de falar mais longamente sobre a personalidade do poeta que escreveu o *Noturno de Belo Horizonte* e como só assim teria jeito para dizer o que penso dele mais à vontade, pra dizer o que me parece bom e o que me parece mau na sua obra — mau e sempre admirável, não há contradição aqui —, resisto à tentação. Limito-me a dizer o indispensável: que os pontos fracos nas suas teorias estão quase todos onde elas coincidem com as ideias de Tristão de Athayde. Essa falha tem uma compensação nas estupendas tentativas para a nobilitação da fala brasileira. Repito entretanto que a sua atual atitude intelectualista me desagrada.[73]

Claro está que Sérgio não sugere uma coincidência entre a direita católica e o pensamento de Mário de Andrade. Entre "a gente da *Action Française*" e o autor do "Noturno de Belo Horizonte" há um mar de distância. O referido poema, aliás, composto em 1924 e dedicado a Elysio de Carvalho, fora publicado em 1925 no último número de *Estética* (o mesmo em que aparecera "Perspectivas") e seria incluído em 1927 em *Clã do jabuti*. Seus versos sondam um momento que se poderia considerar anterior ao princípio construtivo, como que precedendo a lei que rege o soerguimento da civilização, como pode sugerir o seguinte excerto:

O polícia entre rosas.
  Onde não é preciso, como sempre...
Há uma ausência de crimes

Na jovialidade infantil do friozinho.
Ninguém.
O monstro desapareceu.[74]

Desaparecido o monstro e, com ele, o medo infantil diante de uma lei cuja origem é desconhecida e distante, o que restaria senão a celebração do prazer irresponsável e sem limites? Mas não é Macunaíma quem surge, ainda, no "Noturno de Belo Horizonte". Do "silêncio repleto de silêncio" de Minas (como que prenunciando aquela "estrada de Minas, pedregosa", imortalizada nos versos de Drummond) chega-se, em apoteose, aos brasileiros "auriverdes", conforme tópico que merecera tratamento um pouco mais irônico na *Pauliceia desvairada*, mas que no poema composto havia pouco ressurge em verdadeiro bloco carnavalesco, ainda e sempre arlequinal:

E abre alas que Eu quero passar!

Nós somos os brasileiros auriverdes!
As esmeraldas das araras
Os rubis dos colibris
Os abacaxis as mangas os cajus
Atravessam amorosamente
A fremente celebração do Universal!
[...]
Juntos formamos este assombro de misérias e grandezas,
Brasil, nome de vegetal![75]

Leia-se todo o poema e um espasmo se configurará: a reclusão, que está na observação amorosa e detida dos pequenos espaços decifrados pelo poeta, abre-se de repente numa mensagem universal, numa verdade que, utilizando embora os sinais do exotismo (as frutas tropicais em desfile), não se resume a ele. Como se os termos do famoso *Ensaio sobre a música brasileira*, que seria publicado poucos anos depois, em 1928, fossem sendo pouco a pouco elaborados na própria poesia.

No início do *Ensaio sobre a música brasileira*, que se tornaria obra paradigmática para a compreensão do "nacionalismo" de Mário de Andrade, a bronca com Villa-Lobos se evidencia. Por um lado, Mário reconhecia e amava a genialidade do amigo músico; de outro, via-o por vezes entregando-se a um exotismo de superfície. Por isso ele o alfineta, ao sugerir que a "pseudomúsica indígena" de Villa agradava tão somente aos caçadores do exótico: "a Europa completada e organizada num estádio de civilização, campeia elementos estranhos para se libertar de si mesma".[76] Era a "macumba para turista" a que se referiria mais tarde Oswald de Andrade, numa de suas mais divertidas e exatas formulações.[77]

Mas o que torna os motivos exóticos na poesia de Mário menos "exóticos" que aqueles que ele vê em Villa-Lobos? E como essa diferença nos permite compreender melhor o diálogo entre ele e Sérgio Buarque de Holanda? A resposta a tais perguntas exige que nos entreguemos a um movimento complexo, que está na raiz do pensamento de Mário: embora seja individual, a produção artística se dá num horizonte que aponta para a dissolução do indivíduo. Seria um equívoco ver, nas alfinetadas de Mário de Andrade em Villa-Lobos, mais que um amigável puxão de orelha num artista que ele admira profundamente. O problema era a função do artista e a natureza social e transcendente da arte, que tornava todo e qualquer fazer artístico uma tarefa dolorosamente inconclusa.

Por volta desses anos, entre 1925 e 1926, quando a energia do grito modernista ia diminuindo, o problema da construção tornava-se gigantesco, e as respostas de Mário ao dilema do artista começam então a esboçar-se. A bem da verdade, as respostas se espalhariam por sua obra, até o fim da vida: do nacionalismo angustiado que dá tom ao *Ensaio sobre a música brasileira*, de 1928, à releitura do diálogo platônico em *O banquete*, de 1944-5, passando pelo drama da indefinição e da dissolução do indivíduo anômalo, que está tanto na obra-prima que é *Macunaíma*, publicada também em 1928, quanto no magnífico *A vida do cantador*, de 1943-4. Se observamos bem, em todas essas obras o indivíduo é uma mônada incômoda, mais ou menos torturada e sempre prestes a entregar-se ao sacrifício — consciente ou não — pela coletividade. Mas, ao refletir sobre o futuro da música brasileira, Mário de Andrade lembra, no já referido texto de 1928, que os "modernos" nunca abandonaram a caça ao exótico:

> ciosos da curiosidade exterior de muitos dos documentos populares nossos, confundem o destino dessa coisa séria que é a Música Brasileira com o prazer deles, coisa diletante, individualista e sem importância nacional nenhuma. O que deveras eles gostam no brasileiro que exigem a golpes duma crítica aparentemente defensora do patrimônio nacional, não é a expressão natural e necessária duma nacionalidade não, em vez é o exotismo, o jamais escutado em música artística, sensações fortes, vatapá, jacaré, vitória-régia.[78]

Os mesmos elementos que apareceriam ressignificados na prosa poética de *O turista aprendiz* (1927-9)[79] surgem nessa passagem, contrapostos porém àquela "expressão natural e necessária" que sugere a dissolução e o abandono das veleidades individuais em nome de algo maior, que aqui se nomeia "a Música Brasileira". A vaidade de fundo e a prevalência do feito individual estorvam Mário de Andrade, como se vê no final da primeira parte do *Ensaio*:

> Quanto à vaidade pessoal si um músico der pra uma forma popular uma solução artística bem justa e característica, os outros evitarão

de se aproveitar da solução alheia. Nós possuímos um individualismo que não é libertação: é a mais pífia a mais protuberante e inculta vaidade. Uma falta de cultura geral filosófica que normalize a nossa humanidade e alargue a nossa compreensão. E uma falta indecorosa de cultura nacional. Indecorosa.[80]

A falta de uma "cultura nacional" parecia destinar-nos ou ao regionalismo empobrecedor de quem só sabe cantar seu rincão, ou à imitação do estrangeiro em sua sanha pelo exótico. Converter aqueles elementos capturados pelo olhar externo em algo que funcionasse no plano interno não se faria, entretanto, senão por uma interiorização que fosse além da paisagem, como que puxando tudo o que boia na superfície para as profundezas da "cultura nacional". Chegamos então ao ponto em que o desejo de *construção*, que Mário colocaria sob a marca da "obra interessada",[81] choca-se com o *indivíduo* que, para deveras construir uma cultura nacional, deveria livrar-se daquela vaidade que o torna o centro do fazer artístico. Há um deslocamento fundamental nesse passo, quando o artista interessado (ou o pesquisador interessado, no caso de Mário de Andrade) se vê diante de sua grande esfinge, e de seu duplo fascinante: o povo.

Os estratos da cultura popular, que na imaginação de Mário apontam sobretudo para o arcaico e para o interior do país, sugerem o plano inconsciente em que os gestos se deixam guiar não pela genialidade individual, mas pela plena realização da coletividade em sua misteriosa consubstanciação, naquele momento em que o cantador já não é mais ele mesmo, imerso que está no corpo místico da "cultura nacional". O drama aparecerá, como verdadeira transubstanciação crística, na figura de Chico Antônio, que Mário de Andrade conheceria em sua viagem ao Nordeste em 1928-9, para finalmente convertê-lo em personagem de sua *Vida do cantador*, já nos anos 1940.[82] Mas nos limitemos por ora ao *Ensaio sobre a música brasileira*, no qual, logo de início, a inconsciência criativa do povo aparece com todas as letras:

> Uma arte nacional não se faz com escolha discricionária e diletante de elementos: uma arte nacional já está feita na inconsciência do povo. O artista tem só que dar pros elementos já existentes uma transposição erudita que faça da música popular, música artística, isto é: imediatamente desinteressada.[83]

A passagem de uma arte "interessada" para o estágio do "desinteresse" é desejável, mas paradoxalmente exige que se deflagre uma batalha construtiva. Este é o ponto em que se separam, amistosa e amorosamente, Sérgio Buarque de Holanda e Mário de Andrade. Como se pode notar em "O lado oposto e outros lados", Sérgio pressentia em Mário não apenas o gesto religioso que o aproximaria de Tristão de Athayde, mas em especial via gestar-se, em seu pensamento e sua obra, a "atitude intelectualista" que lhe parecia trair o gesto original dos modernistas, o qual estaria muito mais no "largar aventureiro" da *Escrava que não é Isaura* que no aspecto edificante e construtivo de uma "cultura nacional".[84] É uma pena que, justamente no período imediatamente posterior à publicação de "O lado oposto e outros lados", ainda em 1926, a correspondência entre os dois amigos tenha cessado temporariamente, vindo a restabelecer-se somente em 1928. Mas, ainda naquele artigo, a "arte de expressão nacional" não parecia simplesmente descartável. Entretanto, ela deveria surgir

> de nossa vontade, [e] nascerá muito mais provavelmente de nossa indiferença. Isso não quer dizer que nossa indiferença, sobretudo nossa indiferença absoluta, vá florescer por força nessa expressão nacional que corresponde à aspiração de todos. Somente me revolto contra muitos que acreditam possuir ela desde já no cérebro tal e

qual deve ser, dizem conhecer de cor todas as suas regiões, as suas riquezas incalculáveis e até mesmo os seus limites e nos querem oferecer essa sobra em vez da realidade que poderíamos esperar deles. Pedimos um aumento de nosso império e eles nos oferecem uma amputação. (Não careço de citar aqui o nome de Tristão de Athayde, incontestavelmente o escritor mais representativo dessa tendência, que tem pontos de contato bem visíveis com a dos acadêmicos "modernizantes" que citei, embora seja mais considerável.)[85]

Se tomamos em consideração que o desconforto de Sérgio diante de Mário residia, como vimos há pouco, naqueles "pontos fracos" em que suas teorias "coincidem com as ideias de Tristão de Athayde", teremos um quadro eloquente do diálogo amplo e sinuoso que se dissimula nas cartas. Mário não era simplesmente identificado a Tristão (assim como não fora identificado à "gente da *Action Française*"), mas algo o fazia, ao menos potencialmente, aproximar-se dos que lutavam pelo desenho preciso daquilo a que se poderia chamar, utilizando as palavras de Sérgio, "a aspiração de todos". Trata-se de um problema que, sendo de ordem estética, é eminentemente político. Sérgio Buarque espantava, exconjurando-o, o fascínio pela *construção*, sugerindo que o produto que viesse a surgir seria menos o fruto da vontade interessada e mais o resultado do desinteresse, ou da "indiferença". O que os deixava, aos dois missivistas, em "lados" diversos (talvez não opostos, mas momentaneamente diversos) era o passo proposto por Mário de Andrade, serenamente recusado por Sérgio. Para Mário, a arte desinteressada era um télos possível e desejável, mas o caminho até ela, isto é, até o momento em que o artista pudesse nutrir-se completamente da arte inconsciente do povo, deveria ser trilhado a partir de um plano. Plano que não seria — seja feita justiça à complexidade do pensamento marioandradino — a imposição de uma ideia de expressão nacional previamente forjada na mente do intelectual. Em vez da "imputação" a que se refere Sérgio, Mário buscava, a partir daqueles anos, uma construção baseada no estudo paciente e interminável da cultura. Para o autor de *Macunaíma*, antes do gesto autoritário de quem determina, do alto de seu gabinete, o que é a "cultura", está o exercício continuado de aproximação daquele núcleo fascinante do "popular". Tornava-se urgente, em suma, o estudo do folclore e da arte.

É hora de esboçar uma equação que possa esclarecer as diferenças entre os dois, as quais são menos de fundo que de tom, ou talvez sejam muito mais a expressão de *caminhos* diversos, escolhidos diante do impasse deixado pelo grito da primeira hora modernista. Mário, por seu lado, se entrega ao estudo da cultura popular, e é significativo que, antes ainda da experiência da pesquisa sistemática (inclusive a pesquisa de campo que ele próprio faria a partir da viagem como turista aprendiz, mas sobretudo seu grande sonho, que está na Missão de Pesquisas Folclóricas que ele deflagraria mais tarde, à testa do Departamento de Cultura), ele expressasse o impasse através de uma obra ficcional, inspirada numa narrativa etnográfica. Composto a partir desses anos e publicado em 1928, *Macunaíma* é uma resposta agoniada diante do problema da *construção*. Trata-se, para todos os efeitos, de uma grande fábula poética que dramatiza aquele impasse, presentificando-o por meio do quadro alegórico e burlesco de um personagem telúrico que não se consubstancia de todo, que jamais encontra a si mesmo em lugar algum do vasto território por onde ele faz suas coisas de "sarapantar".[86]

Mas o que faz Sérgio Buarque, por seu turno? Ele viaja, escapando provisoriamente do problema. Depois da polêmica de "O lado oposto e outros lados" (1926), desfaz-se de sua biblioteca e vai trabalhar uma temporada em Cachoeiro do Itapemirim (1927). Posteriormente (1929-30), viaja a Berlim, a convite de Assis Chateaubriand, como correspondente de *O Jornal*, e no regresso, já na década de 1930, escreve *Raízes do Brasil* (1936), em cuja gestação esteve a ideia de publicar uma pretensiosa "Teoria da América", que nunca veio a lume.[87] Talvez se possa dizer que, a partir daí — quando, além de tudo, Sérgio tem sua primeira experiência acadêmica na Universidade do Distrito Federal (1936-7) —, inicia-se uma resposta longa e complexa ao problema da *construção*. Bem formulados os termos do impasse, o que busca Sérgio Buarque a partir daí senão as "fronteiras", os "caminhos móveis", o terreno "movediço" onde, precisamente, experiência alguma ganha seu termo definitivo? Todo o núcleo que vem a seguir, com *Monções* (1945) e os estudos que viriam a compor *Caminhos e fronteiras* (1957), responde, em certo sentido, àquele impasse. Em vez de buscar o terreno mais ou menos sólido de uma "cultura nacional" que precede o pesquisador e o observador, Sérgio vai atrás de um espaço em que as formas não tenham se fixado, no momento em que a própria *cristalização* é ainda uma incógnita.[88] É mesmo possível ler um dos parágrafos iniciais de *Monções*, na versão "definitiva" do livro, e enxergá-lo pelas lentes daquele debate da década de 1920, quando Sérgio Buarque se postava num dos "outros lados", distanciando-se de Mário de Andrade:

> Vencida porém a escabrosidade da Serra do Mar, sobretudo na região de Piratininga, a paisagem colonial já toma um colorido diferente. Não existe aqui a coesão externa, o equilíbrio aparente, embora muitas vezes fictício, dos núcleos formados no litoral nordestino, nas terras do massapê gordo, onde a riqueza agrária pode exprimir-se na sólida habitação do senhor do engenho. A sociedade, constituída no planalto da Capitania de Martim Afonso, mantém-se, por longo tempo ainda, numa situação de instabilidade ou de imaturidade, que deixa margem ao maior intercurso dos adventícios com a população nativa. Sua vocação estaria no cami-

nho, que convida ao movimento; não na grande propriedade rural, que cria indivíduos sedentários.[89]

Não há dúvida de que, ao ler essa passagem pensando na correspondência entre Mário e Sérgio, estamos diante de um curto-circuito temporal e explicativo. Sérgio não tinha condições ou instrumentos, na década de 1920, para formular o quadro de uma civilização móvel, cuja frente mais vigorosa estaria ali onde as formas ainda não se cerraram. Mas a ressalva não elide o fato de que, numa passagem como essa, encontram-se elementos *também significativos para o debate modernista da década de 1920*.

Não à toa, Sérgio Buarque seria acusado, muito mais tarde, de uma "sutil sublimação do bandeirismo" em sua obra historiográfica.[90] Podemos nos perguntar, entretanto: quem são os bandeirantes? Os homens que dormiam em redes, "sóbrios, tenazes, afeitos à fadiga"?[91] Ou serão, ainda, aqueles "bandeirantes" que dormiam no trem expresso entre São Paulo e o Rio, no ano de 1922, conforme o que vimos logo atrás, na imaginação de autores como Rubens Borba de Moraes e Menotti del Picchia? Há algo a dizer sobre o encantamento causado por esse mundo onde as formas são ainda uma incógnita. Na onda dos modernistas de primeira hora, a sedução pelo universo informe ganhará adeptos entre os seguidores das vanguardas europeias, em especial o surrealismo com sua fascinação pelo plano inconsciente e onírico. Nas décadas seguintes, porém, o encantamento podia ceder ao espaço fantástico — que Sérgio trata de reconstruir com dotes de exímio escritor — das *fronteiras* da própria civilização material. Mas o fascínio por esse espaço não é ingênuo nem tem sua fonte apenas na primeira agenda modernista: à altura da publicação da passagem recém-citada, Sérgio se batia com Gilberto Freyre na discussão do "alfa" da civilização brasileira, que o autor pernambucano puxava, é claro, para o Nordeste de suas próprias fabulações.[92] Entretanto, para além da discussão das matrizes civilizacionais do Brasil, permanece a ideia de que, a partir do planalto de Piratininga, algo de novo e promissor teria acontecido no momento em que as formas que dão termo à vida teriam deixado de assombrar os homens, por um instante, ao menos.[93]

Eis a fórmula, então: onde Mário soçobra, na angústia de nunca encontrar a "cultura brasileira", Sérgio segue em frente, porque se desfez, muito cedo — e num diálogo com o próprio Mário —, do impulso de buscar com precisão a fonte de onde emanaria a cultura. Onde um se afoga (e morre) na busca pela fonte profunda, o outro navega, recusando-se a ouvir o canto sirênico das origens distantes. Trata-se de fórmula precária — como toda fórmula, aliás —, mas quero crer que ajude a fixar o quadro. Talvez a metáfora das "profundezas" não faça jus à leveza e à alegria da percepção marioandradina da cultura popular, mas ainda assim ela aponta para aquilo que falta considerar com mais detalhe, isto é, o aspecto *inconsciente* de tal cultura.

TERCEIRO MOVIMENTO: O CATOLICISMO,
AS PROFUNDEZAS E O POVO

No mesmo número de outubro de 1926 da *Revista do Brasil* em que se publicou "O lado oposto e outros lados", figura um texto de Mário de Andrade, "Crítica do gregoriano". Nele, o autor da *Pauliceia desvairada* aponta, na evolução da música sob a égide do cristianismo, uma passagem do "sensorial" para o "sensitivo".[94] Anunciando um tópico que o perseguiria por muitos anos ainda, Mário se põe a pensar na solidão do artista, que de alguma forma duplica a figura humanizada do Cristo, que aparecera logo no início do estudo, "passeando a Sua imensa divindade solitária sobre a Terra":

É muito provável que do próprio martírio a que [os teóricos, que ditam as normas] sujeitam os artistas novos estes tirem parte grande da inquietação, da dúvida penosa e interrogativa que aguça-lhes a sensibilidade e escreve-lhes na inteligência afogueada por tanta malvadeza quotidiana aqueles decretos e invenções em que num átimo a obra de arte reveladora se manifesta no espírito. Se manifesta nova, inconsciente por assim dizer, fatalizante, representando o tempo social e a alma nova que os tempos sociais dão pros homens.[95]

O embate entre a solidão criativa, expressa na figura destacada do artista, e a coletividade em meio à qual ele amarga sua condição dá tom ao inquérito, que visa sondar a combinação nem sempre harmoniosa entre o indivíduo que pena e a sociedade que não logra acolhê-lo de todo. Na evolução musical estudada, a polifonia representaria uma verdadeira "Idade Média musical", uma "republicanização de melodias", quando estas não caminhariam mais sozinhas, em linhas melódicas separadas, como fizeram no cantochão. Assim como a melodia se desdobrara em linhas diversas, abrindo-se à moderna polifonia, os homens, por seu turno, se separaram e enfrentaram sua nova condição solitária, dentro de um quadro em que a *cidade* é o centro das atenções.

O passo seguinte é fundamental: naquele esboço da história da música, sugere-se que o gregoriano perdera sua eficácia, ao mesmo tempo que conservava uma essência que, podemos já supor, é o ponto de fuga do desejo marioandradino. Trata-se de reencontrar o que a "republicanização" e o mundo burguês dos "homens-sós reunidos" nos roubaram:

> O cantochão perdia a sua eficácia de representação histórica do Cristianismo. Porém não perdeu nada da eficácia com que representa a essência ideal e mais íntima do Catolicismo e continua

assim como a manifestação máxima característica e original da música religiosa católica. Atingiu como arte musical nenhuma a perfeição simples e ao mesmo tempo grandiosa com que interpreta a própria essência do Catolicismo, religião da alma se considerando por si mesma pobre, fraca e miserável, mas porém fortificada pelo contato íntimo e físico da Divindade.[96]

Não se ouvem, já aqui, em 1926, as palavras com que quase duas décadas mais tarde seria figurado, no plano semificcional de *A vida do cantador*, o canto de Chico Antônio? Lembremos o quadro: no momento em que, humanizados, os animais choram "a morte do irmão", reunindo-se em torno de um "boiato" morto, o coqueiro se dirige "para o sofrimento dos bois" e, trepado no mourão mais alto do cercado, canta. A passagem vale a longa citação:

E a voz vibrante, em notas musicalíssimas, subiu, se ergueu num arpejo de sétima, firmou-se no som, tremeu, mas baseando-se na apoiadura rápida firmou-se outra vez, se prolongou na vogal fechada, aguda de som, grave no tom, se prolongando até sobrepairar fulminante acima do choro dos bois. E então desceu num glissando lento, vindo terminar no mais grave, num som falado macio, quase um segredo, ôh, boi!... Houve um primeiro pasmo na boiada, um silêncio repentino escureceu. Mas logo, em pranto mais desordenado ainda, os bois de carro, a vacaria, os bezerros idiotizados de terror e o touro rico, abriram em tal berreiro assanhado que parecia que o cântico de Chico Antônio os incitara mais a chorar. Mas o cantador recomeçava a sua encantação. A voz dele se ergueu outra vez, e sempre nos sons mais altos, oscilava em apoiaduras, se firmava em sons longos, bailava em pequenas fórmulas melódicas, livres de ritmo certo, largas, lentas, depois descia da sua solaridade claríssima, se abaritonava em glissandos descendentes e vinha morrer de novo em graves falados, ôôôôh, boi!... Não durou muito e os bramidos dos bois se espaçavam. As oitenta vacas do mangueirão, mais prontas para o consolo, já escutavam o cântico imenso do homem, todas voltadas para ele. E o cântico se ergueu mais lento, mais longo ainda, e os próprios bois de carro hipnotizados, aos poucos deixaram de escavar terra, vieram saindo do curral pequeno, se ajuntar junto ao mourão do cantador. E o cântico baixava e recobrava alento e vinha enfim morrer mais uma vez no consolo de uma palavra em segredo, ô, meu boi!...[97]

O cântico imenso do Homem a consolar é também o canto do homem que, logo mais, morreria sob o sol, que "baixava rápido num céu de sangue altíssimo". Mas quem é o cantador? Por quem canta, e de onde provém sua voz? A resposta pervade a obra de Mário de Andrade, especialmente os estudos dedicados à cultura do povo. "Como a arte popular", escrevia o autor em sua crítica de 1926, "a música gregoriana é por essência anônima." Vejamos o desenvolvimento pleno da ideia:

> O que faz a intensidade concentrada da arte popular é a maneira com que as fórmulas melódicas e rítmicas se vão generalizando, perdendo tudo o que é individual ao mesmo tempo que concentram em sínteses inconscientes as qualidades, os caracteres duma raça ou dum povo. A gente bem sabe que uma melodia popular foi criada por um indivíduo. Porém esse indivíduo capaz de criar uma fórmula sonora que iria *ser de todos* já tinha de ser tão pobre de sua individualidade que se pudesse tornar assim, menos que um homem, um humano. E inda não basta. Rarissimamente um canto de deveras popular é obra dum homem apenas. O canto que vai se tornar popular nesse sentido legítimo de pertencer a todos, de ser obra anônima e realmente representativa da alma coletiva e despercebida, si de primeiro foi criado por um indivíduo tão pobre de individualidade que só pôde ser humano — e que riqueza essa! —

o canto vai se transformando pouco ou muito, num som, numa disposição rítmica gradativamente e não se fixa quasi nunca porque também a alma do povo não se fixa. Porém dentro dessa mobilidade exterior o canto popular conserva uma estabilidade essencial em que as características mais legítimas e perenes de tal povo se vão guardar. Dentro da mobilidade exterior dele o canto popular é imóvel. Assim o cantochão. Tem essa imobilidade virtual da música popular. Descobriu e realizou aquelas formas sintéticas perfeitas em que guardou as essências mais puras da religião católica.[98]

A mescla definitiva do "católico" e do "popular" salta às vistas, evidenciando a noção finíssima e complexa de uma "imobilidade virtual", que caracterizaria tanto a música popular como o cantochão. Não se trata, é claro, de simples noção estática. Se por um lado as teorizações de Mário levam à ideia de uma pureza sempre buscada, que foge ou resiste ao bulício da cidade, por outro lado tal pureza não se reduz a uma fonte estacionada no tempo e no espaço. Diferentemente, ela aponta para o epifânico, momento em que o indivíduo se torna menor, quase inexistente diante de uma mensagem que o transcende, fortificado enfim "pelo contato íntimo e físico da Divindade".

O aspecto litúrgico do cantochão, que Mário segue a estudar em sua crítica, sugere a dissolução do individual como uma forma de "manifestação ativa de religiosidade",[99] mas deixa no ar o problema da arte "interessada". Quando movida pelo bom interesse, a arte deveria atingir, em sua perfeição, aquele estágio "da alma coletiva e despercebida", não para reproduzi-lo apenas, mas sim para reencontrar, pelo caminho da expressão, aquela "imobilidade virtual". Para dizê-lo em termos mais simples: a arte interessada estaria destinada a habitar o espaço imenso da imobilidade e da inconsciência do povo. Mais uma vez, embora aqui através do módulo do catolicismo popular, vemo-nos diante da sedução do inconsciente, que é um espaço fora do alcance da plena explicação e, mesmo, da plena compreensão intelectual.

Do ponto de vista do artista "interessado", a arte popular, em sua "inconsciência" e "fatalidade" (que ganhariam projeção poética plena na figura de Chico Antônio), leva à sondagem de um núcleo misterioso, a um só tempo inexprimível e irrecusável em sua verdade. Aí, entretanto, Mário se separa de uma tendência católica de direita, para a qual tudo aquilo que é inexprimível e irresistível aponta para o dogma. Trata-se, de toda forma, à esquerda ou à direita, da relação entre a *revelação* e o *sentido*. Tais termos, sugeridos no início deste estudo, ganham agora uma dimensão maior, porque é o poder da linguagem, e a função do artista, que se põem em tela: o que buscar, o que revelar, como definir o horizonte da explicação? Deveríamos situá-lo, tal horizonte, na efemeridade de formas que nunca se fixam? Ou seria melhor buscá-lo no longínquo espaço em que os espíritos se acalmam e a verdade se deixa ver? Quando sugeri o horizonte escatológico do pensamento de Mário de Andrade, referia-me ao fato de que a angústia que o invade tem a ver com a distância pressentida e infinita a separá-lo da revelação. Uma revelação que ele segue interessadamente buscando, para vê-la cada vez mais distante e urgente. O sentimento é religioso, embora não se resuma a qualquer discussão dogmática. Trata-se porventura de algo a que se poderia simplesmente chamar um sentimento *moderno*, porque deita raízes na consciência sobre a distância intransponível que nos separa da revelação, ou seja, do *sentido* que ela promete trazer. O fato de que a resposta de Sérgio Buarque diante da religião seja outra, diversa da de Mário de Andrade, não impede que as questões de fundo sejam as mesmas para os dois amigos. E insisto ser nesse período, na ressaca da aventura inicial do modernismo, que elas se gestam. Vejamos.

Num artigo publicado no primeiro número de *Estética* (1924), portanto um ano antes de "Perspectivas" e dois anos antes do explosivo "O lado oposto e outros lados", Sérgio Buarque retomava, para o leitor brasileiro, a fundamental polêmica entre T. S. Eliot e John Middleton Murry, que vinham mobilizando a crítica literária de língua inglesa numa acalorada discussão sobre os conceitos de "romantismo" e "classicismo", nas páginas da revista *Adelphi* e depois na própria *The Criterion*, que servira de modelo a *Estética*, como se lê em carta enviada a Mário em maio de 1924: "Vai ser fundada aqui no Rio uma grande revista de 'Arte moderna', de meu amigo Prudente de Moraes, neto [...], publicação trimensal de grande formato e mais ou menos no tipo da revista inglesa Criterion". A inspiração não viria contudo apenas do formato da revista inglesa. Também seus temas transbordam e, através da crítica de Sérgio, reaparecem nas páginas de *Estética*. O "romantismo", explicará o crítico seguindo de perto os argumentos de Murry, relaciona-se ao Renascimento porque ali estaria a "base da consciência moderna", quando "o indivíduo se coloca à parte e isolado" ou, nos termos de Murry citados pelo crítico brasileiro, quando ele existe "sem o apoio de nenhuma autoridade, e procura julgar por si mesmo a vida de que ele é uma parcela". A "consciência moderna", portanto, "começa historicamente com o repúdio do Cristianismo organizado; começa com o momento em que os homens encontraram em si próprios a coragem para duvidarem da vida futura e para se libertarem de suas ameaças, a fim de viver esta vida mais amplamente".[100]

Os argumentos sustentados por Murry, em sua polêmica com Eliot, diziam respeito a uma realidade "interior" irredutível àquelas "leis de causa e efeito" que regem o mundo da "necessidade". Vemo-nos aqui diante de uma contenda que leva à revalorização de algo a que se vai chamar "romântico", menos por apego a uma periodização estrita e mais pelo reclamo de um espírito capaz de "procurar uma compreensão não racional do mundo", quando o homem não pode se socorrer a si mesmo; ele precisa encontrar a harmonia; ele não pode viver em rebelião; ele necessita reintegrar-se na vida. Desse modo vemo-lo prender-se na literatura a esses momentos de profunda apreensão: "*When all the burden and the mystery/ Is lightened and.../ We see into the light of things*".[101]

Os versos de Wordsworth, citados provavelmente de memória por Murry e reproduzidos em sua forma incompleta e incorreta por Sérgio Buarque, referem-se ao poema "Lines composed a few miles above Tintern Abbey on revisiting the banks of the Wye during a tour", datado de 13 de julho de 1798. Nele, bem ao gosto romântico, o poeta celebra as formas de uma abadia em ruínas, sugerindo que

> *To them I may have owed another gift,*
> *Of aspect more sublime; that blessed mood,*
> *In which the burthen of the mystery,*
> *In which the heavy and the weary weight*
> *Of all this unintelligible world,*
> *Is lightened: — that serene and blessed mood,*
> *In which the affections gently lead us on, —*
> *Until, the breath of this corporeal frame*
> *And even the motion of our human blood*
> *Almost suspended, we are laid asleep*
> *In body, and become a living soul:*
> *While with an eye made quiet by the power*
> *Of harmony, and the deep power of joy,*
> *We see into the life of things.*[102]

A sensação sublime expressa a elevação do indivíduo cujas características corpóreas (o peso, a circulação sanguínea) cedem à experiência mística, quando lhe é dado ver e sentir, por fim, as coisas em sua secreta vida interior. Mas trata-se, no registro romântico, de uma experiência de um só corpo que, momentaneamente liberado das amarras que o prendem à terra e à própria corporeidade, penetra o mistério. Penetrar a "vida das coisas" é reencontrar a visão mística, que é também "uma visão de necessidade orgânica".[103]

Seria um passo largo, mas não equivocado, ver que aqui se gestam, no debate modernista que Sérgio e Mário acompanhavam com olhos postos nas discussões de além-mar, uma preocupação com a "organicidade", que regressará com força em *Raízes do Brasil*. Para dizê-lo brevemente, havia algo irresistível na crença numa realidade interior, inacessível à consciência, que dissesse respeito a um mundo dotado de suas próprias leis, seu próprio "fluxo e refluxo", ou, nos termos posteriores e aqui já referidos, de *Raízes do Brasil* (1936), "um mundo de essências mais íntimas que, esse, permanecerá sempre intato, irredutível e desdenhoso das invenções humanas. Querer ignorar esse mundo será renunciar ao nosso próprio ritmo espontâneo, à lei do fluxo e refluxo, por um compasso mecânico e uma harmonia falsa".[104]

Se ficamos entretanto no horizonte de Murry, que tanto chamava a atenção do jovem Sérgio em 1924, veremos que o romantismo de fundo dessa concepção orgânica do mundo se liga ao fato de que "os verdadeiros românticos" formulam "essa percepção de necessidade orgânica como uma percepção de Deus". Aí se *anuncia* o divino, e aí, poderíamos já dizer pensando também em Mário de Andrade, o *sentido* se faz, porque não há mais barreira entre o mundo que corre, indiferente, e a mônada incômoda e atormentada que é o indivíduo, dotado agora de uma missão reveladora, responsável, em suma, por espalhar a boa-nova que advém dessa Iluminação.[105] Mas o sentido, neste caso, não é acessível senão pela experiência mística, pela revelação que promove o toque momentâneo entre o homem e camadas mais fundas, a que se pode chamar "inconsciência" ou "fatalidade", e que respondem à mesma angústia original, alimentada pela distância intransponível que nos separa de qualquer explicação que preceda o universo contingente dos homens. No limite, tudo que se deixaria explicar completamente se torna descartável e, por isso mesmo, tanto para Sérgio como para Mário, a solução dogmática, ao substituir o mistério pela ordem, torna-se ela mesma desprezível. O que não impediria Sérgio Buarque de Holanda de preocupar-se, no artigo de 1926, com o amigo que parecia perigosamente se aproximar dos partidários da "ordem".

Há um sentimento angustiado em ambos, Mário e Sérgio, naquilo que diz respeito à distância e mesmo à impossibilidade de qualquer revelação final. A diferença sutil, reitero, está nos caminhos que eles tomam, e que tornam Mário de Andrade sempre mais próximo de Tristão de Athayde do que Sérgio gostaria. Ressalte-se, a esta altura, que o problema não é apenas o sentimento religioso e a proximidade maior ou menor de tendências dogmáticas do catolicismo. Trata-se, a rigor, de uma discussão sobre a linguagem, e de uma crise profunda, propriamente moderna, da metafísica e da noção mesma de uma síntese, capaz de portar o sentido que nos aguarda como coletividade. Uma crise hermenêutica, ao fim, que se faz mais aguda à medida que toda e qualquer revelação se torna um problema, e que todo *fundamento* passa a ser matéria de discussão e eleição individual. Talvez hoje, passado o século que viu brotar uma miríade de investigações sobre os limites (e portanto o alcance) da linguagem — de que o desconstrucionismo é apenas um exemplo, embora talvez o mais poderoso —, tenhamos condições de perceber que as querelas que se davam nas páginas da revista de T. S. Eliot, seguidas de perto por Sérgio e então por Mário, apontavam para o fato de que os *signos* existem sempre antes e talvez a despeito de qualquer revelação final, e que as palavras são instrumentos de sondagem, jamais se constituindo em portadoras de uma verdade que paira para além do indivíduo. A questão é teológica, porque a função do verbo está em pauta, mas trata-se também de uma inquirição sobre o funcionamento e o alcance da própria linguagem articulada, ou do lógos como instrumento de esclarecimento. A literatura, por fim, é o espaço privilegiado para compreender a articulação — ou a desarticulação, em termos modernos — do poder da palavra.

As formas de reagir a essa grande inquirição sobre o poder da linguagem são diversas, e dizem muito sobre a atitude política de seus agentes. O verbo como motor é uma imagem que traz em si, para todos os efeitos, a ideia de um *portador* da mensagem. É curioso que o medo de Sérgio, de que Mário viesse a parecer-se com o dogmático Tristão de Athayde, não passasse finalmente de um temor infundado, porque a obra marioandradina seguiria, até o fim, resistindo ao demônio da revelação final e apaziguadora, embora jamais deixasse de se guiar pela busca do sentido.[106] Nesse aspecto, ela é uma obra cristã em sua essência, embora sua filiação deva ser buscada em um sentimento moderno que lida, pelas armas da letra, com a ausência desesperadora de um sentido. O *desespero* é porventura o que marca a diferença entre os dois autores: o aspecto agônico do pensamento é pleno em Mário, mas muito mais tímido em Sérgio.

É sabido que o pensamento conservador identifica, na ausência do sentido, um *sintoma* do descarrilhamento do mundo, sugerindo que todo esforço moral deve reorientar-se rumo à plena revelação, de modo a exorcizar os desvios que, num universo fragmentado e entregue a suas potências meramente materiais, levariam ao mais elementar solipsismo. No número de 30 de setembro de 1926 da *Revista do Brasil*, apenas quinze dias antes que viessem a público "O lado oposto e outros lados", de Sérgio Buarque, e "Crítica do gregoriano", de Mário de Andrade, Alceu Amoroso Lima, o Tristão de Athayde, louvava o espírito franciscano e procurava compreender como, afastando o homem da natureza, a "sociedade ocidental" promovera "uma complexidade, uma hierarquização, uma mecanização e uma cisão de interesses" que tornavam urgente o reingresso do homem numa ordem perdida, cada vez mais desejável:

> E que fez Tolstói senão uma tentativa de volta à natureza? Que fez há pouco o grande dramaturgo e poeta alemão Ernst Lissauer fugindo das cidades e indo morar num vilarejo dos campos austríacos? E esse outro grande escritor inglês D. H. Lawrence que se foi meter entre os índios mexicanos para fugir à civilização? E toda essa série de místicos norte-americanos de que nos fala Michaud, que anseiam por fugir a uma civilização mecanizada, como Henry James o fez no século XIX? E lá ainda, nos Estados Unidos, a figura estranha desse jovem romancista Waldo Frank, cada dia mais lido, e cada dia mais ansioso de uma revolução dos espíritos? E em França, depois da guerra quais são os dois movimentos mais intensos de renovação senão o espiritualismo católico mais ou menos reacionário, e o espiritualismo spinozista, mais ou menos revolucionário, reagindo ambos contra o diletantismo cético do século passado? E a aventura mental de John Middleton Murry, na Inglaterra, cujo misticismo surpreendeu a toda a nova geração inglesa educada em veios de tradição que julgavam eternos, no sentido de uma materialização crescente?[107]

E assim continua o articulista, para chegar à condenação do "materialismo histórico" dos bolcheviques, cujo caráter "intrinsicamente perverso" seria apenas mais tarde confirmado por uma encíclica de Pio XI.[108] Note-se contudo que a via para aí chegar passa pelo mesmo Murry que encetara a polêmica com Eliot, passando ainda por Waldo Frank, que se apaixonaria perdidamente pela América Latina nos anos seguintes, e por D. H. Lawrence, que viria a ocupar um lugar importante na galeria das referências de *Raízes do Brasil*.[109]

Apenas "O lado oposto e outros lados", no número seguinte da *Revista do Brasil*, dispararia a polêmica que, para além dos estremecimentos mais imediatos, levou Tristão de Athayde a declarar seu célebre "Adeus à disponibilidade", em texto dirigido ao próprio Sérgio em 1929. Mas toda a sequência é mais complexa: "Perspectivas", publicado em *Estética*, fizera Tristão escrever "A salvação pelo angélico", enquanto "O lado oposto e outros lados" provocaria, no mesmo ano de 1926, "Construtivismo e destrutivismo".[110] Mas e Mário, qual sua reação a "O lado oposto e outros lados"? É significativo que o pouco que nos resta diga respeito ao plano da comunicação privada, uma vez mais graças ao registro da correspondência entre Mário de Andrade e Manuel Bandeira. É o poeta pernambucano quem, no dia 3 de novembro de 1926 (duas semanas depois de lançado o número da *Revista do Brasil* em que aparecera o fatídico artigo de Sérgio), conta a Mário que estivera numa conferência de Guilherme de Almeida (uma das principais vítimas, ao lado de Ronald de Carvalho, das invectivas de "O lado oposto e outros lados") no Rio de Janeiro, e que

> o Guilherme estava com tanta raiva dele [de Sérgio] que perdeu inteiramente... o quê meu Deus? e aludiu ao outro como um desses *rapazinhos dúbios, efeminados, tomadores de cocaína*. O Sérgio deveria ter-se levantado e agredido o Guilherme em plena conferência. Depois da conferência eu disse ao Guilherme que ele tinha feito mal. Ao que ele respondeu falando muito e dizendo uma porção de impropérios como este "que estes safadinhos iriam lamber o cu dele pois ele estava no Estado de São Paulo"!! Prudente e o Sérgio, creio que intencionalmente, passaram diante do Guilherme sem falar com ele. Prudente com aquele raciocínio saudável e honesto concluiu que o Guilherme foi vil. Quanto ao Sérgio só

Proust pode saber o que se passou na alma dele. Sérgio é uma criatura angélica. E como o Guilherme se engana! Francamente dá dó. E tanto o Sérgio como o Prudente, mesmo sem sair do terreno estrito da literatura podem esfrangalhar o Guilherme. "O lado oposto" é prova disto. Foi uma porrada de mestre.[111]

Uma nova carta de Bandeira, enviada três dias depois, é ainda mais convulsiva. Já a reação de Mário de Andrade, em carta de 10 de novembro daquele ano, denota calma e absoluta falta de rancor. Referindo-se a "O lado oposto e outros lados", o autor da *Pauliceia desvairada* considera o artigo "nobre intelectualmente e moralmente", embora sem "verdade intelectual em muitos pontos". Nesse momento um tom ligeiramente melancólico ameaça tomar a correspondência, como se Mário e Bandeira se percebessem mais velhos e já cansados para as polêmicas ardentes em que se metiam os jovens. Sobre os editores de *Estética*, Mário dirá:

> Prudentico principalmente inda mais que o Sérgio quando escrevem contra dão pras frases um ar de ataque que fere. Fazem a restrição com uma secura uma aspereza que pode ser peculiar neles porém faz com que os outros caiam na ideia de ataque. Sobre isso já me preveni bem porque sei que me atacarão e se o ataque vier assim não me ressentirei porque pode ser feitio deles.[112]

A postura de Mário, já àquela altura, era de uma aceitação tal do conflito que faz pensar, mais que em estoicismo, numa posição angélica, no sentido da mais clara sublimação da violência:

> Depois desse momento de total abatimento em que eu achei o fim da terra por experiência própria e não por tendência de escola ou pura desilusão intelectual, recomecei vida nova porém minha vida nova se tem sido uma vida superior e linda e principalmente feli-

císsima duma alegria interior que nem morte de mãe poderá destruir, se tem sido assim elevada a minha vida nova tem nela uma coisa que é fecunda mas imensamente desumana: a sabedoria permanente da realidade. Isto é: um grande pessimismo e uma vontade talvez fatigada de reconhecer sempre através dos gestos mais feios dos homens que têm sempre em todos os seres deste mundo coisas lindas e coisas nobres. Não tem ser que seja feio apenas. E me vem sempre uma vontade de deveras fatigada de perdoar ou de esquecer.[113]

A *vita nuova* aqui proposta traz a marca de um enfrentamento da desumanidade da vida real ("a sabedoria permanente da realidade") pela entrega a uma instância amorosa, de um amor propriamente místico, fatigado e sofrido (*apaixonado*, isto é, dotado da paixão que Mário insistentemente projeta na figura do artista), oscilando entre a beleza de um outro mundo ("vida superior e linda e principalmente felicíssima duma alegria interior") e a evidência de um mundo em falta, completamente distante, em suma, do ideal: "esta outra vida de aquém-túmulo", como a chamaria o próprio Manuel Bandeira décadas depois, em seu diálogo poético com João Guimarães Rosa.[114] Este é, sob certo aspecto, o pomo da discórdia, o *punctum dolens* que em 1926 faz Sérgio Buarque de Holanda apontar, em Mário de Andrade, uma discreta porém incômoda tendência "intelectualista" que, pode-se supor, tem a ver com o desejo de trazer aquele mundo ideal, com suas traves perfeitas e sua arquitetura brilhante, para o plano do real. Este será, note-se, o elemento central da crítica de Sérgio à revivescência da escolástica na contemporaneidade.

De fato, dez anos depois da publicação de "O lado oposto e outros lados", no momento em que Alceu Amoroso Lima chegava ao ápice de seu reacionarismo, Sérgio Buarque, com seu agudo senso dos paradoxos, apontava, em *Raízes do Brasil* (1936), o caráter "vivo" que um dia tivera a escolástica: "a escolástica na Idade Média foi criadora porque foi atual". Nos tempos do Dante, segue ele, a "ordem natural é tão somente uma projeção imperfeita e longínqua da Ordem eterna e explica-se por ela". Assim, "o princípio formador da sociedade era, em sua expressão mais nítida, uma força inimiga, inimiga do mundo e da vida". O papel "dos pensadores, dos grandes construtores de sistemas" era então apenas escamotear a distância entre "o Espírito e a Vida". Tal trabalho intelectual fora "fecundo e venerável" em seu momento, mas seu sentido "nossa época já não quer compreender em sua essência". O charme da escolástica, por fim, e "o entusiasmo que pode inspirar hoje essa grandiosa concepção hierárquica, tal como a conheceu a Idade Média, é em realidade uma paixão de professores".[115]

Um dos alvos, nessa passagem de *Raízes do Brasil*, eram os pensadores católicos de direita, aqueles mesmos que, em 1926, simpatizavam ainda com a *Action Française*, aproximando-se de uma linhagem ilustre do pensamento antirrevolucionário europeu.[116] Evidentemente, Mário de Andrade está muito longe desse espectro, embora *seja preciso evocá-lo* para compreender a diferença que então se estabeleceu entre os dois amigos.

Não custa lembrar que, seja em 1936 (ano da publicação de *Raízes do Brasil*) ou em 1926 (quando "O lado oposto e outros lados" aparecia na *Revista do Brasil*), o totalitarismo não era ainda aquilo que se configuraria para nós, depois da experiência da Segunda Guerra. Assim sendo, a discussão de uma passagem mais ou menos imediata do plano das ideias (os "sistemas" de organização política) para o plano do real (onde a "vida" resiste às fórmulas vãs dos homens) não se dava ainda nos termos que contemporaneamente somos capazes de reconhecer, quando atribuímos à experiência do nazifascismo — ou mesmo sua contraparte, o "socialismo real" soviético — as características de um "pesadelo". Em certo sentido, no período entre guerras o pesadelo não se convertera ainda em realidade. Numa formulação rápida, seria possível dizer que o debate sobre a escolástica, que subjaz às críticas de Sérgio Buarque de Holanda a Tristão de Athayde, era uma forma de perguntar-se sobre a violência e o ódio à realidade que dão sustentação a qualquer concepção política que reclame um lugar inequívoco para o ideal, isto é, que pretenda ver implantado, a todo custo, o ideal nesta terra. O próprio Sérgio Buarque, conquanto se possa considerá-lo agnóstico, formularia o problema em termos de uma distância intransponível entre o ideal e sua realização terrena. A projeção do ideal, nesse particular, seria apenas uma risível "paixão de professores", embora se possa imaginar que Sérgio pressentia o que viria a significar o momento em que um ideal qualquer fosse trazido e imposto a todo custo à sociedade. Por isso, no primeiro capítulo de *Raízes do Brasil*, a crítica ao renascimento da escolástica faz par à concepção agostiniana da distância irrecorrível entre a cidade de Deus e a cidade dos homens. E aqui é preciso recordar que o sentimento trágico dessa distância — que daria base ao jansenismo e a todas as demais "teorias negadoras do livre-arbítrio", como se lê em *Raízes do Brasil* — está presente, na aurora da era moderna, exatamente na Reforma protestante, a que a tradição católica responde com o espírito tridentino e o fortalecimento dessa "instituição de origem nitidamente ibérica, a Companhia de Jesus".[117] Se retomamos o sentido do debate religioso que então se dava, o quadro se torna mais claro, e o alvo também:

> na verdade, as doutrinas que apregoam o livre-arbítrio e a responsabilidade pessoal são tudo, menos favorecedoras da associação entre os homens. Nas nações ibéricas, à falta dessa racionalização da vida, que tão cedo experimentaram algumas terras protestantes, o princípio unificador foi sempre representado pelos governos. Nelas predominou, incessantemente, o tipo de organização política artificialmente mantida por uma força exterior, que, nos tempos

modernos, encontrou uma das suas formas características nas ditaduras militares.[118]

A "racionalização da vida", no escrito de 1936, passa já pelas lentes weberianas que Sérgio Buarque adquirira em sua estadia na Alemanha, no entreguerras (1929-30). Mas antes ainda da viagem, na segunda metade da década de 1920, o problema estava no esforço empreendido por trazer uma ordem transcendente ao território que, como bom vanguardista, Sérgio supunha muito melhor se deixado à própria sorte, isto é, à própria desordem. Este é o momento em que ele utiliza a já referida imagem de uma "amputação", quando, em vez de um aumento de território, os "acadêmicos modernizantes" — a que associa indelevelmente o nome de Tristão de Athayde — oferecem um *corte* na imaginação:

> O que idealizam, em suma, é a criação de uma elite de homens, inteligentes e sábios, embora sem grande contato com a terra e com o povo — é o que concluo por minha conta; não sei de outro jeito de se interpretar claramente o sentido dos seus discursos —, gente bem-intencionada e que esteja de qualquer modo à altura de nos impor uma hierarquia, uma ordem, uma experiência que estrangulem de vez esse nosso maldito estouvamento de povo moço e sem juízo. Carecemos de uma arte, de uma literatura, de um pensamento enfim, que traduzam um anseio qualquer de construção, dizem. E insistem sobretudo nessa panaceia abominável da *construção*. Porque para eles, por enquanto, nós nos agitamos no caos e nos comprazemos na desordem. Desordem do quê? É indispensável essa pergunta, porquanto a ordem perturbada entre nós não é decerto, não pode ser a *nossa ordem*; há de ser uma coisa fictícia e estranha a nós, uma lei morta, que importamos, senão do outro mundo, pelo menos do Velho Mundo.[119]

A relativa indiferença entre o "outro mundo" e o "Velho Mundo" sugere estarmos bastante além da já comentada "moléstia de Nabuco". O problema era mais grave e mais sério que a simples importação da última moda europeia. Tratava-se da imposição de um "sistema" (nos termos de 1936), ou de uma "hierarquia, uma ordem" que estrangulariam o "estouvamento de povo moço e sem juízo" (nos termos de 1926). Uma vez mais, penso que estejamos aqui numa espécie de grau zero da dialética da malandragem. Mas deixemos as polêmicas no seu tempo, e para seu tempo.[120]

Desenha-se um alvo múltiplo aí. Em primeiro lugar, o alvo são as promessas irrealizadas da República brasileira, e a continuidade oligárquica que seria tema privilegiado do historiador, décadas à frente.[121] Mas o alvo era também Alceu Amoroso Lima. As diversas estocadas de Sérgio Buarque de Holanda na década de 1920 resultaram numa carta que lhe endereça o crítico católico, intitulada "Adeus à disponibilidade", escrita em 1929, logo depois de sua "conversão" e da morte prematura de Jackson de Figueiredo. Nela, o cerne da questão está na relação dos homens com o espírito de sistema:

> O erro é pensar que a realidade se prende em qualquer sistema humano apenas, ou em qualquer ausência sistemática de um sistema qualquer. Pois o amor da evasão pela evasão é a pior das servidões. Nunca nos sentimos tão presos como ao pretendermos forçar todas as portas. Nunca somos tão limitados como quando nos limitamos à extralimitação. A recusa incessante é um orgulho que se reduz a uma subordinação tácita e sucessiva. E V., que possui, no fundo, o verdadeiro sentido cristão da vida, precisaria apenas, creio eu, um pouco menos de desespero do homem, para alcançar também o senso católico que outra coisa não é senão a plenitude cristã. Não haverá uma ilusão, ou uma ponta de orgulho, em julgar que existe "uma censura, uma disjunção fundamental entre o Espírito e

a Terra", quando um e outra estão indissoluvelmente fundidos na mesma unidade fundamental, e que a única cisão que existe, e essa mesma nunca absoluta e sempre resolúvel, é a que se dá entre a Transcendência e a Imanência, entre o que está subordinado às condições de espaço, tempo, espaço-tempo, ou outras quaisquer que venham a descobrir, e aquilo que se exime, por sua própria natureza, às limitações das coisas criadas, dos espaços finitos, dos tempos limitados?[122]

Os espaços ilimitados recaem, se seguimos o raciocínio de Tristão de Athayde, num *além* que não apresenta nenhum sinal de "disjunção" com o espaço e o tempo presentes. Vislumbra-se algo pleno, que o autor da carta identifica a um "senso católico". Haveria, da parte de Sérgio Buarque de Holanda, ilusão e uma "ponta de orgulho" em não se entregar à "unidade fundamental" em que transcendência e imanência se harmonizam misteriosamente. Exatamente tal harmonia, entretanto, dispara a suspeita buarquiana. E poderíamos já dizer, pensando também em Mário de Andrade, que para o autor de *Macunaíma* não haverá unidade fundamental que se perfaça diante de nossas pobres vistas humanas; a menos, é claro, que voltemos ao tema da *epifania*, isto é, dos momentos únicos e irrepetíveis em que o "contato íntimo e físico da divindade", como lemos atrás, faz-se pleno, seja no cantochão em sua potência arcaizante ou na voz do cantador popular que, igualmente, evoca uma unidade perdida, súbita e momentaneamente reencontrada.

O pensamento dogmático de Tristão de Athayde leva ao arrefecimento do sentido trágico da existência, o qual, é razoável supor, depende daquela distância intransponível entre a bem- -aventurança eterna e a realidade da *vida* que, teimosa e finita, resiste ao verbo apaziguador, à "letra morta" que, de uma perspectiva teológica ou mesmo literária, é um elemento incômodo, insuficiente, embora paradoxalmente necessário. De uma forma ou de outra, a afirmativa paulina sobre o poder de morte da "letra", na segunda epístola aos coríntios, tem como evidente contrapeso o poder de revelação do Espírito, com o qual Paulo pretendia convencer aos "filhos de Israel" que tirassem o "véu" que os separava do verdadeiro sentido das escrituras (2 Cor 3).

Ei-nos aqui, por vias tortuosas, precisamente diante dos dilemas expostos em "Perspectivas" (1925) e "O lado oposto e outros lados" (1926), bem como em *A escrava que não é Isaura* (1925), textos escritos na defesa incondicional da criação poética, que se daria à margem da linha traçada pela lei, ou melhor, da linha traçada pela palavra dotada de poder. Lembremos o caminho marioandradino em sua "parábola" de abertura, em *A escrava que não é Isaura*: a mulher, criada por Iavé das costelas de Adão, era na verdade a própria poesia, posicionada no cume do Ararat. Nua, essa escrava altaneira um dia se escondeu, envergonhada, e os homens passaram os séculos a recobri-la de vestes finíssimas, até que um "vagabundo genial" a despisse completamente, descobrindo-a novamente em sua nudez, "angustiada, ignara, falando por sons musicais, desconhecendo as novas línguas, selvagem, áspera, livre, ingênua, sincera". O vagabundo se chamava Rimbaud, e graças a ele a poesia voltara a ser cultuada: "Essa mulher escandalosamente nua é que os poetas modernistas se puseram a adorar... Pois não há de causar estranheza tanta pele exposta ao vento à sociedade educadíssima, vestida e policiada da época atual?".[123]

Propõe-se uma disjunção entre as linhas estabelecidas pela lei — a lei estética, isto é, a ordem do bom gosto, mas também a lei, *tout court* — e a palavra poética, desvestida, feliz em sua transitoriedade, aligeirada, liberta do peso de um verbo único, como se ela deixasse para trás o lastro da verdade superior, para satisfazer-se e brincar com sua potência humana e terrena. O devaneio lírico, seguindo o gosto do arrebatamento romântico, apresentava-se então (*A escrava que não é Isaura* é de 1925, recordemos) como tarefa maior, flertando com a loucura, com o desvio. É claro que estamos aqui a anos-luz da busca pelo Verbo divino, embora lidemos com os mesmos dilemas que Paulo formulava, quando pretendia desvelar a escritura e estabelecer o ministério do Espírito. Paradoxalmente, a forma de sustentação desse gesto ousado, e fundacional para toda a sociedade ocidental, é a epístola, isto é, a carta em que a letra busca presentificar o espírito.[124]

Como sugerido, o texto publicado por Mário de Andrade retoma diversos termos do "Prefácio interessantíssimo" que abrira a *Pauliceia desvairada*, de 1922. Curiosamente, em 1923, Tristão de Athayde se interessara pelo que então considerou um balanço admirável entre a soltura do devaneio lírico e a contenção das regras. "Não prega o Sr. Mário de Andrade", dirá Tristão em seus *Estudos*, "o libertarismo incondicional, que aliás só pode existir na poesia dos loucos." Ao contrário, o estado lírico importava, embora também importassem os valores estéticos mais tradicionais, que o crítico exalta quando, diante da observação de Mário de que "ninguém se pode libertar de uma só vez das teorias-avós que bebeu", reage lembrando que

> na França, o que se nota hoje, de fato, é uma volta à disciplina, sem sacrifício da renovação. [...] Jacques Copeau pede uma "adequação entre a inspiração e a técnica"; Jules Romain faz um "Curso de Técnica Poética". Falando de Paul Valéry, o puro artista dos *charmes*, evocam críticos os poetas da Plêiade.[125]

É fascinante que, no plano público, Tristão de Athayde tentasse, logo depois do estouro da Semana de Arte Moderna, encontrar a *ordem* que o próprio Mário de Andrade, a acreditar no autor dos *Estudos*, respeitaria e mesmo buscaria, a despeito dos que o consideravam um simples tresloucado. Vale, entretanto, sujeitar

Tristão ao mesmo movimento a que Mário vem sendo submetido aqui, de modo a buscar, na correspondência com os amigos mais próximos, aquilo que muitas vezes se dissimula, ou simplesmente se esconde, na fala pública. À altura da publicação do estudo sobre Mário de Andrade, em 1923, Tristão escreve de Petrópolis a seu admirado e querido Jackson de Figueiredo, contestando-lhe a defesa incondicional dos mestres do passado. Mas o faz, no fim das contas, por meio da busca, nos jovens autores, de sua insuspeitada reverência à ordem. Tal reverência não o impedia contudo de sentir-se entregue ao mesmo balanço entre a ordem e a desordem que, alguns anos mais tarde, daria tom à crítica de Sérgio Buarque de Holanda, em seu mapeamento das tendências do modernismo brasileiro. Na carta, Alceu Amoroso Lima justifica, diante do mestre Jackson, o recém--publicado artigo simpático à *Pauliceia desvairada*:

> É possível que haja muita *blague* no que escrevem esses novos de São Paulo. Nem algum deles nega isso, como o Mário de Andrade. Mas é uma *blague* de combate, um pouco ingênua, sem dúvida, mas necessária para agitar esse mar morto em que andam geralmente as nossas letras. Tive mesmo todo o cuidado em acentuar, a cada passo, que o livro dele era mais um livro de combate que um livro de poesia. Quanto ao que você diz sobre medida, moderação etc., estou farto de ler isto nos críticos franceses. Vou mesmo além: sou adversário do romantismo e você bem sabe quanto estou ligado às ideias, mesmo estéticas, da *Action Française*. Apenas, há duas coisas a pensar nesse ponto: primeiramente, que é preciso entender *classicismo* (classicismo, que não venha repetir Antonio Ferreira, etc.) inteligentemente, como *disciplina interior*, domínio da própria sensibilidade e força de vontade literária de forma a dar o máximo de intensidade à expressão do mundo interior de intuições, de ideias, de imagens. [...] A arte de Mário de Andrade, que você acha puro

fruto de uma imaginação demente e de um espírito insincero e carnavalesco, procura evidentemente (através da preocupação combativa de épater le bourgeois) essa expressão de um momento de civilização, cheio de esgares, de incertezas, de exageros, de abusos, de forças novas magníficas, de abusos intoleráveis, de anarquia mental e de progresso material.[126]

Impressiona a oscilação entre ordem e desordem, entre a discreta admiração pela blague livre e anárquica, e a poderosa contenção interior, disciplinadora. Tristão é ele mesmo uma personalidade complexa, que na década seguinte atingiria um grau de dogmatismo virulento, para mais tarde encantar-se com a leitura de Maritain e terminar, no contexto do golpe de 1964, por defender o mesmo Anísio Teixeira cujo projeto universitário ele fora um dos principais responsáveis por desmantelar durante o primeiro governo de Vargas.[127]

A complexidade desse caminho não esvazia, contudo, a tese de que, na segunda metade da década de 1920, Tristão de Athayde é um elemento em parte incômodo, não tanto por parecer-se a Mário de Andrade, mas sim porque portava as chaves de um problema ligado ao papel dessa soltura poética, que podia entrar em franca contradição com a ordem disciplinadora que subjaz, de forma muitas vezes insuspeitada, a qualquer atitude construtiva. Ademais, Alceu Amoroso Lima tinha certeza de que a "chave mestra" para a "interpretação profunda" da obra de Mário de Andrade estava na consideração do "problema religioso" nela presente.[128] Significativamente, numa carta dirigida a Alceu no fim de 1927, Mário retomaria a questão do "sentimento trágico", lembrando que é possível encontrar

> um certo e franco dionisismo na minha obra, isto é, não só uma vontade de gozar a vida, porém o gozo da vida, mas justamente no

meu livro que você gostou menos, no *Losango cáqui*, eu tenho um refrão muito digno de se matutar um pouco sobre ele: "A própria dor é uma felicidade". É que *me fiz* prender por um entusiasmo de corpo e alma pelos movimentos de vida e os vivo com uma intensidade pasmosa. Um dionisismo sem êxtase, uma confiança sensual, uma fé sistematizada em tudo e uma certeza permanente e perdoadora na imbecilidade do homem. E isso vibra em toda a minha obra. Sentimento trágico? Sim, sentimento trágico da vida. [...] Se lembre que tragédia não quer dizer desgraça. Tragédia é dialogação do ser humano (no sentido mais completo) com o que não é ele, com o não eu. [...] Não posso de verdade aceitar que não haja sentimento *trágico* da vida na minha obra. Pode ser que infelicidade nem desgraça cantada com fragor não tenha na minha obra, porém livros que nem *Pauliceia* (inteirinho), muitos poemas do *Losango*, *Amar verbo intransitivo* [...], alguns contos do *Primeiro andar*, e todo o *Clã do jabuti* [...]. Em tudo isso juro que tem sentimento *trágico* da vida embora não haja desgraça. E se não tem desgraça tem muita preocupação sofrida e bem vivida. E se não tem desgraça é porque "tive paciência" no sentido que Scheller dá pra essa expressão no artigo dele, saído na *Revista de Occidente* de agosto último.[129]

A referência à revista de Ortega y Gasset não é casual. Mário estava à cata de algo que talvez se possa identificar como um embate entre posições liberais, leigas, e um sentimento religioso cuja sombra, pela via de Unamuno, fazia-se presente na Espanha, mas não só nela. A compreensão desse "sentimento trágico" seria também — e ao menos nesse particular Alceu Amoroso Lima e Sérgio Buarque de Holanda estariam de acordo — a via para a compreensão da obra de Mário de Andrade. Convém no entanto somar uma peça mais ao quebra-cabeça. Voltemos então à Inglaterra, para dessa vez encontrar uma das grandes vozes do fim da era vitoriana: Thomas Hardy.

QUARTO MOVIMENTO: THOMAS HARDY E O "VULCÃO DE COMPLICAÇÕES"

Talvez o momento mais agudo da correspondência entre Sérgio Buarque de Holanda e Mário de Andrade esteja em 1928, quando, passado já o vendaval de "O lado oposto e outros lados", Mário se entusiasma diante do aceno do amigo que, do Rio de Janeiro, promete-lhe para logo o artigo já anunciado "sobre a obra de Mário de Andrade". Sugestivamente, Sérgio, em carta de março ou abril daquele ano, declara ter o tal texto "de cor, antes de escrever", como se a análise já estivesse gravada em sua mente, faltando apenas "pôr mão à obra". No dia 22 de abril, Mário responde, alegre, escrevendo que "a promessa do artigo é ouro". A esperança depositada no jovem crítico transparece num momento em que, não à toa, Alceu Amoroso Lima irrompe no tecido das cartas, quando Mário afirma que "com exceção dumas poucas coisas, ditas pelo Tristão, ninguém até agora, não percebeu direito em mim coisa que me interessasse". Logo em seguida vem o esclarecimento e, com ele, o reforço da expectativa: "nem é artigo publiquento e publicável que espero. Basta carta, ali, uma carta que me falasse coisas mais subtis (ergo: mais profundas) sobre este vulcão de complicações que eu sou!".[130]

Junto à carta em que prometia escrever sobre a obra de Mário, Sérgio envia ao amigo um texto que seria logo mais publicado no *Diário Nacional* como obituário de Thomas Hardy, falecido na Inglaterra em janeiro daquele mesmo ano (1928). O pequeno ensaio de Sérgio fora uma encomenda do próprio Mário, como já se terá percebido, lendo as cartas. A promessa do artigo sobre "a obra de Mário de Andrade" se confunde portanto à oferta de um artigo sobre o escritor inglês, que é valorizado por sua opacidade, mais que pela transparência: "jamais não consegui saber o que eu sou", queixa-se Mário. "Mas ponha reparo nos que escrevem sobre mim: sou fácil como água para eles, questão fácil de resolver, dois mais dois." Diante da pasmaceira da crítica, o autor de *Clã do jabuti* volta os olhos sedentos para o amigo: "tenho esperança em você que soube falar sobre Hardy e inda milhor de vez em quando inventa coisas". Nesse momento, Sérgio separa-se do resto, isto é, dos que encontravam na obra de Mário de Andrade matéria de fácil solução. Não se tratava no entanto de esperar uma crítica que fizesse o mesmo que vinha sendo feito, isto é, que convertesse o "vulcão" em material inerte e frio. Ao anunciar ao amigo o núcleo inexplicável que o compunha, Mário não queria uma pena que viesse para apaziguar ou desmanchar a complicação. Antes, sentia falta (e porventura seguiria sentindo, até o fim da vida) de uma crítica sutil o suficiente para adentrar aquele caroço vulcânico sem reduzi-lo a uma fórmula simples, antes "inventando coisas" que pudessem aproximar o leitor daquele núcleo que escapa ao pleno esclarecimento, por ser matéria semovente e, segundo a imaginação do próprio Mário, explosiva.

Para além do campo metafórico aberto por essa imagem eruptiva de si mesmo, resta a questão específica da interpretação que Sérgio Buarque de Holanda fizera de Thomas Hardy. No "famoso artigo", como Sérgio o chama na correspondência, o ambiente da literatura inglesa do período vitoriano é desenhado por meio de pinceladas largas e vigorosas, ressaltando-se o "respouso" e a "fartura" que resultaram num quadro de energias satisfeitas:

> Politicamente o Império atravessara sem crise um dos momentos mais importantes de sua história: a transladação do centro de gravidade das energias criadoras do povo — como dois séculos antes a vida social inglesa se deslocara da intensidade para a extensão, agora, esgotado esse longo ciclo, inicia-se um período de saciedade, de aspirações satisfeitas, de paz proclamada. As guerras napoleônicas foram a prova de fogo do novo estado de coisas. O correlativo

desse ambiente é uma mentalidade mais ou menos equívoca, de meio-termo e de compromisso. Só os sentimentos urbanos sabem manifestar sua excelência, só eles são acolhidos com palmas pelo puritanismo britânico. Uma mediocridade satisfeita devora os germes de rebeldia e de negação e impõe-se todo-poderosa. Dickens é o grande poeta dessa mediocridade.[131]

O artigo, enviado a Mário, seria imediatamente publicado no *Diário Nacional*, no dia 8 de abril de 1928. Nele reaparecem os termos da discussão que se iniciara com "Perspectivas" (1925) e se estendera em "O lado oposto e outros lados" (1926): a "paz proclamada" e essa "saciedade" lânguida e pós-climática se parecem à "paz proclamada depois da guerra" a que as letras, desprovidas de energia, respondiam, reduzindo-se a pálidos reflexos, finalmente entregues, como se lê em "Perspectivas", "à virtude ilusória da linguagem dos cemitérios".[132]

Na homenagem que lhe presta Sérgio Buarque de Holanda, Thomas Hardy é uma espécie de profeta. Sua importância estaria "nisso, sobretudo, que, em uma época de temperança, soube opor qualquer coisa de desmedido: o sentimento convulsivo dos temas essenciais de nossa existência".[133] É impressionante ver como os termos que apareceriam mais tarde em *Raízes do Brasil*, conforme já discutido, surgem quase *ipsis litteris* na consideração do autor inglês, mesclando-se embora aos termos dos artigos anteriores, todos eles confluindo para uma crítica profunda ao pensamento de Tristão de Athayde:

> Está visto que um homem desses [Hardy] há de ser, em qualquer época, em qualquer país, um *outlaw* do pensamento. A substância de seus melhores "momentos de visão" só respira fora da História, à margem da sucessão do tempo: inscreve-se decididamente na perspectiva da eternidade. Eles se rebelam contra as forças ordenadoras que diri-

giram sempre a sabedoria e a segurança dos homens na Terra e resistem energicamente a qualquer tentativa de expressão social. Seria mesmo bastante estranho que se procurasse prolongar essa experiência individual em um sistema coerente de ideias. A gente compreende que um Lucrécio ou um são Tomás de Aquino possam contemplar em repouso e com calma o espetáculo do Universo e mesmo construir sistemas rígidos onde as coisas singulares são cuidadosamente excluídas. São quase sublimes, não há dúvida, esses formidáveis empreendimentos anti-humanos. Parece mesmo, algumas vezes, que este mundo foi criado de tal jeito que só se sustenta à custa de uma ordenação policial, de um arranjo emanado de outro mundo. Só em instantes de forte tensão interior é que os homens se encontram frente a frente com as forças subterrâneas e criminosas que vêm desmantelar essas sínteses admiráveis. Mas é difícil não compreender que esses "instantes" representam o que há de mais importante e que todo o resto se anula diante de sua força. É preciso que o curso do tempo se interrompa de súbito para que se possa pressentir o inefável.[134]

Os "instantes de forte tensão interior" respondem à erupção de forças que se empenham pelo desmantelamento de tudo o que se erga sobre aquela "paz dos cemitérios", a qual permitiria, afinal, que assistíssemos ao espetáculo do mundo de uma posição de eminente "repouso", como Sérgio Buarque de Holanda faz seu leitor imaginar, quando evoca São Tomás. Não à toa, o autor lembrado em seguida será Dostoiévsky, que também fizera sua rápida aparição na correspondência, numa carta enviada por Sérgio a Mário no final de 1925, e que tampouco estaria excluído do diálogo epistolar entre Mário e Tristão.[135] Regressando porém à Inglaterra, o poder do "crime" seria igualmente referido, em meio aos apetites saciados do período pós-vitoriano, a um instante profético, ligado a uma súbita visão (*Moments of vision* é o título do livro de poemas de Hardy que Sérgio tem em mente) em que "todas as forças ordenadoras são sacrificadas e aparece então, nitidamente, a inanidade das polícias humanas e divinas".[136]

Não surpreende que Tristão de Athayde tenha se sentido profundamente ferido pelos artigos de Sérgio Buarque. Tampouco surpreende ver que o debate que vinha se desenrolando desde os anos anteriores terminasse num rompimento momentâneo, como se lê na já referida carta de Alceu dirigida a Sérgio no ano seguinte (1929), conhecida como seu "Adeus à disponibilidade". Regressemos a ela:

> Separando o Espírito da Terra, como V. o exprime tão bem, o homem de nossos dias divinizou talvez sem querer o seu próprio espírito. É esse o resultado de quatro séculos de inversão sistemática do caminho normal da inteligência das coisas e do conhecimento que o homem pode ter de si próprio. E é desse espírito de autodivinização, meu amigo, que eu vejo impregnado todo o seu pensamento. Optando pela Verdade eu bem sei que arranco de mim mesmo as últimas veleidades de influir sobre "a nossa geração e o nosso momento", que só amam a ilusão. [...] As novas gerações adoram o vir-a-ser, quando eu creio que deve existir uma opção necessária pelo ser. Adoram as coisas no tempo, quando sustento o dever de não nos deixarmos vencer pelo tempo. Optam pela subordinação do indivíduo à massa, quando vejo a necessidade de salvar o indivíduo. E se combatem o aniquilamento do indivíduo, é para libertá-lo incondicionalmente, quando devemos todos livremente restabelecer as fronteiras de nossas próprias indistinções. Amam apenas os estados instintivos do espírito, quando a verdade se encontra depois dos estados de intuição intelectual. Cultivam o subconsciente, quando ela está no supraconsciente.[137]

Novamente o poder do inconsciente, ou do "subconsciente" a que respondem esses "estados instintivos do espírito", torna-se chave para a compreensão de uma diferença fundamental, que em seus artigos Sérgio Buarque vinha tornando cada vez mais visível. "Restabelecer fronteiras" seria, segundo o pensamento de Alceu Amoroso Lima, reencontrar um indivíduo que fez as pazes com a transcendência e que se indisponibiliza diante do fluxo macabro em que irrompe o *crime*, que aqui já podemos perceber como a aproximação de um momento de "indistinção", quando se recorda que a ordem estabelecida pelas "polícias humanas" — isto é, pela própria lei — é afinal um acordo artificioso, essencialmente anti-humano. O êxtase do crime — grande tópos literário e filosófico — subsume um momento visionário, quando, tocando as raias da Lei, o homem a percebe como um nada, construção enganosa, feita de ar. Reavivar as traves dessa construção, convertendo-a num edifício que concretamente barrasse e ordenasse as ações humanas, era o objetivo maior de Alceu Amoroso Lima. E era essa certeza diante do além que faltava a Sérgio Buarque de Holanda, para desespero, mas não total desesperança, do contencioso amigo:

> Mas os caminhos da vida não nos separam. E eu confio profundamente no sentido, que V. tem, do que há de trágico na Verdade, ou, como V. escreveu no seu ensaio sobre Thomas Hardy: "Somente o caminho do Mal e a experiência da Dor podem nos transferir para um mundo mais elevado. A dor é um enriquecimento, uma simples escala, um elemento indispensável para a nossa ascensão. É esse o sentido fundamental da tragédia cristã". Quem escreveu essas linhas é que compreendeu até onde vai a sombra da Cruz. E é por lá que nos encontraremos.[138]

Quando Sérgio escreveu essas linhas citadas por Alceu, ele pensava em Hardy não como autor de "um poema de desolação, mas também de um catecismo de esperança". Sua referência era um fragmento de verso da segunda parte do poema *In tenebris*: "if way to the Better there be, it exacts a full look at the Worst" [se um caminho ao Melhor houver, ele demanda um olhar completo ao Pior]. Seria ocioso discutir a maior ou menor "fé" de Sérgio Buarque de Holanda. A compreensão do "sentido fundamental da tragédia cristã" não o tornava um crente, embora lhe facultasse compreender, contra todos os temores de Alceu Amoroso Lima, que em sua ficção e poesia Thomas Hardy levara ao limite a condição do homem desassistido do socorro divino, entregue ao arbítrio da Lei, absurda sempre que nos vemos diante de sua força incoercível e, no limite, de sua violência inexplicável e injustificável.

Somente muitos anos depois, Kafka entraria no horizonte da reflexão buarquiana, mas vale reter, aqui, a ideia de que, ao reagir à "opção necessária pelo ser" (que Alceu opunha ao gosto do "vir--a-ser" dos modernos), Sérgio expunha aquilo que, em nossos dias, Agamben veria como a "porta sempre aberta" da lei. Tendo exatamente Kafka como foco, o filósofo italiano lembra que a passagem pelo limite estabelecido pela lei aponta para um caminho desde sempre aberto (*il già-aperto*), em si mesmo imobilizante.[139] Num cerrado diálogo com Walter Benjamin e Gerschom Scholem, Agamben associa a lei à Revelação desprovida de sentido, isenta de qualquer significação. Esse é o limite kafkiano (a lei revelando-se sem sentido) o qual Agamben sugere explicar a "forma da lei", que a perspectiva kantiana roubara à esfera transcendente e jogara no colo do homem, como aliás bem sabia Tristão de Athayde, que em sua carta aberta a Sérgio Buarque de Holanda afirmou que "Descartes, Kant e em geral toda a filosofia moderna fundaram sobre o *homem* o que o bom senso nos leva a fundar em princípios impessoais e ultramundanos".[140]

O que é o homem entregue ao instante? O que se lhe passa quando se cortam os laços que o ligam, como queria Tristão de Athayde, a um tempo fora da história, isto é, a uma ansiada "eternidade"? Sérgio Buarque não se abstém da discussão desse tempo "*out of joint*", como o chama em sua discussão de Thomas Hardy. A questão repousa sobre o fato de que, da perspectiva trágica do autor de *Jude the Obscure*, o instante mesmo nos desligou de qualquer certeza sobre a correção ou incorreção de nossas ações. O lastro moral ameaçava soltar-se completamente, numa Inglaterra que, encerrando seu grande ciclo colonial, vivia daquela "saciedade" que vem depois do exercício de todo poder. Trata-se, ainda aqui, de um horizonte propriamente extático, como lembra Sérgio, a propósito de Hardy:

> Esse é o mundo do ponto de vista da eternidade, do ponto de vista de Deus — *sub specie aeternitatis*. Os homens é que estabeleceram as categorias e as oposições entre as coisas. Foram eles que forjaram uma recompensa para os virtuosos e um castigo para os ímpios. E que construíram um céu à imagem da terra, fazendo da eternidade uma dependência do tempo. [...] Mesmo nesse nosso mundo, que os homens se aplicam em adaptar às suas legislações artificiosas, tudo nos ensina que o sucesso e o insucesso ocorrem indistintamente para os bons e para os maus. O mundo, na realidade, não foi arrumado ao gosto dos homens, como um tabuleiro de xadrez. A injustiça faz-se lei contra todas as conveniências.[141]

Não se trata, é óbvio, de simples elogio à laxidão. Tampouco a discussão se cerra na admiração pelas formas curvas e dúcteis que, opondo-se a um "xadrez" arbitrário, regressariam, pelas mãos do padre Vieira, em *Raízes do Brasil* e, bem mais tarde, na obra-prima que é *Visão do paraíso*.[142] Antes de mais nada, estaremos aqui muito próximos daquilo que, em sua disputa com Kojève, Georges Bataille definiria como o momento máximo da *soberania*: uma soberania que aponta não para o alto, mas precisamente para tudo o que está embaixo, ali onde reinam o riso, o erotismo, a luta e a luxúria.[143] A discussão de cunho filosófico é imperativa, se pretendemos aprofundar-nos no debate que então se dava, e nas razões que levavam Sérgio Buarque de Holanda a dialogar com Mário de Andrade de forma sempre oblíqua. Pode-se aqui aventar mais uma hipótese norteadora para a leitura da correspondência entre eles, até pelo menos o ano de 1928: a crítica de Sérgio a Mário é oblíqua porque ia se costurando *através do embate entre Tristão de Athayde e Thomas Hardy*. Para ambos, Tristão e Hardy, a condição do indivíduo apontava para uma verdade que o transcende e que, pela via da entrega, parecerá plenamente acessível a Tristão, embora se revelasse absoluta e amargamente inacessível no horizonte existencial dilacerado de muitos dos personagens de Hardy.

A compreensão desse passo é fundamental: da fiel aceitação do dogma (etimologicamente: *aquilo que nos parece bom*) ao esvaziamento da crença, o qual é também uma forma de aceitação do princípio material que governaria os homens. No entrelaçamento de ciência, religião e filosofia, Hardy vivera uma verdadeira "erosão das crenças religiosas". Inquirido sobre como conciliar a absoluta bondade e o caráter ilimitado de Deus com os horrores da existência humana, ele teria lembrado outros "agnósticos" — Darwin e Spencer —, respondendo à questão com uma "visão provisória do universo".[144] É essa provisoriedade, ligada à soberania instável da matéria, que apavora qualquer dogmático.

Seria possível objetar que Mário de Andrade nada tem de "materialista", no sentido aqui sugerido. Suas lentes críticas e poéticas o postam nos antípodas de qualquer pregação propriamente materialista. É muito mais a questão do "provisório" — a *resposta sempre adiada*, bem como a revelação que nunca se consuma — que o torna próximo de Hardy, embora não o faça de todo distante de Tristão de Athayde. Tratando-se de tema tão melindroso, nunca é demais insistir: não reclamo aqui um veio dogmático na visão de Mário de Andrade, e muito menos o associo a uma posição católica de direita. O problema pode talvez ser reduzido a mais uma equação: Mário de Andrade se situa num ponto qualquer entre a crença pacificadora daquele que tem fé e a desesperança dos que a perderam. A questão extravasa o plano biográfico, existencial, porque tem também a ver com a *revelação* e o *sentido*, conforme venho sugerindo.

Em romances como *Tess of the d'Ubervilles* ou *Jude the Obscure*, há uma flagrante contradição entre os desígnios ditados pelos princípios religiosos e a plena realização humana. Como para o Sérgio Buarque de Holanda de "Perspectivas", um fosso se abre entre o Espírito e a Vida, e a *letra* passa então a ser uma espécie de mediação instável e problemática entre os dois. No limite, a que espírito a letra responde? Ou seria ela apenas o índice da distância que separa a *vida* de qualquer resposta final e definitiva, associada, esta, à morte e ao fim dos tempos? Podemos pensar, como Paulo em sua mensagem aos habitantes de Corinto, que "a letra mata", como se ela fosse o fim de toda revelação? Entretanto, se seguimos e avançamos a proposição de Sérgio Buarque, só é possível abstrair da letra, em seu caráter ao mesmo tempo mortal e vivificante, quando se fez as pazes com esse mundo do além (ou do "aquém", como vimos na chave irônica de Bandeira e Guimarães Rosa), quando enfim entraríamos numa espécie de ocaso, um Ocidente definitivo em que a vida se consome, num plano em que não há mais nenhuma dúvida possível. Trata-se, em suma, da paz dos cemitérios.[145]

Sérgio apontara, em "O lado oposto e outros lados", uma atitude "intelectualista" que faria Mário aproximar-se perigosamente de Tristão. Mediante a discussão do fundo religioso desse embate entre o *sentido* e a *revelação*, é possível imaginar que Mário de Andrade percorria, de fato, um caminho de mão dupla: por um lado, apostava, como vimos, na soltura da palavra poética, enquanto, por outro, empenhava-se na *construção* de um significado para a cultura brasileira. É nesse contrapé que o flagra Sérgio Buarque em 1926, quando, no polêmico artigo, pretendia exorcizar a "panaceia da construção".

Para esclarecer um pouco mais o imbróglio em que se metiam os modernistas, convém regressar à resposta contida em "Construtivismo e destrutivismo", o artigo em que Tristão de Athayde reagia diretamente ao chocante "O lado oposto e outros lados" (1926):

> O sr. Buarque de Holanda concede-me a honra (imerecida, etc.) de ser o principal culpado de uma coisa chamada — "construtivismo". O construtivismo, a seu ver, é um mal arquitetônico, um mal estético, um mal disciplinador, um mal intelectualista, que eu, e meus companheiros de culpa, importamos diretamente da Action Française, de Maritain, de Massis, de Benda, de Eliot, etc. E a grande culpa desse mal coordenador é impedir os novos de vagarem no subconsciente, de catarem pulgas no morro da Favela, com ou sem Marinetti, de se deliciarem no Circo Spinelli com "A filha do bandido ou A vingança do Morto", de falarem patuá, de serem livres enfim. Este o libelo acusatório. Que não é a primeira vez nem será a última, espero, que me seja lançado.[146]

Todo o programa modernista de aproximação do universo popular, já discutido aqui, está contemplado na crítica de Tristão de Athayde: a favela a que subiram os "futuristas" em sua excursão estética em busca de uma nova geografia carioca, o "patuá" simbolizando um programa linguístico híbrido, bem como a importância do circo Spinelli, que desde a belle époque vinha promovendo um encontro, posteriormente entronizado pelos modernistas, entre as artes dramáticas e o universo popular.[147] Mediações, todas elas, que o crítico católico recusava orgulhosamente, assim como recusaria celebremente a psicanálise e toda a vertigem do "inconsciente", cuja importância para as vanguardas é patente, como já referido.

Há um temor — verdadeiro frisson — em Alceu Amoroso Lima, sempre que o disforme da inconsciência ameaça tomar as rédeas ao pensamento e à criação. É o que se evidencia, mais à frente, no mesmo artigo:

> Mesmo os mais extremados dos destruidores da consciência, os campeões do automatismo, que fazem senão ter consciência de que existe um subconsciente, e preparar-se lucidamente para captar-lhe as mensagens misteriosas? Releia o sr. Buarque de Holanda o manifesto de Breton, e veja com que frieza, com que precisão de operador físico se aconselha a vítima a pescar nas águas turvas da sombra interior.[148]

A reação de Tristão tem endereço claro: a fascinação pelas profundezas escuras em que se dá o gesto surrealista, que ele associa ao "primitivismo" dos modernistas. De fato, Oswald de Andrade — "um dos sujeitos mais extraordinários do modernismo brasileiro", segundo escrevera Sérgio em "O lado oposto e outros lados" — é quem incomoda o crítico católico:

> Eu quero apenas o que não podemos deixar de ter — uma arte brasileira complexa, dilacerada, perturbada de auroras e crepúsculos, lutando com deficiências e superfluidades, sentindo em si os clamores de um mundo que morre e as agitações de uma terra que começa, absorvendo as extremas sutilezas de uma civilização extrema e patinhando nas mais vulgares grosserias de uma barbaria que se despede. O que eu não admito é mutilações. O mutilado só pode ser heroico se é uma vítima. E nós não somos vítimas. A não ser da miséria irremediável de ser homens incompletos. O que sempre é

melhor do que ser índios. O que eu não aceito, senão no dia em que o sr. Oswaldo de Andrade for ditador literário desta Brasilândia, é que me queiram fazer de índio, é que me vistam de tanga e me arranquem as bombachas de hoje, que o sr. Buarque de Holanda felizmente ainda não usa. O que eu não aceito é que me forcem a ser negro, se o não sou. Ou ariano, se o não ouso. E me impeçam de ser o que sou: uma alma coartada de extremos, uma perplexidade melancólica e impulsiva, uma contradição que procura ultrapassar-se, uma conjunção de mensagens indecifráveis, uma pororoca de instintos que se aniquilam com a vontade de ser que se proclama, uma primitividade que se vence e um requinte que não se resigna a conformar-se. [...] Vamos deixar de recriminações, meu caro Sérgio. Você sabe tão bem quanto eu, os nomes, os grupos, as ideias, que poderei citar aqui, para mostrar os modelos diretos, imediatos, do seu primitivismo, da sua liberdade, do seu subconsciente. Não deixo de dizê-lo por cumplicidade. Ou por camaradagem. Ou por medo de represálias. Mas apenas porque sei que você não precisa deles para pensar.[149]

Não há dúvida de que Tristão distinguia-se e separava-se de Sérgio Buarque de Holanda. A distância apenas aumentaria depois da "conversão" e do "Adeus à disponibilidade", ainda que deixasse espaço, nos anos seguintes, para uma discreta reaproximação.[150] Já Mário de Andrade, significativamente, dialogava com Tristão de forma muito mais desimpedida, conquanto as diferenças entre eles pudessem ser notáveis. Quanto à pecha de "primitivista", recusava-a, tentando afastar-se da sombra de Oswald de Andrade, como se lê em carta escrita a Alceu em 19 de maio de 1928, pouco depois de ter recebido de Sérgio o artigo sobre Thomas Hardy. Sugestivamente, é ali que Mário fala de *Macunaíma*, não sem antes apresentar suas reservas diante do recém-lançado "Manifesto Antropófago":

Quanto ao manifesto do Osvaldo... acho... nem posso falar que acho horrível porque não entendo bem. Isso, como que já falei pra ele mesmo, posso falar em carta sem que fique cheirando intriga nem manejo. Os pedaços que entendo em geral não concordo. Tivemos uma noite inteirinha de discussão quando ele inda estava aqui. Mas a respeito dos manifestos do Osvaldo eu tenho uma infelicidade toda particular com eles. Saem sempre num momento em que fico malgré moi incorporado neles. Da primeira feita [...] Osvaldo vem da Europa, se paubrasiliza, e eu publicando só então o meu *Losango cáqui* porque antes os cobres faltavam, virei paubrasil pra todos os efeitos. [...] No entanto no dia famoso da leitura do manifesto aqui em casa, até Paulo Prado estava, tanto que escachei com o manifesto que até o Osvaldo saiu meio estomagado, deixando a reunião no meio. Agora vai se dar a mesma coisa. *Macunaíma* vai sair, escrito em dezembro de 1926, inteirinho em seis dias, correto e aumentado em janeiro de 1927, e vai parecer inteiramente antropófago...[151]

A reclamação da anterioridade de *Macunaíma* em relação ao "Manifesto Antropófago" o faz relatar o processo de escrita febril em Araraquara, o estado de "comoção lírica" diante do relato de Koch Grünberg, e a "imoralidade do livro", que o fazia perguntar: "será entendida?".

Macunaíma é, porventura, o momento da obra marioandradina em que a questão da resolução do sentido encontra seu mais alto grau de suspensão. Não há no livro resposta alguma para a questão identitária, e a própria possibilidade de conformação de uma identidade se perde no momento em que o herói de nossa gente se dissolve, vítima da Uiara, ou, como tantas vezes já se apontou, vítima justamente da falta de um projeto. O regresso à floresta e a célebre recusa da cidade de pedra de Delmiro Gouveia são a figuração do ponto exato em que a criatura macunaímica larga tudo, voltando àquele âmbito original e infantil em que nenhum projeto é possível, porque não há contenção alguma do prazer em benefício do trabalho, e as palavras podem soltar-se completamente, sem que se comprometam em torno de um discurso propositivo e propulsivo, voltado para a cidade, isto é, para a pólis. Sem que a palavra se empenhasse, enfim, num projeto para a coletividade. O tema já rendeu muito, seja no clássico embate entre Gilda de Mello e Souza e Haroldo de Campos, seja em sua reatualização por José Miguel Wisnik.[152] Mas demos voz ao próprio Mário, quando, pouco mais de uma década depois dessas cartas trocadas com Tristão e Sérgio, iniciava sua coluna no *Diário de Notícias* do Rio de Janeiro confessando, em tom autobiográfico, que de suas produções ficcionais a obra que mais desgostos lhe dera fora *Macunaíma*:

> Sinto que tive nas mãos o material de uma obra-prima e o estraguei. Fazendo obra sistematicamente de experimentação, jurei no princípio de minha vida literária jamais não me queixar das incompreensões alheias. Acho ridículos os incompreendidos. Mas, por uma vez só, me seja permitido afirmar que esse livro foi, no geral, apreciado por uma feridora incompreensão. Embora graciosa porém não complacentemente tratado, *Macunaíma* é uma sátira irritada, por muitas vezes feroz. Mas brasileiro não compreende sátira, em vez, acha engraçado. Quando, depois de uma existência inútil, Macunaíma desiste de ser gente, e à lembrança de ainda poder construir como um Delmiro Gouveia, prefere ir viver o brilho "inútil" das estrelas, meus olhos se umedeceram. Mas o que ficou na consciência geral foi um sussurro de imoralidade! Devo ter muito errado esse meu livro, pois de outra forma, seria considerar a grande maioria dos meus leitores uns primários.[153]

O desabafo, assim como o puxão de orelha nos leitores brasileiros, faz pensar: de que fala esse âmbito "imoral" da rapsódia, que em 1928 Mário temia ver confundida com a antropofagia oswaldiana? De que princípios terrivelmente carnais fala o livro? Qual o horizonte que se forma nele, nessa constante regressão que faz o herói voltar-se para dentro de si mesmo e nada encontrar lá, senão o desejo incessante de "brincar"? Que irresponsável entrega à soberania do corpo era essa?

Significativamente, no mesmo artigo de abertura de sua nova coluna, em março de 1939, Mário se colocava diante da religião e do catolicismo, como aliás já fizera nas cartas a Alceu Amoroso Lima. Mas aqui o que surge é o signo da indefinição, de uma torturante indecisão que finalmente deixa ver a marca do mulato, embora não ouse tocar — num silêncio também sugestivo — na questão de sua sexualidade:

> O que sou?... Creio em Deus, tenho essa felicidade. E jamais precisei de provas filosóficas para crer. Deus é uma espécie de constância do meu ser (não se dará o mesmo com todos?...), eu O sinto na ponta do meu nariz. Mas se trata de uma entidade verdadeiramente sobre-humana, que a minha inteligência não consegue alcançar, de uma grave superioridade silenciosa. Isso, aliás, se percebe muito facilmente no sereno agnosticismo em que descansa toda a minha confraternização com a vida. Deus jamais não me prejudicou a minha compreensão dos homens e das artes. Já o problema se complica muito se inferimos de Deus e a religião. Aqui a minha dificuldade é toda particular e de ordem psicológica. Tenho uma tendência das mais piores: uma timidez propensa às curvaturas. Deve ser sangue de negro. E vem dessa tendência muito incômoda, o ser eu infenso a quaisquer políticas, sejam estas de ordem religiosa ou profana. Instintivamente eu sou "contra", uma desesperada defesa contra possíveis curvaturas infiéis. [...] Mais dolorosa anedota foi a vez em que, saindo da Livraria Católica, na companhia de Hamilton Nogueira, um dos homens que mais estimo, ele me perguntou

se eu era católico. Senti um golpe danado por dentro porque todos os meus desejos eram me aproximar desse homem bom. Mas diante do catolicismo verdadeiro dele, um passado que jamais me desagradou nem renego, não era suficiente para me integrar no conceito político de religião. Reuni todas as minhas forças e respondi: "Não sou". Nessa mesma noite parti para S. Paulo. Pois na noite imediatamente seguinte, na Agência Brasileira, na presença do ateu profissional Benjamin Péret, Elsie Houston investia comigo enfurecida: "Me contaram que você é católico, é verdade?!". Reuni todas as minhas forças outra vez e respondi sem hesitar: "Sou sim". Diante deles uma simples saudade era beatice...[154]

Trata-se de um quadro de convulsiva indefinição, com o negaceio perene diante da condição católica, além da propensão às "curvaturas", ironicamente associada ao "sangue negro". Mário, que então vivia no Rio de Janeiro, desnuda-se publicamente nesse artigo, ao fim do qual compara sua condição de crítico à do louva-deus, animalzinho que "faz um enorme gesto de hostilidade, na iludida intenção de amedrontar o universo", para que então o tomem por alguém que ora...[155]

O artigo seguinte seria dedicado a Murilo Mendes, cuja "atitude desenvolta" para com a religião, além de desembocar em "um frequente mau gosto, desmoraliza as imagens permanentes, veste de modas temporárias as verdades que se querem eternas, fixa anacronicamente numa região do tempo e do espaço o Catolicismo que se quer universal por definição".[156] Sérgio Buarque, em sua crítica posterior, estaria também atento aos poetas católicos, em especial Murilo Mendes e Jorge de Lima. Mas retenhamos daqui o embate entre Mário e Tristão, e regressemos à década de 1920, quando o dilema parecia desenhar-se pela primeira vez. Numa carta enviada a Alceu em meados de 1929, no ano portanto em que o crítico católico daria seu "Adeus à disponibilidade", e um ano depois do artigo de Sérgio sobre Hardy, Mário todavia se debate com a questão de seu catolicismo e diz-se irritado com a "moda católica". É quando o *Macunaíma*, justamente, vem mais uma vez à baila:

> Sei mais que levei um pouco longe a complacência com o sensual no *Macunaíma*, porém não posso fazer nada pra que isso me desagrade. Me limitei no único símbolo possível dentro da concepção do livro e do personagem (pois que não podia me sujeitar ao rito de Camões entre santos e deuses) a fazer o meu, que acho satirizante e infeliz, herói a achar a verdade na simbologia da ida pro céu. Ele vai pra encontrar Ci. Você repare que era fácil acabar o livro bonitamente em apoteose, uma farra maluca, cômica e apoteótica dos dois amantes. Macunaíma vai pro céu por causa do amor inesquecível, porém chega lá, que amor, que nada! só pensa em ficar imóvel, *vivendo do brilho inútil das estrelas*. Evoquei como pude, dentro da simbologia que usava no livro [...] essa contemplatividade puramente de adoração que existe na reza e no êxtase. [...] Estou, a não ser que me provem o contrário, convencido que esse artigo não tem nada contra o dogma. Agora: fora do dogma você há-de permitir que eu interprete por mim certas coisas, mesmo que vá de encontro à pragmática da Igreja, porque a Igreja também usa dum pragmatismo que me parece até menos eficaz que o pragmatismo materialista.[157]

Macunaíma disparara um artigo ácido de Tristão de Athayde, que Mário pediria insistentemente que ele não publicasse em seus *Estudos*.[158] Pouco depois, já em 1930, Mário escreve anunciando que queria dedicar-lhe, a Tristão, seu "Marco da viração", a publicar-se como parte de *Remate de males*. Em seguida, desiste da dedicatória (que iria, de fato, a José Bento Faria Ferraz, seu fiel secretário) e lhe escreve uma nova carta, falando do "estado de insolução" em que se encontrava:

Não é irresolução, é positiva incapacidade pra resolver. Te vejo daqui pronto a correr em meu auxílio porque reconheço a abundância maravilhosa do seu coração, sorrio com amargura. Infelizmente não estou naquele estado efusivo de graça, em que você estava por exemplo, quando ainda não coincidira inteiro com o Catolicismo. Você responderá que a tibieza, a covardia está justamente nisso em não auxiliar por um desejo mais puro mais moço, veemente, a Graça que só isso pede pra me... amorizar, pra me caridadizar [sic]. Esse estado de injustiça porque de fato já não é mais um puro estado intelectual de ser, entram nisso outros ritmos que pelo menos no momento não sei dançar. Paciência, como lá diz filosofia de brasileiro.[159]

Outros ritmos, e uma veemente não coincidência com o catolicismo... Ambos — ritmo e imanência — reclamam a presença da *graça* no centro do debate. A ausência de uma "coincidência" de si mesmo com alguma forma de realização superior e eterna marcava um *exílio na terra*, segundo o tópos que, ao longo dos séculos, vem falando da distância que nos separa do ideal. E a *construção* — seja ela a cultura nacional, seja o cipó que, qual escada de Jacó, nos ergue e leva aos céus, como no êxtase mortal de Macunaíma — é o que promete aliviar aquela distância, criando uma espécie de circulação sem interferências entre o aqui e o além, constituindo-se enfim numa solução para a angústia diante da gigantesca distância do ideal.[160] Este o tema, tão doloroso para Mário. Não seria casual, por fim, que ele se entregasse, de acordo com Eduardo Jardim, a

uma espécie de hiperextesia [que] caracterizava desde os delírios do maleitoso encontrado na viagem à Amazônia, em 1927, a preguiça de Macunaíma, o enlevo amoroso descrito nos poemas do "Rito do Irmão Pequeno", no início dos anos 1930, a atitude generosa da *charitas* católica, vista na correspondência com a amiga Oneyda Alvarenga como critério da crítica de arte, até a contemplação estética propriamente.[161]

A suprema contradição estava nessa ascese, sempre esperada e buscada, a que se contrapunha um corpo que, com seu peso inescapável, testemunha aquela mesma "vida" que Sérgio Buarque de Holanda procurara isolar das tentações intelectualistas e idealistas, em seus provocadores artigos da década de 1920. Em Mário de Andrade, porém, a questão permanecia e se entremostrava no lugar necessário do corpo e da matéria, a marcar uma definitiva e intransponível distância em relação a algo superior, igualmente desejável e incontornável, ao menos para ele. A propósito, "Momento" é poema que compõe "Marco de viração", escrito em novembro de 1928, poucos meses portanto depois da carta trocada com Sérgio sobre Hardy, e em meio ao diálogo com Alceu Amoroso Lima, a quem aliás Mário dedicaria secretamente, sem jamais assumi-lo publicamente, os versos seguintes:

*O meu corpo está são... Minha alma foi-se embora...
E me deixou.*[162]

Não são poucos os versos de Thomas Hardy que poderiam alinhar-se aqui, quase no mesmo espírito, aos de Mário. Talvez, é verdade, o autor inglês explicite mais, seja em sua ficção, seja na poesia, a importância daquilo que permanece, a despeito da deterioração causada pelo tempo. Mas, como em Mário, a permanência da alma é ela mesma transitória, ou quando menos *misteriosa*, em sua transitoriedade. Sirva como exemplo, tirado um pouco ao acaso, "Going and Staying", de *Late Lyrics and Earlier*:

I
The moving sun-shapes on the spray,
The sparkles where the brook was flowing,
Pink faces, plightings, moonlit May,
These were the things we wished woud stay;
  But they were going.

II
Seasons of blankness as of snow,
The silent bleed of a world decaying,
The moan of multitudes in woe,
These were the things we wished would go;
  But they were staying.

III
Then we looked closelier at Time
And saw his ghostly arms revolving
To sweep off woeful things with prime,
Things sinister with things sublime
  Alike dissolving.[163]

 O balanço do ir e vir das coisas mundanas evoca o velho tópos da *vanitas*, que já fora insistentemente figurado pela sensibilidade barroca. Mas o vazio deixado pela vã intenção de fixação do mundo — o que dele gostaríamos que ficasse, o que gostaríamos que desaparecesse — é marcado, aqui, por um terceiro termo: o tempo que, com seu poder estuante, leva tudo com igual esmero, sem se deter sobre o desejo dos homens. O que resta é uma espécie de (des)ordem natural intocada, ou intocável.

 O poder da matéria que o tempo revolve, com seus braços fantasmáticos, é tudo que existe. Daí que a própria ideia de *pureza* aponte, segundo essa visão de mundo, para algo que está aquém do ideal e sempre inacessível a ele. É o que observaria Sérgio, no obituário de Hardy (1928) que tanto interessou a Mário, quando se refere a Tess:

> Seus esforços [de Hardy] para ser "como os outros" não iludem mesmo os seus contemporâneos. Quando publicou *Tess of the d'Ubervilles* com o subtítulo "uma mulher pura", eles compreenderam perfeitamente que esse adjetivo *pura* afastava-se aí de sua significação ordinária. Isso, porém, longe de os sossegar, exaltou ainda mais o escândalo e a indignação. Eles sabiam que a significação que lhes dava o autor era um germe de dissolução para sua sociedade. Só Thomas Hardy, que se interessava mais pela verdade do que pelas conveniências, não entendeu o motivo dessa indignação e desse escândalo. Ele próprio ignorava, talvez, que trazia consigo um princípio terrível de anarquia contra o qual seus contemporâneos tinham bons motivos para protestar. No prefácio à quinta edição de seu romance limitou-se a denunciar timidamente a significação artificial que davam à ideia de pureza os seus contraditores, significação resultante, diz ele, da ordem da civilização.[164]

A *vida* corre à margem da civilização e suas conveniências, o que, convenhamos, é um golpe fatal no espírito herdado da era vitoriana. O "princípio terrível de anarquia" minava as fundações da cidade ideal, para indignação e escândalo dos que acreditavam numa outra sorte de pureza, ligada muito mais ao caráter intocável da mulher virtuosa que à possibilidade de concebê-la como dotada de desejo, dona de um corpo que poderia ser arrebatado pelo querer. Aquele caráter *intocável*, evidentemente, desvela uma sacralidade que pouco tem a ver com a *vida*, e que de fato é uma suprema negação de qualquer forma de vida, como vinha insistentemente sugerindo Sérgio Buarque de Holanda em seus artigos. Já quanto à *crença*, o poeta inglês oscilara — como fazia

Mário de Andrade — entre sentir-se um sujeito religioso ou agnóstico. Conta-se de sua surpresa quando soube que um bispo queimara um exemplar de *Jude the Obscure*. Um ano depois da publicação, Hardy escreve, numa carta:

> Quanto mais velho se fica, mais deplorável parece o efeito daquele eclesiasticismo terrível e dogmático — assim chamado Cristianismo (mas de fato Paulinismo somado a idolatria) — que recai sobre os costumes e a verdadeira religião: um dogma com o qual o verdadeiro ensinamento de Cristo tem quase nada em comum.[165]

A imposição do poder arbitrário da Lei sugere uma mensagem universal imposta pela palavra. Este é o "paulinismo somado a idolatria" ("Paulinism *plus* idolatry", na expressão de Hardy) que o espírito moderno — contra o qual um dogmático como Alceu Amoroso Lima lutaria resolutamente — deitaria por terra.

Lembremos de novo D. H. Lawrence, que só mais tarde apareceria em *Raízes do Brasil*. Fiquemos aqui, entretanto, com seu famoso estudo sobre Thomas Hardy, no qual os impulsos amorosos são analisados em sua contraposição radical aos limites impostos pela lei. Buscando uma compreensão ampla da obra de Hardy, Lawrence, cujo ensaio fora publicado originalmente em 1914, afirma que

> este é o tema de um romance após outro: limite-se à convenção, e estará bem, seguro e feliz a longo prazo: ou, por outro lado, seja apaixonado, individualista, desejoso, e a segurança da convenção lhe parecerá o muro de uma prisão, você escapa e morre, ou por sua falta de força em manter-se isolado e exposto, ou por uma vingança direta da comunidade, ou por ambos. Esta é a tragédia, e apenas esta: não é nem um pouco mais metafísico que a divisão de um homem contra si mesmo desta forma: primeiro, ele é membro de

uma comunidade, e deve, por uma questão de honra, evitar a todo custo desintegrar a comunidade seja na sua moral ou na sua vida prática; segundo, a convenção da comunidade é uma prisão para seu desejo natural e individual, um desejo que o compele, independentemente de qualquer justificação, a quebrar os laços da comunidade, deixando-o para além dos muros da cidade, para lá quedar, solitário.[166]

Num artigo publicado no *Jornal do Brasil* em agosto de 1928, poucos meses depois do obituário de Thomas Hardy, Sérgio Buarque reagia à publicação dos últimos *Estudos* de Tristão de Athayde. Impressiona, então, como os argumentos gravitam em torno das mesmas questões que apareceram na análise da obra de Hardy, realçando, invariavelmente, o aspecto trágico da separação entre a esfera ideal e a vida:

> A obra do Sr. Tristão de Athayde exprime de maneira admirável um dos paradoxos mais sutis e mais consideráveis deste momento. Como poucos entre nós ele soube discernir o aspecto trágico do espírito que anima o melhor das produções da literatura moderna e essa negação da ordem civil, expressa ou dissimulada, em que concluem alguns dos contemporâneos mais ilustres. Sem ter escapado à sedução dos princípios de rebeldia e de languescimento em que se comprazem essas obras, não deixou de compreender e de acentuar o que há de singelo e até de artificioso, muitas vezes, na atitude de negação que nos propõem.[167]

Como era do feitio de Sérgio quando se tratava de crítica a um autor admirado ou pelo menos respeitado, de início supomos encontrar uma confluência de ideias, para que em seguida as ideias se distingam, e possamos sentir o aguilhão do crítico:

Seria, decerto, muito mais fácil decretar que os princípios de rebeldia são simples anomalias que não ousarão dissipar a integridade dos nossos orgulhosos sistemas filosóficos. A sociedade também possui desses elementos de rebelião e de injustiça, mas ela os relega para além dos seus limites. Eles não poderiam evidentemente cooperar na constituição de um organismo político estável. Mas resulta dessa impossibilidade que a cidade moderna não comporta todas as formas de vida social, ela não comporta mesmo as mais importantes. A consideração desse singular paradoxo, que subsiste na vida política, ilumina certas peculiaridades do problema moral, mais particularmente do problema cultural, e mostra-nos a sua universalidade. As antinomias que hoje se apresentam ao homem de pensamento desafiarão amanhã, no terreno social, o homem de ação. E mesmo nesse terreno, quem nos diz que o problema ainda não existe?[168]

É a partir daí, diante do quadro em certo sentido profético pintado por Sérgio Buarque em 1928, que se encaminha a estocada final em Alceu Amoroso Lima, cuja "fraqueza" e "vaidade" o fariam crer que "a solução final de todas essas antinomias só nascerá de nossa fidelidade a um plano de existência superior e transcendental. Em outras palavras: que só poderá ser uma solução religiosa".[169] Também aqui, a reação a Tristão fará com que se explicitem argumentos que apareceriam mais tarde em *Raízes do Brasil*, na crítica ao renascimento da escolástica nos quadros mentais modernos. Em 1928, no entanto, a ressalva era dirigida primeiramente ao crítico católico:

> Esse recurso a uma justificação espiritual não é inédito, dele compartilha toda uma classe de pensadores novos com os quais o autor destes *Estudos* apresenta importantes afinidades. É um processo que não deixa de evocar a fórmula que presidiu à elaboração das

grandes *Summas* medievais. Apenas com esta diferença, que nelas o que existia era uma fé em busca de suas justificações, de suas razões — *fides quaerens intellectum* — quando, no caso presente, será antes uma inteligência que quer se apoiar numa base emocional. O Sr. Tristão de Athayde limita-se a inverter o problema que se ofereceu ao doutor Angélico.[170]

A recorrente referência ao doutor Angélico (São Tomás) revela o incômodo não diante da justificação racional da fé, que é a grande arte tomística, mas sim diante da apropriação moderna dessa mesma justificação, quando aquela esfera transcendente, que na Idade Média não ocorreria a ninguém disputar, torna-se agora receptáculo das fantasias de "ordem" de intelectuais ressentidos pela balbúrdia do individualismo, do materialismo, da livre eclosão dos princípios "anárquicos". Tal reação seria logo mais, em *Raízes do Brasil* (1936), identificada a uma "paixão de professores", como já referido.

O "problema religioso" voltaria com insistência na época. Em sua correspondência com Augusto Meyer, Mário de Andrade explicita seu antitomismo, assumindo, numa chave que bem poderia identificar-se ao jansenismo de Pascal, que a fé é matéria anterior e irredutível à razão, sendo portanto, e no fundo, o motivo de uma *aposta*.[171] Sua condição de "praticante", escreveria Mário a Augusto Meyer nesse mesmo ano de 1928, aparecera já na *Pauliceia desvairada*, conquanto o seu fosse um

> catolicismo muito desabusado e pouco escolástico. Isso é perfeitamente certo. Agora veja, Augusto Meyer: o problema do Catolicismo não existe na verdade pra mim. Eis os porquês: o problema religioso na verdade só tem uma decisão capital, a meu ver: a existência ou inexistência de Deus. Ora eu tenho a felicidade enorme de que esse problema não existe pra mim. Creio em Deus. De que maneira

cheguei a esta convicção? Isso agora pia mais fino. Mesmo dentre os católicos você sabe muito bem que alguns acham que há impossibilidade de se chegar a uma prova intelectual da existência de Deus. [De] Maistre, por exemplo. Ora pra mim, provas como a Aristotélica, que é intelectual (a do Supremo Motor), são evidentes. Mas apesar de por meio da inteligência eu acreditar em Deus, minha opinião atual é que a inteligência é absolutamente desnecessária pra gente acreditar em Deus. Digo mais: a inteligência é incapaz de acreditar inteiramente em Deus, porque a inteligência é lógica e só tem como dados de raciocínio os que a ambiência em que ela se manifesta (o universo) lhe proporciona. Ora Deus não sendo uma abstração é ilógico pros dados concretos da inteligência. Os que tirarem disso uma prova da inexistência de Deus são afobados ou apaixonados, nada mais.[172]

Convém, muito especialmente, acompanhar o passo seguinte de Mário, que da crença nesse "motor" original chegará à ideia de uma compreensão fisiológica e sentimental do movimento, cujo alvo será o povo. Vejamos, na sequência da correspondência com o crítico e poeta gaúcho, como se desenha esse verdadeiro salto de fé:

Si a gente chega a um conceito de Deus, ao qual até no racionalismo politeísta grego Aristóteles, provavelmente Platão e outros chegaram, Deus tem de vir acompanhado de todos os requisitos *fatais* do conceito Dele, isto é, onisciente, todo-poderoso etc. Sendo assim ele não pode possuir inteligência, que é coisa relativa e reagente, em vez de agente por si. Deus não pode deduzir *porque já sabe*. Etc... Ora Ele não sendo um fenômeno objetivo, e sendo extrainteligência, si a inteligência chega a existir Nele é que ela deixou de ser lógica, isto é, deixou de ser inteligência. É a que eu chamo de inteligência paralógica, ou milhor, compreensão paralógica. Constantemente utilizada pelo povo. Substitui inteligência por compreensão porque a compreensão é mais vasta que a inteligência. A compreensão muitas vezes é fisiológica, é sentimental. O fenômeno da compreensão musical por exemplo explica bem o que estou falando. A música que não tem dados intelectuais pra quem ignora harmonia, acústica, etc., é perfeitamente compreendida por todos. É que nela, que é absolutamente extraintelectual, a compreensão é em máxima parte fisiológica por meio do ritmo e do dinamismo sonoro, e em parte sentimental, porque os estados cinestésicos provocados por ela se transformam em estados de sensibilidade afetiva que no entanto não podem ter nenhum significado intelectual. Também na poesia do povo constantemente a gente topa com estrofes paralógicas.[173]

Talvez pudéssemos acrescentar, na cadeia lógica em que se mete o próprio Mário, que *o povo não pode deduzir porque já sabe...* Não se trata, contudo, de atribuir simples irracionalidade inerente aos estratos populares e, menos ainda, supor neles ausência de inteligência, no sentido cognitivo do termo. A "inteligência", nessa ilustrativa passagem, tem a ver com os instrumentos racionais que, de uma perspectiva tomista, são utilizados à exaustão para a propagação e confirmação da fé. Em chave relativizadora, propriamente mística, Mário responde com o âmbito dos sentimentos e da fisiologia, ambos condicionados pelo movimento ditado por um motor primeiro que se encontra fora de nossas vistas, ao menos enquanto elas estejam limitadas à ordem das proposições racionalistas. Deus é completamente inacessível à razão: eis a ponta herética de um pensamento que vai se encantar pela revelação mística, a qual — podemos também aqui adiantar — estará ligada à voz do povo, isto é, à *vox populi*.

Talvez a fé compartilhada, bem como a relativa paz selada com a ideia da existência de Deus, fizessem com que Mário de Andrade não entrasse, ao fim, em rota de colisão com Alceu Amoroso Lima, como acontecia então com Sérgio Buarque. A relação mais amistosa e mesmo calorosa entre Tristão e Mário não impedia, entretanto, que este se contrapusesse vigorosamente à perspectiva crítica do grande pensador católico. Mas o que porventura explica realmente a ausência de uma colisão frontal era, como vinha supondo Sérgio Buarque desde alguns anos antes, o gosto comum pela síntese, e o empenho construtivo que, em Mário, apontará cada vez mais para o núcleo confuso e inconcluso de uma cultura nacional, cuja fonte seria a voz popular.

Nunca é demais recordar que a própria ideia de "cultura" fora construída a partir de uma reação àqueles mesmos princípios "anárquicos" que Sérgio vê Hardy levando ao limite, e que já tinham apavorado Alceu Amoroso Lima em sua correspondência com Jackson de Figueiredo, como se viu há pouco. Conviria então lembrar que T. S. Eliot, editor da revista inglesa que inspirara os jovens Sérgio e Prudente em sua *Estética*, se converteria, ele mesmo, ao catolicismo. Seria um equívoco reduzir sua concepção de "cultura" aos princípios religiosos que ele esposa, mas ainda assim, como nota Marc Manganaro em seu mapeamento da noção de "cultura", o poeta inglês (aliás, norte-americano feito inglês) deve muito aos debates fundacionais da antropologia inglesa — antropólogos atuando desde a era vitoriana, lembremos — e à ideia da cultura como *contenção de princípios anárquicos*, de acordo com o que pensara, no século XIX, o "grande arquiteto do conceito", Matthew Arnold.[174]

Entre o poema que muitos consideram um dos momentos fundamentais do modernismo de língua inglesa — *The Waste Land* — e suas famosas *Notes Towards the Definition of Culture*, de 1948, há diferenças importantes, mas o fato é que T. S. Eliot também responderia, em sua definição de cultura, a uma angústia de caráter religioso:

Seria fácil demais personalizar as razões de Eliot [ao definir a cultura a partir do estabelecimento de limites e contenções] como uma corrida perversa e enraivecida pela ordem. Não há dúvida, de todo modo, que o anglo-catolicismo de Eliot (ele se convertera em 1926, para desgosto de muitos) em grande medida alimentou sua crítica social, e inclusive em suas *Notes* ele explicitamente critica Arnold por separar religião e cultura e declara que seu próprio intento era "expor a relação essencial entre a cultura e a religião".[175]

Ainda que cuidemos de não reduzir a cultura à religião — o que seria uma forma de apagar todo um secular esforço antropológico pela definição do termo —, chama a atenção a coincidência entre princípios religiosos e a busca de uma unidade coletiva que, por seu turno, não seria apenas resultado de uma classificação arbitrária. Antes, tal unidade supõe que o indivíduo possa encontrar o horizonte de sua plena realização no seio da coletividade, fato que talvez jamais deixe apagar-se a marca religiosa que está na partida das perguntas sobre a cultura. O desaparecimento do indivíduo, ou seu *sacrifício*, pode estar, afinal, nas próprias "origens da cultura" — especialmente duma perspectiva que elabora suas questões a partir de um sacrifício original e libertador, como o do Cristo.[176]

Já vimos, pela análise do relato semificcional sobre Chico Antônio, escrito na década de 1940 por Mário de Andrade, que uma síntese absoluta entre indivíduo e coletividade talvez fosse simplesmente impossível, mas que algo havia, na voz do cantador do povo, que aproximaria o indivíduo do momento máximo de resolução coletiva, naquele instante, precisamente, em que ele perde o lastro que o prende à terra, para desmanchar-se num canto único e totalizante, que é, para Mário, o canto do Homem. Momento "compreensivo", mas não "inteligente", no sentido discutido pelo poeta; momento "compreensivo" e de plena realização da "cultura", no sentido aqui discutido. Entretanto, faz-se necessário outro passo, já que é especialmente na década de 1930 que o problema se apresentaria em sua dimensão a um só tempo prática e teórica, quando, pelo menos para Mário de Andrade, os horizontes estético e ideológico se enlaçariam definitivamente, na definição e busca de uma cultura brasileira.

QUINTO MOVIMENTO: DO "ESTADO DE ESPÍRITO" AO "DIREITO À PESQUISA"

Num estudo clássico sobre os impasses do modernismo brasileiro, João Luiz Lafetá sugere que, entre Agripino Grieco, Alceu Amoroso Lima e Mário de Andrade, somente este último teria escapado do simples impressionismo crítico ou da simplificação ideológica da tarefa intelectual. "Armado da mais aguda consciência de sua arte", diz Lafetá,

> e provido de uma convicção ética notável que o impelia sempre, como escritor, ao engajamento direto na realidade social, o autor de *Macunaíma* se apresenta dentro do Modernismo brasileiro com a pesquisa mais abrangente — e nesse sentido também a mais fecunda e atual — dos nossos rumos literários. Isso não quer dizer que sua reflexão tenha encontrado o ponto ideal de equilíbrio ou a solução dialética capaz de fundir — superados os conflitos — projeto estético e projeto ideológico; ao contrário, Mário vive com particular dramatismo a tensão entre sua sensibilidade de artista, cônscio das exigências da escritura, e seus impulsos de intelectual à procura do melhor desempenho no papel de formador da nacionalidade e/ou no trabalho de construção social. Mas é exatamente a vivência dramática dessa tensão, encarada no dia a dia da prática literária e enfrentada com o rigor de honestidade que foi um dos

princípios básicos de sua vida, é sobretudo a consciência alerta para tais problemas, para suas minúcias e sutilezas, que o torna tão distinto — tão à frente — dos homens de sua época.[177]

Tirante o tom algo heroico dessas palavras, que identificam no intelectual avantajado um homem "à frente" do seu tempo, atentemos para a ideia desse "dramatismo" do encontro entre o crítico empenhado, que seria também um aturado pesquisador, e o escritor cujas matrizes estéticas nem sempre autorizam pensar em termos construtivos. Deixemos de lado, também, a sedução pela "solução dialética" para dar-nos conta de que Lafetá isola o drama marioandradino ao perceber que *a impossibilidade da síntese, mais que sua desejada perfeição, era uma espécie de motor de seu pensamento*.

Aqui é possível aventar novamente uma hipótese, baseada no que vem sendo discutido sobre o entorno da correspondência entre Mário e Sérgio: *nela estará cifrado, de fato, o grande impasse do modernismo brasileiro, cujo grito inicial, se tomado como um impulso irresistível, encontraria seus limites no discurso construtivo que, no cenário de 1930, mostrava-se incontornável*. O rearranjo de forças locais, que tem a crise financeira de 1929 como ponto de partida (e a crise do café como marco simbólico do fim de uma era), obrigava a pensar nos termos de um empenho nacional, enquanto a pergunta a respeito das bases sobre as quais se ergueria o país tornava-se, como bem se sabe, irresistível. Tempo de ensaios identitários, de grandes sínteses e de uma consciência aguda sobre o papel dos intelectuais diante da cultura. Tempo também, é evidente, de perguntas sobre *qual* cultura: de quem, para quem?

A correspondência entre os dois autores arrefece na década de 1930, limitando-se a uma carta mais substantiva de 1931, em que Sérgio envia a Mário seu conto "Viagem a Nápoles", queixando-se entretanto de que, composto em Berlim, onde ele estivera por mais de um ano, não era possível agora retomá-lo e reescrevê-lo, pois "a gente não volta a Pasárgada quando quer, como voltam as pombas aos pombais". A carta é também um elogio à poesia de Mário, ainda que Sérgio se queixe das mudanças que o poeta fizera em suas "Danças", que foram publicadas em *Estética* em 1924 e apareceram alteradas em *Remate de males* (1930). Ainda em 1933, Sérgio envia um bilhete e recomenda uma jovem pianista ao amigo músico, que criticava no jornal os concertos na capital paulista. Depois, entretanto, a correspondência regressará com bastante força, conquanto limitada a algumas cartas trocadas a partir de 1941, logo depois do período em que Mário vivera seu "exílio no Rio".[178] É perceptível então, nas missivas trocadas entre 1941 e 1944, a aproximação carinhosa que se dera na capital federal, quando os dois se encontravam com frequência, ambos vivendo na mesma cidade.

Mas fiquemos ainda um instante com a década de 1930, para ver, uma vez mais, que a figura de Alceu Amoroso Lima jamais abandonaria o horizonte de Mário e Sérgio. Num ensaio de 1931, posteriormente incluído em *Aspectos da literatura brasileira*, Mário se queixava do doutrinarismo de Tristão, identificando-o entretanto a Sílvio Romero, em sua busca dos traços nacionais na literatura:

> Nesta barafunda, que é o Brasil, os nossos críticos são impelidos a ajuntar as personalidades e as obras, pela precisão ilusória de enxergar o que não existe ainda, a nação. Daí uma crítica prematuramente sintética, se contentando de generalizações muitas vezes apressadas, outras inteiramente falsas. Apregoando nosso individualismo, eles *socializam tudo*. Quando a atitude tinha de ser de análise das personalidades e às vezes mesmo de cada obra em particular, eles sintetizavam as correntes, imaginando que o conhecimento de Brasil viria da síntese. Ora tal síntese era, especialmente em relação aos

fenômenos culturais, impossíveis [sic]: porque, como sucede com todos os outros povos americanos, a nossa formação nacional não é natural, não é espontânea, não é, por assim dizer, lógica. Daí a imundície de contrastes que somos.[179]

Não à toa, aflora aqui aquele mesmo sentimento do *orgânico* que fizera Sérgio Buarque, em sua recuperação do debate entre T. S. Eliot e John Middleton Murry nas páginas de *Estética*, lembrar de Wordsworth, como que recuperando o momento em que a "espontaneidade" se revela aos homens, ainda que fugazmente. Momento de coincidência, segundo o chavão romântico, entre o indivíduo e a secreta vida das coisas. Esclareça-se aqui que as "coisas" a serem vistas e sentidas, em verdadeira comunhão mística, formavam no caso o próprio Brasil, em seu confuso estatuto "americano" e pós-colonial. Mas demos mais voz a Mário, num de seus rompantes brilhantemente excessivos:

> A prova mais íntima de que talvez formemos hoje uma literatura nacional realmente expressiva da nossa entidade (no que ela possa ser considerada como entidade...), não está em se parolar Brasil e mais Brasil, em se fazer regionalismo, em exaltar o ameríndio; não está na gente escrever a fala brasileira; não está na gente fazer folclore e ser dogmaticamente brasileiro: está, mas no instintivismo que a fase atual da literatura indígena manifesta, e é ruim sintoma. Se é certo que esse instintivismo coincide em grande parte com o movimento universal das artes (Tristão de Ataíde a horas tantas equipara e confunde o nosso primarismo atual e o do universo...), essa coincidência me parece meramente exterior. Num Proust, num Joyce, num Picasso, num Stravinsky (estes dois sintomaticamente perdulários e vira-casacas...), em Carlito, no *Surréalisme*, em Mussolini, esse instintivismo universal representa ainda uma continuidade culta, reacionária (instintivismo por assim dizer organizado...), da

exasperação racionalista do Oitocentos. Entre nós o instintivismo é outro, é ignaro e contraditório: não representa nenhuma cultura nem nenhuma *incultura* propriamente dita: é apenas uma coisa informe, hedionda, dessocializante, ignara, ignara. É o instintivismo bêbado e contraditório dum povo que já se lembra só fracamente do importante Diabo e inda poetiza popularmente sobre as sereias e Cupido; é o instintivismo que se deixa abater por trinta anos de miséria política; cria de sopetão o entusiasmo revolucionário de 1930, sem razão objetiva pro povo; e depois dessa unanimidade que se acreditara nacional, rompe num *rush* de cavação, de novo empregadismo-público mamífero da espécie mais parasitária, pedindo paga pessoal do sacrifício coletivo.[180]

É possível dizer que o projeto marioandradino, a partir do chacoalhão da Revolução de 30, passa a orientar-se pela busca de certa sobriedade, como se lhe fosse dado corrigir o aspecto "bêbado" de um "instintivismo" informe e profundamente "ignaro", ou seja, sem consciência de si mesmo. Não há dúvida de que as "vantagens do atraso" aparecem aqui na ideia engenhosa de que os vários "instintivismos" arrolados (entre os quais se inclui, provocativamente, a figura de Mussolini) seriam apenas prolongamentos da "exasperação racionalista do Oitocentos", como se todo o programa das vanguardas europeias não tivesse passado de uma sorte de orientalismo tardio e difuso, um flerte desajeitado com a soltura do espírito, quando, de fato, a soltura estava naquela "incultura" local também exasperante, justamente porque desprovida de qualquer forma. Mário, sintomaticamente, está jogado entre a admiração pelo disforme e a reação imediata e vigorosa a ele. O paradoxo descansa aí: a função do artista seria dar forma ao informe, sem cair no dogmatismo que impõe seu ideal à produção artística, mas tampouco se rendendo à "hedionda, dessocializante" falta de princípios.

A falta dos princípios requer a invenção deles (é sempre "*forzoso volver a empezar*", como já se notou, a respeito de toda tradição),[181] dirigindo as luzes para a tarefa de construção da "cultura", ou para aquilo que apareceria depois dramatizado, no divertido diálogo da década de 1940 que é *O banquete*, como um "princípio de utilidade", que Mário põe na boca de Janjão, o irrequieto artista arrastado ao banquete da milionária Sarah Light, na cidadezinha de Mentira:

> Os artistas brasileiros são primitivos como filhos duma nacionalidade que se afirma e dum tempo que está apenas principiando. Neste sentido é que toda a arte americana é primitiva, mesmo a dos Estados Unidos. E se quisermos ser funcionalmente verdadeiros, e não nos tornarmos mumbavas inermes e bobos da corte: como os primitivos de todas as nacionalidades e períodos históricos universais, nós temos que adotar os princípios da arte-ação. Sacrificar as nossas liberdades, as nossas veleidades e pretensõesinhas pessoais; e colocar como cânone absoluto da nossa estética, o princípio de utilidade. O PRINCÍPIO DE UTILIDADE. Toda arte brasileira de agora que não se organizar diretamente do princípio de utilidade, mesmo a tal dos valores eternos: será vã, será diletante, será pedante e idealista. Que bem me importa agora si eu não fico que nem um Racine, que nem um Scarlatti?... Que bem me importa si não vou ser bustificado num canto de jardim público, dentro de cem anos?... Que bem me importa não ficar eternamente redivivo, se vivi?[182]

Seria porventura um engano identificar, sem mais mediações, o discurso de Janjão, em *O banquete*, às ideias do próprio Mário. Mas é preciso lembrar, com Jorge Coli e Luiz Dantas, que em poucos textos como esse "ficaram tão claras as contradições de Mário e sua concepção ao mesmo tempo sacrificial e messiânica do artista".[183] O sacrifício, quando deslocado do âmbito individual do fazer artístico para o plano da concepção e imaginação da cultura, faz com que regresse, com toda a força, o tema da ordem e da desordem. Para dizê-lo em termos esquemáticos, a definição da "ordem" supõe certa contenção dos poderes do indivíduo, ou antes pressupõe algum nível de ordenação em que o indivíduo possa realizar-se e sustentar-se sem grandes fissuras em relação ao corpo social, ou à "cultura". Daí a angústia de Janjão e a importância de um "princípio de utilidade", o qual sugere a redução do fazer artístico a uma obra capaz de revelar o todo — *redução* que, para fazer jus ao pensamento de Mário de Andrade, não deveríamos tomar por simples apequenamento ou *amputação* da liberdade criativa. Ao contrário, estamos aqui diante de um imaginário químico, ou propriamente alquímico, como se Mário propusesse o mergulho num território essencial específico, onde a cultura popular funciona como o vórtice a que deveria responder o artista, com as armas da técnica e da imaginação.

O artista a serviço do povo, para Mário, é mais que uma fórmula populista, porque não se trata de simples manejo de uma relação estreitada entre elites e estratos populares. Antes, trata-se da escuta atenta ao que restaria — irredutível em sua dignidade e pureza, como uma gema afinal indestrutível — no seio da comunidade. Por isso estamos diante de um módulo de pensamento que prontamente adere ao imaginário católico e popular, para o qual algo valiosíssimo, e no limite *sagrado*, resiste no interior da mola do sistema urbano, capitalista, burguês etc.[184] Na passagem dos anos 1920 à década de 1930, a discussão sobre a ordem e a desordem se sofisticava. Seria empobrecedor imaginar que toda e qualquer defesa da *ordem* fosse o resultado de uma agenda conservadora ou reacionária. Talvez o fosse, mas os matizes são muitos e demandam cautela na hora da análise.

É significativo, de toda forma, que ao referir o "advento da revolução", numa tentativa de compreender o quadro convulsivo vivido a partir de 1930, alguém como Virginio Santa Rosa tivesse em mira a "desagregação" e a "desordem", como traços nefastos herdados do primeiro período republicano. No escopo e engajamento, seu livro de 1932, *A desordem*, é uma espécie de prenúncio de *Raízes do Brasil* (1936), de Sérgio Buarque de Holanda. Ali estão, com todas as letras, as instituições que nunca experimentaram "contacto com a gente e com a terra", o "divórcio entre as concepções das elites dirigentes e as necessidades do país", a organização política artificial da República brasileira, que implantara "planta exótica no nosso meio", assim como a percepção do desconjuntamento do Brasil em Herbert Smith.[185] Mas antes de associar, sem mais mediações, a imaginação exaltada de Santa Rosa à análise mais profunda de Sérgio Buarque de Holanda, vale a pena lembrar que *A desordem* é um mapa dos debates intelectuais do período, a que Sérgio reagiria com seu próprio ensaio, alguns anos depois, e a que Mário reagia com seu projeto socializante, para o qual o "sacrifício coletivo" seria mais que uma bravata retórica, e sobretudo mais que um pedido inconsequente.

É tema já glosado e estudado a coincidência dos diagnósticos de autores conservadores e não conservadores, no período.[186] Basta lembrar que a reclamação sobre a atomização do tecido político no Brasil, assim como a ordem imperante da família, que prevalecia sobre os desígnios do Estado, pervadem a imaginação de intelectuais tão diversos como Oliveira Vianna, Virginio Santa Rosa, Gilberto Freyre ou Sérgio Buarque de Holanda, todos, de alguma forma, respondendo às instâncias de Alberto Torres, e ao imaginário orgânico que ele, melhor que ninguém, desenvolvera, num livro originalmente publicado em 1914, e que viria a publicar-se novamente em 1933:

> O Brasil é um país que nunca foi organizado e está cada vez menos organizado. Sua ordem aparente e sua legalidade superficial corres-

pondem, na realidade, a uma perda constante de forças vivas [...]. Suas constituições e suas reformas, obedecendo às inspirações teóricas de nossos dirigentes, não fundaram realidades: não fizeram circular sangue, nem vibrar nervos, no corpo do país.[187]

Falta aqui, evidentemente, o grau de nuança e o senso das contradições que apareceriam em Sérgio Buarque de Holanda, e que pertencem também ao âmbito do pensamento de Mário de Andrade, desde essa época. Ademais, a solução autoritária preconizada por Alberto Torres — plenamente desenvolvida no pensamento de Oliveira Vianna, tão importante no quadro da década de 1930 e do Estado Novo — estaria longe das propostas que os escritos de Sérgio e Mário esboçavam, o primeiro mergulhado nos paradoxos de uma civilização cujas raízes apontam não se sabe precisamente para onde, enquanto o segundo acreditava, angustiadamente, na possibilidade de rastrear e percorrer essas mesmas raízes, para ao fim encontrar uma fonte escondida onde mel e ferida formariam um par inalienável, como lembra outro poeta.

O inquérito sobre a desordem pátria e as reações a ela, com respostas mais ou menos incisivas, dera já seus frutos na década anterior, num livro que, publicado em 1924, sintomaticamente trazia juntos nomes como os de Oliveira Vianna, Gilberto Amado, Ronald de Carvalho e Tristão de Athayde.[188] Era todo um quadro inquisitivo, insista-se, a explorar o balanço entre ordem e desordem, entre a contenção do indivíduo em prol da coletividade e sua soltura irresponsável, independentemente de qualquer voz de mando — uma soltura que Mário recusaria resolutamente a partir da década de 1930, sem no entanto embarcar numa solução autoritária, antes vivendo o drama de uma contradição que ele projeta sobre a figura do artista, perguntando-se a que sereias, a que vozes deve ele responder. Sua solução não é fácil, como não é fácil tudo o que espanta a solução autoritária.

Se na década de 1930 a correspondência entre Mário e Sérgio perde fôlego, isso se deve também, plausivelmente, ao arrefecimento das primeiras batalhas do modernismo, que se iniciaram na década de 1920 e, ao menos para Sérgio, se interromperam com a ida à Alemanha em 1929, para regressarem em sua crítica e mesmo em seu projeto historiográfico, como já sugerido aqui. Além disso, do lado de Mário, há a avalanche de trabalho e tensão causada pelo compromisso com a direção da Secretaria de Cultura da cidade de São Paulo, a partir de 1935. Posteriormente, é claro, ambos conviveram no Rio de Janeiro, entre 1938 e 1941, e as cartas somente voltariam a circular a partir desse último ano, com Mário já de volta a São Paulo.

Numa carta de março de 1941, a propósito, Mário reage negativamente, embora com humor, à insistência de Sérgio para que enviasse um artigo à revista da Academia Brasileira de Letras. Chama a atenção, contudo, que ali mesmo Mário se diga indignado com outra revista, a "*Cultura Política* a que o meu sublime e tresloucado amigo Pedro Dantas deu a honra insensata da sua colaboração". A referência é a participação de Prudente de Moraes, neto, sob o pseudônimo de Pedro Dantas, naquela que seria a principal publicação do Estado Novo, *Cultura Política*, dirigida por Almir de Andrade. Em seu recém-lançado primeiro número — na coluna "Literatura de ideias", que se estenderia até o ano seguinte —, Pedro Dantas discorria, logo nas linhas iniciais de seu artigo, sobre a questão de uma cultura autóctone. O tom, notará imediatamente o leitor, lembra com exatidão o de *Raízes do Brasil*, publicado cinco anos antes:

> O fenômeno de transplantação de raças e culturas, que está na origem comum dos problemas americanos específicos e fundamentais, trazia em si, desde o início, a predeterminação de certa linha evolutiva ao nosso comportamento intelectual. [...] Pode-se dizer

que alguma coisa que terá começado com a independência, ou não muito depois, progrediu subterraneamente no nosso espírito, até desabrochar, como que de súbito, numa conquista. [...] O certo é que ao antigo espírito ou negativista ou de espanto que nos conferia um ar de permanentes turistas na nossa própria terra, sucedeu a necessidade de conhecê-la como nossa em todos os seus aspectos e, o que é mais importante, de aceitá-la e afirmá-la como distinta, exaltando, precisamente, o que ofereça de distintivo. [...] Do fato de ser a posse de si mesmo uma preocupação evidente e característica do Brasil de hoje, não se segue que já a tenhamos alcançado, como gostaríamos de admitir. Da existência mesma de tal preocupação devemos, pelo contrário, inferir que se trata de um objetivo ainda não realizado plenamente. Com efeito, a primeira consequência da posse de si mesmo é, para quem a realiza, a capacidade e a tendência para pensar noutra coisa. E dessa atitude, que um dia há de ser a nossa, não se encontram, por enquanto, na literatura de ideias, senão tímidos indícios.[189]

Mário teria razão em querer "escachar" o amigo comum, autor dessas linhas, como se lê naquela mesma carta enviada a Sérgio Buarque. Basta uma olhada rápida no conteúdo de *Cultura Política*, deste primeiro número em particular, para que fique claro o tom desviante em relação às observações de Prudente de Moraes, neto. O enaltecimento do Estado Novo se fazia em todas as frentes e em todos os níveis. Sirva como exemplo o ensaio de Cassiano Ricardo, "O Estado Novo e seu sentido bandeirante", em que, num amplo diálogo com as grandes vozes do pensamento social brasileiro, a solução da ordem termina numa cantilena de corte fascista, num momento, aliás, em que o país ainda não tomara o lado dos Aliados na Segunda Guerra:

Instituiu-se hoje a participação dos grupos profissionais no governo, mas isso já foi pela governança do planalto quando criou ela juízes de ofício e ensaiou, embora rudimentarmente, uma espécie de regime corporativo à boa moda medieval. Apara-se hoje o excesso de parlamentarismo, mas está-se repetindo o ato da câmara que proibiu a discussão sem proveito, isto há mais de três séculos. Adota-se a consulta plebiscitária mas isso também lá está: é o momento em que o povo é consultado e decide, como no caso da quintagem dos índios libertos. A lei atual desconhece a distinção de cor, de credo, de origem, mas antes que a lei o fizesse já o grupo bandeirante irmana, classifica, harmoniza e hierarquiza todas as cores na composição social para o mesmo objetivo econômico e humano. O Estado moderno combate os quistos étnicos e outra coisa não fez a bandeira contra o quisto negro dos Palmares e contra o quisto vermelho do Recôncavo. Falamos em nacionalização das nossas fronteiras, mas estamos apenas repetindo o gesto dos nossos maiores que marcaram as fronteiras geográficas dentro das quais se processaria o nosso destino de povo e de nação.[190]

Aí se descortinam as linhas que separam Cassiano Ricardo de Sérgio Buarque de Holanda. Onde, de um lado, há dúvida, indefinição e inquirição, do outro há a certeza enaltecedora sobre a gloriosa raça bandeirante, em tudo prenunciadora da grande solução nacional, simbolizada pelo Estado Novo como herdeiro da sanha civilizadora "dos nossos maiores". O incômodo resulta do fato de que, se o tom é diverso, o problema é de certa forma o mesmo, tanto para um quanto para outro: tratava-se de encontrar as bases de uma civilização, interrogando a "cultura" como núcleo capaz de congregar e identificar a coletividade, varrendo do mapa, no caso do autor de *Marcha para oeste*, os fantasmas da dissolução, ou os "quistos" negro e vermelho que resistiam à ideologia de uma única e indivisa raça, nessa espécie de achatamento das teses freyrianas que está na composição da ideia de um país mestiço, justamente nessa época. Não à toa, Cassiano Ricardo passaria a funcionar, alguns anos à frente, como verdadeiro fantasma para Sérgio Buarque. Em 1948, aquele que formara na linha de frente dos intelectuais do Estado Novo faz sua própria interpretação do "homem cordial" — uma interpretação que aliás prevaleceria, a despeito dos esforços de Sérgio por explicitar, a partir daí, a ambiguidade de sua figuração, lembrando que a cordialidade pouco ou nada tinha que ver com a bondade.[191]

O contraste entre o espírito de *Cultura Política* e a escrita de Prudente de Moraes, neto chamara a atenção de Mário, que nesse momento se via também, à sua maneira, jogado entre o desejo de definição e um princípio de desorganização que pareceria — como aliás a qualquer um que creia na ideia de um "destino" — sempre ameaçador. Não há paz para Mário, nem haverá, porque seu pensamento jamais abandonará a visão escatológica de um destino nacional, que ele no entanto se recusa a submeter à camisa de força do pensamento autoritário. A rigor, Mário é deixado, ou deixa a si mesmo, nesta encruzilhada: encantado por uma ordem transcendente que ele deseja e intui, mas agonicamente consciente de que as soluções à mão eram torpes, do ponto de vista político. Nas letras garrafais que, em *O banquete*, sinalizariam o angustiado desespero de Janjão ("O PRINCÍPIO DE UTILIDADE"), está o xis da questão: se o artista não deveria entregar-se a si mesmo, a que diabos então, ou a que demônio, deveria ele voltar-se?

Mário anunciava, em sua obra contraditória, o paradoxo de uma construção que se daria a partir da desordem, ou ainda uma construção social que deixasse intactos os polos da ordem e da desordem. Ele, contudo, não viveu para ver a "dialética" vir e corrigir o caráter duro da oposição entre ordem e desordem. A façanha, no campo da interpretação, caberia a Antonio Candido, em sua já referida e celebrada análise do romance de Manuel Antonio de Almeida.[192] Resta notar que o elogio definitivo de *Raízes do Brasil*, no conhecidíssimo prefácio — ele mesmo um "clássico de nascença" — de Antonio Candido, se basearia também no gosto insuspeitado por essa manutenção de polos opostos, segundo aquilo que seria cunhado como "uma admirável metodologia dos contrários".[193] Mas fiquemos, ainda um pouco mais, com os anos 1940, quando os contrários ainda não haviam se acomodado totalmente na inteligência do país.

Para além de seus traços fáusticos, a questão do demônio a que deveria responder o artista pode ser mais bem compreendida se nos dermos conta de que a "tranquilidade" se reduz, para Mário, a um momento mínimo e fugaz, sintomaticamente figurado no regresso a casa e na arrumação paciente e delicada de suas coisas, como que numa subtração do espaço público em que o intelectual expia. Na primeira carta enviada a Sérgio, com o poeta já de volta à Pauliceia, em março de 1941, surge uma imagem belíssima, com tons ligeiramente bandeirianos: "cá me vou indo já mais bem das pernas tanto intelectuais como morais. Faz frio e já estou voltando a tomar chá de tardinha. Ainda trabalho pouco, todo entregue a esta paixão gostosa de arranjar coisas". Como sói acontecer na correspondência de Mário, um achado se tornava muitas vezes um tópos. De fato, a imagem aparecera já numa carta enviada, poucos dias antes, a Henriqueta Lisboa:

> Alguns cariocas ficaram meio estomagados com a minha volta para a província e não chegaram vaidosamente a compreender que eu trocasse o prestígio incontestavelmente muito maior da capital pela "minha casa". Mas esse foi exatamente o caso. A minha casa me defende, que sou, por mim, muito desprovido de defesas. E sobretudo a minha casa me moraliza, no mais vasto sentido desta palavra, até quanto a me tornar mais normalmente produtivo naquilo que eu sou. Ainda não tive tempo de sentir saudades do Rio, nesta

gostosa preocupação de pôr as coisas no seu lugar, destruir guardados inúteis etc.[194]

A missiva continuaria, numa espécie de invectiva discreta dirigida ao Rio de Janeiro "como cabeça de uma civilização". O aspecto "moralizador" do regresso pode servir a várias interpretações, recaindo inclusive sobre o desejo de Mário de encerrar, àquela altura, o capítulo mundano que fora sua temporada carioca. O Rio de Janeiro, destarte, funcionara como um deserto onde o indivíduo fora tentado, enquanto em São Paulo ele reencontrava a paz da organização interna, com os instintos e os rompantes controlados, e toda a pouca energia que lhe restava posta a serviço do recolhimento do ser. Mas é também possível ler o recolhimento, figurado nesse tópos do regresso a casa, como a leveza de quem aguarda sem estardalhaço a morte, não tanto como um estoico (cujo orgulho raramente se esconde), mas como alguém cuja existência passaria a marcar-se, idealmente, pela "sobriedade" de uma espera sem objeto.[195]

O problema é que o recolhimento não bastava, porque Mário jamais se entregaria a uma espera sem a promessa de um objeto final a aguardá-lo. Insisto na ideia de um horizonte escatológico, pois ele permite ver que o projeto marioandradino está pautado pela construção de um *destino*, ao mesmo tempo que se deixa atravessar pelo sentimento dilacerado de sua impossibilidade. Ademais, o "objeto" em questão — a cultura popular, muitas vezes rural — desaparecia, não apenas pela real urbanização que ameaçava tomar ainda os mais remotos grotões sob sua influência, mas porque a própria experiência cotidiana se acelerava e se tornava mais mediatizada, de tal forma que o objeto mesmo ameaçava perder sua aura, ou então vê-la deslocar-se e ressignificar-se contemporaneamente. Atrás, referi a reflexão clássica de Walter Benjamin, sugerindo sua pertinência já no contexto das primeiras cartas trocadas entre Mário e Sérgio, em 1922. No caso das últimas missivas, no entanto, é preciso lembrar que, quando eram escritas, Benjamin já tombara, suicidando-se na Catalunha para evitar cair nas mãos dos nazistas. Sua clássica reflexão sobre a obra de arte na era da reprodutibilidade técnica data de 1936, mas segue fulgurante:

Em suma, o que é a aura? É uma figura singular, composta de elementos espaciais e temporais: a aparição única de uma coisa distante, por mais perto que esteja. Observar, em repouso, numa tarde de verão, uma cadeia de montanhas significa respirar a aura dessas montanhas, desse galho. Graças a essa definição, é fácil identificar os fatores sociais específicos que condicionam o declínio atual da aura. Ele deriva de duas circunstâncias, estreitamente ligadas à crescente difusão e intensidade dos movimentos de massas. Fazer as coisas "ficarem mais próximas" é uma preocupação tão apaixonada das massas modernas como sua tendência a superar o caráter único de todos os fatos através da sua reprodutibilidade.[196]

Sabe-se o caminho tomado por Benjamin: a unicidade que ele vela aponta para a "tradição", enquanto "a forma mais primitiva de inserção da obra de arte no contexto da tradição se exprimia", reza seu texto, no culto: "as mais antigas obras de arte [...] surgiram a serviço de um ritual, inicialmente mágico, e depois religioso".[197] Não seria demais lembrar que a própria idealização do samba poderia, na mesma época, ser entendida a partir do esvaziamento da experiência sensória, com o império crescente do rádio e da propaganda. Com a ausência do toque, do odor e das cores, o espetáculo tendia a realizar-se sem a necessidade do "deslocamento físico", que é talvez mais uma forma de compreender o movimento produzido pela imaginação de Benjamin: "respirar a aura" das montanhas seria vê-las em sua magnitude insuspeitada, subitamente devolvidas a sua sacralidade original que, mediatizada, tende a esvaziá-las de sentido, transformando-as em imagens colecionáveis, substitutivas de uma experiência não mais acessível.[198]

Há, em todas essas frentes, um clamor surdo pelo *regresso*, pela volta a um espaço intocado, ou mais propriamente intocável, como sói ser tudo aquilo que se sacraliza. O projeto de Mário, contudo, pouco tem a ver com a simples "conservação" de objetos, como se eles devessem descansar, intactos e protegidos da azáfama do mundo moderno, numa coleção estanque. Mário não é um museólogo, nesse sentido, mas sim um folclorista interessado em compreender o momento mágico em que a aura se recompõe, em que as manifestações artísticas do povo, por rudimentares que sejam, retomam o sentido original que a aceleração moderna teria posto a perder. Ao menos nesse aspecto, Mário de Andrade não é um conservador de valores nem propriamente um folclorista laico. É possível imaginá-lo como um místico em busca de *iluminações*, ou talvez, em termos mais comedidos, trata-se de um pensador religioso que, como tal, vive a modernidade como um drama agônico. Para lembrar suas palavras numa crítica à poesia de Murilo Mendes, escrita e publicada em 1939, a "conquista de uma religião, bem como, aliás, de qualquer verdade definidora do ser", não garantia o sono pacífico; antes, proporcionava "o encontro do arcanjo com que iremos brigar a inteira noite".[199]

Dialogando com a poesia católica brasileira, Mário lembraria as visitas noturnas desses anjos que roubam o sono tranquilo, em vez de proporcioná-lo. A imagem é reveladora de um compromisso e de um tormento, que será compensado, amiúde, pela momentânea paz de espírito que advém da certeza de haver encontrado um daqueles espaços ainda não completamente tomados pela aceleração, onde a significação da cultura é plena, porque ainda religiosa. Ou então, como alternativa, havia a *casa*, onde o ser podia reencontrar a dimensão do pleno acolhimento, da ordem sem fissuras do recesso do lar, num domínio, enfim, em que todos são irmãos.

SEXTO MOVIMENTO: SANTOS, MESTIÇOS E
CAPELINHAS NO INTERIOR

A questão da *fraternidade* é central, se quisermos compreender os últimos lances da correspondência entre Mário de Andrade e Sérgio Buarque de Holanda, e seu alcance para a história intelectual brasileira.

Dois temas pontuais afloram no núcleo de cartas trocadas entre 1941 e 1944: a visita de Mário à capelinha de Brodowski, onde Portinari pintara "um São Pedro, mais pescador e mais papa que todos os papas e pescadores", como se lê em carta de março de 1941, e a escrita de um trabalho sobre o lundu, cuja concepção passa pelo diálogo com Sérgio, àquela altura já um notório conhecedor dos arquivos. Entretanto, um terceiro tema, mais amplo, atravessa a correspondência desse último período: as pesquisas sobre o interior paulista, que ocuparam Mário de Andrade até o final de 1944, quando ele concluiria seu último livro, publicado postumamente, em 1945. Trata-se da monografia sobre o padre Jesuíno do Monte Carmelo, encomenda de Rodrigo Mello Franco de Andrade que lhe permitiria trabalhar em São Paulo, a partir de 1941, comissionado pelo Serviço do Patrimônio Histórico e Artístico Nacional.[200] Tempo, ainda, em que se gestavam os trabalhos de Sérgio Buarque sobre o avanço no sertão, fosse por terra, nas primeiras entradas, ou por rio, no movimento mais ordenado e cadenciado das monções.[201]

A ida a Brodowski se faz quase ao mesmo tempo em que Mário, já de volta a São Paulo, pedia ao amigo historiador, então trabalhando no Instituto Nacional do Livro, que lhe remetesse do

Rio de Janeiro cinco exemplares de um álbum de Portinari. Naquele momento, em março de 1941, Mário ia se assentando "na vida nova", recolhido ao espaço em que uma ordem interior era finalmente reencontrada, sem que lhe fosse vedado, entretanto, visitar a capelinha no interior de São Paulo. A urgência do poeta, ávido por ver as pinturas, transparece em outras cartas, inclusive ao próprio Portinari, que lhe remetera, logo antes da visita, fotografias cujo recebimento o amigo acusa, em 10 de março daquele mesmo ano de 1941, com absoluto entusiasmo:

> Recebi as duas remessas de fotografias e fiquei delirando. Há coisas que mesmo assim em ruins fotografias me parecem admiráveis, e quanto à Santa Luzia e o São Pedro, causam espanto de tão grandiosas e magníficas, parece Van Eyck, parece Nuno Gonçalves no tríptico. Estou louco pra ver tudo isso e também vou escrever sobre para a rotogravura do *Estado*.[202]

Desde 1937, Mário vinha colaborando com aquele suplemento de *O Estado de S. Paulo*, numa série de ensaios em que se flagra, à perfeição, o espírito do diretor do Departamento de Cultura, que permaneceria intacto, mesmo depois da exoneração do cargo e da mudança para o Rio de Janeiro. Uma de suas últimas colaborações seria, no mês seguinte, abril de 1941, justamente o prometido artigo sobre a capelinha de Brodowski, cuja pintura mural ele descreveria com os dotes de um historiador da arte:

> O processo de pintura usado é à têmpera e é difícil explicar por palavras todo o partido e variedade de efeitos que o artista obteve. Há coloridos de uma intensidade prodigiosa, especialmente certos azuis, cor, aliás, em que Portinari sempre foi mestre. Mas o ultramar da pintura a cola, combinado às vezes com o azul-pavão, lhe deu toda uma escala nova de azuis. O manto da Senhora, no grupo

da Sagrada Família, é de uma beleza esplêndida de colorido, de um ardor inesperado, assim como o vestido de Maria na Visita a Santa Isabel, já agora aproveitando a frieza da cor, e dentro da qual, nas gradações para o branco das ondulações do pano, o artista conseguiu uma delicadeza de modelado de grande habilidade técnica. Aliás, também os rostos das duas figuras da Visita, depois das modificações que Portinari lhes fez, se não serão dos mais místicos, ficaram magníficos pela sutileza e a graça do tratamento. Ainda como colorido ficaram inesquecíveis os pardos profundos obtidos com vigor para os buréis do Santo Antônio e o São Francisco de Assis. Neste, aquela voz brasileira tão irreprimível no artista deixou escapar o pio vermelho de um cardeal, pousado na mão do santo.[203]

O passarinho surge de repente, no remate da consideração sobre a figura de são Francisco, como uma irrupção *engraçada* (palavra que, devolvida à sua etimologia, significa aquilo que é dotado de graça). Sutileza e profundidade andam juntas, e poderiam porventura lembrar o par "vertigem e lucidez", utilizado por Alexandre Eulálio na apreciação da pintura de Tarsila do Amaral, como se viu atrás — muito embora na década de 1920, nos tempos ainda heroicos do modernismo, nada parecia capaz de interromper o mergulho na memória mítica em que infância individual e histórica se mesclavam, quando o "primitivismo" era ainda palavra de ordem, ensaiada e discutida com vigor polêmico. Já no início da década de 1940, por assim dizer, as almas serenavam, e a admiração de Mário se volta para outra sorte de primitivismo, ligado mais à recuperação de sentimentos imaculados (a figura terna de Maria, a visitação, os santos) que à experimentação delirante dos primeiros tempos do movimento. Nessa mudança de foco e tom, o comedimento e a maturidade tornavam possível uma ampla releitura do impulso inicial das vanguardas, o que aliás resultaria na famosa conferência que Mário daria no Itamaraty, por ocasião dos vinte anos da Semana de Arte Moderna.[204] Conferência que, constituindo-se numa das mais desencantadas e lúcidas visões do modernismo brasileiro, Sérgio Buarque ouviria *in loco* e comentaria mais tarde, em carta escrita do Rio de Janeiro em outubro de 1942.

Quanto a Portinari, não só sua casa constituíra um segundo lar para Mário durante sua temporada no Rio de Janeiro, como o sentimento que o unia ao amigo era antigo e intenso, datando do momento em que Mário descobrira o retrato de Manuel Bandeira pintado pelo artista de Brodowski. Na ocasião, Mário o considera muito superior a outro retrato do poeta pernambucano, de autoria de Maron, cujas cores não chegaram jamais a convencê-lo, fazendo-o lembrar da publicidade, bem como da revista com que, por coincidência, se iniciara, em 1922, sua correspondência com Sérgio Buarque: "na verdade o colorido [do retrato de Bandeira por Maron] é eminentemente *Vanity Fair*, e outras revistas de finíssimas gravuras coloridas", segundo confidência de Mário ao próprio Bandeira.[205]

Os termos da comparação com Van Eyck e Nuno Gonçalves, ensaiados na carta a Portinari — enviada logo antes da visita à capelinha, quando Mário não vira ainda senão as fotografias de sua pintura mural —, reapareceriam no artigo de *O Estado de S. Paulo*, associados a um sentimento miraculoso:

> Mas talvez o verdadeiro milagre de colorido está no branco com que Portinari vestiu completamente o seu São Pedro — um branco de uma audácia lancinante, de pompa magnífica, de uma invenção verdadeiramente divinatória pela grandiosidade papal que outorga ao santo. Poucas vezes o nosso grande artista terá ultrapassado a força extraordinária com que realizou este São Pedro. Um São Pedro brutal, enérgico, bem pescador no corpo, barba desleixada, rosto, mãos e pés ásperos, mas de olhar severo e duro, trabalhado de

rugas e preocupações. Chega a ser bastante difícil ao noticiarista não fazer um pouco de... literatura sobre criações tão expressivas como este São Pedro e o Cristo. Se a beleza da pintura é admirável, não menos admirável é a expressividade que o artista imprimiu a essas figuras. Como firmeza de desenho, o São Pedro alcança aquela nobre melodia de um Nuno Gonçalves, de um Van Eyck, enquanto o Cristo, tratado mais evasivamente no traço, pela riqueza dos entretons mais delicados entre o marfim do rosto e o louro dos cabelos, é de uma efusividade mística impressionante.[206]

O tema da efusividade mística já aparecera numa apreciação de 1939, na mesma coluna de *O Estado de S. Paulo*, em que Mário se reportava ao sucesso que o pintor de Brodowski vinha fazendo em Nova York, para referir, ao final, a pintura de El Greco:

> O que é extraordinário é, dentro dos seus princípios e pintando sempre com vagar, o pintor conservar intacta a impressão de impetuosidade criadora e de entusiasmo lírico que as suas obras atuais nos dão. Nada é frio nestas obras novas, tudo arde vigorosamente, dentro da composição mais segura, conservando um ar de improviso, de movimento, de vida, que nos faz lembrar Rubens e o Greco.[207]

Tratava-se de um momento de intensa reflexão sobre as artes plásticas, quando Mário convivia com Portinari, Clóvis Graciano, Guignard, embora nunca deixasse de lado a discussão dos mais jovens. Em 1942, época desse último núcleo epistolar que o unia a Sérgio Buarque, ele escreve uma carta ao jovem pintor italiano Errico Bianco, cuja exposição em São Paulo fora também matéria do suplemento de *O Estado de S. Paulo*.[208] Na missiva, que seria posteriormente compartilhada com Murilo Miranda, e que hoje se encontra disponível em pequena e preciosa edição, os temas da *utilidade* da arte e do desnorteamento do artista já apareciam, antes ainda das reflexões de *O banquete*, expressos na ideia da "incultura" e do "confusionismo social" que Portinari, diferentemente de outros, enfrentava:

> Você [Bianco] não está cumprindo a sua função de artista que é viver funcionalmente a vida com a sua arte. Você acaso já se perguntou por que, perdido em galos e galinhas (mas que dramáticos galos!) um Portinari estoura de repente num quadro que é São Pedro estertorante agarrando um galo estertorante com as mãos?... Portinari não é religioso, nós sabemos. E mesmo que o fosse: há frases, há dramas que ultrapassam suas limitações históricas classificadoras: Antes que o galo cante, me negarás três vezes... E então São Pedro (e que São Pedro!) agarra o galo, e que galo![209]

A referência é uma tela pintada em 1941, *São Pedro e o galo*, em que a mão bruta e quase pétrea do santo agarra a ave, enquanto o único de seus olhos que podemos ver dirige-se ao alto, num clamor estranho e agoniado, que terá chamado a atenção de Mário. Curiosamente, a avaliação da pintura de Portinari aponta ora para esses momentos de arrebatamento, em que a tragédia humana se traduz em êxtase, ora para um regresso ao equilíbrio clássico, como se a efusividade mística de El Greco — em que Mário também pensava, quando se referiu à obra do pintor de Brodowski — fizesse par à economia de certa arte renascentista, com sua busca de "esquemas simples comandando o jogo de luz", segundo as palavras com que Wölfflin definiu a busca do *Cinquecento*.[210]

A questão não é de somenos importância para a compreensão dos movimentos da imaginação de Mário de Andrade, que se torna especialmente agônica na década de 1940, e cujos impasses podemos agora perceber melhor, através da correspondência com Sérgio Buarque. Não que tudo isso esteja na correspondência. Ou melhor, tudo *está* nas cartas, desde que recuperemos o drama de um pensamento em formação, jogado entre a entrega ao destino sacrificial do artista engajado e o recolhimento àqueles espaços propriamente sagrados, em que o espírito encontraria, por fim, merecido sossego. Um sossego de linhas clássicas — poderíamos talvez imaginar —, em tensão com o arrebatamento místico que ameaça trazer à tona todo aquele excesso que o espírito é incapaz de conter, no plano da vida mundana.

É ainda curioso que a imaginação de Mário pudesse levá-lo, nessa mesma época da visita à capelinha de Brodowski, a projetar linhas todavia mais simples — extremamente simples —, como que saltando o Renascimento e caindo numa austeridade gótica, quando a inflexibilidade das figuras pintadas ainda as protegia da vertigem do movimento, que os pintores clássicos tentariam trazer à tela. É o que se depreende, justamente, de um comentário feito a Henriqueta Lisboa, em carta de julho de 1941, a propósito do famoso retrato de Mário de Andrade, que Portinari pintara em 1935:

> Não posso esquecer da frase que ele [Portinari] disse um dia, enquanto eu posava pra ele. Parou de pintar de repente, me olhou, olhos luzindo de outra luz mais dadivosa e falou estourando: "Você parece um santo espanhol de madeira, do século treze!". Nunca fui procurar nos meus livros os santos espanhóis "do século treze" exatamente, pra ver se ele acertou na data. Mas sei o que ele queria dizer, vendo atrás da minha feiura dura e minha cor que são bem de madeira, uma bondade, o sujeito bom que ele exigia de mim pra me querer bem. E tudo isento daquele sensualismo mais gostoso que iria entrar nas artes com o Quatrocentos e a Renascença. Ele me exigia mais gótico, mais inflexível, mais capaz de quebrar que de torcer.[211]

O retrato do retrato — por assim dizer — é tocante. Comandada pela espontaneidade e admiração pelo outro, a imaginação de Portinari faz de repente surgir um passado gótico em que a profundidade está paradoxalmente expressa na figura chata e inflexível, ainda intocada pelo "sensualismo gostoso" do perspectivismo da Renascença. Não há limite para uma imaginação assim: o "século XIII" não importa como data; o sentimento é que é antigo, ancestral, capaz de projetar um sujeito puro, "mais capaz de quebrar que de torcer", dotado de uma inflexibilidade propriamente beatífica, santa até. O que talvez não esteja longe, afinal, daquela significativa fascinação de Mário pelo cantochão, já analisada aqui.

Sua admiração por Portinari podia, mais ainda, revelar o amor por aquela "calma do círculo", segundo o caráter "completo e decisivo" que marcava telas como *Mestiço*. "Obra-prima", dissera Mário em seu comentário à exposição de 1934 de Portinari,

> que aturde na sua maravilhosa força expressiva, doloroso nos estigmas de bondade, de paciência e de imbecilidade que leva, sofrido nessas mãos de trabalho em que a "neue Sachlichkeit" [nova objetividade] não esqueceu de enegrecer as unhas, mas ao mesmo tempo obra de arte esplêndida em que o óleo, sem desmentir a sua natureza, consegue no entanto um peso e uma eternidade de bronze.[212]

Nos dois casos (ambos retratos de mestiços...), a eternidade — expressa seja na imobilidade da figura, seja na tinta pesada e brônzea que descansa, profunda, na tela — é associada, não por acaso, à "bondade" do retratado. Não cabe aqui esboçar uma crítica ao aspecto religioso ou sacrificial da pintura de Portinari, mas tão somente ressaltar a admiração de Mário por sua "monumentalidade escultórica".[213]

A questão do "mestiço" tem significado especial, porque constituía um tema central para a imaginação dos intelectuais e artistas do período. No rescaldo da Revolução de 30, e já bem entrado o Estado Novo, a mistura étnica, ou racial, passava definitivamente de estigma a enigma, naquele ponto de viragem em que o país do carnaval e do futebol ganhava os traços que, bem ou mal, tem de carregar até hoje.

Ainda a propósito da mestiçagem, em suas intermináveis pesquisas folclóricas Mário preocupou-se mais de uma vez com o *lundu*. Sua coleção inclui um repertório considerável de canções deste que, segundo a entrada "lundu" de seu inacabado *Dicionário musical brasileiro*, era

canto e dança populares no Brasil durante o séc. XVIII, introduzidos provavelmente pelos escravos de Angola, em compasso 2/4 onde o primeiro tempo é frequentemente sincopado. No início era uma dança cuja coreografia foi descrita como tendo certa influência espanhola pelo alteamento dos braços e estalar dos dedos semelhante ao uso de castanholas, tendo, no entanto, a umbigada característica. A coreografia foi aproximada por alguns autores às do samba e do batuque.[214]

No último ano de sua correspondência com Sérgio, Mário escreveria pela última vez sobre aquele gênero, no ensaio "Cândido Inácio da Silva e o lundu", publicado em 1944 na *Revista Brasileira de Música*. Limito-me aqui a notar que a interlocução com Sérgio Buarque lhe permitiu datar um lundu, "Lá no largo da Sé", por meio de um engenhoso expediente: ao determinar a "primeira vez [que] veio o gelo importado pro Rio de Janeiro, em blocos", Mário pôde deduzir a data da composição de Cândido Inácio, cuja letra, de Manuel Araújo Porto Alegre, satirizava a chegada da "água em pedra" à capital do Império brasileiro. Foi Sérgio, por fim, quem o ajudou a datar o lundu.

O ensaio é notável. Retomando argumentos desenvolvidos em textos anteriores, escritos sobretudo na década de 1930, Mário sente-se intrigado pela questão da posição social de Cândido Inácio da Silva. Além disso, ele reproduz, na *Revista Brasileira de Música*, o lundu "Lá no largo da Sé", para "gozo e estudo" do público especializado, supondo, entretanto, que tal "gozo não será beethoveniano, imagino, embora musicalmente a obrinha seja encantadora".[215] Como nos demais textos sobre o gênero, interessa-lhe a *síncopa*, mas não simplesmente a "sincopação negrizante de toda a América atlântica, dos Estados Unidos à Argentina", senão aquilo que a faria, à própria síncopa, caracteristicamente nacional.

Mário se lança então a uma saborosa discussão técnica em torno da "sétima abaixada", cujo "gostinho", segundo supõe o imaginoso musicólogo, terá ficado "zoando no ouvido à medida que o compositor estendia a linha do seu lundu", até que finalmente se atingisse a "constância escalar brasileira" em sua "nudez" e seu "esplendor".[216] Aí surge uma dúvida, que passa, ela mesma, a zoar no ouvido de Mário de Andrade, naquele ano de 1944:

> Cândido Inácio da Silva seria também um mulato, como o seu professor José Maurício [Nunes Garcia]? Não consegui saber, mas a minha curiosidade não é ociosa, nem deriva de nenhuma preocupação de negrismo excessivo para a nossa gente. Deriva mais da extraordinária "brasileirice" popularesca desse lundu, que lhe dá um interesse técnico de valor creio que básico na evolução do folclore musical brasileiro. Os seus numerosos brasileirismos implicam a pergunta: até que ponto esse lundu não terá sido apenas uma colheita?[217]

Mário sustém a pergunta, e deixa-a vibrando texto adentro, desconfiado diante do sabor neoclássico da "forma estrófica" da letra do lundu. A música, por seu turno, não lhe parece conter simplesmente uma melodia popular adaptada ao texto erudito, como seria o caso de outras modinhas de salão do primeiro Império. Seria impossível, talvez, uma melodia popular ser adaptada a semelhante forma estrófica ou dificílimo e cacete. Ficava bem mais fácil criar melodia nova para quem era, como o nosso cantor, compositor profissional também. É por isso que eu suspeito da mestiçagem de Cândido Inácio da Silva. "Lá no largo da Sé" parece indicar que havia no seu criador mais que uma observação da coisa popular, observação a que nada o incitava na música de então, antes o distraía. Os acentos tão brasileiros, já, de "A hora que te não vejo", a sincopação irradiando modinhas adentro, o caráter geral e os "brasileirismos" técnicos que o seu lundu dicionariza pela primeira vez, na documentação minha conhecida, estão nos segredando a espontaneidade do sangue e do convívio e não apenas o ouvido, então malcriado e classe dominante, do observador.[218]

Eis aí, perfeitamente redesenhada, a constelação que permitiu a José Miguel Wisnik, como lembrei atrás, compreender a trama da música popular na ficção machadiana, desde um outro Inácio — o Inácio Ramos de "O machete" — até o Pestana, de "Um homem célebre". Wisnik se utiliza de outros textos de Mário, é verdade, mas captura o mesmo núcleo do problema, que se expressa nessas "irradiações" insuspeitadas (*inconscientes*, dirá o crítico contemporâneo), nesses sons matreiros que driblam a consciência erudita e "segredam" aos ouvidos do músico (ao seu "ouvido interior", para ater-nos à famosa expressão de santo Agostinho) coisas que viriam das profundezas...[219]

Não é meu objetivo reabrir essa caixa de Pandora em que está implícita toda uma matriz de compreensão da música popular brasileira, mas ainda assim noto como, ao buscar informações históricas que o ajudassem a datar um lundu, o Mário de Andrade que dialoga com Sérgio Buarque em 1944 responda àquelas mesmas questões que assombravam o modernismo em seus primeiros tempos, quando o "primitivismo" ainda não se indiferenciava completamente do gosto e da fascinação pelo exótico que fincara bandeira na imaginação das vanguardas, e não só no Brasil, aliás. É verdade que o exotismo e o rescaldo de orientalismo dos primeiros tempos iam cedendo a essa altura — na década de 1940 — a uma visão pouco mais nuançada, mas ainda assim devedora da fascinação por esse reino de outro mundo, de um além-mar que, diferentemente da Finisterra europeia, terminava por realimentar a imaginação colonial sobre a África, trazendo-a para perto e para dentro da formação "nacional". O problema é brasileiro, mas é também latino-americano, em largo espectro, e talvez muito especialmente caribenho.[220]

Naquilo que (sobretudo fora do Brasil) se convencionou chamar "pós-colonial",[221] a compreensão de qualquer marco nacional se estabelece a partir dos limites da inclusão do "outro" — um "outro" que, em última análise, torna-se opaco diante do discurso celebratório da nação, o qual se revela ineficaz na compreensão dos *restos* que a lógica colonial vai semeando, em seu avanço cego (ou surdo) diante do colonizado. A imaginação de Mário de Andrade, entretanto, é claramente "nacional", porque a partir dela se forja, no plano do discurso, aquela unidade inclusiva que, hoje, pode nos parecer insatisfatória e excludente. No plano musical, é interessante que, quando se trata da matriz rítmica contramétrica em seu enfrentamento da matriz "clássica" europeia, a sugestão de Mário seja a de uma especificidade que destacaria o Brasil naquele arco mais largo da "sincopação negrizante de toda a América atlântica, dos Estados Unidos à Argentina", aí pressuposta, portanto, a unidade coletiva inclusiva, capaz de englobar o "outro" negro no marco nacional.

Entretanto, a partir desse gozo não "beethoveniano", como alerta Mário (e como já alertara Machado de Assis, segundo nos lembra Wisnik a respeito do sonatismo falhado de Pestana), resta perguntar o que "segredam" os sons captados pelo ouvido do musicólogo fascinado pelo que escuta. De que encantamento se trata? Que mecanismos de sublimação se armam aí, na forja que busca a característica nacional? A suspeita de Mário é de que, no salão, o lundu não fosse "mais afro-negro, mas já brasileiro".[222] Pouco interessa a precisão do que se diz; o leitor há de convir que o "*já* brasileiro" denota a angústia pela conformação e realização da entidade nacional, que desde o marco inicial do modernismo, mas especialmente a partir da década de 1930 no Brasil, seria contemplada na ideia da *mistura*, reacendendo e tornando mais complexa a fábula das três raças, de extração romântica. Eis aí outro imbróglio, escondido no fundo falso da caixinha de Pandora que as perguntas sobre a música popular nos obrigaram a entreabrir.

Mas antes de render-nos à ideia de um excepcionalismo mestiço brasileiro (ou mesmo latino-americano), convém começar a fechar essas caixinhas todas, deixando algumas perguntas no ar: haveria mesmo uma exceção a destacar-se naquele arco proposto por Mário de Andrade ("toda a América atlântica, dos Estados Unidos à Argentina")? Quando a luxuosa imaginação poética de Ralph Ellison criou um curto-circuito entre o *cante hondo* do flamenco e a voz do *blues* (numa espécie de iluminação interpretativa que, como no caso de tantos modernistas brasileiros, inicia-se em Paris...), não era das mesmas geografias do *encontro* que ele falava? Ou haverá uma diferença essencial no caso de um país que tratou a questão racial de forma diversa, como os Estados Unidos? Mas não há igualmente um encontro de culturas, à sombra da matriz segregacionista norte-americana? Não é significativo, em todo caso, que quase ao mesmo tempo em que publicava seu *Invisible Man*, no início da década de 1950, Ellison se queixasse de que a "vitalidade" do canto profundo dos ciganos era vista pelo "Ocidente" como "primitiva"? "Primitivo", dirá ele, "*that epithet so facile for demolishing all things cultural which Westerns do not understand or wish to contemplate*" [aquele epíteto tão fácil que destrói todas as coisas da cultura que os ocidentais não entendem ou não querem contemplar].[223]

Conquanto Mário de Andrade fosse muitas vezes recusar o epíteto de "primitivo", o fato é que seu discurso encantado pelo "*já brasileiro*" enfrenta problemas comuns às formações pós--coloniais que vivem tocadas pela presença "africana". O excesso de aspas serve a recordar, por fim, que tanto o polo inclusivo ("o brasileiro") quanto aquilo que se quer incluir (o "afro-brasileiro", ou ainda o "africano") são extremos que a imaginação dos intelectuais — jogada entre as pulsões da inclusão e da exclusão — procura nomear, em alguns casos detendo-se sobre a complexidade do objeto histórico que tais palavras recobrem, em outros casos simplesmente se satisfazendo com o valor de face das palavras, sem grande cerimônia diante da diversidade que se esconde sob tais termos. Uma vez mais, de toda forma, vemo-nos diante da questão que preocupava o jovem Sérgio Buarque de Holanda, que na década de 1920 se angustiava diante do poder precário das palavras e sugeria que a "vida" servia a revelar a pobreza do mundo lógico, cujos vocábulos não seriam mais que pálidos e insuficientes reflexos de um mundo mais rico. No caso de Sérgio, a partir da década de 1940 a "vida" seria substituída pela "história", mas a desconfiança diante do caráter conclusivo da linguagem permaneceria intacta, a mover sua imaginação e seu faro de pesquisador.

Sirva como mais um exemplo, para a questão dessa busca do nacional na música, a crítica publicada em *O Estado de S. Paulo* em maio de 1939, quando Mário ainda vivia no Rio de Janeiro e visitava os Buarque de Holanda com frequência. Trata-se da reação à "crítica à música brasileira" feita por Curt Lange, então diretor da Discoteca Nacional de Montevideo, que vinha desenvolvendo (equivocadamente, no entender de Mário) a ideia de um "americanismo musical". Ocorre que Lange reagira fortemente à recente apresentação do "Batuque" de Lorenzo Fernandez, num festival em Bogotá, desqualificando o público que aplaudira o compositor brasileiro e sugerindo que "a música brasileira se acha mais próxima de pessoas de preparo musical mediano".[224]

O calo no sapato de Mário não se resumia à pugna nacionalista, contudo. De fato, Lange menosprezara o "Batuque" de Lorenzo Fernandez por conta do que lhe parecia seu caráter "estritamente regional" e seu efeito "imediato e avassalador", que levaria a um paroxismo desnecessário. Em relação ao localismo, reacende-se aí a velha questão do universalismo das culturas, quando Mário pergunta, indignado: "e pelo seu localismo, deixará de ser: contemporânea a 'Petruchca' [de Stravinsky]? E o que dizer das 'Noites nos Jardins de Hespanha', de Falla?".[225] Já quanto ao "paroxismo", a zanga de Mário reclama uma citação completa, pelo que ela desvela sobre o confronto entre a Europa e matrizes culturais diversas:

> Outra confusão é o caso das peças de gênero paroxístico, cheias de efeitos brilhantes e avassaladores. Não há dúvida nenhuma que tudo isso é muitas vezes processo cabotino de música subalterna, mas positivamente não é possível confundir o "Hino ao Sol" de Mascagni com o final da Nona Sinfonia, embora ambos sejam paroxísticos. O acelerando, o crescendo finais, são efeitos estéticos derivados da psicologia e de que se encontram exemplos até nas músicas folclóricas, que não procuram, por natureza, arrebiques nem efeitos falsos. Ora, justamente no "Batuque", por ser batuque, o final violento, o acelerando e o crescendo levando à exaustão, são elementos expressivos do caráter do assunto. Justificam-se aí muito mais que até na própria Quinta Sinfonia, que não deixará, pelo seu final, de ser uma maravilhosa obra-prima.[226]

Regressa Beethoven à imaginação do musicólogo, agora como reclamação de um parentesco nobre... Antes, vimos que o gozo não "beethoveniano" era a arma irônica usada para a fruição do lundu, de natureza distinta da europeia, mas nem por isso menos belo. Aqui, no entanto, o "paroxismo" de um batuque, já filtrado pelo código erudito, se aproxima daqueles momentos de absoluto arrebatamento romântico em Beethoven, e é provável que Mário tenha se confundido e quisesse referir-se ao coral da Nona Sinfonia ao longo de todo o artigo, embora a Quinta lhe saia apressadamente pelos dedos, ao final do parágrafo.

A cultura musical de Mário de Andrade, tão gigantesca quanto convulsiva (talvez um tanto desorganizada, há que dizer), serve então a lembrar, ao "Prof. Curt Lange", que a música brasileira, como qualquer outra, nascia de uma colaboração entre o "intelecto" e o "coração", pois até a "Arte da fuga" de Bach tem esse lado cordial, que foge à "intervenção da inteligência". É quando o tema do "americanismo" reponta como problema, mas não como solução ou télos inelutável:

> Aqui também se faz dessa chamada "música universal", mas os músicos maiores, os mais inteligentes, os que mais criam com intervenção do intelecto lidos e sabidos em Schoenberg, nos tonais e nos pluritonais europeus, pondo tudo isto em suas obras, se deram também uma função social mais eficiente. Querem representar uma nacionalidade e fortificá-la em suas bases musicais necessárias. É possível não esquecer a pluritonalidade nem a lição de Stravinsky dentro de um ritmo de candomblé, de uma melodia de modinha, ou de uma invenção nova criada segundo a fatalidade musical de um povo. Com isto, além de ser músico sabido, o artista aumenta a sua funcionalidade. Colabora enfim nesse americanismo que... poderá vir a ser.[227]

O "vir-a-ser" aparece aqui como uma generosa possibilidade, em que se projetam os desejos mas também as dúvidas do intelectual.[228] Lembremos que o "vir-a-ser" fora o vilão do pensamento de Alceu Amoroso Lima, em sua polêmica com Sérgio Buarque de Holanda, no final da década de 1920. Para o pensador católico, haveria que regressar ao "ser", recusando-se às veleidades individuais que encaminhariam a humanidade a um mundo disforme. Se de fato Mário vive um drama semelhante ao de Tristão de Athayde, há contudo que esclarecer as diferenças: a aposta de Mário no *destino* pode ser resoluta, mas ao mesmo tempo ela se deixa assombrar e atrair pela *indefinição* e pelo *provisório*, embora, é evidente, a fascinação ontológica, diante do *ser* brasileiro, jamais o abandonasse. Insista-se, uma última vez: o catolicismo de Mário não o leva à direita, nunca.

Curioso, ainda, que Schoenberg e Stravinsky apareçam aqui, na defesa da "universalidade", mas também de um americanismo interrogativo e incompleto. Exatamente Schoenberg e Stravinsky apareceram, *en passant*, na carta de 29 de julho de 1944 em que Mário agradece a Sérgio a ajuda na datação do lundu. Lá, entretanto, Mário reclama dos musicólogos portugueses que, em vez de se preocuparem em estudar "o caso da fofa e do sarambeque", preferem "falar em Schoenberg e Stravinsky que penetrar atrás, nos seus próprios séculos". "É o diabo", arrematará. Além do tom nacionalista que aflora em tal carta, a distância entre o artigo para *O Estado de S. Paulo*, de 1939, e a missiva de 1944 é suficiente para que Mário desenvolva uma profunda desconfiança em relação a Schoenberg, cuja música ele chegaria a chamar de "nazificante", como se viu atrás, nas notas. Em 1939, porém, o compositor do *Pierrot Lunaire* se prestava a batalhas diversas, nas mãos de Mário de Andrade, e nada parecia aproximá-lo ainda do "fuehrismo" germânico, como acontecerá em 1944, na crítica ideológica de Mário.[229] O "paroxismo", em suma, muda de lugar, à medida que o tempo passa, e sobretudo à medida que "a fatalidade musical de um povo" é submetida a diferentes leituras, informadas pelo entorno histórico e pelos desejos do pesquisador. O pensamento de Mário não sossega.

Há uma última questão a ocupar o núcleo final da correspondência entre Sérgio e Mário. Trata-se de algo a que poderíamos porventura chamar uma *fascinação pelo interior*. Ela aparece como uma espécie de mandato, desde que Mário fora encarregado pelo Serviço do Patrimônio Histórico e Artístico Nacional de preparar uma monografia sobre o pintor e músico padre Jesuíno do Monte Carmelo. A tarefa o leva ao estudo sistemático de uma ampla documentação sobre o período colonial e especificamente sobre a região de Itu, no período em que lá vivera Jesuíno, ao fim do século XVIII e começo do XIX, quando o eixo econômico da região se alterava, com a fascinação pelo ouro de Cuiabá já indo longe, o mercado tropeiro já há tempos instalado em Sorocaba, e com o crescimento da economia do açúcar em outras regiões. Esse é o contexto em que Jesuíno, saído menino de sua Santos natal, cresce e se casa em Itu, torna-se viúvo e depois se abriga junto aos frades carmelitanos, até se ordenar em São Paulo, para regressar a Itu e ali tornar-se "a mais curiosa e importante figura da arte colonial paulista".[230] Tanto no caso do escrito sobre o lundu quanto no livro sobre o padre Jesuíno, Mário contava com a ajuda de Sérgio Buarque: "você vai ser meu único controlador e conselheiro", como se lê em carta de dezembro de 1944, logo antes que o livro fosse enviado ao Rio de Janeiro para publicação, pelo próprio SPHAN.

Chama a atenção, na nota biográfica de *Padre Jesuíno do Monte Carmelo* — a que Mário dá "redação resolutamente literária", como diz em sua carta a Sérgio —, a figura proeminente do *mulato*. Filho de pai incógnito, Jesuíno, quando solicita sua entrada na Ordem do Carmo, vê o breve negar-se ou esquecer-se:

> Mas ou o breve nunca veio ou foi negado, e a vitória de Jesuíno terminou nessa bofetada. Pardo, filho de parda, neto de parda.

Negro. O padre aceitou tudo na sua humildade necessária, mas o negro Jesuíno Francisco, não. Em breve se vingará mais outra vez. No momento, aturdido, ele só cuida em se afogar no trabalho. E se desdobra no sacerdócio e no completamento do templo Daquela que não o patrocinou junto ao papa.[231]

As análises das pinturas atribuídas a Jesuíno, que aparecem na segunda parte do livro, dedicada à "Obra", fazem ressurgir a sensibilidade do historiador da arte, tomado de "espanto e comoção" diante dos quadros da Igreja de Nossa Senhora do Patrocínio. Aqui, uma vez ainda, a figura sacrificial e torturada do artista reaparece, porque, distanciando-se do jovem que fora, o padre Jesuíno de agora "é um homem corrido de inquietações, agitado, que se despediu de qualquer prazer, de qualquer sensualidade terrena". É "um homem que sofre".[232] Descoberto o "valor gráfico do desenho", os rostos e as mãos de seus santos são macerados e neutralizados, enquanto uma "indiferença cromática" toma a pintura, que se torna inconscientemente "confessional". Os traços fisionômicos de pessoas conhecidas se projetam sobre as figuras dos santos, até que se impõe, para o analista, "o problema do mulatismo", que Jesuíno transfere para suas obras "fatal e conscientemente".[233]

Do jogo entre consciência e inconsciência, saem retratos em que Mário julga ver "traços de mulatismo racial", em especial nas figuras femininas, com "lábios mais sensuais, digamos, mais grossos", e rostos redondos que testemunhariam o "estilo mourisco". Tudo se faz num processo de "adoçamento", mas o rosto feminino segue sendo um enigma: "é um rosto de raça branca, em que apenas se poderia reconhecer a constância do nariz grosso na base e de narinas salientes, e os lábios voluptuosos e grossos também".[234]

É curioso que a evolução da pintura de Jesuíno, na apreciação cheia de espanto de Mário de Andrade, revele um artista que *se confessa*. O âmbito de tal observação, reforçado na "Conclusão" de seu estudo, leva a crer que se trata da confissão como ato religioso que supõe arrependimento e purgação, embora convenha somar, ao gesto religioso, o sentido da *revelação*, do transbordamento do inconsciente, capaz de trazer à tona atos e uma condição essencialmente inconfessáveis, ou melhor, apenas confessáveis por meio da arte. Ao fim de tudo, resta a comparação inevitável com outro mulato genial e superior, o Aleijadinho:

> Apesar de muito misturado, como ascendência e vida familiar; apesar de aderido ao catolicismo colonial, de função mais colonizadora que civilizadora; apesar de pintor múltiplo, encarnador de imagens, cantador de músicas, riscador de arquiteturas: Jesuíno não é uma síntese. Esta síntese a realiza, bastante harmoniosamente, outro artista um pouco seu contemporâneo, e de maior gênio, o Aleijadinho. Jesuíno não. Jesuíno não representa síntese nenhuma. É um conjunto desesperado de espécies contraditórias. Ele não adere à mestiçagem brasileira, antes, é um protótipo de grupo abatido que se revolta. Não adere à universalidade e ao colonialismo do Catolicismo, enquanto religião. É um místico individualista, que crê em Deus e ama os santos, proselitista como em geral os místicos, e que briga com o *ethos* religioso do sacerdócio de então [...]. Sem nenhuma teoria social, extraviado sentimentalmente na encruzilhada dos arroubos, Jesuíno repudia por instinto qualquer síntese conformista. E assim, como espírito e consequentemente como estilo também, ele se afasta braviamente do espírito e do estilo da arte europeia que imaginava seguir. Mas está longe de propor qualquer síntese brasileira também. Ele é um barroco sempre, mas um barroco sem estilo. Mas não é nenhum romântico, precursor do Romantismo europeu, como poderá facilitar qualquer patriotismo. Jesuíno apenas, por isso mesmo de não conseguir nenhuma síntese interior, sente e vive nebuloso na confidência e confissão de si mesmo, criando uma obra que apenas pelo espírito (e isso é muito

comum na história inteira das artes, sobretudo nas literárias) é naturalmente romântico. E enfim, dentro da pintura, ele é um especialista.[235]

Difícil saber se Mário se refere aqui a Jesuíno, ou se está se referindo ao "artista" que quase ao mesmo tempo debatia sua condição em *O banquete*, ou ainda se fala de si mesmo. Ou de todos juntos, o que é mais provável.

A "síntese" é matéria impossível, ou quase. Há que buscá-la na figura exemplar de um Aleijadinho, aquele que, num ensaio de 1928, merecera estas linhas inesquecíveis:

> Na pedra foi um plástico intrínseco, na madeira um expressionista às vezes feroz. Na pedra mais dura, mais eterna, ele caracteriza sempre e salienta a sensação de nobreza e de eternidade, que a pedra tem. As suas figuras guardam um imóvel profundo; não são os gestos que movimentam as pedras dele, é a luz. Suas pedras permanecem perfeitamente conceituais, nesse valor de eternidade incorruptível que torna mesmo a pedra tão solitária, tão nobre no alheio da natureza.[236]

Difícil evitar o curto-circuito: não está aqui, no texto de 1928, em todo o vigor da ideia recém-concebida, a imaginação que Mário empregaria depois, quando se refere aos dois retratos de Portinari, o *Mestiço*, e o próprio retrato de Mário de Andrade? Imobilidade, profundidade, incorruptibilidade: os extremos morais que se exige do artista e que estão, como um potencial generoso, no povo idealizado, ou no artista de quem se exige total e absoluta entrega. Mas, ao mesmo tempo, reponta a condição solitária, que é a dos santos e de todos os homens torturados por sua condição imperfeita. A imperfeição, no entanto, aparece claramente, sem rebuços nem torneios, no retrato de 1944, quando o padre Jesuíno do Monte Carmelo, note-se, *não é* a síntese que prometedoramente realizara o Aleijadinho — como se aprende no livro sobre o artista de Itu, no qual está a marca do diálogo epistolar com Sérgio Buarque de Holanda. Ao fim da vida, quando a morte já era uma espécie de companheira próxima do artista atormentado, Mário de Andrade vê a figuração da criatura dilacerada (mas fala de si, ou de quem?), sempre desesperadamente aquém da síntese final. Aleijadinho, Jesuíno, Mário, vão formando uma só figura. Ou talvez, mais precisamente, Jesuíno seja o retrato do artista falhado, na década de 1940, contraposto ao retrato do verdadeiro produtor da síntese, no texto de 1928. Impossível, ainda aqui, esquecer a diferença de tom entre outro produto de 1928, o *Ensaio sobre a música brasileira*, e os textos posteriores sobre a música, em que a síntese se tornaria mais e mais um problema insolúvel. Impossível, ainda, esquecer que o próprio Aleijadinho, conquanto produtor da síntese almejada, passara pelas provações de uma vida sofrida antes de constituir-se na figura exemplar em que o transforma Mário de Andrade.

O Aleijadinho era aquele que, mesmo no mais frio dos monumentos, sentia "nas mãos o dengue mulato da pedra azul, fazia ela se estorcer com ardor molengo e lento".[237] Tais palavras são bem anteriores à publicação de *Casa-grande & senzala*, e dão o que pensar. Aleijadinho, imperfeito contudo, foi "evoluindo gradativamente" (e se descompondo corporeamente), até se converter naquilo que mais fundo deseja Mário, isto é, o mestiço-síntese finalmente tornado universal, como se lê, ainda, no texto de 1928:

> Mas abrasileirando a coisa lusa, lhe dando graça, delicadeza e dengue na arquitetura, por outro lado, mestiço, ele vagava no mundo. Ele reinventava o mundo. O Aleijadinho lembra tudo! Evoca os primitivos itálicos, bosqueja a Renascença, se afunda no gótico, quasi

francês por vezes, muito germânico quasi sempre, espanhol no realismo místico. Uma enorme irregularidade vagamunda, que seria diletante mesmo, si não fosse a força de convicção impressa nas suas obras imortais. É um mestiço, mais que um nacional. Só é brasileiro porque, meu Deus! aconteceu no Brasil. E só é o Aleijadinho na riqueza itinerante das suas idiossincrasias. E nisto em principal é que ele profetiza americanamente o Brasil...[238]

Para compreender o que está por trás das cartas trocadas entre Mário de Andrade e Sérgio Buarque de Holanda, é preciso ver que, em 1944, quando Mário pedia que o amigo "controlasse" a precisão histórica de suas reconstruções, era já o autor da monografia sobre o padre Jesuíno do Monte Carmelo quem escrevia, num momento em que suas próprias esperanças se diluíam. Para compreendê-lo, basta comparar o final do ensaio escrito em 1928 sobre o Aleijadinho, com seu tom profético, e o final comedido da monografia feita sob encomenda, que Mário encerra com as palavras do padre Feijó, amigo de Jesuíno e autor de sua "Oração fúnebre": "engenho vivo, penetrante, atilado, talhado para melhores tempos; e que nascido em outra época mais feliz para a cultura das artes, seria capaz de propor modelos originais ao gosto e ao belo".[239]

Há um rebaixamento de tom, umas perguntas cortantes e insolúveis que se impõem, no final da década de 1930 e ao longo da primeira metade da década seguinte, o que reforça, ao fim, a leitura de uma "morte do poeta". Falecimento que Sérgio Buarque terá seguido, perto e longe, desde os tempos de Mário no Rio de Janeiro, até 1944, data da última carta. Entretanto, a figura torturada do artista, emplastada pela impossibilidade da síntese (ou pela falência da crença na síntese), se deixa balancear por aquela imagem do *recolhimento* que desponta na correspondência, quando do regresso de Mário a São Paulo, com sua entrega momentânea à "paixão gostosa de arranjar coisas". Tal sentimento contrabalança a visão dilacerada da arte e do artista, e se dava sob outras formas, ao projetar-se não apenas no regresso a casa, como também na paixão pelas capelinhas. Talvez aí, no ambiente diminuto e acolhedor dos templos populares, Mário encontrasse a mesma paz de espírito que o levava a "arranjar coisas" como quem organiza a alma, pondo nos seus devidos lugares os desejos e espantando, por um momento ao menos, os tormentos mais fortes.

A paixão pelas capelinhas está no alumbramento diante da pintura mural de Portinari, mas está também na origem do interesse pelo padre Jesuíno do Monte Carmelo, que data de antes da encomenda do Serviço do Patrimônio Histórico e Artístico Nacional, cuja concepção, aliás, deve muito a Mário de Andrade. Como lembra Maria Silva Ianni Barsalini, quando era ainda diretor do Departamento de Cultura, Mário ficara deslumbrado, em Itu, com "duas obras magistrais, o teto da Matriz e o teto da Carmo".[240] Dessa época, exatamente, são suas andanças pelo interior, por São Miguel, Atibaia, Bom Jesus dos Perdões, Parnaíba etc. De 1937, ainda, é o artigo sobre "A capela de Santo Antônio", publicado no primeiro número da *Revista* do SPHAN, em que Mário desenvolve os critérios históricos que deveriam nortear o "trabalho proveitoso de defesa e tombamento do que o passado nos legou", notando que São Paulo, diferentemente do Rio, Pernambuco ou Bahia, possuía uma riqueza que apenas "uma pesquisa muito paciente" conseguiria encontrar:

> O critério tem de ser outro. Tem de ser histórico, e em vez de se preocupar muito com beleza, há de reverenciar e defender especialmente as capelinhas toscas, as velhices dum tempo de luta e os restos de luxo esburacado que o acaso se esqueceu de destruir. Está neste caso a deliciosa capela de Santo Antônio, no município de São Roque, a setenta quilômetros da Capital, para as bandas de oeste.[241]

A mesma capelinha, anos depois, reapareceria na correspondência com Sérgio Buarque (e não só na correspondência com ele, como se viu), em que Mário noticiava a compra iminente daquele sítio em São Roque, que ele conservaria para depois doá-lo "ao Brasil", não sem antes transformá-lo, como diz em tom faceto, numa "colônia de férias pra você com Maria Amélia e herdeiros".

A capela, como se lê ainda no artigo de 1937 e reapareceria depois na correspondência, em 1944, "fora construída pelo capitão Fernão Paes de Barros no século XVII, a uns trinta metros para a esquerda da casa-grande da fazenda de Santo Antônio, que ele fundara".[242] Em seu artigo, Mário vale-se ainda de uma observação de Gilberto Freyre sobre a arquitetura das igrejas com alpendre, embrenhando-se num diálogo com Lúcio Costa e sua ideia de uma arte brasileira, que se adaptaria finalmente "ao meio".[243] Estamos aqui no coração do problema que, naquele mesmo momento — e muito antes que Lúcio Costa se tornasse conhecido pelo plano piloto da nova capital federal —, interessava a Sérgio Buarque de Holanda, em seus estudos sobre o avanço paulista no sertão, pautado por "formas de vida" que se constituíam com a "consistência do couro, não a do ferro ou do bronze", para lembrar a imagem célebre de *Monções*, depois retomada em *Caminhos e fronteiras*.[244]

Na mesma coluna do suplemento em rotogravura de *O Estado de S. Paulo* em que saíram as notas sobre a capelinha de Portinari, Mário regressaria, ainda em 1941, a um breve apanhado sobre o trabalho dos técnicos restauradores do SPHAN em sua "6ª Região", que era a de São Paulo. Ali, discorre sobre a recuperação das igrejinhas de São Miguel e Embu. No caso desta última, a recomposição da torre fora possível graças a "um documento descoberto num fundo de gaveta caipira".[245] Em seguida, anuncia que se iniciarão "as restaurações do sítio de Santo Antônio, em São Roque", as quais, a julgar pelo que aparecerá na correspondência em 1944, não se iniciariam de fato naquele ano. O artigo era um elogio à Exposição da 6ª Região do SPHAN, recém-inaugurada no parque Antártica, e que incluía uma maquete da capelinha que o vinha fascinando desde a década anterior. O tema das riquezas escondidas no interior de São Paulo, inclusive as pinturas do padre Jesuíno, reaparecia aqui, na exposição que se tornava "verdadeiro refúgio que, sem alardear grosseiramente os méritos do seu trabalho, nos reverte às nossas mais saudáveis tradições", segundo os termos de Mário.[246]

Ainda na *Revista do Serviço do Patrimônio Histórico e Artístico Nacional*, naquele mesmo ano de 1941, Sérgio Buarque, por seu turno, escreveria sobre as "Capelas antigas de São Paulo". Cinco lugares o ocupam então: São Miguel, Carapicuíba, Embu, Voturuna (hoje em Santana do Parnaíba) e, claro, São Roque.[247] A riqueza de detalhes é impressionante, e é já o historiador seguro e imaginoso, escritor de pulso, que vemos destrinçar a história das capelas interioranas. No caso da capela de Santo Antônio, em São Roque, Sérgio faz menção ao artigo anterior de Mário de Andrade, e nota que ela fora inaugurada em 1682 por "um dos padres de Nossa Senhora da Piedade de Araçariguama". A presença notável dos padres da Companhia na região explicaria, ainda, "o gosto jesuítico que o sr. Lúcio Costa descobriu em alguns ornamentos da capela de Santo Antônio".[248]

Sérgio dialogava então com Mário, nuançando e precisando o que o amigo escrevera pouco antes, embalado pelo mesmo movimento que as cartas tratariam de revelar, alguns anos mais tarde, quando o historiador seria designado "primeiro controlador das minhas aventuras histórico-sociais". "Não sei se o título lhe ilustra", escreve-lhe Mário em dezembro de 1944, "mas você tem que aguentar a função."

CODA: SOB A INVOCAÇÃO DE SANTO ANTÔNIO

O que vemos na correspondência entre Mário de Andrade e Sérgio Buarque de Holanda, e o que ela nos deixa ver? Cabe ao leitor, evidentemente, avaliar a utilidade do quadro traçado até aqui e testar por si mesmo a hipótese de que tal correspondência, conquanto lacunar e esparsa, permite reler o modernismo brasileiro. Insisto na imagem várias vezes sugerida: onde Sérgio avança e busca a *fronteira* em sua mobilidade e instabilidade, Mário se deixa encantar e perturbar pela necessidade de encontrar, nessa mesma fronteira, a experiência da comunhão que possa dizer algo sobre o *destino* do Brasil. Conquanto ambos tenham trabalhado temas semelhantes, quase em paralelo (a liberdade do gesto das vanguardas, o balanço entre ordem e desordem, a vida no interior de São Paulo durante a colônia), seus horizontes são diversos. Mário busca um *sentido*, e sofre pela sua ausência. Sérgio recua diante da necessidade imperiosa da explicação final, e se contenta em historicizar seu objeto, em vez de interrogar sua transcendência.

Mais que esboçar uma "conclusão", resta aqui lembrar que, no amplo arco da história do pensamento brasileiro, Sérgio Buarque de Holanda e Mário de Andrade seguem presentes nas releituras do Brasil. Vivemos, porventura, um tempo de especial recuperação da tradição ensaística, seja na discussão renovada da matriz societária brasileira, seja nas perguntas sobre o *sentido* da aventura coletiva que talvez ainda nos una. Tais termos podem soar grandiloquentes e inadequados para a compreensão do curso sutil e sinuoso das ideias, tanto de Sérgio quanto de Mário, ao longo dos pouco mais de vinte anos de sua correspondência. Mas, de uma forma ou outra, o horizonte que os conecta — apesar das diferenças fundamentais entre suas visões de mundo — é a busca da especificidade da experiência histórica, posta diante da universalidade da experiência humana. São termos muito abrangentes, porque abrangente é o pensamento de ambos.

Terminemos com mais uma pequena ilação, capaz de sugerir que as questões maiores de Mário de Andrade podem ressurgir quase intactas, sempre que se trata da busca de espaços em que a experiência dos homens ainda se revestiria de pleno sentido, a contrapelo da aceleração, ou talvez a contrapelo da dominação, configurando aquilo a que contemporaneamente se pode chamar, todavia, *resistência*. Vimos aqui, por meio da discussão sobre a "cultura" e seus laços com a experiência religiosa — que estavam em Thomas Hardy, T. S. Eliot, Middleton Murry, Tristão de Athayde, Jacques Maritain, e no próprio Mário —, que a pergunta sobre a universalidade da experiência humana requer o enfrentamento do tema da *inclusão*, e que, do ponto de vista do intelectual, é preciso enfrentar também a questão do uníssono do canto, do desaparecimento momentâneo das diferenças, quando a voz humana se alteia e nos deixa em silêncio reverente diante da coletividade. É um terreno escorregadio, em especial porque a consciência crítica contemporânea nos acostumou a associar tais momentos a uma experiência politicamente ameaçadora, como se *totalidade* e *totalitarismo* fossem primos-irmãos. Mas então, velar a perda da comunidade é sempre um movimento de reação? Creio que a resposta nos seja dada por Mário de Andrade, mas não só por ele.

Três décadas depois da morte do poeta, "na noite de santo Antônio de 1975", Alfredo Bosi assistia a uma cerimônia religiosa numa "capelinha" a "uns cem metros da via Raposo Tavares", na Vila Camargo, "no quintal da casa de Nhá-Leonor", que então oferecia um churrasco em homenagem ao santo padroeiro. Já meio avançada a noite, entra o capelão, que não se deve confundir com os "padres irlandeses de Cotia, modernos demais" para o gosto da dona da casa (estamos diante das ondas de renovação do Concílio Vaticano II). O capelão, no caso, era "um gordo cinquentão de tez rosada e olhinhos sorridentes que vinha de São Roque acompanhado de dois rapazes mais uma preta magra de meia-idade".[249] Diante do altarzinho feito de estrelas de purpurina, os fiéis, "quase todos mulatos de pé no chão e tresandando a pinga, e algumas mulheres menos malvestidas que os homens", acompanham a reza, "bonita e simples", até que chega a hora do remate com o canto da Salve-Rainha. A passagem, uma das mais belas da crítica contemporânea no Brasil, merece citação completa:

> O capelão começou a entoar esse instante hino à Virgem, em latim ("Salve Regina, mater misericordiae"...), e, o que estranhei, foi seguido de pronto sem qualquer hesitação pelos presentes. Depois veio o espantoso, para mim: a reza, também entoada, de toda a extensa ladainha de Nossa Senhora igualmente em latim. Eu olhava e não acabava de crer: aqueles caboclos que eu via mourejando de serventes nas obras do bairro estavam agora ali acaipirando lindamente a poesia medieval do responso:
> "Espéco justiça" — *ora pro nobis*
> (*Speculum justitiae*)
> "Sedi sapiença" — *ora pro nobis*
> (*Sedes sapientiae*)
> "Rosa mistia" — *ora pro nobis*
> (*Rosa mística*)
> "Domus aura" — *ora pro nobis*
> (*Domus aurea*)
> ....
> Espelho de justiça, sede da sabedoria, rosa mística, casa de ouro, estrela da manhã, arca da aliança, refúgio dos pecadores, consoladora dos aflitos, rainha dos anjos, rainha dos profetas, rainha da luz..., todos os atributos com que a piedade vem há séculos honrando a figura materna de Maria se cantaram na voz grave do capelão; depois, em primeira voz, pela preta alta que parecia improvisar a

melodia com torneios de moda de viola e gestos a um só tempo compostos e arroubados de adoração; em segunda voz, pelos rapazes e pelos fiéis todos em um coral de arrepiante beleza. Quando saí da capela perguntei ao mestre de reza quem lhe ensinara o ofício. Respondeu-me que seu pai, também capelão nos sítios de Sorocaba e Araçariguama. A noite estava gelada, a lua ia alto, mas os caminhões de carga ainda rangiam pesados sobre o asfalto lá perto.[250]

O assombro do crítico, transmitido ao leitor, leva a perguntar o que faz, soando às margens da grande cidade, o latim "acaipirado" que então resistia ao vernáculo. Mostra do caráter "anacrônico" do culto popular, encontramos aqui, em ponto pequeno, por meio da licença poética que se dá o crítico literário, a grande questão do *canto* em Mário de Andrade.

Do ponto de vista de sua *função*, estamos perto do caráter sacrificial do canto de Chico Antônio, discutido páginas atrás, quando presenciamos, pelo relato semificcional de Mário, aquele momento de absoluta encantação, quando o rebanho estaca, silencia e acompanha o canto ordenador do homem. No relato de viagem, ainda no calor do momento em que Mário realmente conhecera Chico Antônio, no início de 1929, o coqueiro "não sabe que vale uma dúzia de Carusos"...[251] A *inconsciência* é a marca da experiência mística, como se viu nas notas sobre o canto gregoriano, que Mário publicara na *Revista do Brasil*, em 1926, ao lado do polêmico artigo de Sérgio Buarque de Holanda. Mas, sobretudo, a inconsciência aponta para o limite da experiência lógica — num flerte momentâneo com os ventos da vanguarda europeia, porventura —, o que em Mário ganharia, entretanto, conotação mística e religiosa em sua apreciação da *vox populi*.

Talvez essa geografia já tão familiar para nós — a estrada que parte de São Paulo ao interior, bem como essa voz que traz aos limites da cidade o canto passado de geração a geração, de Araçariguama e Sorocaba, por Cotia — diga ainda mais, estimulando a compreensão do que podem ainda guardar de encantamento aquelas "bandas de oeste", que fascinaram a ambos os autores, e que guardam um elemento mais, nem sempre dito, embora explicitado em chave alegórica na ficção de Mário de Andrade, e quase onipresente na historiografia de Sérgio Buarque de Holanda: o índio.

Num pequeno ensaio publicado em *O Estado de S. Paulo* em abril de 1939, quando morava ainda no Rio de Janeiro, Mário discutia frontalmente com Luís Heitor Corrêa de Azevedo, que acabara de prestar concurso para a cátedra de "Folclore Nacional" na Escola Nacional de Música, e que afirmara — erroneamente, no entender de Mário — que "os nossos índios não empregam o quarto de tom nas suas músicas". Interessa menos, aqui, o aspecto técnico da discussão, embora um musicólogo pudesse muito bem aventurar-se a cruzar as considerações de Mário sobre a influência "negra" na formação da música popular brasileira e suas considerações sobre a música ameríndia. Interessa aqui, em todo caso, ver como, na defesa do quarto de tom, nos encontramos novamente cerca de um processo de encantamento, como se a tonalidade que reconhecemos cotidianamente ameaçasse desfazer-se com o quarto de tom, e reencontrássemos, por seu avesso, o "tempero" perdido da música ocidental.[252]

Em seu artigo, Mário conta de sua própria estranheza ouvindo os fonogramas existentes no Museu Nacional, com cantos indígenas recolhidos por Roquette Pinto:

> Fica-se, ao primeiro contato, completamente despaisado; tem-se a sensação imediata de que os índios estão cantando em sons diferentes dos nossos. É que a característica principal, e talvez mais generalizada, da maneira de cantar dos nossos índios consiste

numa oscilação constante dentro dos sons universalmente usados. O canto se desenvolve por aproximações destes sons reconhecíveis, inteiramente envolvidos numa nasalação confusionista, empregando sistematicamente portamentos arrastados, voluntárias indecisões de entoação, uma verdadeira névoa sonora, dentro da qual dificilmente se destaca o perfil da melodia. Quem quer que deseje ter uma sensação, um conhecimento aproximado do que seja a maneira de entoar dos nossos índios, vá escutar certos cantos coletivos dos nossos caipiras de São Paulo, as danças de Santa Cruz, em Carapicuíba, respostas de muchirão, inícios vocais de sambas rurais ou do bailado "Moçambique".[253]

Uma névoa sonora... Os caipiras, diria pouco mais tarde Antonio Candido, na esteira de Sérgio Buarque de Holanda, eram uns "bandeirantes atrofiados".[254] O interior de São Paulo, já se viu, era um país dentro do país, o que permite a Mário inventar um galicismo, "despaisado" (de *dépayser*), para dar conta de seu desconcerto diante daquela bruma de sons, que apontava fatalmente para as "bandas de oeste".

Resta imaginar o quanto a "litania cabocla" presenciada por Alfredo Bosi, e o canto arrebatado da negra, bem como o coral arrepiante dos "mulatos" (sabe Deus quanto sangue índio corre no que se chama de "mulato", no Brasil), respondem porventura àquela "maneira" de entoar dos "nossos índios". A experiência da escuta, num caso ou no outro, transporta o sujeito a um lugar diverso, num processo de encantamento que a imaginação do crítico pode identificar à liturgia, em seu sentido mais profundo, como o *serviço* entoado para e pela comunidade. Como diria Mário de Andrade, em seu ensaio sobre o gregoriano: o cantochão "não é pra gente ouvir", é "pra gente se deixar ouvir".[255]

Este o limite, talvez, em que Mário de Andrade e Sérgio Buarque de Holanda se separam. Ambos avançam pelo território mirífico em que uma nova sociedade ganha forma. Mas um deles se contenta com a *fronteira* como espaço habitável, preocupando-se com o comércio dos homens e com o que encerram seus caminhos móveis. O outro, Mário, olha sempre além, porque a fronteira é para ele o sinal de um outro mundo, em que, afinal, ele nunca deixaria de crer, profundamente.

---

1 Cf. JARDIM, Eduardo. *Mário de Andrade: a morte do poeta*. Rio de Janeiro: Civilização Brasileira, 2005.

2 Na noite da queda de Paris, relembra Moacir Werneck de Castro, "bebemos juntos na Taberna da Glória. Noite soturna, de poucas palavras. Mário era o mais arrasado". Mais tarde, em carta a Sérgio Milliet, Mário voltaria à evocação de Paris: "Vivo angustiado e jamais pensei amar tanto Paris como vejo agora que amo. A ideia de bombardeios destruidores, a imagem dos alemães entrando em Paris me horrorizam, fico num estado de completo desespero". CASTRO, Moacir Werneck. *Mário de Andrade: exílio no Rio*. Rio de Janeiro: Rocco, 1989, pp. 117-8.

3 Cf. JARDIM, Eduardo. *Mário de Andrade: a morte do poeta*, op. cit, p. 50.

4 MORAES, Rubens Borba de. *Domingo dos séculos* (ed. fac-similada). São Paulo: Imprensa Oficial, 2001, p. 26.

5 CARVALHO, Ronald de. "Os 'independentes' de S. Paulo" in *Brasil: 1º Tempo Modernista: 1917/29*. Org. BATISTA, Marta Rossetti; LOPEZ, Telê Porto Ancona; e LIMA, Yone Soares de. São Paulo: Instituto de Estudos Brasileiros, 1972, pp. 197-8. O tópico era recorrente. Em outubro de 1921, Menotti del Picchia, que sob o pseudônimo de Hélios escrevia para o *Correio Paulistano*, já louvara a ida dos modernistas ao Rio: "os paulistas, renovando as façanhas dos seus maiores, reeditam, no século da gasolina, a epopeia das 'bandeiras'. Desta feita não partem elas para o sertão ínvio e incerto, amarelo de lezírias, erriçado de setas. Os *bandeirantes* de hoje compram um leito no noturno de luxo e seguem, refestelados numa poltrona de 'poolman', ardorosos e minazes, rumo da Capital Federal. Anteontem partiu para o Rio a primeira 'bandeira futurista'. Mário de Andrade — o papa do novo Credo — Oswald de Andrade, o bispo, e Armando Pamplona, o apóstolo, foram arrostar o perigo de todas as lanças, morriões, guantes, lorigas, inclusive murzelos e rocinantes, do parnasianismo ainda vitorioso na terra do defunto Sr. Estácio de Sá". Hélios. "A 'bandeira paulista'". *Correio Paulistano*, 22 out. 1921 apud BRITO, Mário da Silva. *História do modernismo brasileiro: antece-*

dentes da Semana de Arte Moderna. Rio de Janeiro: Civilização Brasileira, 1974, p. 316. Sérgio, que se mudaria para o Rio ao final de 1921, escreve sobre o "futurismo paulista" num artigo para a revista carioca *Fon-Fon*, louvando escritores como Menotti del Picchia e Oswald de Andrade, lembrando que havia "ainda muitos outros, como Mário de Andrade, do Conservatório de São Paulo, que escreveu há tempos uma série de artigos de sensação sobre *Os mestres do passado*". HOLANDA, Sérgio Buarque de. "O futurismo paulista" in *O Espírito e a Letra: estudos de crítica literária*. Org. Antonio Arnoni Prado. São Paulo: Companhia das Letras, 1996, v. 1, p. 133. Sobre o modernismo em sua frente carioca, ver GOMES, Ângela de Castro. *Essa gente do Rio...: modernismo e nacionalismo*. Rio de Janeiro: Editora Fundação Getúlio Vargas, 1999. Ainda em relação ao bandeirismo espiritual, resta lembrar a reação entusiasmada da Liga Nacionalista à montagem, em 1919, no mesmo Teatro Municipal em que se daria a Semana de Arte Moderna três anos mais tarde, do *Contratador de diamantes*, de Afonso Arinos, "essa nova 'bandeira' que surgiu nos campos de Piratininga". SEVCENKO, Nicolau. *Orfeu extático na metrópole: São Paulo, sociedade e cultura nos fremente anos 20*. São Paulo: Companhia das Letras, 1992, p. 243. A questão do bandeirismo espiritual tampouco desapareceria na década seguinte: que se pense, por exemplo, na forte reação de Rubem Braga a Mário, que assinara, junto a Guilherme de Almeida, Paulo Setúbal, Monteiro Lobato e Alcântara Machado, texto de apoio ao manifesto "Bandeira Intelectual de São Paulo", idealizado por Cassiano Ricardo e Menotti del Picchia, durante o governo de Armando Salles de Oliveira. Cf. MORAES, Marcos Antonio de (org.). *Mário, Otávio: cartas de Mário de Andrade a Otávio Dias Leite (1936-1944)*. São Paulo: Imprensa Oficial/Oficina do Livro Rubens Borba de Moraes/IEB-USP, 2006, p. 71.

6 ANDRADE, Mário de. *De São Paulo: cinco crônicas de Mário de Andrade*. Org. Telê Porto Ancona Lopez. São Paulo: Editora Senac São Paulo, 2004, p. 112.

7 MICELI, Sergio. "Vanguardias literarias y artísticas en el Brasil y en la Argentina: un ensayo comparativo" in ALTAMIRANO, Carlos (org.). *Historia de los intelectuales en América Latina II: los avatares de la "ciudad letrada" en el siglo XX*. Buenos Aires: Katz, 2010, p. 505. (Tradução minha, PMM.)

8 ANDRADE, Mário de. "O besouro e a Rosa" in *Contos de Belazarte*. Belo Horizonte: Villa Rica, 1992, p. 23.

9 MICELI, Sergio. "Vanguardias literarias y artísticas en el Brasil y en la Argentina", op. cit., p. 508.

10 Cf. HOLANDA, Sérgio Buarque de. "O gênio do século" in *O Espírito e a Letra*, op. cit., v. 1, pp. 108-12. Sobre o "futurismo já bastante corroído" que Mário de Andrade recebe de Soffici, e que aponta para uma linhagem lírica da escola italia-

na, leia-se LOPEZ, Telê Porto Ancona. "Arlequim e modernidade" in *Mariodeandradiando*. São Paulo: Hucitec, 1996, pp. 17-35.

11 BARRETO, Afonso Henriques de Lima. "O futurismo" in BOAVENTURA, Maria Eugênia (org.). *22 por 22: a Semana de Arte Moderna vista pelos seus contemporâneos*. São Paulo: Edusp, 2008, pp. 327-8.

12 *Klaxon*, n. 4, ago. 1922, p. 17.

13 *Klaxon*, n. 3, jul. 1922, p. 11. Sérgio Buarque, em entrevista a Maria Célia Leonel, em 1975, lembraria episódio semelhante: "No Rio havia aquela livraria que ficou sendo Freitas Bastos, mas primeiro era Leite Ribeiro. Embaixo havia livros que ninguém comprava, comecei a descobri-los e a comprar uma porção deles". Cf. "Entrevista com Sérgio Buarque de Holanda" in LEONEL, Maria Célia de Moraes. *Estética e modernismo*. São Paulo/Brasília: Hucitec/INL, 1984, p. 180.

14 "Em sua época, a Leite Ribeiro foi a maior livraria do país e uma das maiores do mundo, em área e estoque. Inaugurada em 1917, em uma pequena loja na rua Santo Antônio, 3 (atual Bittencourt da Silva), no centro do Rio de Janeiro, ali permaneceu cerca de quatro anos. Em 1921, o negócio foi transferido para o nº 15 da mesma rua. A nova loja ocupava todo o térreo de um belo edifício circular, com cerca de cem metros de fachada. Dois andares abarrotados de livros, nacionais e importados, uma grande variedade de obras nos mais diversos ramos de conhecimento. Personalidade atraente, simpático e dinâmico, Carlos Leite Ribeiro logo viu a sua livraria se tornar o mais movimentado ponto de intelectuais na década de 1920. Ali encontravam-se escritores das velhas gerações, como Humberto de Campos, e os novos que davam os primeiros passos nas letras, como Sérgio Buarque de Holanda. Muitos deles eram editados pela casa, a editora mais importante da época, superando a Francisco Alves em número de edições." Cf. MACHADO, Ubiratan. *Pequeno guia histórico das livrarias brasileiras*. São Paulo: Ateliê Editorial, 2008, p. 119.

15 A expressão é de Sergio Miceli, em *Intelectuais e classe dirigente no Brasil (1920-45)*. Cf. MICELI, Sergio. *Intelectuais à brasileira*. São Paulo: Companhia das Letras, 2001, p. 105.

16 Cf. BARBOSA, Francisco de Assis. "O escritor e a posteridade" in BARRETO, Afonso Henriques de Lima. *Triste fim de Policarpo Quaresma*. Org. Antonio Houaiss, Carmen Lúcia Negreiros de Figueiredo. Madrid: ALLCA XX, 1997, p. 593.

17 HOLANDA, Sérgio Buarque de. "Enéas Ferraz — História de João Crispim" in *O Espírito e a Letra*, op. cit., v. 1, pp. 145-7.

18 João Crispim. "Futurismo" in BOAVENTURA, Maria Eugênia (org.). *22 por 22: a Semana de Arte Moderna vista pelos seus contemporâneos*, op. cit., pp. 387-9.

19 BANDEIRA, Manuel. "Sergio, o anticafajeste". *Revista do Brasil*, n. 6, julho 1987, p. 90. O monóculo logo viraria motivo de sarro entre os amigos. Em carta enviada de Campos do Jordão naquele mesmo ano, Ribeiro Couto perguntava ao jovem Sérgio Buarque: "Que tem feito você além de espantar os caixeiros da Livraria Leite Ribeiro com o seu monóculo adolescente?". Arquivo Privado Sérgio Buarque de Holanda, Siarq-Unicamp, Cp 16 P5.

20 Em depoimento de 1976 a Antonio Arnoni Prado, Sérgio recorda, num clima meio fantástico de reminiscências, o encontro com Lima Barreto, que seria posteriormente recuperado pelo crítico numa tocante e imaginária "carta" destinada a Mário de Andrade: "Sérgio foi bater na livraria Schettino, um maço de exemplares da *Klaxon* debaixo do braço. Manhã bem cedo, a livraria fechada, quem vem lhe abrir a porta, imagine a surpresa!, é um Lima Barreto maldormido e estremunhado que vai logo amaldiçoando a luz do sol e a chegada do primeiro cliente. Como passasse uma temporada na rua largado à vida boêmia, o livreiro Schettino o abrigava ali entre os livros, acomodando-o num pequeno estrado atrás do balcão principal". PRADO, Antonio Arnoni. "Você entra no episódio que vou contar" in *Cartas a Mário de Andrade* (org. Fábio Lucas). Rio de Janeiro: Nova Fronteira, 1993, pp. 13-4.

21 HOLANDA, Sérgio Buarque de. "Cavaquinho e saxofone" in *O Espírito e a Letra*, op. cit., v. 1, p. 345.

22 BENJAMIN, Walter. "A obra de arte na era de sua reprodutibilidade técnica" in *Obras escolhidas: magia e técnica, arte e política*. São Paulo: Brasiliense, 1985, pp. 165-96. Sem advogar um eixo norte-americano como inspiração para o modernismo brasileiro, convém entretanto lembrar que fora em Nova York que Anita Malfatti conhecera Duchamp, Gorki, Bakst, Juan Gris e Isadora Duncan, no ateliê de Homer Boss. Num depoimento de 1939, a pintora, que de certa forma dera o pontapé inicial do modernismo brasileiro, conta que, entre 1915 e 1916, desenhara para a *Vogue* e a *Vanity Fair*. Cf. *Brasil: 1º Tempo Modernista: 1917/29*, op. cit., pp. 41-5.

23 WILSON Jr., Edmund. "The Ballets of Jean Cocteau: The Theatrical Innovations of the 'Enfant Terrible' of French Art". *Vanity Fair*, March 1922, p. 48. (Tradução minha, PMM.)

24 *Vanity Fair*, fev. 1922, p. 8. (O doge desce com toda pompa ao mar/ A inspecionar, com olhos brilhantes de mercador,/ Novos cargueiros de Creta, Mitilene,/ Chipre e Jaffa; galés pilhadas/ Com fardos dos quais, nos dias todos/ Singrando os mares, o vento não varreu/ A poeira das caravanas árabes.// Aveludado o doge desce ao mar/ E aspira os poeirentos fardos de especiarias:/ Pimenta de Catai, nardo e almíscar;/ Mármores estranhos de cidades arruinadas, envoltos/ Na

palha que exala fragrâncias desconhecidas./ Escravos negros suam e fazem caretas ao sol./ Saguis puxam as rendas pomposas/ Dos principais da cidade. Papagaios gritam/ E trepam, balançando, nos fardos ocre.../ Brilho enganoso da poeira que sobe em meio aos gritos do mercado,/ Cheirando a lances e escravos exaustos...// E, ao longe na maré verde, na direção do mar,/ São levadas cascas de frutas orientais/ Estranhas aos lábios; amargas e doces.) (Tradução minha, PMM.) John Dos Passos é uma das figuras que, ao lado de Valéry Larbaud, Max Jacob, Stravinsky, Satie e Cendrars, passaria pelo ateliê de Tarsila do Amaral, quando, em 1924, ela vivia com Oswald de Andrade em Paris. Cf. AMARAL, Aracy. *Tarsila, sua obra e seu tempo.* São Paulo: Edusp, 2003, p. 460.

25 EULÁLIO, Alexandre. *A aventura brasileira de Blaise Cendrars* (2ª ed., rev. e ampl. por Carlos Augusto Calil). São Paulo: Edusp/Imprensa Oficial, 2001, pp. 23-4.

26 "O pleno reconhecimento da arte colonial brasileira só se fez possível quando a crise do gosto acadêmico burguês começou a dar os seus estertores no final da belle époque. O modernismo, profundamente cindido entre o primordial e o novo, na sua ânsia de redescobrir o Brasil, redimiu o Barroco mineiro do olhar desdenhoso com que o maltratara o critério neoclássico transplantado pela Missão Artística Francesa em 1816." BOSI, Alfredo. *Dialética da colonização.* São Paulo: Companhia das Letras, 1992, p. 58. Estendendo a glosa, poderíamos lembrar que a admiração dos concretistas pela poesia de Oswald, já nos anos 1960, seria ela mesma uma espécie de "redescoberta" da "redescoberta". Em outro plano, sabe-se que a bronca dos concretistas vai recair sobre o "sequestro" do barroco na concepção de uma história literária brasileira, tendo a *Formação da literatura brasileira* de Antonio Candido na mira. O irônico, em todo caso, é que os poetas que Candido situa na aurora da literatura brasileira compunham sua poesia neoclássica em meio àquela paisagem barroca que seria vigorosamente redescoberta pelos modernistas.

27 Ainda na *Vanity Fair* de fevereiro, Edmund Wilson tratara da "influência do jazz em Paris e a americanização da literatura e da arte francesas", num artigo que traz a reprodução de um desenho de Fernand Léger na edição de *La fin du monde, filmée par l'ange N. D.,* de Blaise Cendrars (1919). Wilson lembraria então que tal desenho "introduz dois elementos da vida americana que muito renderia para os modernistas franceses: o negro, e o cartaz". WILSON Jr., Edmund. "The Aesthetic Upheaval in France". *Vanity Fair,* fev. 1922, p. 49.

28 "O mito das três raças entra na discussão dos anos 1920 com sinais trocados se comparada ao debate da virada do século. Neste, tratava-se de buscar uma interpretação da sociedade, na medida em que a problemática da mestiçagem aliada ao problema do meio ambiente apresenta-se como um dilema, de certo modo,

insolúvel, que levava a perspectivas pessimistas quanto à 'viabilidade do Brasil como nação'. Na década de 1920, as colocações sobre a raça compreendem uma tentativa de modificar a sociedade. Usando expressão de Renato Ortiz, o mito está em vias de ritualizar-se. É seu último momento como linguagem; o início da década de 1930 será o tempo de sua celebração." BASTOS, Elide Rugai. *As criaturas de Prometeu: Gilberto Freyre e a formação da sociedade brasileira*. São Paulo: Global, 2006, p. 75.

29 "Se for possível, Tarsila, eu queria a coleção em papel Madagascar, se não mesmo em Holanda serve. Mas veja se me arranja em Madagascar, era uma esmola grande que você fazia para um amigo que, paciência, tem um fraco pelos livros de luxo. Me arranja, sim? Eu podia escrever diretamente ao Sans Pareil mas porém não tenho dinheiro agora, estou miquiado com esta penca de festas que a gente teve por aqui, e com você eu posso fazer as contas mais pra logo. Por favor! Vá direitinho ao Sans Pareil e me arranje a história de qualquer jeito. Beijo as mãos de você com delícia, respeito e fartura. Mais uma vez: Deus lhe pague." Cf. AMARAL, Aracy (org.). *Correspondência Mário de Andrade & Tarsila do Amaral*. São Paulo: Edusp/Instituto de Estudos Brasileiros, 2001, p. 92.

30 EULÁLIO, Alexandre. *A aventura brasileira de Blaise Cendrars*, op. cit., p. 100.

31 Id., ibid., pp. 103-4.

32 Cf. LAGO, Manoel Aranha Corrêa do. *O círculo Veloso-Guerra e Darius Milhaud no Brasil: modernismo musical no Rio de Janeiro antes da Semana*. Rio de Janeiro: Reler, 2010, p. 69.

33 Manoel Aranha Corrêa do Lago desenrolou a trama complexa que ata Milhaud ao "círculo Veloso-Guerra", composto por Nininha Veloso Guerra, seu pai Godofredo Leão Veloso e seu marido Oswaldo Guerra. Entre eles, no Rio de Janeiro, Milhaud conheceria mais profundamente a música de Satie (nome do cão de Leão Veloso...) e encontraria Villa-Lobos. Se não é certo que Villa tenha conhecido a música de Stravinsky "desde 1918 por meio de Milhaud e do grupo Veloso-Guerra", parece claro que pelo menos em 1920, em seu contato com Arthur Rubinstein, então em excursão pelo Rio, ele teria sido apresentado à música do compositor da *Sagração da primavera*. Oswaldo Guerra relembra que, no momento da chegada de Milhaud ao Brasil, em 1917, Villa-Lobos ainda era pouco conhecido, e "tocava violoncelo nos cafés para ganhar sua vida". Cf. id. ibid., pp. 80-5.

34 "A música de Donga, por sinal um frequentador de terreiros, e as informações de Pixinguinha desaguam no capítulo 'Macumba', de *Macunaíma*, onde, além de tia Ciata, está presente o ogã Pixinguinha." Cf. TONI, Flávia Camargo. "Eu victrolo, tu victrolas, ele victrola" in *A música popular brasileira na vitrola de Mário de*

Andrade. São Paulo: Editora Senac São Paulo, 2004, p. 30. Flávia Toni lembra ainda os comentários de Prudente de Moraes, neto sobre o sucesso da temporada de *Tudo preto*, numa coluna na *Revista do Brasil*, de setembro de 1926. De fato, nela o articulista discutia os altos e baixos das atuações e criticava, por exemplo, o "pedantismo do nome" de uma "Miss Moons", que figura no programa como a "vovó africana, que executa uma admirável dança de macumba, que o público preferiu interpretar como humorismo. [...] A orquestra, dirigida pelo veterano Pixinguinha, a melhor possível. Música esplêndida. Alguns maxixes estupendos e música estrangeira bem acolhida". Na mesma seção, mas logo antes dos comentários sobre Pixinguinha, Prudente escrevia sobre o bailarino Jean Borlin, que recentemente partira "para uma longa viagem principalmente de estudos. Percorre a França, a Itália, a Espanha estudando ritmos populares e vai ter em terras africanas onde lhe chamam 'beau petit prince' e onde adquire conhecimentos de arte negra que lhe servirão mais tarde em bailados como 'La création du monde'". Na página ao lado, logo antes da coluna assinada por Prudente de Moraes, neto, vê-se a reprodução de uma foto dos famosos "Bailados Suecos", que encantaram Paris, na qual aparecem Darius Milhaud, Blaise Cendrars, Rolf de Maré, Borlin e Fernand Léger. Cf. *Revista do Brasil*, 15 set. 1926, pp. 26-8. Sobre os Oito Batutas, leia-se SHAW, Lisa. "Afro-Brazilian popular culture in Paris in 1922: Transatlantic dialogues and the racialized performance of Brazilian national identity". *Atlantic Studies*, v. 8, n. 4, dec. 2011, pp. 393-409.

35 WISNIK, José Miguel. "Machado maxixe: o caso Pestana" in *Sem receita: ensaios e canções*. São Paulo: Publifolha, 2004, p. 83. A questão reaparece como um enigma musical a que Wisnik responde com a trilha para a coreografia de *Nazareth*, do Grupo Corpo. Numa entrevista a Luiz Tatit, João Camillo Penna e Arthur Nestrovski, ele se refere a "Cruz, Perigo!!", a polca que Nazareth escrevera com quinze ou dezesseis anos: "Tem o acompanhamento característico de polca, na mão esquerda, mas a mão direita toca um motivo amaxixado e repicado por oitavas — são dois acontecimentos simultâneos na mão direita. Amaxixados na mão direita e polcados na esquerda. A polca amaxixada está ali como se fosse o palimpsesto da música brasileira: como essa música se formou, de onde veio, para onde vai, as duas coisas ali juntas, formando uma textura em três planos. Isso foi usado na trilha, com espelhos. Vai-se entrando em 'Cruz, perigo!!' pela porta de trás: os elementos vão aparecendo pouco a pouco, através dos seus retrógrados e suas inversões, em superposições politonais, o que não deixa de ser também uma alusão a Darius Milhaud, que esteve no Brasil em 1917-8, que considerava Nazareth o maior compositor brasileiro, entre eruditos e populares, e que escreveu *Saudades do Brasil* (1921) e *Boeuf sur le toit* (1919) com elementos de inspiração em parte nazarethiana, tratados através da técnica politonal que

Milhaud estava naquele momento criando e introduzindo no contexto da música francesa". Idem, p. 441.

36 ANDRADE, Mário de. "Blaise Cendrars" in EULÁLIO, Alexandre. *A aventura brasileira de Blaise Cendrars*, op. cit., pp. 385-7.

37 WISNIK, José Miguel. "Machado maxixe: o caso Pestana" in *Sem receita*, op. cit., p. 51.

38 Id. "O ensaio impossível" in MICELI, Sergio, e MATTOS, Franklin de (orgs.). *Gilda: a paixão pela forma*. Rio de Janeiro: Ouro sobre Azul, 2007, p. 214.

39 Numa entrevista de 1925, a que regressarei em seguida, Mário chegava a uma bem-acabada fórmula, relacionando o "primitivismo" à "ingenuidade": "se primitivismo não se opõe à cultura pode se opor a uma determinada cultura. De resto a gente carecia de entender primeiro sobre o conceito que dá a primitivismo, palavra larga que serve para o homem das cavernas, para Chaucer e para o Aleijadinho. Acho sem importância isso de viver jogando ping-pong com palavras e se preocupando com nomes de batismo. Inda por cima certa aparência de primitivismo do Modernismo brasileiro provém de que nós um dia resolvemos ter coragem da nossa ingenuidade". *A Noite*, 12 dez. 1925 in *Brasil: 1º Tempo Modernista: 1917/29*, op. cit., p. 237. A polêmica tem a ver também com as críticas de Alceu Amoroso Lima a Mário de Andrade, a que regressarei mais adiante. Ver, a propósito, LIMA, Alceu Amoroso (Tristão de Athayde). "Actualidades" in *Estudos, 1ª série*. Rio de Janeiro: Terra de Sol, 1927, pp. 58-64.

40 ANDRADE, Mário de. "Guiomar Novaes, I". *Klaxon*, n. 2, jun. 1922, pp. 13-4.

41 MORAES, Marcos Antonio de (org.). *Correspondência Mário de Andrade & Manuel Bandeira*. São Paulo: Edusp/IEB, 2001, p. 160.

42 Tal consideração sobre Reverdy aparece muito depois, numa crítica dura de Sérgio Buarque a *Invenção de Orfeu*, de Jorge de Lima, publicado em 1952. Cf. HOLANDA, Sérgio Buarque de. "Motivos de Proteu" in *O Espírito e a Letra*, op. cit., v. 2, p. 570.

43 Cf. KOIFMAN, Georgina (org.). *Cartas de Mário de Andrade a Prudente de Moraes, neto, 1924/36*. Rio de Janeiro: Nova Fronteira, 1985, pp. 158-60.

44 "O mês modernista". *A Noite*, 11 dez. 1925 in *Brasil: 1º Tempo Modernista: 1917/29*, op. cit., p. 233.

45 "Assim falou o papa do futurismo: como Mário de Andrade define a escola que chefia". *A Noite*, 12 dez. 1925 in *Brasil: 1º Tempo Modernista: 1917/29*, op. cit., pp. 234-5.

46 Antes de aparecer na entrevista aos jornalistas de *A Noite*, Joaquim Nabuco já

fora tema do diálogo entre Mário e Drummond. Em carta de novembro de 1924, o poeta mineiro, acercando-se todavia de Mário, confessa: "desculpe se vou estender-lhe ante os olhos os cenários da velha tragédia de Joaquim Nabuco, um pouco deteriorados... Sou acidentalmente brasileiro (como você, aliás, se confessa em sua carta: 'É no Brasil que me *acontece* viver... etc.'.). Detesto o Brasil como a um ambiente nocivo à expansão do meu espírito. Sou hereditariamente europeu, ou antes: francês. Amo a França como um ambiente propício, etc. Tudo muito velho, muito batido, muito Joaquim Nabuco. Agora, como acho indecente continuar a ser francês no Brasil, tenho que renunciar à única tradição verdadeiramente respeitável para mim, a tradição francesa. Tenho que resignar-me a ser indígena entre os indígenas, sem ilusões. Enorme sacrifício; ainda bem que você o reconhece! Aí o lado trágico do caso. É um sacrifício a fio, desaprovado pela razão (como todo sacrifício). Confesso-lhe que não encontro no cérebro nenhum raciocínio em apoio à minha atitude". SANTIAGO, Silviano (org.). *Carlos & Mário. Correspondência completa entre Carlos Drummond de Andrade (inédita) e Mário de Andrade*. Org. e pesquisa iconográfica Lélia Coelho Frota. Rio de Janeiro: Bem-Te-Vi, 2002, pp. 57-9.

47 "'Vou morrer no meu país'. Assim, Gonçalves de Magalhães inaugurou, além da lírica do exílio, outro poderoso tropo. O autor da laboriosa *Confederação dos Tamoios* abriu a galeria ilustre dos homens de letras e artistas que, do alto da Place Clichy, descobriram, deslumbrados, a própria terra [referência à "célebre tirada de Paulo Prado", segundo a qual Oswald de Andrade descobrira o Brasil "do alto de um atelier da Place Clichy"]. Aliás, o próprio Sérgio Buarque sempre soube viajar com olhos voltados para o país que deixara para trás." ROCHA, João Cezar de Castro. *O exílio do homem cordial: ensaios e revisões*. Rio de Janeiro: Museu da República, 2004, p. 133.

48 Assim a crítica a Olavo Bilac, que na referida entrevista de Mário de Andrade à *Noite* surge como o portador do terrível vírus: "estilize a sua fala, sinta a Quinta da Boa Vista pelo que é e foi e estará curado da moléstia-de-Nabuco. Nós já temos um passado guassú e bonitão pesando em nossos gestos; o que carece é conquistar a consciência desse peso, sistematizá-lo e tradicionalizá-lo, isto é, referi-lo ao presente. Bilac evocando Anchieta reviveu porque não tradicionalizou Anchieta, não fez dele um valor agente pesando no mecanismo brasileiro mas uma visão desrelacionada e morta no passado". Cf. "Assim falou o papa do futurismo: como Mário de Andrade define a escola que chefia". *A Noite*, 12 dez. 1925 in *Brasil: 1º Tempo Modernista: 1917/29*, op. cit., pp. 236-7.

49 Id., ibid., p. 236.

50 Num raro momento autobiográfico, Sérgio Buarque recorda que sua relação

com Graça Aranha nos anos 1920 fora atravessada pela ambiguidade: "Com Graça Aranha, aproximadamente da geração de João Ribeiro, foram mais prolongados os meus contatos e também mais estreitos. Nem deixarei de confessar que sucumbi um pouco a seu poder de sedução, que parecia, de fato, irresistível à época em que nos conhecemos, e mesmo a sua extraordinária capacidade de proselitismo. De uma expansividade generosa, atento a problemas que os moços lhe propunham, ao menos um grupo de moços entre os quais eu, o mais velho, ainda não tinha chegado aos 25 anos de idade, era, em tudo, a perfeita antítese de João Ribeiro, em geral mais recolhido em si mesmo, mais despreocupado no vestir-se e, ao menos à primeira vista, pouco dado a efusões. [...] O tom professoral, apesar disso, ele tratava de contorná-lo e evitá-lo ao menos nos primeiros tempos. Eu pessoalmente, e outro tanto posso dizê-lo de alguns dos meus amigos mais próximos, admirava nele o homem, bem mais que o escritor, e nunca pertenci aos entusiastas incondicionais de *Canaã*, seu livro mais conhecido. Também não deixávamos de opor reservas a sua preferência manifesta pelos espetáculos mais visíveis e radiosos do mundo exterior, por mais que ele nos quisesse convencer de que no Brasil, país tropical, e principalmente no Rio de Janeiro, eram esses os que devíamos principalmente cultivar". Mais adiante, referindo-se já ao rompimento com o autor da *Estética da vida*, lembra que "a crise que quisemos evitar, poderia surgir a um momento qualquer e surgiu antes mesmo da extinção de *Estética*, a nossa revista, para a qual Graça, por iniciativa própria, se propôs a fazer, e com efeito fez, o artigo de apresentação, o que aceitamos de bom grado, além de sugerir-nos o nome que teria, com o qual concordamos sem entusiasmo e à falta de melhor alvitre". HOLANDA, Sérgio Buarque de. "Apresentação" in *Tentativas de mitologia*. São Paulo: Perspectiva, 1979, pp. 22-9. Pedro Dantas (Prudente de Moraes, neto), em sua apresentação da edição fac-similada de *Estética*, que ele sugestivamente intitula "Vida da *Estética* e não *Estética da Vida*", lembra também o complicado batismo da revista. Diante da falta de ideias, Graça Aranha teria dito: "Eu faço a apresentação. O nome? Está achado: *Estética*". Em seguida, transparece o incômodo, ou antes a ambivalência dos editores diante da imposição: "o generoso oferecimento do artigo de apresentação era irrecusável. O nome de *Estética*... Bem, Sérgio passou algumas noites a extrair da sua cultura, já então de opulência insondável, uma série de tangentes por onde pudéssemos justificar esse título. Mas 'Paris vaut bien une messe'... e fomos à missa celebrada por Graça Aranha. A primazia da publicação do ensaio 'Mocidade e estética' (ao qual o escritor acrescentou algumas linhas em nossa intenção) foi a recompensa da nossa renúncia. Dias depois, recebíamos os originais manuscritos, no belo cursivo do romancista de *Canaã*. Valeu a pena. Era, ao menos, um nome de imenso prestígio a nos acobertar a aventura". DANTAS, Pedro. "Vida da *Estética* e não *Esté-*

tica da Vida" in *Estética: 1924/1925*. Ed. fac-similada. Rio de Janeiro: Gernassa, 1974, p. viii.

51 HOLANDA, Sérgio Buarque de. "Perspectivas" in *O Espírito e a Letra*, op. cit., v. 1, pp. 214-5.

52 Id., ibid., p. 215.

53 Id., ibid., p. 216.

54 Id., *Raízes do Brasil*. Org. ARAÚJO, Ricardo Benzaquen de, e SCHWARCZ, Lilia Moritz. São Paulo: Companhia das Letras, 2006, p. 208.

55 Cf. ANDRADE, Mário de. "A escrava que não é Isaura" in *Obra imatura*. Estabelecimento de texto Aline Nogueira Marques, coordenadora da edição, Telê Porto Ancona Lopez. Rio de Janeiro: Agir, 2009, pp. 225-335. O livro de Mário receberia uma crítica longa e compreensiva de Prudente de Moraes, neto no terceiro número de *Estética*. Em carta a "Prudentinho my dear", de outubro de 1925, Mário conta, num P. S., que "andei escrevendo cartas pra todo o mundo, fui agora no cinema e peguei na Estética pra ler no bonde. Reli o artigo de você sobre a Escrava. É positivamente uma página excelente de crítica, fineza de observação, inteligência firme e criadora. Achei que a expressão mais geral que vai aí na carta não bastava e vim reforçá-la assim". KOIFMAN, Georgina, op. cit., p. 124.

56 ANDRADE, Mário de. *Poesias completas*. Ed. crítica de Diléa Zanotto Manfio. Belo Horizonte: Villa Rica, 1993, p. 73.

57 Cf. LOPEZ, Telê Porto Ancona. "Arlequim e modernidade" in *Mariodeandradiando*, op. cit.

58 ANDRADE, Mário de. *Obra imatura*, op. cit., p. 310.

59 Id., ibid., p. 241.

60 HOLANDA, Sérgio Buarque de. "Apresentação" in *Tentativas de mitologia*, op. cit., p. 23.

61 Id., ibid., pp. 24-5.

62 Id., ibid., p. 26.

63 Cf., a propósito, SEVCENKO, Nicolau (org.). *História da vida privada no Brasil*, v. 3. *República: da Belle Époque à Era do Rádio*. São Paulo: Companhia das Letras, 1998.

64 Cf. VIANNA, Hermano. *O mistério do samba*. Rio de Janeiro: Jorge Zahar/Editora UFRJ, 1995. Para uma visão mais nuançada do encontro entre Cendrars e Donga, leia-se especialmente pp. 100-3.

65 O conceito é amplo e já gerou inúmeros debates. Ver, a propósito, SAID,

Edward. *Orientalismo*. Trad. Rosaura Eichenberg. São Paulo: Companhia das Letras, 2007.

66 HOLANDA, Sérgio Buarque de. "Perspectivas" in *O Espírito é a Letra*, op. cit., v. 1, p. 215.

67 Refiro-me à célebre conferência comemorativa dos vinte anos do movimento, pronunciada em 1942 no Itamaraty. Cf. ANDRADE, Mário de. "O movimento modernista" in *Aspectos da literatura brasileira*. Belo Horizonte: Itatiaia, 2002, pp. 253-80.

68 HOLANDA, Sérgio Buarque de. "O lado oposto e outros lados" in *O Espírito e a Letra*, op. cit., v. 1, pp. 224-8.

69 Id., ibid., p. 226.

70 HOLANDA, Sérgio Buarque de. *Raízes do Brasil*, op. cit., p. 208. Desenvolvi a continuidade entre o imaginário da década de 1920 e a escrita de *Raízes do Brasil* em MONTEIRO, Pedro Meira. *A queda do aventureiro: aventura, cordialidade e os novos tempos em* Raízes do Brasil. Campinas: Editora da Unicamp, 1999, pp. 245-70.

71 Cf. SOUZA, Antonio Candido de Mello e. "Dialética da malandragem" in *O discurso e a cidade*. Rio de Janeiro: Ouro sobre Azul, 2004, pp. 17-46.

72 SCHWARZ, Roberto. "Pressupostos, salvo engano, de 'Dialética da malandragem'" in *Que horas são?*. São Paulo: Companhia das Letras, 1987, pp. 129-55. Um compêndio indispensável das matrizes interpretativas de Candido e Schwarz está em ARANTES, Paulo Eduardo. *Sentimento da dialética na experiência intelectual brasileira: dialética e dualidade segundo Antonio Candido e Roberto Schwarz*. Rio de Janeiro: Paz e Terra, 1992.

73 HOLANDA, Sérgio Buarque de. "O lado oposto e outros lados" in *O Espírito e a Letra*, op. cit., v. 1, p. 227.

74 ANDRADE, Mário de. *Poesias completas*, op. cit., p. 178.

75 Id., ibid., pp. 188-9. Na disposição do poema em *Estética*, o primeiro verso ("E abre alas...") pertence ainda à estrofe anterior. Respeitei aqui a disposição que apareceria em *Clã do jabuti*, de acordo com a edição crítica das *Poesias completas*. Entre os anexos, à frente, encontra-se o poema em sua versão original, publicada em *Estética*.

76 ANDRADE, Mário de. *Ensaio sobre a música brasileira*. Belo Horizonte: Itatiaia, 2006, p. 12.

77 Sobre a relação de Oswald com o "primitivismo", e com Blaise Cendrars em particular, consulte-se o excelente estudo de Haroldo de Campos. Cf. CAMPOS,

Haroldo de. "Uma poética da radicalidade" in ANDRADE, Oswald de. *Pau Brasil*. São Paulo: Globo, 2003, pp. 7-72.

78 ANDRADE, Mário de. *Ensaio sobre a música brasileira*, op. cit., p. 11.

79 Tanto o jacaré quanto a vitória-régia serão matéria de fabulação poética no *Turista aprendiz*. Ver ANDRADE, Mário de. *O turista aprendiz*. Ed. Telê Porto Ancona Lopez. Belo Horizonte: Itatiaia, 2002.

80 ANDRADE, Mário de. *Ensaio sobre a música brasileira*, op. cit., p. 55.

81 "Todos os meus trabalhos jamais não foram vistos com visão exata porque toda a gente se esforça em ver em mim um artista. Não sou. A minha obra desde 'Pauliceia Desvairada' é uma obra interessada; uma obra de ação." Id., ibid., p. 57.

82 Id., *Vida do cantador*. Ed. crítica de Raimunda de Brito Batista. Belo Horizonte: Villa Rica, 1993. Para os documentos a respeito de Chico Antônio, e o projeto de Mário de Andrade de escrever *Na pancada do ganzá*, consulte-se a preciosa edição de Oneyda Alvarenga: ANDRADE, Mário de. *Os cocos*. (Preparação, introdução e notas de Oneyda Alvarenga.) São Paulo/Brasília: Duas Cidades/Instituto Nacional do Livro, Fundação Nacional Pró-Memória, 1984.

83 ANDRADE, Mário de. *Ensaio sobre a música brasileira*, op. cit., p. 13.

84 Em sua elogiosa crítica da *Pauliceia desvairada*, Tristão de Athayde, em 1923, já esclarecera sua admiração pela sinceridade do poeta paulista, que no "Prefácio interessantíssimo" lembra haver, "no meu livro, e não me desagrada, tendência pronunciadamente intelectualista". Ao que acrescenta Tristão: "Intelectualista, e mística também, sem romantismo. Basta ler a sua admirável prece 'Religião', tão profunda, tão cheia de alma, e que é das confissões religiosas mais impressionantes que tenho lido entre nós, com toda a sua ousadia". LIMA, Alceu Amoroso (Tristão de Athayde). "Mário de Andrade" in TELES, Gilberto Mendonça (org.). *Tristão de Athayde: teoria, crítica e história literária*. Rio de Janeiro/Brasília: Livros Técnicos e Científicos/INL, 1980, p. 337. Trata-se de uma referência ao arrebatamento do poema "Religião": "[...] Catolicismo! sem pinturas de Calixto!... As humildades.../ No poço das minhas erronias/ vi que reluzia a Lua dos teus perdoares!...// Rio-me dos Luteros parasitais/ e dos orgulhos sozes que não sabem ser orgulhosos da Verdade;/ e os mações, que são pecados vivos, e que nem sabem ser Pecado!// Oh! minhas culpas e meus tresvarios!/ E as nobilitações dos meus arrependimentos/ chovendo para a fecundação das Palestinas!/ Confessar!... [...]" ANDRADE, Mário de. *Poesias completas*, op. cit., pp. 100-1.

85 HOLANDA, Sérgio Buarque de. "O lado oposto e outros lados" in *O Espírito e a Letra*, op. cit., p. 226.

86 A expressão, como se sabe, é do início de *Macunaíma*. Para uma análise de

inspiração marcusiana sobre a tensão entre o "princípio de realidade" e o "princípio de prazer" em *Macunaíma*, apontando para o problema da construção e do inconsciente, ver SOUZA, Gilda de Mello e. *O tupi e o alaúde: uma interpretação de Macunaíma*. São Paulo: Livraria Duas Cidades/Editora 34, 2003, pp. 52-7.

87 Na já referida introdução a *Tentativas de mitologia*, escrita ao fim da vida, Sérgio lembra que foi em meio aos "prélios intelectuais" daqueles tempos que surgira a ideia, então comunicada a Prudente de Moraes, neto, de escrever uma *Teoria da América*. A ideia amadureceria durante seus anos na Alemanha: "os livros de Weber e um pouco as lições de Meinecke, em Berlim, indicando-me novos caminhos, deixarão sua marca na minha Teoria da América. Quando voltei ao Brasil em 1931 trazia um calhamaço de suas 400 páginas". HOLANDA, Sérgio Buarque de. "Apresentação" in *Tentativas de mitologia*, op. cit., p. 30. Dali sairia o essencial de um artigo publicado em 1935, "Corpo e alma do Brasil", que comporia alguns dos capítulos finais de *Raízes do Brasil*, no ano seguinte.

88 A atenção à transitoriedade dos conceitos e aos elementos do estilo que permitiriam flagrar, na escrita do historiador, o desejo de acompanhar processos eles mesmos móveis e inacessíveis às ideias fixas, levou Maria Odila Dias a pensar em termos de uma constante "negação das negações": "forma, povoamento, cultura, conteúdo, devir, negações, impasses e mudanças históricas se interpenetravam através de um estilo que procurou interpretar os movimentos de formação da sociedade brasileira. Movimentado e dialético, esse estilo de escrever se nutria de sucessivas negações. As negações muitas vezes se referiam à perda de forças criadoras do processo histórico que redundavam em nada, em retrocessos; fortunas, fronteiras de povoamento, populações nômades ficavam precariamente expostas à instabilidade e à precariedade do povoamento". DIAS, Maria Odila Leite da Silva. "Negação das negações" in MONTEIRO, Pedro Meira, e EUGÊNIO, João Kennedy (orgs.). *Sérgio Buarque de Holanda: perspectivas*. Campinas/Rio de Janeiro: Editora da Unicamp/Eduerj, 2008, pp. 340-1.

89 HOLANDA, Sérgio Buarque de. *Monções*. São Paulo: Brasiliense, 1990, pp. 15-6.

90 "Nos textos eruditíssimos de Sérgio Buarque uma sutil sublimação do bandeirismo, visto em feliz continuidade com os processos de aclimação do português à terra, relativiza o contexto de agressão e defesa que definiu objetivamente as incursões dos paulistas e as reações que os indígenas e os missionários lhes opuseram. Em abono de sua leitura e subscrevendo a apologia que Júlio de Mesquita Filho faz da colonização portuguesa nos seus *Estudos sul-americanos*, chega o autor de *Raízes do Brasil* a comparar a plasticidade dos lusitanos ao grão de trigo do Evangelho que aceita anular-se até a morte para dar muitos frutos. Como poderiam suspeitar os negros presos no eito e os índios caçados na selva que os

senhores de engenho e os bandeirantes estivessem cumprindo com eles algum rito sacrificial em que a vítima imolada era o próprio branco." BOSI, Alfredo. *Dialética da colonização*, op. cit., p. 29.

91 HOLANDA, Sérgio Buarque de. *Monções*, op. cit., p. 18.

92 Veja-se, a propósito, a polêmica que se estabelece a partir dos artigos escritos em 1951 por Sérgio Buarque sobre a segunda edição de *Sobrados e mucambos*. Cf. HOLANDA, Sérgio Buarque de. "Sociedade patriarcal" in *Tentativas de mitologia*, op. cit., pp. 99-110.

93 É o que terá permitido a Antonio Candido, na palestra de abertura de um recente evento de homenagem a Sérgio Buarque de Holanda na Universidade de São Paulo, falar num "conto de duas cidades", sugerindo o "paradoxo" de que São Paulo, a cidade provinciana, tenha gerado o movimento mais radical, enquanto no Rio de Janeiro os modernistas ou encontraram maior resistência a suas ideias, ou foram modernistas menos radicais. Há um fascínio, no caso, pelo espaço — paulista — em que a ausência de uma tradição literária longeva e forte teria permitido soltura e experimentação maiores. Ao habitar as duas cidades, Sérgio Buarque teria em certo sentido vivido nas fronteiras do próprio modernismo. A brilhante provocação lançada por Antonio Candido suscita porventura uma questão também provocativa: como conceber a Universidade de São Paulo fora dos quadros dessa aventura "bandeirante" (segundo os termos de Menotti del Picchia e Rubens Borba de Moraes, como se viu atrás) que foi o modernismo? Mas aí, como pensar o movimento, com todo o seu vigor de renovação, no momento em que ele se institucionaliza? Não há aí um paradoxo, que aponta para o que aqui se propõe como questão: que fazer do momento em que a inovação passa a normalizar-se, quando o informe enfrenta o momento de sua cristalização?

94 ANDRADE, Mário de. "Crítica do gregoriano". *Revista do Brasil*, ano 1, n. 3, 15 out. 1926, p. 34. Sigo aqui a versão original, de 1926, que aparece ligeiramente modificada em *Música, doce música*. Cf. ANDRADE, Mário de. "Crítica do gregoriano" in *Música, doce música*. Belo Horizonte: Itatiaia, 2006, pp. 21-34. É provável que Mário de Andrade originalmente pensasse em publicar sua "Crítica do gregoriano" em *Estética*. Numa carta de 1925 a Prudente de Moraes, neto, Mário pedia que ele tirasse "um pedaço" da "Crítica do gregoriano": "não é bem isso que quero falar e não está bem histórico. Além disso parece muito como queixa pessoal e dentro dum livro poderá passar mas em artigo fica saliente por demais. Por isso vamos cortar, está ouvindo? É quando faço aquelas reflexões sobre a luta da criação com a teoria. É fácil de você achar". KOIFMAN, Georgina, op. cit., p. 93. Quanto ao livro a que se refere Mário, de fato as reflexões contidas no artigo

seriam retomadas e estendidas em sua *Pequena história da música*, de 1944. Cf. ANDRADE, Mário de. *Pequena história da música*. Belo Horizonte: Itatiaia, 2003.

95 Id., "Crítica do gregoriano". *Revista do Brasil*, op. cit., pp. 35-6.

96 Id., ibid., p. 36. As teses desse texto reaparecem na obra musicológica de Mário de Andrade até o fim da vida. Veja-se, a propósito, o texto sobre o Padre José Maurício Nunes Garcia publicado na coluna "Mundo Musical" da *Folha da Manhã*, em abril de 1944. Cf. ANDRADE, Mário. "José Maurício" in COLI, Jorge. *Música final: Mário de Andrade e sua coluna jornalística Mundo Musical*. Campinas: Editora da Unicamp, 1998, pp. 142-6.

97 ANDRADE, Mário de. *Vida do cantador*, op. cit., p. 63.

98 Id., "Crítica do gregoriano". *Revista do Brasil*, op. cit., p. 36.

99 Id., ibid., p. 37.

100 HOLANDA, Sérgio Buarque de. "Romantismo e tradição" in *O Espírito e a Letra*, op. cit., v. 1, p. 197. O artigo aparece na seção "Revistas e Jornaes" de *Estética*, sem assinatura. Cf. *Estética*, ano I, v. 1, setembro 1924, pp. 107-15. Sobre a importância da polêmica, ver GOLDIE, David. *A Critical Difference: T. S. Eliot and John Middleton Murry in English Literary Criticism, 1919-1928*. New York/Oxford: Clarendon Press/Oxford University Press, 1998.

101 HOLANDA, Sérgio Buarque de. "Romantismo e tradição" in *O Espírito e a Letra*, op. cit., v. 1, p. 199.

102 WORDSWORTH, William. "Lines composed a few miles above Tintern Abbey on revisiting the banks of the Wye during a tour, 13 July 1798". Web. Bartleby. Consultado em 1 out. 2011. (A elas devo porventura outra qualidade,/ De aspecto mais sublime; aquele estado abençoado,/ No qual o fardo do mistério,/ No qual o intenso e cansado peso/ De todo esse mundo ininteligível,/ É iluminado: — aquele sereno e abençoado estado,/ No qual os afetos gentilmente nos guiam, —/ Até que, o alcance destas medidas corpóreas/ E ainda o movimento de nosso sangue humano/ Quase suspensos, sejamos deixados dormentes/ No corpo, e nos tornemos uma alma viva:/ Enquanto com o olho aquietado pelo poder/ Da harmonia, e o poder profundo da alegria,/ Vemos por dentro a vida das coisas.) (Tradução minha, PMM.)

103 HOLANDA, Sérgio Buarque de. "Romantismo e tradição" in *O Espírito e a Letra*, op. cit., v. 1, p. 200.

104 Id., *Raízes do Brasil*, op. cit., p. 208. O mais completo estudo do organicismo em Sérgio Buarque de Holanda deve-se a João Kennedy Eugênio. Cf. EUGÊNIO, João Kennedy. *Ritmo espontâneo: organicismo em* Raízes do Brasil *de Sérgio Buar-*

que de Holanda. Teresina: EDUFPI, 2011. Quanto a traços românticos que, mais ou menos insuspeitadamente, teriam fincado raiz na obra buarquiana, ver FRANCO, Maria Sylvia Carvalho. "*Visão do paraíso*. Romantismo e história" in MONTEIRO, Pedro Meira, e EUGÊNIO, João Kennedy (orgs.). *Sérgio Buarque de Holanda: perspectivas*, op. cit, pp. 535-46.

105 Penso aqui nas reflexões de Alain Badiou sobre o universalismo paulino. Cf. BADIOU, Alain. *Saint Paul: La fondation de l'universalisme*. Paris: Presses Universitaires de France, 2002.

106 Para o confronto e a acomodação entre Tristão e Mário, consulte-se o excelente estudo de Luciano Costa Santos. Cf. SANTOS, Luciano Costa. "Mário-Alceu: um diálogo marginal (Mário de Andrade leitor de Alceu Amoroso Lima)". *Revista do Instituto de Estudos Brasileiros*, n. 49, 2009, pp. 37-68.

107 ATHAYDE, Tristão de (Alceu Amoroso Lima). "S. Francisco de Assis e o mundo moderno". *Revista do Brasil*, ano I, n. 2, 30 set. 1926, p. 6.

108 Cf. COSTA, Marcelo Thimoteo da. "Los tres mosqueteros. Una reflexión sobre la militancia católica lega en el Brasil contemporáneo". *Prismas: revista de historia intelectual*, n. 11, 2007, p. 60.

109 "Se a forma de nossa cultura ainda permanece largamente ibérica e lusitana, deve atribuir-se tal fato sobretudo às influências do 'americanismo', que se resume até agora, em grande parte, numa sorte de exacerbamento de manifestações estranhas, de decisões impostas de fora, exteriores à terra. O americano ainda é interiormente inexistente. 'Na atividade americana o sangue é quimicamente reduzido pelos nervos', disse um dos poetas mais singulares de nosso tempo." HOLANDA, Sérgio Buarque de. *Raízes do Brasil*, op. cit., p. 189. Trata-se de uma referência aos *Studies in Classic American Literature* de D. H. Lawrence, que Sérgio cita a partir de uma de suas primeiras edições, de 1924.

110 REIS, Véra Lucia dos. *O perfeito escriba: política e letras em Alceu Amoroso Lima*. São Paulo: Annablume, 1998, p. 143.

111 Cf. MORAES, Marcos Antonio de (org.). *Correspondência Mário de Andrade & Manuel Bandeira*, op. cit., p. 318. Na carta a Mário, a narrativa de Bandeira se estende por três parágrafos, que eu aqui juntei.

112 Id., ibid., p. 323. Quanto ao encontro com Guilherme de Almeida e sua reação irada, Mário conta, na carta a Bandeira, que dissera "pro Gui [Guilherme de Almeida] que o procedimento dele era indigno dele", assim como reafirma que "o procedimento do Sérgio foi nobre". E acrescenta: "Duma coisa só posso me culpar foi de não ter telegrafado pro Sérgio ou pro Prudentico avisando que o Sérgio não devia de ir na conferência porém se não o fiz foi porque pura e sim-

plesmente essa ideia só me veio na cabeça quando você me contou que o Sérgio estava lá. Se me lembrasse disso antes teria telegrafado". Idem, p. 324.

113 Id., ibid., p. 321.

114 Na típica veia estoico-cristã de Bandeira, a morte é um télos desejado, embora paradoxalmente a espera da morte revele o amor pela vida, como neste poema de *A estrela da tarde* (1963): "Depois de morto, quando eu chegar ao outro mundo,/ Primeiro quererei beijar meus pais, meus irmãos, meus avós, meus tios, meus primos./ Depois irei abraçar longamente uns amigos — Vasconcelos, Ovalle, Mário.../ Gostaria ainda de me avistar com o santo Francisco de Assis./ Mas quem sou eu? Não mereço./ Isto feito, me abismarei na contemplação de Deus e de sua glória/ Esquecido para sempre de todas as delícias, dores, perplexidades/ Desta outra vida de aquém-túmulo". BANDEIRA, Manuel. "Programa para depois de minha morte" in *Poemas religiosos e alguns libertinos*. Seleção Edson Nery da Fonseca. São Paulo: Cosac Naify, 2007, p. 10.

115 HOLANDA, Sérgio Buarque de. *Raízes do Brasil*, op. cit., pp. 22-4.

116 "[...] o que Sérgio não sabia é que Alceu, desde 1924, já havia escrito a Charles Maurras para comunicar-lhe seu desligamento da *Action Française*, em consequência da condenação do movimento por Pio XI. Como também não sabia que, por volta de 1926, já se interessava pela obra de Jacques Maritain, motivado pela leitura de *Primauté du spirituel*, livro que marca o momento em que este pensador também abandona a *Action*." REIS, Véra Lucia dos. *O perfeito escriba: política e letras em Alceu Amoroso Lima*, op. cit., p. 159.

117 HOLANDA, Sérgio Buarque de. *Raízes do Brasil*, op. cit., p. 27.

118 Id., ibid., p. 27.

119 Id., "O lado oposto e outros lados" in *O Espírito e a Letra*, op. cit., p. 226.

120 Uma genealogia da "dialética da malandragem" permitiria apontar, no diálogo entre Mário de Andrade e Sérgio Buarque de Holanda, um possível ponto de partida para a valorização da oscilação entre ordem e desordem. O ponto de chegada dessa linhagem é difícil de localizar, mas não me parece equivocado situá-lo na recente reflexão de José Miguel Wisnik sobre o futebol e o Brasil. Cf. MONTEIRO, Pedro Meira. "Raízes do século XXI". *piauí*, n. 59, ago. 2011, pp. 64-7.

121 Em *Do Império à República*, Sérgio Buarque investiga as causas políticas da transição republicana, buscadas em filigrana nos debates parlamentares das últimas décadas do Império, e chega a um curioso remate, imaginando o momento em que o marechal Deodoro depõe o último ministério imperial, prendendo o visconde de Ouro Preto e Cândido de Oliveira, mas garantindo que os direitos e a dignidade do imperador seriam preservados. A última sentença do livro é uma

espécie de profecia: "Nem nesse momento, nem ao deixar o portão do quartel-general, estava certo, Deodoro de que as oligarquias monárquicas pertenciam ao passado, e ia começar o tempo da oligarquia republicana". HOLANDA, Sérgio Buarque de. *Do Império à República*. São Paulo: Difel, 1985, p. 360. (História Geral da Civilização Brasileira, t. II, v. 5.)

122 LIMA, Alceu Amoroso (Tristão de Athayde). "Adeus à disponibilidade" in *Adeus à disponibilidade e outros adeuses*. Rio de Janeiro: Livraria Agir Editora, 1969, pp. 16-7. Subsumi aqui todos os parágrafos a um só (PMM).

123 ANDRADE, Mário de. "A escrava que não é Isaura" in *Obra imatura*, op. cit., p. 232.

124 A revelação aí pressuposta talvez jamais tenha deixado de correr ao largo da letra escrita, o que sugere uma poética da palavra que corre ao largo da Lei. Sobre a sorte do cristianismo em Roma, logo depois da perseguição dos cristãos por Nero, Jean Daniélou lembra, a propósito da Epístola aos coríntios de são Clemente (sucessor, na linha da pregação, de Pedro e Paulo, já então martirizados em Roma), seu caráter judaico-cristão, sugerindo também que as palavras do Cristo presentes naquela epístola não parecem vir dos evangelhos escritos, mas da tradição oral, com o que se ressalta a importância da via catequética para a propagação da fé cristã. Cf. DANIÉLOU, Jean. "Des origines à la fin du troisième siècle" in DANIÉLOU, Jean, e MARROU, Henri. *Nouvelle Histoire de l'Église (Des origines à Saint Grégoire le Grand)*. Paris: Éditions du Seuil, 1963, pp. 84-5.

125 LIMA, Alceu Amoroso (Tristão de Athayde). "Mário de Andrade" in TELES, Gilberto Mendonça (org.). *Tristão de Athayde: teoria, crítica e história literária*, op. cit., pp. 333-4.

126 ETIENNE Filho, João (org.). *Alceu Amoroso Lima, Jackson de Figueiredo. Correspondência: harmonia dos contrastes*. Rio de Janeiro: Academia Brasileira de Letras, 1991, t. I, pp. 63-6.

127 O caminho oscilante e o abandono de posições arraigadas de direita passa por uma aproximação dos dominicanos franceses, num contexto em que Alceu terminaria por entusiasmar-se com as teses debatidas no Concílio Vaticano II, de onde sai com toda força a Teologia da Libertação. Cf. COSTA, Marcelo Timotheo da. "Los tres mosqueteros: una reflexión sobre la militancia católica lega en el Brasil contemporáneo", op. cit., e *Um itinerário no século: mudança, disciplina e ação em Alceu Amoroso Lima*, op. cit. Não custa lembrar que o próprio Maritain, na França e nos Estados Unidos, também se aproximaria progressivamente de posturas mais liberais, no seio do debate católico. Que se pense, em conjunto, nessa liberalização crescente do pensamento católico, a qual se aprofundaria nas teses sobre uma pastoral popular, até que, em nossas últimas décadas, o fecho se

cercasse novamente: como se, com o cardeal Ratzinger nomeado papa, Jackson de Figueiredo se impusesse a um balbuciante e contraditório Alceu Amoroso Lima.

128 FERNANDES, Lygia (org.). *71 cartas de Mário de Andrade*. Rio de Janeiro: Livraria São José, s. d., p. 16.

129 Id., ibid., pp. 17-21.

130 A imagem podia ser recorrente, como sugerem as recordações de Moacir Werneck de Castro sobre o tempo de Mário de Andrade no Rio, entre 1938 e 1941. Numa carta enviada a Rosário Fusco, em 1934, Mário se definiria também como um vulcão: "um vulcão... controlado [...] talvez excessivamente controlado". A referência, aqui, era o "ser social" do poeta, que então sofria a contenção que o próprio Mário chamaria — na esteira do *refoulement* com que, na língua francesa, expressava-se a ideia freudiana da *repressão*, ou *recalque* — de "sequestro". CASTRO, Moacir Werneck. *Mário de Andrade: exílio no Rio*, op. cit., p. 91. A imagem foi desenvolvida também num pequeno artigo de corte biográfico publicado na *Folha de S.Paulo* no início da década de 1990, referido, entre outras, à questão da sexualidade de Mário de Andrade, ou àquilo que Moacir Werneck de Castro — na esteira do próprio Mário quando se referia a sua "assombrosa sensualidade", em carta a Oneyda Alvarenga — chamaria de "pansexualidade", e que Antonio Candido cuidadosamente identifica como "uma sensibilidade de homossexual" que se poderia ver em sua obra. Cf. COUTO, José Geraldo, e CARVALHO, Mario Cesar. "Vida do escritor foi um 'vulcão de complicações'". *Folha de S. Paulo*, 26 set. 1993. Quando referida estritamente ao plano da vida sexual, a compreensão da existência convulsiva de Mário de Andrade costuma se empobrecer. No terreno crítico, talvez mais valha perceber a pletora de sentidos que está nessa espécie de balanço entre a ordem e a desordem interiores, ou aquilo que Marcos Moraes percebeu como o paralelo entre a compreensão de si mesmo e o retrato que Mário traçou de Chopin, que em sua obra vivera tanto o "rito coreográfico e dionisíaco do seu espírito" como o "bom senso do seu equilíbrio", de acordo com uma imagem que reapareceria, em carta a Carlos Lacerda (um dos jovens que se reuniam com Mário nas noitadas do Rio), como a "constância coreográfico-dionisíaca que atravessa toda a minha poesia, e pra qual Roger Bastide já chamou a atenção". MORAES, Marcos Antonio de. *Orgulho de jamais aconselhar: a epistolografia de Mário de Andrade*. São Paulo: Edusp, 2007, p. 19. Quem porventura mais longe e mais fundo levou a questão foi José Miguel Wisnik, que não se absteve de entrar na "conflituosa verticalidade íntima" de Mário e procurou escapar às saídas óbvias: "a primeira diz respeito à miséria sexual reinante no período anterior aos anos 1960 e 1970, no que tange ao homoerotismo: este é reduzido à

ordem do recalcado, do inexpresso, daquele inconcebível que cabe fingir não existir. [...] A segunda solução óbvia disponível dizia respeito a certa miséria posterior à liberação sexual dos anos 1960 e 1970, em que a figura estereotipada do homossexual deve saltar pronta do armário para investir-se dos clichês que estão à sua espera, muitas vezes de cunho falocêntrico renitente". No caso todo, fico com a saída lacaniana do crítico: "a rigor, não se conhece a vida sexual de ninguém, e o que temos são construções com algo de ficcional que trazem o enigma da sexualidade às bordas codificadas e imprecisas da vida pública". WISNIK, José Miguel. "O ensaio impossível", op. cit., pp. 222-3.

131 HOLANDA, Sérgio Buarque de. "O testamento de Thomas Hardy" in *O Espírito e a Letra*, op. cit., p. 238. Para um estudo da leitura de Thomas Hardy por Sérgio Buarque de Holanda, consulte-se NASSAR, Laura Meloni. *Círculos críticos: Sérgio Buarque de Holanda e as literaturas de língua inglesa*. Dissertação de mestrado. São Paulo: Universidade de São Paulo, 2004, especialmente pp. 26-39.

132 HOLANDA, Sérgio Buarque de. "Perspectivas" in *O Espírito e a Letra*, op. cit., p. 215.

133 Id., "O testamento de Thomas Hardy" in *O Espírito e a Letra*, op. cit., p. 239.

134 Id., ibid., p. 239. Paragrafação alterada.

135 FERNANDES, Lygia (org.). *71 cartas de Mário de Andrade*, op. cit., p. 17.

136 HOLANDA, Sérgio Buarque de. "O testamento de Thomas Hardy" in *O Espírito e a Letra*, op. cit., p. 240.

137 LIMA, Alceu Amoroso (Tristão de Athayde). "Adeus à disponibilidade", op. cit., pp. 18-9. Paragrafação alterada.

138 Id., ibid., pp. 19-20.

139 AGAMBEN, Giorgio. *Homo Sacer: Sovereign Power and Bare Life*. Stanford: Stanford University Press, 1998, p. 49. Numa série de artigos publicados no *Diário Carioca* em 1952, Sérgio reagiria à "moda kafkiana", lembrando, com Gunther Anders, que a "humilhação deliberada" da "mensagem moral" de Kafka podia apontar para o caldo de cultura que precede o fascismo. É o que levaria o crítico a afirmar que "Kafka não é certamente um progressista; ainda menos um radical. Tendo assumido, embora, todo o individualismo de seu tempo, ele que, ao contrário de Kierkegaard, não tivera a guiá-lo a mão já frágil do cristianismo e que 'não se agarrou, como os sionistas, à cauda do manto talar de Israel, tangido pelo vento', tratou de encontrar além e através das trevas, senão uma luz salvadora, ao menos seu reflexo e seu rescaldo: 'assim — escreve [Kafka em seu diário] — quando chegamos a certa altitude e o ar se rarefaz, invade-nos, de súbito, o brilho do sol'. E assim como não cabe resumir sua obra numa simples prédica filosófica,

ainda menos lícito será defini-la em termos puramente estéticos. Ou melhor: a criação artística não se concebia, para ele, sob a forma de atividade autônoma, dotada de leis próprias e governada segundo essas leis. Aqui, como em tudo, impõe-se, ao contrário, uma íntima aquiescência a algum comando exterior, imperscrutável, embora, nos seus mais profundos desígnios. Por isso pareceu-lhe sempre insatisfatório o famoso dilema kierkegaardiano: *ou* o estético, *ou* o ético. 'Em realidade', diz, 'só se pode alcançar a plena fruição estética através de uma humilde experiência moral'". HOLANDA, Sérgio Buarque de. "Kafkiana — II" in *O Espírito e a Letra*, op. cit., v. 2, pp. 550-1.

140 LIMA, Alceu Amoroso (Tristão de Athayde). "Adeus à disponibilidade", op. cit., p. 17.

141 HOLANDA, Sérgio Buarque de. "O testamento de Thomas Hardy" in *O Espírito e a Letra*, op. cit., p. 240.

142 A referência ao célebre Sermão da Sexagésima, do padre Antônio Vieira, não aparece ainda na primeira edição de *Raízes do Brasil*, mas fornecerá, a partir das edições seguintes, o título do quarto capítulo, "O semeador e o ladrinhador", assim como uma nota intitulada "Natureza e arte", em que Sérgio identifica a fonte de Vieira no também jesuíta Baltasar Gracián. Cf. HOLANDA, Sérgio Buarque de. *Raízes do Brasil*, op. cit., pp. 148-9. A questão reapareceria mais tarde, na obra-prima de Sérgio Buarque (1958), no contraste entre a colonização castelhana da América e o "comedido bom senso" dos portugueses na leitura dos sinais emitidos pelo Novo Mundo. Cf. HOLANDA, Sérgio Buarque de. *Visão do Paraíso: os motivos edênicos no descobrimento e colonização do Brasil*. São Paulo: Companhia das Letras, 2010. Restaria, em todo caso, como caminho de pesquisa, explorar o quanto a admiração pela sinuosidade da vida real, em oposição à abstração geométrica de um mundo ideal, faria par ao discurso freyriano que avalia a colonização lusitana dos trópicos a partir do poder de distensão do "português cosmopolita e plástico", como se lê no início de *Casa-grande & senzala*. Cf. FREYRE, Gilberto. *Casa-grande & senzala* (ed. crítica Guillermo Giucci, Enrique Rodríguez Larreta, Edson Nery da Fonseca). Paris: ALLCA, 2002 (col. Archivos, n. 55).

143 Cf. AGAMBEN, Giorgio. *Homo Sacer: Sovereign Power and Bare Life*, op. cit., p. 61. Penso aqui, ainda, nas reflexões de Raúl Antelo sobre o poeta argentino Arturo Carrera, quando o filósofo italiano vem também em seu socorro: "*tratando de definir la inmanencia absoluta de lo contemporáneo, Giorgio Agamben se detiene en un acto casi fallido, la emergencia de un ladino pasearse en la voz de Spinoza. En ese pasearse, sujeto y objeto de la acción coinciden. Inmanencia absoluta. Ninguna trascendencia. Hay allí, simultaneamente, una marca de actividad y de pasividad,*

de escritura y de lectura, de inscripción y de borrado". ANTELO, Raúl. *Crítica acéfala.* Buenos Aires: Editorial Grumo, 2008, p. 274.

144 SCHWEIK, Robert. "The influence of religion, science, and philosophy on Hardy's writings" in *The Cambridge Companion to Thomas Hardy* (ed. Dale Kramer). Cambridge: Cambridge University Press, 1999, p. 55.

145 Sobre esse Ocidente definitivo, é curioso que a Vulgata traga, no famoso trecho da segunda Epístola aos Coríntios, "littera enim *occidit*" (destaque meu, PMM), o que reapareceria como epígrafe, em *Jude the Obscure,* como "The letter killeth". Aquilo que se põe no *ocidente* morre, conforme a milenar utilização poética da palavra. Para a Vulgata: *Bibliorum Sacrorum: Nova Editio.* Curavit Aloisius Gramatica. Vaticano: Typis Polyglottis Vaticanis, 1951. Para o romance: HARDY, Thomas. *Jude the Obscure.* London: Penguin Books, 1998.

146 LIMA, Alceu Amoroso (Tristão de Athayde). "Constructivismo e destructivismo" in *Estudos, 1ª série,* op. cit., p. 193.

147 Ver, a propósito: SOUSA Junior, Walter de. *Mixórdia no picadeiro: circo, circo-teatro e circularidade cultural na São Paulo das décadas de 1930 a 1970.* Tese de doutorado. São Paulo, Universidade de São Paulo, 2008.

148 LIMA, Alceu Amoroso (Tristão de Athayde). "Constructivismo e destructivismo" in *Estudos, 1ª série,* op. cit., p. 197.

149 Id., ibid., pp. 199-200.

150 Na coleção privada Sérgio Buarque de Holanda, na Unicamp, há duas simpáticas cartas de Alceu, datadas ambas de 1948 (Siarq-Unicamp, Cp 86 P7; Cp 93 P7). Logo depois da morte de Sérgio, em 1982, Alceu publicaria, na *Folha de S. Paulo,* um artigo no qual relembra as contendas da década de 1920 e compara sua relação com Sérgio ao "cruzamento de rumos" de Renan, deixando a Igreja católica em 1835, e Newman, nela ingressando no mesmo ano: "duas figuras máximas, da cultura francesa ou inglesa, cruzavam-se nesse limiar da Eternidade, já que a Fé é sempre uma opção entre a primazia da transcendência, isto é, de Deus em face do mundo, e a primazia da Imanência, com o primado do mundo sobre Deus. Ou sua confusão com Este". LIMA, Alceu Amoroso (Tristão de Athayde). "No limiar dos cruzamentos". *Revista do Brasil,* n. 6, jul. 1987, pp. 119-20.

151 FERNANDES, Lygia (org.). *71 cartas de Mário de Andrade,* op. cit., pp. 29-32.

152 Cf. SOUZA, Gilda de Mello e. *O tupi e o alaúde: uma interpretação de* Macunaíma, op. cit. Cf., também, CAMPOS, Haroldo de. *Morfologia do Macunaíma.* São Paulo: Perspectiva, 2008. Cf. WISNIK, José Miguel. "A rotação das utopias-rapsódia" in BERRIEL, Carlos Eduardo (org.). *Mário de Andrade/ hoje.* São Paulo: Ensaio, 1990, pp. 179-93. Cf. WISNIK, José Miguel. "O ensaio impossível", op. cit.

153 ANDRADE, Mário de. "Começo de crítica" in *Vida literária* (org. Sonia Sachs). São Paulo: Hucitec/Edusp, 1993, p. 12.

154 Id., ibid., p. 13. Paragrafação alterada.

155 Id., ibid., p. 15.

156 Id., "A poesia em pânico" in *Vida literária*, op. cit., p. 18.

157 FERNANDES, Lygia (org.). *71 cartas de Mário de Andrade*, op. cit., pp. 37-8.

158 Trata-se de uma resenha de *Macunaíma*, publicada em *O Jornal* no dia 9 de setembro de 1928, em que Tristão diz "cometer uma indiscrição necessária", trazendo a público os prefácios escritos por Mário mas não publicados. O juízo crítico, ao fim, é severo: "toda a obra literária do sr. Mário de Andrade é mais talvez, obra de crítico social do que propriamente de artista. O sr. Mário de Andrade é o homem menos romântico que possa haver. Nunca escreve por paixão. Por prazer sim. Mas, sobretudo, por procura, por pesquisa para encontrar o Brasil. O Brasil-alma e o Brasil-corpo, mas não o Brasil país. Penso que lhe falta singularmente o sentido de nacionalismo político. Mas tem agudamente o senso do nacionalismo orgânico e social, da busca ao caráter que nos distinga na América e nos marque para sempre. Daí a sua irritação contra a nossa falta de personalidade e a consagração dessa ausência em distintivo, por meio de uma figura como Macunaíma. [...] O livro é longo demais. Cacete muitas vezes [...] Cheio também de pornografia muitas vezes dispensável, e dessa complacência ao instintivismo que é a marca da época. Não é um romance, nem um poema, nem uma epopeia. Eu diria antes um coquetel. Um sacolejado de quanta coisa há por aí de elementos básicos, de nossa 'psyche', como dizem os sociólogos. É um desses retratos-médios, em que se sobrepõem várias fotografias diferentes e que acaba não se parecendo com ninguém". LIMA, Alceu Amoroso (Tristão de Athayde). "Macunaíma" in ANDRADE, Mário de. *Macunaíma*. Ed. crítica, Telê Porto Ancona Lopez. Rio de Janeiro/São Paulo: Livros Técnicos e Científicos/Secretaria da Cultura, Ciência e Tecnologia, 1978, pp. 332-9.

159 FERNANDES, Lygia (org.). *Mário de Andrade escreve cartas a Alceu, Meyer e outros*. Rio de Janeiro: Editora do Autor, 1968, pp. 19-20.

160 "Plantou uma semente do cipó matamatá, filho-da-luna, e enquanto o cipó crescia agarrou numa itá pontuda e escreveu na laje que já fora jabuti num tempo muito de dantes: NÃO VIM NO MUNDO PARA SER PEDRA." ANDRADE, Mário de. *Macunaíma*, op. cit., p. 165.

161 JARDIM, Eduardo. *Mário de Andrade: a morte do poeta*, op. cit., p. 54. Cf., também, ALVARENGA, Oneyda (org.). *Mário de Andrade-Oneyda Alvarenga: cartas*. São Paulo: Duas Cidades, 1983.

162 ANDRADE, Mário de. *Poesias completas*, op. cit., p. 268.

163 HARDY, Thomas. *Selected Poems* (ed. Robert Mezey). New York: Penguin Books, 1998, p. 147. (As formas instáveis do sol nas gotículas,/ O brilho vivaz onde o riacho corria,/ Faces rosadas, promessas, luar de maio,/ Estas são as coisas que desejaríamos ficassem;/ Mas elas vão.// Estações de vazio de neve,/ O sangrar silencioso de um mundo que decai,/ O gemido de multidões que sofrem,/ Estas são as coisas que desejaríamos fossem;/ Mas elas ficam.// Então miramos de perto o Tempo/ E vimos seus braços de fantasma revolvendo/ Varrendo com esmero as misérias,/ Coisas sinistras e coisas sublimes/ dissolvendo-se igualmente.) (Tradução minha, PMM.)

164 HOLANDA, Sérgio Buarque de. "O testamento de Thomas Hardy" in *O Espírito e a Letra*, op. cit., pp. 241-2.

165 Apud TAYLOR, Dennis. "Introduction: The Letter of What Law?" in HARDY, Thomas. *Jude the Obscure*, op. cit., p. xxi. (Tradução minha, PMM.)

166 LAWRENCE, D. H. *Study of Thomas Hardy and Other Essays* (ed. Bruce Steele). Cambridge: Cambridge University Press, 1985, p. 21. (Tradução minha, PMM.)

167 HOLANDA, Sérgio Buarque de. "Tristão de Athayde" in BARBOSA, Francisco de Assis (org.). *Raízes de Sérgio Buarque de Holanda*, op. cit., p. 111.

168 Id., ibid., p. 112. Paragrafação alterada.

169 Id., ibid., p. 112.

170 Id., ibid., pp. 112-3. Corrigi aqui a sentença de santo Anselmo, que no artigo recolhido por Francisco de Assis Barbosa contém um erro ("fides quaerens *intellectus*").

171 Trabalhei a questão anteriormente, ao sugerir que o princípio tomista lembrado por Sérgio Buarque de Holanda em *Raízes do Brasil* (*"Cum enim gratia non tollat naturam, sed perficiat, oportet quod naturalis ratio subserviat fidei; sicut et naturalis inclinatio voluntatis obsequitur caritati"*, Summa Theologiae, I, q.1, a.8, ad.2) supõe que a distância de um céu ideal não impede, antes enseja, o aperfeiçoamento do mundo natural pela luz da revelação. O incômodo de Sérgio se dá, é claro, no momento — contemporâneo — em que uma caprichosa engenharia social torna-se o agente do aperfeiçoamento político. Em termos especificamente tomistas, a doutrina sagrada não é matéria de argumentação, porque, se assim fosse, ela viria da razão ou da autoridade, o que lhe roubaria a dignidade. Mas, como se lê na resposta a tal objeção, de onde provém a citação do doutor Angélico em *Raízes do Brasil*, a doutrina sagrada pode também se basear em argumentos de autoridade, porque ao fim é imperativo que acreditemos na autoridade

daquele a quem a revelação foi feita. Cf. MONTEIRO, Pedro Meira. "Buscando América" in HOLANDA, Sérgio Buarque de. *Raízes do Brasil*, op. cit., pp. 324-5.

172 FERNANDES, Lygia (org.). *Mário de Andrade escreve cartas a Alceu, Meyer e outros*, op. cit., pp. 59-60.

173 Id., ibid., p. 60.

174 MANGANARO, Marc. *Culture, 1922: The Emergence of a Concept*. Princeton, NJ: Princeton University Press, 2002, p. 2.

175 Id., ibid., p. 17. (Tradução minha, PMM.)

176 Penso na evolução do pensamento de René Girard, que se encontra exposta em sua longa entrevista a Pierpaolo Antonello e João Cezar de Castro Rocha. Cf. GIRARD, René. *Les origines de la culture: entretiens avec Pierpaolo Antonello et João Cezar de Castro Rocha*. Paris: Desclée de Brouwer, 2004.

177 LAFETÁ, João Luiz. *1930: a crítica e o modernismo*. São Paulo: Duas Cidades/ Editora 34, 2000, pp. 153-4.

178 Cf. CASTRO, Moacir Werneck. *Mário de Andrade: exílio no Rio*, op. cit.

179 ANDRADE, Mário de. "Tristão de Ataíde" in *Aspectos da literatura brasileira*, op. cit., p. 16.

180 Id., ibid., pp. 17-8.

181 DÍAZ QUIÑONES, Arcadio. *Sobre los principios: los intelectuales caribeños y la tradición*. Bernal: Universidad Nacional de Quilmes, 2006, p. 166.

182 ANDRADE, Mário de. *O banquete*. São Paulo: Duas Cidades, 1989, p. 130.

183 COLI, Jorge, e DANTAS, Luiz. "Sobre *O banquete*" in ANDRADE, Mário de. *O banquete*, op. cit., p. 32.

184 Seria um exercício de pensamento não de todo ocioso imaginar o que teria acontecido se Mário de Andrade não tivesse morrido prematuramente, se tivesse visto e acompanhado a evolução da Teologia da Libertação, por exemplo. O quadro do pensamento social no Brasil provavelmente seria outro, se a força e a significação da obra marioandradina tivesse chegado às décadas de 1960 e 1970 e reencontrado a potência da política, pela via de uma releitura social engajada da cultura popular. Depois da morte de Mário, seu grande projeto (porventura o maior e mais poderoso projeto *cultural* para o Brasil no século XX) terá se limitado a revivescências fugazes no plano do fazer artístico (penso em frentes diversas, como a obra musical e dançarina de Antônio Nóbrega, os experimentos poéticos do grupo Anima, ou mais recentemente A Barca), sem jamais ter se fixado numa ampla concepção da ação política. É verdade que a concepção do "patrimônio

artístico" (que se pense na herança marioandradina do IPHAN) e toda a discussão do "patrimônio imaterial" se faz, ainda hoje no Brasil, à sombra das reflexões de Mário de Andrade. Mas penso aqui no que teria sido vê-lo posicionar-se diante dos debates da esquerda, nas encruzilhadas dos anos 1960 e 1970, quando o ciclo das ditaduras latino-americanas, no contexto da guerra fria, fechava o cerco e reativava, em chave ultraconservadora, a noção de uma *ordem* ameaçada, a ser restabelecida. Sobre A Barca, cf. BRUNE, Krista. "Musical Nationalism for the 21st Century: From Andrade's Archive to A Barca's Repertoire". *ellipsis: Journal of the American Portuguese Studies Association*, 2012, no prelo. Para uma "busca da rabeca perdida", desde a perspectiva de um dos líderes do grupo Anima, cf. FIAMINGHI, Luiz Henrique. "O violino violado: o entremear das vozes esquecidas das rabecas e de 'outros violinos'". *Per Musi*, n. 20, 2009, pp. 16-21. Para Antônio Nóbrega, cf. COELHO, Marco Antônio, e FALCÃO, Aluísio. "Antônio Nóbrega: um artista multidisciplinar". *Estudos Avançados*, v. 9, n. 23, 1995, pp. 59-70. Vejam-se, ainda, as considerações de Luciano Costa Santos sobre a "espiritualidade terrestre de Mário de Andrade". Cf. SANTOS, Luciano Costa. "Mário-Alceu: um diálogo marginal (Mário de Andrade leitor de Alceu Amoroso Lima)", op. cit., especialmente pp. 64-8.

185 ROSA, Virginio Santa. *A desordem: ensaio de interpretação do momento*. Rio de Janeiro: Schmidt, 1932, pass.

186 Veja-se, por exemplo, GOMES, Ângela de Castro. "A dialética da tradição". *Revista Brasileira de Ciências Sociais*, n. 12, fev. 1990, pp. 15-27. Também, FERREIRA, Gabriela Nunes. "A formação nacional em Buarque, Freyre e Vianna". *Lua Nova*, n. 37, 1996, pp. 229-54. Ver, ainda, PIVA, Luiz Guilherme. *Ladrilhadores e semeadores: a modernização brasileira no pensamento político de Oliveira Vianna, Sérgio Buarque de Holanda, Azevedo Amaral e Nestor Duarte (1920-1940)*. São Paulo: Editora 34/Departamento de Ciência Política da USP, 2000. A nostalgia da ordem resulta, em não poucos casos, na projeção idealizada do equilíbrio político durante o Império, o que, como se sabe, costuma regressar com força na historiografia contemporânea. Para a década de 1930, ainda na corrente da Revolução Constitucionalista de 1932, e no contexto que se abriria para a Constituinte de 1934, cf. SODRÉ, Alcindo. *A gênese da desordem*. Rio de Janeiro: Schmidt/Civilização Brasileira, s. d.

187 TORRES, Alberto. *A organização nacional*. São Paulo: Companhia Editora Nacional, 1978, p. 160.

188 CARDOSO, Vicente Licínio (org.). *À margem da história da República*. Recife: Fundação Joaquim Nabuco/Editora Massangana, 1990.

189 DANTAS, Pedro (Prudente de Moraes, neto). "Literatura de ideias". *Cultura Política; revista mensal de estudos brasileiros*, mar. 1941, pp. 257-9.

190 RICARDO, Cassiano. "O Estado Novo e seu sentido bandeirante". *Cultura Política; revista mensal de estudos brasileiros*, mar. 1941, p. 132.

191 A polêmica se fixaria a partir de 1948, quando Cassiano Ricardo reitera sua leitura de *Raízes do Brasil* num artigo para a revista *Colégio*, no qual a prática bandeirante é reconsiderada a partir de uma "técnica da bondade" que estaria expressa já na conceituação do "homem cordial". É precisamente aí, em 1948, que Sérgio, no número seguinte da revista, "mata" o homem cordial, não apenas lembrando o princípio ambíguo de sua atuação na pólis, mas igualmente imaginando que o fenômeno da urbanização de fato e para sempre enterraria esse "pobre defunto", com quem o historiador dizia recear já se ter "gasto muita cera". Cf. RICARDO, Cassiano. "Variações sobre o 'homem cordial'" in *Raízes do Brasil*, op. cit., pp. 365-92. Cf. HOLANDA, Sérgio Buarque de. "Carta a Cassiano Ricardo" in *Raízes do Brasil*, op. cit., pp. 393-6. Excusado lembrar que, como todo bom fantasma, o defunto ressuscitaria constantemente, e aliás faria suas aparições em especial a partir da década de 1960, quando, na esteira da crítica de Dante Moreira Leite em *O caráter nacional brasileiro*, de 1954, *Raízes do Brasil* passaria a ser visto com certo desdém, como peça ideológica que desconsideraria, afinal, a dinâmica conflitiva das classes sociais. Cf. LEITE, Dante Moreira. *O caráter nacional brasileiro: história de uma ideologia*. São Paulo: Editora da Unesp, 2002. A despeito de suas inúmeras tentativas de deixar *Raízes do Brasil* de lado, Sérgio Buarque jamais se livrou da sombra de seu livro de estreia, notadamente enquanto vigorou a matriz marxista na universidade brasileira. O ponto máximo dessa revivescência dos supostos princípios ideológicos de seu livro seria a polêmica com Carlos Guilherme Mota, na década de 1970. É possível, finalmente, compreender o famoso prefácio de Antonio Candido, escrito no final da década de 1960, como uma resposta, precisamente, à leitura de *Raízes do Brasil* como mera peça ideológica. Assim, torna-se mais fácil compreender as razões por que Candido inicia seu próprio texto recuperando a importância de obras como *Casa-grande & senzala* e *Raízes do Brasil* para sua geração, alinhando-as, significativa e provocadoramente, à obra de Caio Prado Jr., cuja matriz interpretativa imperava então na Universidade de São Paulo, de que Sérgio Buarque aliás se afastaria, depois do AI-5, em solidariedade aos colegas compulsoriamente aposentados pela ditadura. Sobre a polêmica com Mota, ver MONTEIRO, Pedro Meira. "Sérgio Buarque de Holanda e as palavras: uma polêmica". *Lua Nova*, n. 48, 1999, pp. 145-59. Os termos do prefácio de Candido, escrito em 1967 e publicado a partir da quinta edição de *Raízes do Brasil* (1969), seriam retomados pelo próprio crítico em textos posteriores. Ver, a propósito, SOUZA, Antonio Candido de Mello e.

"A visão política de Sérgio Buarque de Holanda" in MONTEIRO, Pedro Meira, e EUGÊNIO, João Kennedy (orgs.). *Sérgio Buarque de Holanda: perspectivas*, op. cit., pp. 29-36.

192 SOUZA, Antonio Candido de Mello e. "Dialética da malandragem", op. cit.

193 Id., "O significado de *Raízes do Brasil*" in *Raízes do Brasil*, op. cit., pp. 235-50. Retomando ideia discutida atrás — de uma genealogia da dialética da malandragem cuja ponta contemporânea seria a reflexão de José Miguel Wisnik sobre o futebol —, conviria refletir sobre o quanto a ideia de um *phármakon*, em *Veneno remédio*, deve menos à leitura de Derrida e mais ao debate inicial do modernismo, que Antonio Candido traduziria e filtraria em sua crítica, introduzindo, no diagnóstico letal de uma civilização falhada (diagnóstico que imperou em especial a partir da década de 1960 no Brasil, como assinalei em nota anterior, na referência a Caio Prado Jr.), a "ambivalência sérgio-buarquiana". Cf. WISNIK, José Miguel. *Veneno remédio: o futebol e o Brasil*. São Paulo: Companhia das Letras, 2008, p. 424.

194 SOUZA, Eneida Maria de (org.). *Correspondência Mário de Andrade & Henriqueta Lisboa*. São Paulo: Edusp/Instituto de Estudos Brasileiros/Peirópolis, 2010, pp. 134-5. A mesma imagem apareceria em carta a Murilo Miranda, escrita também por esses dias: "Eu vivo. Tão calmo!... De noite uns chopes. De dia ainda estou arrumando coisas, jogando coisas fora, rasgando papéis. Me deu mania de limpeza, gosto de vazios, sentimentos de liquidação e isto aqui vai como guerra de oropas, destruição vasta de retaguarda". ANTELO, Raúl (org.). *Mário de Andrade: cartas a Murilo Miranda (1934-1945)*. Rio de Janeiro: Nova Fronteira, 1981, p. 72.

195 Penso aqui na reflexão heideggeriana em torno da "serenidade", que Denilson Lopes recuperou, quando analisou o tema do regresso à casa através da análise de dois romances contemporâneos (*Sinfonia em branco*, de Adriana Lisboa, e *Cinco estações do amor*, de João Almino), tendo Guimarães Rosa de permeio e, embora sem nomeá-lo, Renato Russo como inspiração. Cf. LOPES, Denilson. "De volta pra casa" in *A delicadeza: estética, experiência e paisagens*. Brasília: Editora Universidade de Brasília/Finatec, 2007, pp. 115-29.

196 BENJAMIN, Walter. "A obra de arte na era de sua reprodutibilidade técnica", op. cit., p. 170.

197 Id., ibid., p. 171.

198 Referindo-se à importância do rádio no período, e preocupado em compreender o fim da Cidade Nova, com a recuperação e implantação do plano Agache no Rio de Janeiro, Bruno Carvalho nota que, concomitantemente à maior profissionalização do samba, "com a nova mídia, a presença corpórea, e com ela

a geografia cultural, tornavam-se muito menos integrais: para ouvir o samba, não era mais necessário estar numa casa lotada ou nas suarentas gafieiras de determinadas vizinhanças. Podia-se fazê-lo de casa. Podia-se fazê-lo em *mais* casas, espalhadas pela cidade e pelo país, e neste sentido as próprias formas musicais ganham em mobilidade, mas a experiência do indivíduo não é mais condicionada pelo deslocamento físico". CARVALHO, Bruno. *New City in a New World: Literary Spaces of an Afro-Jewish Brazilian Neighborhood*. Tese de doutoramento. Harvard University, 2009, p. 160. (Tradução minha, PMM. Agradeço ao autor o acesso à versão recente da tese, a publicar-se em breve.) Comentando, em 1942, a *História da música brasileira* de Renato Almeida, Mário remata seu artigo da seguinte forma: "eu sempre espero que ainda apareça aquele homem excelente que estude a psicologia, as sublimações, desvios e o sofrimento da gente carioca, através dessa coisa incomparável que são os textos dos sambas. Quando escutei pela primeira vez os cariocas gemendo com candura e obediência que 'Vão acabar com a Praça Onze', quase fiquei horrorizado. Sim, há muitas razões mais prementemente humanas para que gritemos 'Guardai o vosso pandeiro! Guardai!', mas eu desconfio que na escola futura de prefeitos e engenheiros urbanistas, o folclore será uma das cátedras principais. Quem teria inventado esse provérbio maluco de que a música suaviza os costumes! Mas o folclore, vos garanto que humaniza os corações". ANDRADE, Mário de. "Música brasileira" in *Música, doce música*, op. cit., p. 346. Sobre Mário acompanhando a evolução do samba no Rio de Janeiro, leia-se ainda a crônica de 1931 no *Diário Nacional*, sobre os discos de Carnaval lançados aquele ano no Rio de Janeiro. Cf. ANDRADE, Mário de. "Carnaval tá aí" in ANDRADE, Mário de. *Táxi e crônicas no Diário Nacional*. Org. Telê Porto Ancona Lopez. São Paulo: Duas Cidades, Secretaria de Cultura, 1976, pp. 321-3.

199 ANDRADE, Mário de. "A poesia em pânico" in *O empalhador de passarinho*. Belo Horizonte: Itatiaia, 2002, p. 55. Pablo Simpson vem perseguindo a presença da poesia católica francesa na literatura brasileira a partir do modernismo. Cf. SIMPSON, Pablo. "Deslizar nas ruas, entre Max Jacob e Mário de Andrade". *Revista do Instituto de Estudos Brasileiros*, n. 53, 2011. Cf., também, SIMPSON, Pablo. "A poesia cristã francesa no século XX e sua recepção brasileira, notas sobre tradução". *Letras (UFSM)*, v. 39, 2010, pp. 151-68.

200 ANDRADE, Mário de. *Padre Jesuíno do Monte Carmelo*. Rio de Janeiro: Ministério da Educação e Saúde/SPHAN, 1945.

201 Os livros daí resultantes são, conforme discutido, *Monções* (1945) e *Caminhos e fronteiras* (1957).

202 FABRIS, Annateresa (org.). *Portinari, amico mio: cartas de Mário de Andrade a*

Candido Portinari. Campinas: Mercado de Letras/Autores Associados/Projeto Portinari, 1995, p. 82.

203 ANDRADE, Mário de. "Uma capela de Portinari" in *Será o Benedito!* São Paulo: Educ, 1992, pp. 98-9.

204 Id., "O movimento modernista" in *Aspectos da literatura brasileira*, op. cit., pp. 253-80.

205 Cf. MORAES, Marcos Antonio de (org.). *Correspondência Mário de Andrade & Manuel Bandeira*, op. cit., p. 524.

206 ANDRADE, Mário de. "Uma capela de Portinari" in *Será o Benedito!*, op. cit., pp. 99-101.

207 Id., "Obras novas de Cândido Portinari" in *Será o Benedito!*, op. cit., pp. 29-30.

208 Id., "Errico Bianco" in *Será o Benedito!*, op. cit., pp. 107-10.

209 Id., *Carta ao pintor moço* (ed. Marcos Antonio de Moraes). São Paulo: Boitempo Editorial, 1995, p. 22.

210 Cf. WÖLFFLIN, Heinrich. *Classic Art: An Introduction to the Italian Renaissance*. London: Phaidon Press, 1952, p. 257. Ainda na consideração da pintura mural de Portinari em Brodowski, Mário de Andrade, ao referir-se à figura de santa Luzia, sente que seria necessário "nos transportarmos à Itália renascentista para encontrar santas assim tão belas". Cf. ANDRADE, Mário de. "Uma capela de Portinari" in *Será o Benedito!*, op. cit., p. 101.

211 Cf. SOUZA, Eneida Maria de (org.). *Correspondência Mário de Andrade & Henriqueta Lisboa*, op. cit., p. 146.

212 Apud FABRIS, Annateresa. "História de uma amizade" in *Portinari, amico mio: cartas de Mário de Andrade a Candido Portinari*, op. cit., p. 19.

213 Ainda no terreno das especulações, permito-me mais um salto: a fotografia contemporânea de Sebastião Salgado existiria, tal qual, sem as figuras torturadas de Portinari? Não seria correto buscar, na pintura, as raízes de certa sensibilidade para a captação da imagem fotográfica? Recorde-se que, não poucas vezes, Sebastião Salgado é criticado pelo caráter "monumental" de sua arte, pelos retratos que deixam ver a vítima, mas não o sujeito por trás da dor. Pois a "monumentalidade escultórica" que Mário de Andrade acertadamente exalta em Portinari não é bem o limite a que é levado o sujeito, quando tomado pela tragédia coletiva? De um ponto de vista cristão, a dor é o caminho para a revelação, e é pela dor coletiva, vivenciada exemplarmente pelo Homem, que se oferece, ao indivíduo esmagado, o sentido de seu próprio sofrimento: a *redenção* que descansa, plausivel-

mente, no fundo dos retratos de Portinari, vistos por Mário de Andrade. O debate ético sobre os retratos "sociais" se descortina aí: o retratado deve ter sua interioridade resguardada, protegida dos olhos sedentos do artista, ou é possível convertê-lo, ao retratado, em exemplo da tragédia coletiva? Mas, quando a tragédia coletiva se revela através do indivíduo exemplar, que foi feito do sujeito? Talvez aí esteja parte da crítica ao "sentimentalismo" que pode resultar da visão da obra de Portinari, cujos "pés e mãos intumescidos, figuras descarnadas, ventres dilatados, olhos grandes e tristes [...] não colocam o observador numa posição em que a violência da miséria e do trabalho se reinstale no momento da apreciação e da experiência das obras". NAVES, Rodrigo. "Portinari: a fera e o belo" in *O vento e o moinho: ensaios sobre arte moderna e contemporânea*. São Paulo: Companhia das Letras, 2007, p. 443.

214 ANDRADE, Mário de. *Dicionário musical brasileiro* (ed. Oneyda Alvarenga, Flávia Toni). Belo Horizonte/São Paulo/Brasília: Itatiaia/IEB/Edusp/Ministério da Cultura, 1989, p. 291.

215 Id., "Cândido Inácio da Silva e o lundu". *Latin American Music Review*, v. 20, n. 2, 1999, p. 219.

216 Id., ibid., pp. 220-1. Na interpretação de Mário, o abaixamento da sétima não apenas cria a modulação buscada, como abre espaço para o "breque" do acompanhamento instrumental. Um "breque" que, como bom músico e poeta, Mário reproduz em seu texto, quando separa as ideias da "nudez" e do "esplendor" por meio de um parágrafo que é, ele mesmo, um breque. Vale a pena ler o trecho (em voz alta, é claro), lembrando que o ritmo do texto reproduz o efeito analisado, na quebra do parágrafo aqui representado pela dupla barra: "E então, num... 'breque' do acompanhamento instrumental (comp. 25º), com toda a coragem, ele ataca a sétima abaixada, sem nenhum sofisma modulatório, em pleno Dó Maior. Era a constância escalar brasileira em toda a sua nudez.// E esplendor, por sinal. [...]". O salto da *nudez* (a linguagem desprovida de qualquer sofisma) ao *esplendor* expressa exatamente aquele núcleo metafórico com que, conforme já discutido aqui, se abriram, duas décadas antes, as teses de *A escrava que não é Isaura*, onde se atribui ao "vagabundo genial" Rimbaud o toque mágico que desnudara a Poesia, "essa mulher escandalosamente nua que os poetas modernistas se puseram a adorar". Da nudez ao esplendor pelo breque, em suma.

217 Id., "Cândido Inácio da Silva e o lundu", op. cit., p. 221.

218 Id., ibid., p. 222.

219 Embora o período contemplado por Wisnik em sua análise dos contos de Machado de Assis seja posterior ao momento histórico de Cândido Inácio da Silva, o paralelo com Mário de Andrade parece-me bastante claro, desde que feita

a ressalva de que, diferentemente de Mário, Wisnik aposta alto, e feliz, no fenômeno da música *urbana*: "A questão, aqui, é que a polca amaxixada vaza os espaços fechados e os contextos de classe implicados no pianismo dos salões: ela se liga com o machete das ruas, com flautas, clarinetes, oficleides, violões e cavaquinhos, com pandeiros e candongas — ela se irradia incontrolável, sai e volta pelo ladrão do inconsciente. É não só mercadoria de massas mas cifra imponderável do mundo brasileiro, algo que cruza as orquestras de teatro, os salões da moda, a música das camadas médias e dos chorões mulatos, as danças de negros na Cidade Nova, ligadas às profundezas sem fundo da humanidade escrava." WISNIK, José Miguel. "Machado maxixe: o caso Pestana", op. cit., p. 78. Como contraponto à análise de Wisnik, leia-se AVELAR, Idelber. "Ritmos do popular no erudito: política e música em Machado de Assis" in *A obra de Machado de Assis*. Brasília: Ministério das Relações Exteriores, 2006. A noção de ouvido interior (*auris interior*) aparece no tratado *Da Música*, de santo Agostinho. Cf. Saint AUGUSTIN. "La musique" in Œuvres (éd. Lucien Jerphagnon). Paris: Gallimard, 1998, pp. 553-730.

220 Para o cruzamento entre música e nação no discurso do Caribe hispânico e do Brasil, cf. QUINTERO-RIVERA, Mareia. *A cor e o som da nação: a ideia de mestiçagem na crítica musical do Caribe hispânico e do Brasil (1928-1948)*. São Paulo: Annablume, 2000. Cf., também, ROBBINS, Dylon L. *Popular Music and Citizenship in Brazil and Cuba: Theme, Counterpoint, Variation*. Tese de doutoramento. Princeton University, 2010, notadamente "When Mário de Andrade Reads Alejo Carpentier, or Some Problems of Race, Nation, and Popular Music", pp. 77-111. Em 1932, em sua coluna no *Diário Nacional*, Mário regressa, em apreciação ambígua, ao valor inspirador da música afro-cubana: "a música afro-cubana tem sido a fecundadora de todo, ou quase todo o populário sonoro americano. Parece mesmo que a sua finalidade é exclusivamente essa: dar origem a criações novas em outras terras desta variada América. O populário musical afro-cubano nem por isso é muito bonito, nem mesmo duma originalidade espaventosa. É um populário interessante, agradável, mas que não sobressai no meio das vastas riquezas populares do mundo. Porém possui essa faculdade especial de ser eminentemente inspirador de criações muitas vezes mais bonitas e até originais. É o caso, por exemplo, do tango e do maxixe, ambos provenientes, ou melhor, estimulados pela música afro-cubana. Ambos surgem e se desenvolvem naqueles tempos em que a Habanera dominava as sociedades ibero-americanas". ANDRADE, Mário de. "Cuba, outra vez" in *Táxi e crônicas no Diário Nacional*, op. cit., p. 487.

221 Conquanto não tenha vingado completamente no Brasil, o campo dos estudos pós-coloniais é ainda vigoroso na academia de língua inglesa, em especial no plano dos estudos latino-americanos, em que se incluem a literatura e a cultura brasileiras. O tema da "colonialidade do poder" permanece central para essa dis-

cussão e reapareceu, recentemente, nas denúncias de Mark Driscoll sobre o que teria sido um "roubo" da teoria latino-americana (em especial autores como Aníbal Quijano, Walter Mignolo e Eduardo Viveiros de Castro) por Michael Hardt e Antonio Negri. Curiosamente, a discussão sobre o caráter colonial de todo poder ressurge a partir da acusação de apropriação indébita, pela teoria produzida a partir do centro, daquilo que se produz nas periferias. Cf. DRISCOLL, Mark. "Looting the Theory Commons: Hardt and Negri's *Commonwealth*". *Postmodern Culture*, v. 21, n. 1, 2010. Web. Consultado em 24 nov. 2011. Excusado lembrar que o quadro do "periférico" e do "central" muitas vezes se limita, em tais discussões, ao circuito das grandes universidades norte-americanas. Para uma proposta de cruzamento de agendas teóricas, a partir das reflexões sobre a colonialidade do poder no Brasil, cf. MONTEIRO, Pedro Meira. "The Dialectic of Resistance: Alfredo Bosi, Literary Critic" in BOSI, Alfredo. *Colony, Cult and Culture*. Trad. Robert P. Newcomb. Dartmouth, MA: University of Massachusetts Dartmouth, 2008, pp. 7-17. (Disponível *on-line* em Luso-Asio-Afro-Brazilian Studies & Theory.)

222 ANDRADE, Mário de. "Cândido Inácio da Silva e o lundu", op. cit., p. 222. O problema da *sublimação* deve ser enfrentado, sempre que se trata dos "segredos" soprados ao ouvido do artista engajado, e faz pensar na preocupação de Mário com a "Dona Ausente", que Elizabeth Travassos tratou com especial cuidado, referindo-se às modinhas: "muitas cantigas populares que conhecia falavam da mulher como um objeto inatingível, separado do cantor por um rio ou pelo mar. Mário acreditava ter descoberto no tema da 'dona ausente' um complexo psicológico coletivo, cuja origem atribuiu à experiência histórica da conquista e colonização. Tanto as navegações quanto a fixação nas Américas exigiram castidade. Não havia mulheres — ou não as havia para todos — nas embarcações e nos primeiros núcleos de colonos. A frustração sexual foi recalcada (sequestrada, dizia Mário) e emergiu nas práticas de batizar barcos com nomes femininos, comparar mulheres a barcos, peixes e comidas marinhas. A castidade forçada não deu margem a jeremiadas líricas, mas à sublimação produtiva que transformou as 'energias afetivas do ser' em expressão dotada de funcionalidade social. O modinheiro chora, na melhor das hipóteses, uma dor individual; na pior delas, chora lágrimas de convenção, passatempo de frequentadores dos salões. O povo transforma as energias afetivas num 'complexo' que, sendo social, tem maior valor moral". TRAVASSOS, Elizabeth. *Os mandarins milagrosos: arte e etnografia em Mário de Andrade e Béla Bartók*. Rio de Janeiro: Funarte/Jorge Zahar Editor, 1997, p. 113.

223 ELLISON, Ralph. "Flamenco" in *Living with Music: Ralph Ellison's Jazz Writings* (ed. Robert G. O'Meally). New York: The Modern Library, 2002, p. 97. Curioso que Ellison, pela via de Unamuno, revisite, exatamente nesse ponto de seu ensaio,

a mesma ideia que Gilberto Freyre desenvolvera logo no início de *Casa-grande & senzala*, e que Sérgio Buarque retomaria na abertura de *Raízes do Brasil*, da península Ibérica como um território ponte: "*Perhaps Spain (which is neither Europe nor Africa but a blend of both) was once more challenging to our Western optimism. If so, it was not with pessimism but with an affirmative art, which draws its strength and endurance from a willingness to deal with the whole man (Unamuno's man of flesh and blood who must die) in a world which is viewed as basically impersonal and violent; if so, through her singers and dancers and her flamenco music she was making the West a most useful and needed gift*". Idem, p. 97. [Talvez a Espanha (que não é nem Europa nem África, mas uma mistura de ambas) tenha uma vez mais lançado um desafio ao nosso otimismo ocidental. Se assim é, não foi com pessimismo mas com uma arte afirmativa, que busca sua força e permanência no desejo de lidar com o homem total (o homem de carne e osso que deve morrer, de Unamuno) num mundo que é visto basicamente como impessoal e violento; se assim é, por meio de seus cantores e dançarinos e de seu *flamenco* ela estava dando ao Ocidente um presente absolutamente útil e necessário.] (Tradução minha, PMM.) Quase não é preciso lembrar, finalmente, do aspecto de extrema itinerância da música, que fazia com que o "primitivo" não fosse nunca uma exclusividade nacional, e que a criação fosse sempre, de alguma forma, *recriação*. Num artigo nos *Diários Associados*, em fevereiro de 1941, Mário atribuía o fato à possibilidade de "ser a música a mais 'inconsciente' das artes", e lembra que no Nordeste surpreendera "o fox-trot 'That is my Baby' convertido a coco". ANDRADE, Mário de. "O desnivelamento da modinha" in *Música, doce música*, op. cit., p. 336.

224 Id., "Nacionalismo musical" in *Música, doce música*, op. cit., p. 282.

225 Id., ibid., pp. 283-4.

226 Id., ibid., p. 284.

227 Id., ibid., pp. 284-5.

228 Numa desencantada carta enviada logo no início de sua temporada no Rio de Janeiro, ao querido parente de Araraquara, o "tio Pio", Mário declara-se "amputado, desmusculado, intelectualmente anêmico", e no entanto se lembra de uma ocasião em que, entrando em casa de Paulo Prado, este lhe teria dito: "Mário, tenho pensado muito em você estes dias. É espantosa a firmeza com que você realizou o que nenhum de nós conseguiu realizar aqui no Brasil, às vezes com muito maiores possibilidades, como eu e o Oswaldo de Andrade, por exemplo. Mas você está realizando uma verdadeira vida de intelectual, de intelectual à europeia, só se preocupando das coisas do espírito e, dentro destas, das que lhe interessam apenas, apesar da indiferença do meio". Cf. *Pio & Mário: diálogo da*

vida inteira. Traços biográficos Antonio Candido. Introd. Gilda de Mello e Souza. Ed. Denise Guaranha e Tatiana Longo Figueiredo. São Paulo/Rio de Janeiro: Edições Sesc São Paulo/Ouro sobre Azul, 2009, pp. 317-8.

229 Cf. COLI, Jorge. *Música final: Mário de Andrade e sua coluna jornalística Mundo Musical*, op. cit., pp. 74-82; 280-92.

230 ANDRADE, Mário de. *Padre Jesuíno do Monte Carmelo*, op. cit., p. 9.

231 Id., ibid., p. 35.

232 Id., ibid., p. 122.

233 Id., ibid., p. 126.

234 Id., ibid., pp. 127-8.

235 Id., ibid., pp. 141-2.

236 ANDRADE, Mário de. "O Aleijadinho" in *Aspectos das artes plásticas no Brasil*. Belo Horizonte: Itatiaia, 1984, p. 37.

237 Id., ibid., p. 34.

238 Id., ibid., p. 42.

239 ANDRADE, Mário de. *Padre Jesuíno do Monte Carmelo*, op. cit., p. 143.

240 BARSALINI, Maria Silvia Ianni. *Mário de Andrade constrói o Padre Jesuíno do Monte Carmelo*. Tese de doutoramento. Universidade de São Paulo, 2011. (Valho-me de uma versão prévia da tese, cedida pela autora, a quem agradeço.)

241 ANDRADE, Mário de. "A capela de Santo Antônio" in *Aspectos das artes plásticas no Brasil*, op. cit., p. 73.

242 Id., ibid., pp. 73-4.

243 Id., ibid., p. 86.

244 "[...] a lentidão com que, no planalto paulista, se vão impor costumes, técnicas ou tradições vindos da metrópole — é sabido que, em São Paulo, a própria língua portuguesa só suplantou inteiramente a geral, da terra, durante o século XVIII — terá profundas consequências. Desenvolvendo-se com mais liberdade e abandono do que em outras capitanias, a ação colonizadora realiza-se aqui por um processo de contínua adaptação a condições específicas do ambiente americano. Por isso mesmo, não se enrija logo em formas inflexíveis. Retrocede, ao contrário, a padrões rudes e primitivos: espécie de tributo exigido para um melhor conhecimento e para a posse final da terra. Só muito aos poucos, embora com extraordinária consistência, consegue o europeu implantar, num país estranho, algumas formas de vida, que já lhe eram familiares no Velho Mundo. Com a

consistência do couro, não a do ferro ou do bronze, dobrando-se, ajustando-se, amoldando-se a todas as asperezas do meio." HOLANDA, Sérgio Buarque de. *Monções*, op. cit., p. 16.

245 ANDRADE, Mário de. "SPHAN" in *Será o Benedito!*, op. cit., p. 104.

246 Id., ibid., p. 106.

247 Cf. COSTA, Marcos (org.). *Sérgio Buarque de Holanda: escritos coligidos*. São Paulo: Fundação Perseu Abramo/Editora Unesp, 2011, v. 1, pp. 198-214.

248 Id., ibid., p. 210.

249 BOSI, Alfredo. "Colônia, culto e cultura" in *Dialética da colonização*, op. cit., pp. 48-9.

250 Id., ibid., pp. 49-50.

251 ANDRADE, Mário de. *O turista aprendiz*, op. cit., p. 244.

252 Talvez tudo não passe de simples questão de afinação, tendo a *ordem*, a que se entrega a tradição racional do Ocidente, como o xis do problema: "a música tonal moderna [...], com sua necessidade de integrar o *total sonoro* (o conjunto de todos os intervalos utilizados) a um princípio de ordem, em que a tônica transita, por modulações, através do campo das alturas, acabou por homogeneizar e eliminar aquelas nuances microtonais que caracterizavam a afinação modal. Essas diferenças mínimas, mas de grande potência expressiva, desapareceram na chamada afinação 'temperada', em que o espaço de uma oitava passa a ser dividido em doze semitons rigorosamente iguais. A nova afinação, que obedecia a critérios matemáticos objetivando uma racionalização do campo das alturas, reduziu a uma fórmula cartesiana igualadora o campo sonoro onde o modalismo desenvolvia o espectro de suas províncias rituais. O 'temperamento' foi provocado pelo próprio desenvolvimento da música tonal e implantou-se no princípio do século XVIII. No *Cravo bem temperado*, cujo primeiro volume data de 1722, a afinação usada por Bach, entre as dezenas de sistemas disponíveis no seu tempo, não era ainda o temperamento igualado propriamente dito, mas uma solução de compromisso que permitia transitar entre os tons preservando certas qualidades particulares de cada um". WISNIK, José Miguel. *O som e o sentido: uma outra história das músicas*. São Paulo: Companhia das Letras, 1999, p. 93. Também aqui, como no caso anterior de *Nazareth*, uma coreografia para o Grupo Corpo vai de certa forma responder à inquietação do crítico-músico. Refiro-me à recente musicalização, na parceria de Wisnik com Carlos Núñez, da trova galaico-portuguesa de Martim Codax. São precisamente aquelas "nuances microtonais", perdidas no universo tonal, que regressam no canto paralisante de *Sem mim*.

253 ANDRADE, Mário de. "Quarto de tom" in *Música, doce música*, op. cit., p. 278.

254 SOUZA, Antonio Candido de Mello e. *Os parceiros do Rio Bonito: estudo sobre os caipiras paulistas e a transformação dos seus meios de vida.* São Paulo: Livraria Duas Cidades, 1971, p. 46. A pesquisa de que resultou o livro de Candido, que é largamente influenciado pelos trabalhos de Sérgio Buarque de Holanda, iniciou-se em 1947, dois anos depois da morte de Mário de Andrade.

255 "O cantochão foi emperrando na pobreza dele porque nunca teve como destino dar comoções estéticas puras. O cantochao nao e pra gente ouvir, pra gente se deixar ouvir. Não é arte no sentido de contemplação pura e livre, é manifestação ativa de religiosidade e seria absurdo observar sob ponto de vista integralmente e unicamente artístico o que está além do domínio das artes desinteressadas, visando a própria finalidade interessada do homem." ANDRADE, Mário de. "Crítica do gregoriano". *Revista do Brasil*, out. 1926, op. cit., pp. 37-8.

APÊNDICES

1. Mário de Andrade

NOTURNO DE BELO HORIZONTE *

A Elysio de Carvalho

Maravilha de milhares de brilhos vidrilhos,
Calma do noturno de Belo-Horizonte.
O silêncio fresco se desfolha das árvores
E orvalha o jardim só.
Larguezas.
Enormes coágulos de sombra.
O polícia entre rosas.
    Onde não é preciso, como sempre...
Há uma ausência de crimes
Na jovialidade infantil do friozinho.
Ninguém.

* Poema de Mário de Andrade publicado na *Revista Estética*, v. 1, n. 3, ano II, abr.-jun. 1925. Posteriormente, o autor alteraria o poema. Cf. ANDRADE, Mário. *Poesias completas* v. 1. Rio de Janeiro: Nova Fronteira, 2012. (N. E.)

O monstro desapareceu.
Só as árvores árvores da mata-virgem
Pendurando a tapeçaria das ramagens
Nos braços cabindas da noite.

Que luta pavorosa entre floresta e casas!
Todas as idades humanas
Macaqueadas por arquiteturas históricas
Torres
      torreões
           torrinhas e tolices
Brigaram em nome da?
Os mineiros secundam em coro:
— Em nome da Civilização!
Minas progride.
Também quer ter também capital moderníssima também.
Pórticos gregos do Instituto de Rádio
Onde jamais Empédocles entrará.
O Conselho Deliberativo é manuelino,
Salão sapiente de manuéis-da-hora.
Arcos românicos de São José
E a catedral que pretende ser gótica.
Pois tanto esquecimento da verdade!
A terra se insurgiu.

A mata invadiu o gradeado das ruas,
Bondes sopesados por troncos hercúleos,
Buck Jones salta do anúncio, fugindo,
Incêndio de cafés,
Setas inflamadas,
Comboio de trânsfugas pra Rio de Janeiro,
A ramaria crequenta cegando as janelas

Com a poeira aguda das folhagens.
Aquele homem fugiu.
A imitação fugiu.
Clareiras do Brasil, praças agrestes!
Paz.

A mata vitoriosa acampou nas ladeiras.
Suor de resinas opulentas.
Grupos de automóveis.
Baitacas e jandaias do rosal.
E o noturno apagando na sombra o artifício e o defeito
    Adormece em Belo-Horizonte
Como um sonho mineiro.

Tem festas do Tejuco pelo céu!
As estrelas baralham-se num estardalhaço de luzes.
O snr. barão das Catas-Altas
Reúne todas as constelações
Pra fundir uma baixela de mundos.
Bulício de multidões matizadas.
Emboabas,
    carijós,
            espanhóis de Felipe IV
Há baianos redondos.
Dom Rodrigo de Castel Branco partirá!
Lumeiro festival.
            Gritos.
                    Tocheiros.
O Triunfo Eucarístico abala chispeando.
Os planetas comparecem em pessoa!
Só as magnólias
            — Que banzo dolorido! —

As carapinhas fofas polvilhadas
Com a prata da Via-Láctea
Seguem pra igreja do Rosário
E pro jongo de Chico-Rei.

Estrelas árvores estrelas
E o silêncio fresco da noite deserta.
Belo-Horizonte desapareceu
Transfigurada nas recordações.

... Minas Gerais, fruta paulista.
Ouvi que tem minas ocultas por cá.
Mas ninguém mais conhece Marcos de Azeredo.
Que dê os roteiros de Roberto Dias?
          Prata
     Diamantes cascateantes
   Esmeraldas esmeraldas esperanças!
Não são esperanças são turmalinas bem se vê:
    A casinha de taipa a beira-rio,
    Canoa abicada na margem,
    A bruma das monções,
    Mais nada.
    Os galhos lavam matinalmente os cabelos
    Na água barrenta indiferente.
    As ondas sozinhas do Paraíba
    Morrem avermelhadas mornas cor-de-febre.
    E a febre.

Não sejamos muito exigentes!
Todos os países do mundo
Têm os seus Guaicuís emboscados
No sossego das ribanceiras dolentes.

As carneiradas ficavam pra trás.
O trem passava apavorado.
Só parou muito longe na estação
Pra que os romeiros saudassem
Nosso Senhor da Boa-Viagem.

Ele ficava imóvel na beira dos trilhos
Amarrado à cegueira.
Trazia só os mulambos necessários
Como convém aos santos e
Aos avarentos.
Porém o netinho corria junto às janelas dos vagões
Com o chapéu do cego na mão.
Quando a esmola caía
— Com que triunfo!
o menino gritava:
— Pronto! mais uma!
Então lá do seu mundo
Nosso Senhor abençoava:
— Boa viagem.

Examina a carne do teu corpo.
Apesar da perfeição das estradas-de-ferro
E da inflexível providência dos horários
Encontros descarrilamentos mortes.
Pode ser!...
As esmolas tombavam.
— Pronto! mais uma!
— Boa viagem.

Minas Gerais de assombros e anedotas...
Os mineiros pintam diariamente o céu de azul

Com os pincéis das macaúbas folhudas.
Olhe a cascata lá!
Súbita bombarda.
Talvez folha de arbusto,
Ninho de teneném que cai pesado,
Talvez o trem, talvez ninguém.
As águas se assustaram
E o estouro dos rios começou.

Vão soltos pinchando rabanadas pelos ares.
      Salta aqui.
      Salta
    Corre
     Viravolta
        Pingo
Grito.
  Espumas brancas alvas.
  Fluem bolhas bolas.
    Fumegando espalham.
     Grotas
     Pedras
     Arvoretas.
  Pretas.
      Pratas.
    Itoupavas alvas.
Borbulham milhando em murmúrios churriantes
Nas bolsas brandas largas das enseadas lânguidas.
       De repente fosso!
        Mergulho.
     Uivam tombando.
    Desgarram serra abaixo.
    Rio das Mortes

            Paraopeba
            Paraibuna
    Mamotes brancos!
E o Arassuí de Fernão Dias
Barafustam vargens fora
Até acalmarem muito longe exânimes
Nas polidas lagoas de cabeça pra baixo.

Rio São Francisco o marroeiro dos matos
Partiu levando o rebanho pro norte
Ao aboio das águas lentamente.
A barcaça que ruma pra Joazeiro
Desce ritmada aos golpes dos remeiros.
Na proa, o olhar distante a olhar
Matraca o dançador:
            "Meu pangaré arreado,
            Minha garrucha laporte,
            Encostado no meu bem
            Não tenho medo da morte".
                    Ah!

Um grande Ah!... aberto e pesado de espanto
Varre Minas Gerais por toda a parte.
Um silêncio repleto de silêncio
Nas invernadas nos araxás
No marasmo das cidades paradas.
Passado a fuxicar as almas.
Fantasmas de altares, de naves doiradas
E dos palácios de Mariana e Vila-Rica.
                    Isto é, Ouro-Preto.
E o lindo nome de S. José d'El Rei mudado num odontológico
        Tiradentes.
            Respeitemos os mártires.

Calma do noturno de Belo-Horizonte.
As estrelas acordadas enchem de Ahs!... ecoantes o ar.
O silêncio fresco despenca das árvores.
Veio de longe, das planícies altas
Dos cerrados onde o guache passa rápido.
Vvvvvvv... Passou.
    tal qual o fausto das paragens de ouro
    velho!
  Minas Gerais, fruta paulista.
Fruta que apodreceu.

Frutificou!
  Taratá!
Há também colheitas sinceras!
Milharais canaviais cafezais insistentes
Trepadeirando morro acima.
Mas que chãos sovinas como o mineiro-zebú!
Dizem que os baetas são agarrados.
Não percebi, graças a Deus!
Na fazenda do Barreiro recebe-se opulentamente.
Os pratos nativos são índices de nacionalidade.
Mas no Grande-Hotel de Belo-Horizonte serve-se à francesa.
Et bien! Je vous demande un toutou!
Venha a batata-doce e o torresmo fondant!
Carne de porco, não!
  O médico russo afirma que na carne de porco andam micróbios
                 [de loucura.

Basta o meu desvairismo!
E os pileques, quasi-pileques,
    salamaleques
      da caninha de manga!

Quero a couve mineira!
Minas progride!
Mãos esqueléticas de máquinas britando minérios...
As estradas-de-ferro estradas-de-rodagem
Serpenteiam teosoficamente fecundando o deserto...

Afinal Belo-Horizonte é uma tolice como as outras.
São Paulo não é a única cidade arlequinal.
E há vida há gente, nosso povo tostado!
O secretário da Agricultura é novo!
Taratá!
Fábricas de calçados,
Exercícios militares,
Escola de Minas no Palácio dos Governadores,
Na Casa dos Contos não tem mais poetas encarcerados,
Campo de futebol em Carmo da Mata,
Divinópolis possui o milhor chuveiro do mundo,
As cunhãs não usam mais pó de ouro nos cabelos,
Motoristas que avançam no bolso dos viajantes,
Teatro grego em S. João d'El Rei
Onde jamais Eurípedes será representado.
Ninguém mais para nas pontes, Critilo,
Novidadeirando sobre damas casadas.
— Desculpe, estou com pressa.
Ganhemos o dia!
Progresso! Civilização!
As plantações pendem maduras!
    O morfético ao lado da estrada esperando automóveis...
Cheiro fecundo de vacas.
Pedreiras feridas.
Eletricidade submissa.

Minas Gerais sáxea e atualista
Não resumida às estações termais!
Gentes do Triângulo mineiro, Juiz-de-Fora!
Força das xiriricas, das florestas e dos campos!...
Minas Gerais, fruta paulista!

Alegria da noite de Belo-Horizonte!
Há uma ausência de males
Na jovialidade infantil do friozinho.
Silêncio brincalhão salta das árvores,
Entra nas casas desce as ruas paradas
E se engrossa agressivo na Praça do Mercado.
Vento florido roda pelos trilhos.
Vem de longe, das grotas pré-históricas.
Descendo as montanhas
Fugiu dos despenhadeiros assombrados do Rola-Moça.
Estremeção brusco de medo.
Pavor!
Folhas chorosas de eucaliptos.
Sino bate.
Ninguém.
A solidão angustiosa dos pincaros,
A paz xucra ressabiada das gargantas da montanha...

  A serra do Rola-Moça
  Não tinha esse nome não.

  Eles eram do outro lado,
  Vieram na vila casar.
  E atravessaram a serra,
  O noivo com sua noiva
  Cada qual no seu cavalo.

Antes que chegasse a noite
Se lembraram de voltar.
Disseram adeus pra todos
E puseram-se de novo
Pelos atalhos da serra
Cada qual no seu cavalo.

Os dois estavam felizes,
Na altura tudo era paz,
Pelos caminhos estreitos
Ele na frente ela atrás.
E riam. Como eles riam!
Riam até sem razão.

A serra do Rola-Moça
Não tinha esse nome não.

As tribos rubras da tarde
Rapidamente fugiam
E apressadas se escondiam
Lá embaixo nos socavões,
Temendo a noite que vinha.

Porém os dois continuavam
Cada qual no seu cavalo,
E riam. Como eles riam!
E os risos também casavam
Com as risadas dos cascalhos
Que soltos e chocarreiros
Do caminho se soltavam
Buscando o despenhadeiro.

Ah! Fortuna inviolável!
O casco pisara em falso.
Dão noiva e cavalo um salto
Precipitados no abismo.
Nem o baque se escutou.
Faz um silêncio de morte.
Na altura tudo era paz.
Chicoteando o seu cavalo,
No vão do despenhadeiro
O noivo se despenhou.
E a serra do Rola-Moça
Rola-Moça se chamou.

Quereria contar todas as histórias de Minas
Pros brasileiros do Brasil.

Filhos do Luso e da melancolia,
Vem, gente de Alagoas e de Mato-Grosso,
De norte e sul homens fluviais do Amazonas e do rio Paraná.
E os fluminenses salinos
E os guascas e os paraenses e os pernambucanos
E os vaqueiros de couro das caatingas
E os goianos governados por meu avô....
Teutos de Santa Catarina
Retirantes de língua seca
Maranhenses paraibanos e do Rio Grande do Norte e do Espírito
[Santo
E do Acre irmão caçula,
Toda a minha raça morena,
Vem, gente! vem ver o noturno de Belo-Horizonte!
Sejam comedores de pimenta
Ou da carne requentada do dorso dos pigarços pequenos,

Vem, minha gente!
Bebedores de guaraná e de açaí
Chupadores do chimarrão
Pinguços cantantes, cafezistas ricaços
Mamíferos amamentados pelos cocos de Pindorama...

Tem festas do Tejuco pelo céu!
Barbara Heliodora desgrenhada louca
Dizendo versos desce a rua Pará.
Quem conhece as ingratidões de Marília?
Juro que foi Nosso Senhor Jesus Cristo Ele mesmo
Que plantou a sua cruz no adro das capelas da serra!
Foi Ele mesmo que em S. João d'El Rei
Esculpiu as imagens dos seus santos.
E há histórias também pros que duvidam de Deus...

 O coronel Antônio de Oliveira Leitão era casado com dona Branca Ribeiro do Alvarenga ambos de orgulhosa nobreza vicentina. Porém nas tardes de Vila-Rica a filha deles abanava o lenço no quintal. — "Deve ser a algum plebeu que não há moços nobres na cidade". E o descendente de cavaleiros e capitães-mores não quer saber de mésaliances. O coronel Antonio de Oliveira Leitão esfaqueou a filha. Levaram-no preso a Bahia onde foi decapitado. Pois dona Branca Ribeiro do Alvarenga reuniu todos os seus cabedais. Mandou construir com eles uma igreja pra que Deus perdoasse as almas pecadoras do marido e da filha.

 Meus brasileiros lindamente misturados,
Si vocês vierem nessa igreja dos Perdões
Rezem três Ave-Marias ajoelhadas
Pra esses dois infelizes.
Creio que a moça não carece muito delas
Mas ninguém sabe onde estará o coronel.

Credo!
Não há nada como histórias pra reunir na mesma casa.
Na Arábia por saber contar histórias
Uma mulher se salvou.

A Espanha estilhaçou-se numa poeira de nações americanas
Mas sobre o tronco sonoro da língua do ão
Portugal reuniu 22 orquídeas desiguais.
Nós somos na Terra o grande milagre do amor!
Que vergonha si representássemos apenas contingência de defesa
Ou mesmo ligação circunscrita de amor!
Mas as raças são verdades essenciais
E um elemento de riqueza humana.

As pátrias têm de ser uma expressão de Humanidade.

Separadas na guerra ou na paz são bem pobres
Bem mesquinhos exemplos de alma
Mas compreendidas juntas num amor consciente e exato
Quanta história mineira pra contar!

Não prego a guerra nem a paz, eu peço amor!
Eu peço amor em todos os seus beijos
Beijos de ódio, de cópula ou de fraternidade.
Não prego a paz universal e eterna, Deus me livre!
Eu sempre contei com a vaidosa imbecilidade dos homens
E não me agradam os idealistas.
E eu temo que uma paz obrigatória
Nos fizesse esquecer o amor
Porque mesmo falando de relações de povo e povo
O amor não é uma paz
E é por amor que Deus nos deu a Vida.

O amor não é uma paz, bem mais bonito que ela
Porque é um completamento.

Nós somos na Terra o grande milagre do amor!
E enquanto os outros se pinicam nas vaidades
Representamos nossa alegoria
E embora tão diversa a nossa vida
Dançamos juntos no carnaval das gentes,
Bloco pachola do "Custa mas Vai!"
E abre alas que Eu quero passar!

Nós somos os brasileiros auriverdes!
As esmeraldas das araras
Os rubis dos colibris
Os abacaxis as mangas os cajus
Atravessam amorosamente
A fremente celebração do Universal!

Não importa que uns falem mole descansado
Que os cariocas arranhem os erres na garganta
Que os capixabas e paroaras escancarem as vogais!
Que tem si o quinhentos-réis meridional
Vira cinco tostões do Rio pro Norte?
Juntos formamos este assombro de misérias e grandezas,
Brasil, nome de vegetal!

O cortejo fantasiado de histórias mineiras
Move-se na avenida de seis renques de árvores
O Sol explode em fogaréus.
O dia é frio sem nuvens, de brilhos vidrilhos.
Não é dia! não tem Sol explodindo no céu!
É o delírio noturno de Belo-Horizonte.

Não nos esqueçamos da cor local:
Itacolomi
        "Diário de Minas"
                Bondes do Calafate.
E o silêncio,
    sio.
        sio.
            Quiriri.

Os seres e coisas se aplainam no sono.
Três horas.
A cidade oblíqua
Depois de dançar os trabalhos do dia
Faz muito que dormiu.
Seu corpo respira de leve o aclive vagarento das ladeiras.
De longe em longe gritam desolados brilhos falsos
Perfurando o sombral das figueiras:
Berenguendens berloques ouropeis de Oropa consagrada
Que a goianá trocou pelas pepitas de ouro fino.
Dorme Belo-Horizonte.
Seu corpo respira de leve o aclive vagarento das ladeiras.
Não se escuta siquer o ruído das estrelas caminhando.

Mas os poros abertos da cidade
Aspiram com sensualidade com delícia
O ar da terra elevada.
Ar arejado batido nas pedras dos morros
Varado através da água trançada das cachoeiras,
Ar que brota nas fontes com as águas
Por toda a parte de Minas Gerais.

1924
Mário de Andrade

UMA CAPELA DE PORTINARI*

Na residência de sua família em Brodowski, Cândido Portinari acaba de pintar uma capela. O ambiente é pequenino e discreto, apenas uma sala de proporções modestas, mas nela o grande artista criou uma das suas mais importantes obras murais. Ainda não se poderá dizer completamente terminada a capela, pois o pintor ainda pretende lhe decorar a parede da porta de entrada que defronta o altar. Talvez mesmo ainda lhe introduza algumas modificações arquitetônicas pelo que me disse, no sentido de alongá-la e conseguir melhor iluminação natural. Como está, além dos elementos meramente decorativos, como os deliciosos vasos de flores enfeitando as colunas onde se erguem as duas interessantes imagens em gesso e cimento, esculpidas por um dos irmãos do artista, Loi Portinari, a decoração atual consta de doze figuras de santos em tamanho natural. Tamanho natural dos homens, entenda-se, que não sei que grandeza física possam ter os santos celestiais.

O processo de pintura usado é à têmpera e é difícil explicar por palavras todo o partido e variedade de efeitos que o artista obteve. Há coloridos de uma intensidade prodigiosa, especialmente certos azuis, cor, aliás, em que Portinari sempre foi mestre. Mas o ultramar da pintura a cola, combinado às vezes com o azul-pavão, lhe deu toda uma escala nova de azuis. O manto da Senhora, no grupo da Sagrada Família, é de uma beleza esplêndida de colorido, de um ardor inesperado, assim como o vestido de Maria na Visita a Santa Isabel, já agora aproveitando a frieza da cor, e dentro da qual, nas gradações para o branco das ondulações do

---

* Publicado em ANDRADE, Mário. *Será o Benedito! — Artigos publicados no Suplemento em rotogravura de* O Estado de S. Paulo *(set. 1937 – nov. 1941)*. Apresentação de Telê Porto Ancona Lopez. São Paulo: Educ, 1992. (N. E.)

pano, o artista conseguiu uma delicadeza de modelado de grande habilidade técnica. Aliás, também os rostos das duas figuras da Visita, depois das modificações que Portinari lhes fez, se não serão dos mais místicos, ficaram magníficos pela sutileza e a graça do tratamento. Ainda como colorido ficam inesquecíveis os pardos profundos obtidos com vigor para os buréis do Santo Antônio e o São Francisco de Assis. Neste, aquela voz brasileira tão irreprimível no artista deixou escapar o pio vermelho de um cardeal, pousado na mão do santo.

Mas talvez o verdadeiro milagre de colorido está no branco com que Portinari vestiu completamente o seu São Pedro — um branco de uma audácia lancinante, de pompa magnífica, de uma invenção verdadeiramente divinatória pela grandiosidade papal que outorga ao santo. Poucas vezes o nosso grande artista terá ultrapassado a força extraordinária com que realizou este São Pedro. Um São Pedro brutal, enérgico, bem pescador no corpo, barba desleixada, rosto, mãos e pés ásperos, mas de olhar severo e duro, trabalhado de rugas e preocupações. Chega a ser bastante difícil ao noticiarista não fazer um pouco de... literatura sobre criações tão expressivas como este São Pedro e o Cristo. Se a beleza da pintura é admirável, não menos admirável é a expressividade que o artista imprimiu a essas figuras. Como firmeza de desenho, o São Pedro alcança aquela nobre melodia de um Nuno Gonçalves, de um Van Eyck, enquanto o Cristo, tratado mais evasivamente no traço, pela riqueza dos entretons mais delicados entre o marfim do rosto e o louro dos cabelos, é de uma efusividade mística impressionante.

E é preciso não esquecer a Santa Luzia. Será o preito inconsciente do artista aos seus olhos de pintor... É a glorificação da beleza física e há que nos transportarmos à Itália renascentista para encontrar santas assim tão belas. Os roxos, os amarelos, os encarnados e azuis da roupagem, o rosto colorido de saúde, os grandes

São Francisco de Assis (detalhe).

olhos negros são uma festa luminosa em que o artista exprimiu toda a sua felicidade de colorista. E tudo sem desperdício, com aquela lógica cromática, aquela energia impositiva dos afresquistas italianos.

Não estou fazendo exatamente uma crítica, não falei do São João e do Santo Antônio encantadores, nem detalhei a realização técnica da Sagrada Família e do São Francisco, que me pareceram um pouco desenhados em oposição ao tratamento mais de pintura, mais livre de traços de limite das outras. Mas quis dar imediatamente notícia desta nova criação do nosso maior pintor. É certo que se estivéssemos num país de cultura estética mais desenvolvida, Brodowski se tornaria imediatamente lugar de turismo e romaria de artistas.

São Paulo, 1ª quinzena de abril de 1941. (n. 179)
Mário de Andrade

CRÍTICA DO GREGORIANO [*]

Preeminência da melodia no gregoriano

Na Grécia tudo tinha de concorrer em harmonia pra realizar o cidadão helênico, cujo conceito era inseparável do do Estado. Todas as especializações eram por isso dissolutórias do ideal de cidadão grego e foram desconhecidas lá a não ser no período de declínio. Quem trouxe a ideia prática do homem-só, destruindo a base em que se organizaram as civilizações da Antiguidade foi

---

[*]ANDRADE, Mário. A versão aqui reproduzida é a publicada originalmente na *Revista do Brasil*, a. 1, n. 3. Rio de Janeiro, 15 out. 1926, pp. 34-38. Versão ligeiramente diferente foi publicada em *Música, doce música*. Belo Horizonte: Itatiaia, 2006. (N. E.)

Jesus passeando a Sua imensa divindade solitária sobre a Terra. E com isso um ideal novo de civilização ia nascer provindo não mais do conceito de Sociedade porém do de Humanidade. Porque só mesmo a realidade do indivíduo, que o exame de consciência cristão evidenciava, traz a ideia de Humanidade ao passo que a eficiência do homem-coletivo de dantes despertava só a de Sociedade, o que não é a mesma coisa. Os homens antigos possuíram noção nítida e agente de socialização porém tiveram ideias imperfeitas, quase sempre, vagas e divagantes sobre o que seja humanização e igualdade humana.

O homem-só e concomitantemente humanizado do Cristianismo ia tender pra uma fase nova da evolução musical, a fase melódica, em que os sons não têm mais como base fundamental de união a relação durativa que entre eles possa existir porém a relação puramente sonora. Era mudança bem grande na concepção musical e no emprego da música que em vez de interessar agora pelos efeitos fisiológicos, pelas dinamogenias mais imediatas e fortemente compreensíveis que o ritmo cria, principiava querendo interessar a parte mais recôndita dos nossos afetos e comoções. Enfim, a música deixava de ser sensorial pra se tornar sensitiva.

Otto Keller (*Geschichte der Musik*) exprime com felicidade que "enquanto os povos antigos tinham concebido o som em si mesmo como meio sensitivo perceptível, o Cristianismo o empregou como meio pelo qual a alma comovida se exprime em belas formas sonoras, melodias agradáveis". Também o rev. H. Frere no artigo sobre Cantochão (*Grove's Dictionary of Music*) observa que o valor do modo de cantar criado pelos cristãos está em que ele representa "a evolução da melodia artística". Peter Wagner, verificando a extraordinária riqueza de expressão melódica do gregoriano, acha que sob esse ponto de vista talvez a gente não encontre nada de comparável a ele na evolução da música.

A gente deve notar, entretanto, que essa diferenciação característica entre a musicalidade grega e a cristã não provém duma criação inteiramente original do Cristianismo, porém, nasce apenas do desenvolvimento dado pelos cristãos à maneira hebraica de praticar o canto. O coral gregoriano é positivamente o intermediário entre a música oriental (pelo que ainda traz em si de teorias gregas e de práticas hebraicas) e o conceito tonal e harmônico moderno de que já apresenta os germens.

Conceito monódico absoluto do gregoriano

Numa variedade muitas vezes desconcertante de notações se conservaram até nós as melopeias cristãs. Cantos simples ou ornados elas não oferecem a uma crítica profunda complexidade grande de linha melódica e muito menos de ritmo. São geralmente verdadeiras ondulações de poucas notas, circundando a *tenor*, que fazia mais ou menos o papel de dominante modal e que nem o quinto grau em nossas tonalidades. Eram essa *tenor* e a nota final que davam as relações harmônicas da peça. É sabido que não pode ter melodia compreensível, sem que os sons com que ela é construída tenham entre si relação harmônica. A melopeia cristã, que nem a grega, era essencialmente monódica. Se contentava da plástica linear sonora e se bastava a si mesma. Não comportava, pois, nenhum acompanhamento, nenhuma harmonização concomitantemente concebida. A única realidade harmônica que possuía eram essas relações imprescindíveis dos sons do modo com a final (tônica) e a *tenor*, sons dirigentes da evolução melódica. E essas relações eram por vezes muitíssimo subtis e a determinação do modo muitas vezes ficava indecisa, até pros teóricos do tempo. Ora, pois, qualquer acompanhamento, qualquer harmonização, sobretudo tonal, à moderna, ajuntada à monodia gregoriana, é absurdo que não só frisa a incompreensão do instrumentista como destrói na essência mais pura dela a boniteza sublime do cantochão.

No entanto, mesmo durante o período áureo do gregoriano (séc. VI a séc. VIII) muitas vezes o canto continha uma segunda parte... Texto célebre de Sto. Agostinho comentando um salmo afirma a existência ao menos de duas partes simultâneas. Estamos, pois, ainda diante dum costume tradicional dos gregos, provavelmente vindo através de influência bizantina. Com efeito a gente sabe que já no séc. IV se praticava em Bizâncio o *ison*, que consistia em sustentar um som modal importante (tônica, dominante) ao passo que a outra voz executava a melodia. Tradição grega e possivelmente judaica também, conforme texto do séc. III... Em seguida, principalmente depois do aparecimento das *Scholae Cantorum*, formando artistas hábeis, se desenvolveu o costume de fazer um contracanto quase sempre paralelo, evoluindo uma quinta acima da melodia dada. E a gente deve inda lembrar que a prática dos coros mistos levava fatalmente ao redobramento em oitava que existe de natureza entre a voz do homem e a das mulheres e crianças. Hoje está provado historicamente que tudo isto se deu embora repugne ao atual conceito crítico do gregoriano e pareça prejudicar o valor de artistas desses homens que nos legaram as mais belas melodias puras.

Porém a gente carece de notar que a existência dessa segunda voz (*vox organalis*, voz instrumental, o que poderá indicar que ao menos de primeiro essa parte ajuntada era instrumental) com que se realizava essa polifonia então chamada de *Organum*, não altera absolutamente a realidade monódica do gregoriano. A não ser o *ison*, pedal harmônico como a gente fala hoje, cujo conceito, embora rudimentaríssimo é deveras harmônico, tanto uma segunda melodia, como o redobramento na quinta ou na oitava ajuntados a uma melodia nada têm de conceitualmente harmônicos. Ficavam melodias distintas ou ecoantes ajuntadas. E tão independentes uma da outra que mesmo os tratadistas modernos mais argutos e que sabem olhar esses conjuntos sob o ponto de vista polifônico, não o fazem de maneira absoluta como careceria fazer, isto é, duas melodias que não têm nenhuma relação harmônica entre si mas apenas relações eurítmicas de similitude modal melódica e rítmica. D'aí classificarem de intoleráveis tais *harmonizações*. No entanto eram chamadas de "dulcíssimas" nos tempos de dantes... O conceito polifônico-harmônico de polifonia é posterior ao gregoriano que foi criado no período da melodia absoluta. Não é possível julgar essas sucessões de quintas paralelas e às vezes, como cometa Emmanuel (*Histoire de la Langue Musicale*) de intervalos inda mais rudes como encadeamentos intervalares simultâneos, como realizações harmônicas, enfim. À melodia monódica gregoriana se ajuntava uma outra monodia porventura imitante da primeira, porém que, quando realizada, era por completo independente desta. As sensibilidades evoluem e com elas as maneiras de olhar, de ouvir... Esses homens cristãos não tinham sensibilidade harmônica no sentido de intervalar simultâneo da palavra. O próprio gregoriano o prova sem restrição. Esse *organum* devia de ser executado no mais intrínseco e livre sentido de polifonia: duas melodias, ajuntadas euritmicamente por meio dos seus arabescos monódicos. Dessa prática é que surgiria o conceito polifônico-harmônico seguinte, e deste enfim a harmonia. Assim: se às vezes a primeira idade musical usou de melodias simultâneas não resta dúvida que as peças gregorianas eram conceitualmente monódicas. O uníssono coral representa a realidade exata do cantochão.

O criador tem normas e o repetidor teorias

Através duma luta longa de dez séculos o gregoriano se estabelecendo, conhecera período áureo com o século de Gregório Magno e seguintes. Perdurava ainda, e até o séc. XIII será cultivado.

Porém já desencaminhava pra complicações e preciosismos depois que não tinha mais Roma como foco principal mas se desenvolvia na escola franco-alemã desde o séc. IX. Nesta, embora preciosa e acrobática iria surgir a criação admirável dos tropos e sequências. Mas o canto gregoriano legítimo já se estratificava enquanto se desenvolvia a teórica dele e a notação. De primeiro viera a arte, a invenção como sempre sucede. As teorias que apareceram concomitantemente ao período de esplendor criativo eram confusas e indecisas. Só posteriormente com os últimos séculos da primeira idade musical quando a arte do cantochão já se academizava, é que aparece o período dos teóricos grandes dele — teóricos... gente que surge da morte e se alimenta do que passou.

Nós teremos ocasião de seguir sempre através desta História a luta da Arte não propriamente contra a Teoria, porém, *apesar* da teoria... Os criadores geniais estabelecem um ou outro princípio teórico porém esses princípios não têm pra eles função básica de teoria mas antes normalizadora estabilizadora de personalidade ou tendências mais ou menos coletivas. Isso quer dizer que pros artistas grandes a teoria existe em função da Arte e não tem nem cheiro leve de lei, é norma. Só nos períodos de estratificação duma modalidade artística é que verdadeiramente a Teoria se organiza tirando das criações do passado regras que se fingem de leis. Mas então essas leis não servem mais geralmente porque provindas duma arte caduca, arte que também não *serve* mais. Porque não representa mais a atualidade social duma civilização. Ao lado dessas leis surgem tendências novas com formas novas, tímidas no começo, confusas, abandonadas às vezes, retomadas às vezes, manifestações inda precárias da inteligência organizadora que tanto custa a se afazer com as mudanças pererecas da sensibilidade e da vida social. E essas tendências novas, essas normas novas, são abafadas, martirizadas, pela inércia natural dos teoristas e artistinhos repetidores, que só podem encontrar no caminho frequentado do passado aquela pasmaceira de vitalidade a que se afazem tão bem os comedores de cadáveres e os que têm braços caídos. Não carece a gente se erguer contra teóricos geniais que nem Aristóxeno e Guido. Fazem papel nobríssimo e estão no destino deles: intelectualizam, dão uma compreensão crítica e útil do passado. E as teorizações e as críticas deles são ainda e sempre uma criação. Aliás não carece nem mesmo a gente se lamentar por causa da inércia dos homens em geral e da pobreza ativa em ódios e mesquinharias dos que trazem os braços caídos. É muito provável que do próprio martírio a que sujeitam os artistas novos, estes tirem parte grande da inquietação, da dúvida penosa e interrogativa que aguça-lhes a sensibilidade e escreve-lhes na inteligência afogueada por tanta malvadeza quotidiana aqueles decretos e invenções em que num átimo a obra de arte reveladora se manifesta no espírito. Se manifesta nova, inconsciente por assim dizer, fatalizante, representando o tempo social e a alma nova que os tempos sociais dão pros homens. Porém se a gente não carece de lamentar esse estado de coisas repetido com paciência burra pelos homens através da História, nem se erguer contra os teóricos geniais que facilitam a compreensão do passado... e a repetição dele, sempre a verificação dessa constância com que as teorias sucedem às artes consola e fortifica o artista na solidão açu em que vive correndo em busca do amor humano. Mas os homens se afastam dele... Pois então que venha como consolo, que é sempre renovação de energia, essa esperança de que "dia virá".

Na Grécia já o período teórico é propriamente o séc. IV a. C. com Aristóxeno e os séculos seguintes. Agora também a fase dos sistematizadores do gregoriano vem com os tempos derradeiros da primeira idade musical, Guido d'Arezzo dominando. Já então, porém, a monodia cristã não representava mais a sensibilidade social histórica do Catolicismo transformada pela mudança gradativa do homem-só medieval que os barões representavam pelo conceito mais praticamente terrestre dos homens-sós reunidos, que os burgos e sobretudo as cidades republicanas iriam representar. Surge período novo, verdadeira Idade Média musical, caracterizado pela polifonia que se manifesta tal e qual uma socialização, uma republicanização de melodias.

O cantochão perdia a sua eficácia de representação histórica do Cristianismo. Porém não perdeu nada da eficácia com que representa a essência ideal e mais íntima do Catolicismo e continua assim como a manifestação máxima característica e original, da música religiosa católica. Atingiu como arte musical nenhuma a perfeição simples e ao mesmo tempo grandiosa com que interpreta a própria essência do Catolicismo, religião da alma se considerando por si mesma pobre, fraca e miserável, mas, porém, fortificada pelo contato íntimo e físico da Divindade.

Essência anônima do gregoriano

Como a arte popular a música gregoriana é por essência anônima.

O que faz a intensidade concentrada da arte popular é a maneira com que as fórmulas melódicas e rítmicas se vão generalizando, perdendo tudo o que é individual ao mesmo tempo que concentram em sínteses inconscientes as qualidades, os caracteres duma raça ou dum povo. A gente bem sabe que uma melodia popular foi criada por um indivíduo. Porém esse indivíduo, capaz de criar uma fórmula sonora que iria *ser de todos* já tinha de ser tão pobre de sua individualidade que se pudesse tornar assim, menos que um homem, um humano. E inda não basta. Raríssimamente um canto de deveras popular é obra dum homem apenas. O canto que vai se tornar popular nesse sentido legítimo de pertencer a todos, de ser obra anônima e realmente representativa da alma coletiva e despercebida, se de primeiro foi criado por um indivíduo tão pobre de individualidade que só pode ser humano — e que riqueza essa! — o canto vai se transformando um pouco ou muito, num som, numa disposição rítmica, gradativamente e não se fixa quase nunca, porque também a alma do povo não se fixa.[1] Porém dentro dessa mobilidade exterior o canto popular conserva uma estabilidade essencial em que as características mais legítimas e perenes de tal povo se vão guardar. Dentro da mobilidade exterior dele o canto popular é imóvel. Assim o cantochão. Tem essa imobilidade virtual da música popular. Descobriu e realizou aquelas formas sintéticas perfeitas, em que guardou as essências mais puras da religião católica.

Uma semelhança técnica do gregoriano com a música popu-

[1] Certas melodias populares conservam o nome do artista que as criou. O *Luar do Sertão* de Catulo Cearense, o *Hino Nacional*, de Francisco Manuel. Porém si se conservam intactos, é porque a reação erudita dos que... sabem música, as bandas, os professores de grupos escolares, etc., incutem a peça e a repetem constantemente aos ouvidos do povo, na forma que os manuscritos e os impressos propagam. É assim mesmo... A raça brasileira não tem nada de violenta, e menos de belicosa. Somos briguentos dentro da nossa casa, porém não somos marciais. Povo sossegado e bastante molengo não tem dúvida. Ora muitos músicos já me têm confirmado esta observação: Há uma tendência muito forte em nosso povo pra modificar a rítmica rija de certas frases do *Hino Nacional*, como:

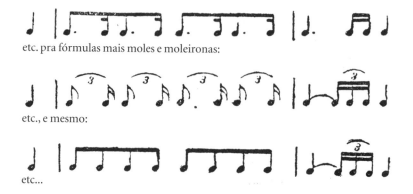

etc. pra fórmulas mais moles e moleironas:

etc., e mesmo:

etc...

lar está em que, como esta, geralmente se contenta de fórmulas melódicas curtas e pouco numerosas que se repetem, reaparecem constantemente se combinando sempre em organizações novas. Peter Wagner (*Handbuch der Musik Geschichte, G. Adler*) lembrando essa coincidência do gregoriano e da música dos povos primitivos, observa que mesmo nas vocalizações tão ricas do Gradual a gente encontrará pouco mais dumas 50 figuras melismáticas diferentes, que se repetem em ordens novas.

Pobreza específica do gregoriano

O canto gregoriano é pobre. Abandonou a terra e as sensualidades terrestres. Se de primeiro o Cristianismo foi pobre necessariamente porque não só lhe faltavam adeptos e fartura como principalmente porque era obrigado a se esconder, depois triunfou se enriqueceu e dominou. Todas as belezas o enfeitaram e não faltaram mesmo templos e cerimônias faceiras com que atraísse, não a fé, porém a curiosidade humana que se posta já no caminho da fé. A arquitetura, a pintura, a escultura e todas as artes menores, gastaram séculos ao inteiro serviço do Catolicismo. Enfeitaram terrestremente o Catolicismo. Nenhuma delas deu um gênero artístico que sintetizasse a essência popular anônima e universal da religião de Cristo. Com a música não foi assim ao menos durante esses primeiros onze séculos de civilização europeia. E se até o edito de Constantino a música cristã foi necessariamente pobre, depois foi voluntariamente pobre. Não se tornou nem enfeite nem divertimento, que nem as outras artes aplicáveis à religião. Se empobre-

---

Si essa melodia esplêndida não fosse oficializada, e conservasse por isso a sua forma erudita, decerto já muito se teria modificado no povo. E ainda outra pergunta fica: si não fosse oficializado e por isso repetido sempre, o hino de Francisco Manuel se tornaria mesmo popular?... Duvido.

ceu tanto, não só de meios de realização artística como de concepção estética mesmo que deixou de ser uma arte de verdade pra ser elemento de valor intrínseco indispensável dentro do cerimonial religioso. Tomou função litúrgica verdadeira. Junto dessa pobreza específica como estética, se acumulam as pobrezas de realização artística.

A música gregoriana abandonou tudo, conservando apenas o som.

Abandonou o metro principalmente. Depois daquela métrica soberba que da Antiguidade mais remota se viera afinando até o apogeu das artes rítmicas da Grécia o Cristianismo uniformizou os valores de duração num só, quase rápido e de modo geral sempre o mesmo. Desconheceu sobretudo as combinações de valores de duração pra que a palavra se erguesse mais saliente e mais exata.

Abandonou também os gêneros. Se ainda alguns músicos cristãos *cromatizaram* e se mesmo pelos mais requintados a enarmonia subtil e difícil não foi esquecida, a música gregoriana foi unanimemente diatônica. Uniformemente diatônica.

Abandonou os instrumentos. Todos. Mesmo o órgão, que se tornaria mais tarde tão caracteristicamente cristão pra nós, a ponto de tomar na música profana uma função descritiva ambientadora, tal e qual os dois sons do cuco e o oboé... pastoril, o próprio órgão raramente esteve nas igrejas da primeira idade musical. Vivia nos cerimoniais profanos dos imperadores de Bizâncio e ainda profano nas festas do ocidente europeu. Nas suas proporções menores foi mesmo instrumento caseiro.

A Igreja se contentou com a voz "que põe a gente em comunicação direta com Deus". Porém mesmo só com a voz podia reproduzir aquela bulha guaçu dos coros romanos. E dentro da tradição repetir a pompa famosa dos 4000 cantores do templo de Salomão. Nada disso. Se contentava de vinte e poucos mais cantores nos templos munificentes. S. Pedro já nos tempos polifônicos de Palestrina chegou a ter o máximo raro de 33 coristas.

Está se vendo bem quanto a música gregoriana era pobre. Porém dessa pobreza não apenas estética mas real e elementar, tirava a sua qualidade melhor: se apagava pra se igualar. Tinha função litúrgica, já falei. O papel dela não era encantar nem atrair. Tal papel a gente há de ainda encontrar noutras manifestações de música religiosa... O papel da música gregoriana foi realizar o cerimonial.[2]

Nas práticas de religião o celebrante é símbolo quase sempre do público dele. Cada qual realiza a cerimônia em si mesmo. O cantochão não extraía os crentes da cerimônia que cada um realizava orando, a pobreza dele não era espetáculo, a sua uniformidade não era atração, a humildade dele nem doía nem repugnava. O cantochão desaparecia praticamente, e era apenas uma lembrança perene que retrazia o crente distraído pra cerimônia dele.

Em muitos dos críticos e historiógrafos que, não sendo crentes, elogiam essa manifestação suprema da arte musical católica se nota no elogio além duma sinceridade natural pelas belezas artísticas exteriores do gênero uma incompreensão dolorosa. A gente tem a impressão que elogiam muitas vezes porque o preconceito proíbe-lhes afirmar com franqueza como entendem pouco e se elevam pouco diante do que teve e tem consagração universal. E elogiam ainda porque se espantam diante dessa manifestação chocante de pobreza e tão desnecessitada de encantos. Combarieu sentiu bem isso no capítulo curioso que escreveu na *História da Música* sobre a "Beleza original do cantochão". De certo que a

---

2 Sobre isso se conta uma anedota estupenda de Pio X. A um padre, horrorizado com as restrições do Motu Próprio, que lhe perguntava o que se havia de cantar agora durante o Ofício, Pio X se rindo bondoso, respondeu: Mas, meu filho, não se canta *durante* o Ofício, canta-se o Ofício.

gente pode, estudando tal peça gregoriana, como o *Te Deum* ou como essa pura entre as mais puras, *Salve Regina*, de Ademar de Monteil (séc. xi), ficar extasiado ante a boniteza intrinsecamente artística dessas melodias, porém aquele que escutar com intenções de contemplação estética pura uma missa gregoriana sente imediato a monotonia, se cansa. Pudera! o cantochão foi emperrando na pobreza dele porque nunca teve como destino dar comoções estéticas puras. O cantochão não é pra gente ouvir, é pra gente se deixar ouvir. Não é arte no sentido de contemplação pura e livre, é manifestação ativa de religiosidade e seria absurdo observar sob ponto de vista integralmente e unicamente artístico, o que está além do domínio das artes desinteressadas, visando à própria finalidade interessada do homem.

E é por isso que a pobreza específica do gregoriano se torna qualidade específica e conservada do destino dele.

Caráter artístico do gregoriano

Dentro já da crítica artística outras qualidades ele tem. Sendo música puramente vocal o abandono do ritmo métrico e de combinações rítmicas musicais lhe deu a possibilidade de realizar a rítmica natural da palavra falada. Essa desartistificação métrica que lhe é tão inerente permitiu ao cantochão solucionar ainda na manhã da música o maior e mais intrincado problema da música vocal: a união da palavra e do som. Atingiu a naturalidade do falar com perfeição sutilíssima de expressão psicológica e fraseológica. A própria incidência de figuras melismáticas e vocalizações se dá sempre em vista da expressão e não à tonta. E pela sua colocação geralmente nos finais e nas cesuras, ou sobre palavra de importância muito grande, em nada prejudicam a expressão fraseológica. "No canto gregoriano o costume da vocalização se desenvolveu na mais artisticamente elevada capacidade de emprego dela". Sob o ponto de vista da união da palavra e da música o canto gregoriano é a expressão mais realista que a música possui. E o realismo dele consistiu não em sublinhar pela música a expressão sentimental da frase porém no objetivar com respeito à realidade psicológica da fraseologia. E foi exatamente observando esse realismo que a escola de Solesmes lhe pôde fixar pela teoria dos acentos dinâmicos a maneira de cantar.

A essa solução do problema da frase cantada se prende a qualidade de expressão do gregoriano. Se a gente considera a qualidade de expressão musical dum Debussy, dum Schumann e mesmo dum Palestrina, é forçado a concluir que o cantochão é inexpressivo ou raramente expressivo. Seria si a expressividade que tem não proviesse de outra maneira de encarar a expressão cantada. A música europeia (principalmente do séc. XV em diante) visa expressar os sentimentos. É sentimental no sentido etimológico da palavra. Os músicos têm um poder de fórmulas rítmicas melódicas, harmônicas, mais ou menos compreensíveis pela afetividade dinamogênica de que se originam, fórmulas sonoras que são evolutivamente símbolos da sentimentalidade geral. Essa expressão dinamogênica é uma deformação legitimamente artística (mas que nem por isso deixa de ser deformação) que consiste em acentuar, pôr em relevo, engrandecer a expressão dos sentimentos pra que o efeito seja seguro, imediato e mais forte. Ora o gregoriano se afasta quase sempre desse critério de expressividade. Pode-se dizer mesmo que ele sistematicamente abandona a expressão sentimental assim simbolizada e deformada. Enfim: ele não tem aquela teatralidade consciente com que a música e as outras artes em geral transportam a realidade pra um expressionismo sistemático que consiste em sublinhar e reforçar a realidade psicológica. O cantochão é raramente sentimental. Não me lembro que tratadista observava que o gregoriano parece se esforçar aplicadamente em contrariar pela evolução da melodia o sentimento das palavras musicadas. Só numa ordem muito geral e vaga se poderá falar que tal antífona é mais vibrante, tal hino mais solene e tal prosa mais suave. São essas qualidades que se aplicam normalmente a todas as melodias gregorianas. Ainda o arroubo das doxologias, o êxtase alegre dos finais aleluiáticos, são os poucos elementos por onde a gente pode lembrar tendências intermitentes do gregoriano pra expressão sentimental. E quase nada mais. É que o realismo dele o levou pra outro sistema de expressividade. Esta não consiste em adquirir aquela dramaticidade, aquela realidade psicológica que vem sendo a maneira mais comum de expressão artística através de todos os tempos, porém, em realizar a expressão normal da fraseologia, deixando se expressar exclusivamente pelo sentido das palavras a expressão dos sentimentos. Os cambiantes das frases quotidianas deixam as palavras agirem pelo sentido que elas têm. Na expressividade artística sentimental comum não mais os cambiantes, porém as diferenças de realização das frases acentuam e fortificam, deformando o sentido das palavras. Enfim: neste gênero de expressão a dinâmica dos sentimentos prevalece sobre a realidade oral da fraseologia. O realismo era tão íntimo à maneira gregoriana de cantar, que sempre a realidade rítmica da fraseologia prevalece sobre a dinâmica dos sentimentos. É assim que, tendo solucionado estupendamente a união do som e da palavra, os artistas gregorianos não se esqueceram jamais que a palavra era símbolo intelectual e que só por si já expressava os sentimentos. Deixaram a palavra falar. É grandeza única que só o gregoriano possui na música de todos os tempos europeus.

    Noto ainda uma vez que não falei que o cantochão é sentimentalmente inexpressivo. Soube ter essa expressividade em certas ocasiões, porém não é ela que lhe organiza em geral os monumentos mais característicos. E é curioso de observar que pela maneira de expressividade que o gregoriano desenvolveu, o canto litúrgico da Igreja católica realiza de verdade uma forma de arte pura. De arte, no sentido mais estético, mais desinteressado da palavra. E por isso, quando a música artística quiser se desenvolver no sentido da expressão sentimental é nas fontes populares que irá buscar elementos e exemplo. O gregoriano não lhe poderá servir de fonte.

1926
Mário de Andrade

2. Sérgio Buarque de Holanda

O LADO OPOSTO E OUTROS LADOS *

Qualquer pessoa que compare o Brasil intelectual de hoje com o de há dez anos não pode deixar de observar uma divergência apreciável entre os dois momentos, não só nos pontos de vista que os conduzem como ainda mesmo nos indivíduos que os exprimem. Não quero insistir na caracterização dessa divergência, que me parece profunda, nem vejo em que poderia ser útil mostrando o motivo que me leva a preferir um ao outro.

Está visto que pra mim os que exprimem o momento atual neste ano de 1926 contam muito mais do que os de 1916. A gente de hoje aboliu escandalosamente, graças a Deus, aquele ceticismo bocó, o idealismo impreciso e desajeitado, a poesia "bibelô", a retórica vazia, todos os ídolos da nossa *intelligentsia*, e ainda não é muito o que fez. Limitações de todos os lados impediam e impe-

---

* HOLANDA, Sérgio Buarque de. *O Espírito e a Letra: estudos de crítica literária*. Org. Antonio Arnoni Prado. São Paulo: Companhia das Letras, 1996, v. 1. (N. E.)

dem uma ação desembaraçada e até mesmo dentro do movimento que suscitou esses milagres têm surgido germens de atrofia que os mais fortes já começam a combater sem tréguas.

É indispensável para esse efeito romper com todas as diplomacias nocivas, mandar pro diabo qualquer forma de hipocrisia, suprimir as políticas literárias e conquistar uma profunda sinceridade pra com os outros e pra consigo mesmo. A convicção dessa urgência foi pra mim a melhor conquista até hoje do movimento que chamam de "*modernismo*". Foi ela que nos permitiu a intuição de que carecemos, sob pena de morte, de procurar uma arte de expressão nacional.

Não se trata de combater o que já se extinguiu, e é absurdo que muitos cometem. Mesmo em literatura os fantasmas já não pregam medo em ninguém. O academismo, por exemplo, em todas as suas várias modalidades — mesmo o academismo do grupo Graça Aranha-Ronald-Renato Almeida, mesmo o academismo de Guilherme de Almeida — já não é mais um inimigo, porque ele se agita num vazio e vive à custa de heranças. As figuras mais representativas desse espírito acadêmico e mesmo as melhores (como é o caso dos nomes que citei) falam uma linguagem que a geração dos que vivem esqueceu há muito tempo.

Alguns dos seus representantes — refiro-me sobretudo a Guilherme de Almeida e a Ronald de Carvalho —, graças a essa *inteligência aguda e sutil* que foi o paraíso e foi a perda da geração a que eles pertencem, aparentaram por certo tempo responder às instâncias da nossa geração. Mas hoje logo à primeira vista se sente que falharam irremediavelmente. O mais que eles fizeram foi criar uma poesia principalmente brilhante: isso prova que sujeitaram apenas uma matéria pobre e sem densidade. De certo modo continuaram a tradição da poesia, da literatura "bibelô", que nós detestamos. São autores que se acham situados positivamente *do lado oposto* e que fazem todo o possível para sentirem um pouco a inquietação da gente da vanguarda. Donde essa feição de obra trabalhada conforme esquemas premeditados, essa ausência de abandono e de virgindade que denunciam os seus livros. *Toda a América* e *Raça* seriam talvez bem mais significativos para a gente se não fosse visível a todo o momento a intenção dos seus autores de criarem dois poemas geniais. Essa intenção é sobretudo manifesta em *Toda a América*. É um dos aspectos que tornam mais lamentável e pretensioso o movimento inaugurado pelos nossos acadêmicos "*modernizantes*". Houve tempo em que esses autores foram tudo quanto havia de bom na literatura brasileira. No ponto em que estamos hoje *eles não significam mais nada para nós*.

Penso naturalmente que poderemos ter em pouco tempo, que teremos com certeza, uma arte de expressão nacional. Ela não surgirá, é mais que evidente, de nossa vontade, nascerá muito mais provavelmente de nossa indiferença. Isso não quer dizer que nossa indiferença, sobretudo nossa indiferença absoluta, vá florescer por força nessa expressão nacional que corresponde à aspiração de todos. Somente me revolto contra muitos que acreditam possuir ela desde já no cérebro tal e qual deve ser, dizem conhecer de cor todas as suas regiões, as suas riquezas incalculáveis e até mesmo os seus limites e nos querem oferecer essa sobra em vez da realidade que poderíamos esperar deles. Pedimos um aumento de nosso império e eles nos oferecem uma amputação. (Não careço de citar aqui o nome de Tristão de Athayde, incontestavelmente o escritor mais representativo dessa tendência, que tem pontos de contato bem visíveis com a dos acadêmicos "modernizantes" que citei, embora seja mais considerável.)

O que idealizam, em suma, é a criação de uma elite de homens, inteligentes e sábios, embora sem grande contato com a terra e com o povo — é o que concluo por minha conta; não sei de outro jeito de se interpretar claramente o sentido dos seus discursos —, gente bem-intencionada e que esteja de qualquer modo à altura de nos impor uma hierarquia, uma ordem, uma experiência que estrangulem de vez esse nosso maldito estouvamento de povo moço e sem juízo. Carecemos de uma arte, de uma literatura, de um pensamento enfim, que traduzam um anseio qualquer de construção, dizem. E insistem sobretudo nessa panaceia abominável da *construção*. Porque para eles, por enquanto, nós nos agitamos no caos e nos comprazemos na desordem. Desordem do quê? É indispensável essa pergunta, porquanto a ordem perturbada entre nós não é decerto, não pode ser a *nossa ordem*; há de ser uma coisa fictícia e estranha a nós, uma lei morta, que importamos, senão do outro mundo, pelo menos do Velho Mundo. É preciso mandar buscar esses espartilhos pra que a gente aprenda a se fazer apresentável e bonito à vista dos outros. O erro deles está nisso de quererem escamotear a nossa liberdade que é, por enquanto pelo menos, o que temos de mais considerável, em proveito de uma detestável abstração inteiramente inoportuna e vazia de sentido. Não me lembro mais como é a frase que li num ensaio do francês Jean Richard Bloch* e em que ele lamenta não ter nascido num país novo, sem tradições, onde todas as experiências tivessem uma razão de ser e onde uma expressão artística livre de compromissos não fosse ousadia inqualificável. Aqui há muita gente que parece lamentar não sermos precisamente um país velho e cheio de heranças onde se pudesse criar uma arte sujeita a regras e a ideais prefixados.

Não é para nos felicitarmos que esse modo de ver importado diretamente da França, da gente da *Action Française* e sobretudo de Maritain, de Massis, de Benda talvez e até da Inglaterra do norte--americano T. S. Eliot comece a ter apoio em muitos pontos do es-

---

* Provável referência ao ensaio "Naissance d'une culture", escrito em 1936 pelo autor francês Jean-Richard Bloch (1884-1947), cujos primeiros livros (Lévy, 1912, e Et Cie., 1918) procuravam vincular o judaísmo aos grandes temas da justiça e do humanismo revolucionário, além de tratar de algumas questões ligadas ao aparecimento da literatura proletária, caso dos livros *Carnaval est mort* (1920) e *Le dernier empereur* (1936). (Esta nota e as seguintes, neste texto, são de Arnoni Prado)

plêndido grupo *modernista* mineiro de *A Revista* e até mesmo de Mário de Andrade, cujas realizações apesar de tudo me parecem sempre admiráveis. Eu gostaria de falar mais longamente sobre a personalidade do poeta que escreveu o *Noturno de Belo Horizonte* e como só assim teria jeito pra dizer o que penso dele mais à vontade, pra dizer o que me parece bom e o que me parece mau na sua obra — mau e sempre admirável, não há contradição aqui —, resisto à tentação. Limito-me a dizer o indispensável: que os pontos fracos nas suas teorias estão quase todos onde elas coincidem com as ideias de Tristão de Athayde. Essa falha tem uma compensação nas estupendas tentativas para a nobilitação da fala brasileira. Repito entretanto que a sua atual *atitude* intelectualista me desagrada.

Nesse ponto prefiro homens como Oswald de Andrade, que é um dos sujeitos mais extraordinários do modernismo brasileiro; como Prudente de Moraes Neto; Couto de Barros e Antônio Alcântara Machado. Acho que esses sobretudo representam o ponto de resistência necessário, indispensável contra as ideologias do construtivismo. Esses e alguns outros. Manuel Bandeira, por exemplo, que seria para mim o melhor poeta brasileiro se não existisse Mário de Andrade. E Ribeiro Couto que com *Um homem na multidão* acaba de publicar um dos três mais belos livros do *modernismo* brasileiro. Os outros dois são *Losango cáqui* e *Pau-Brasil*.*

O TESTAMENTO DE THOMAS HARDY**

A literatura inglesa no período "vitoriano" é essencialmente uma literatura de repouso, de fartura, de boa digestão. Politica-

---

* Publicado na *Revista do Brasil*. São Paulo, 15 out. 1926, pp. 9-10. (N. E.)
** HOLANDA, Sérgio Buarque de. *O Espírito e a Letra: estudos de crítica literária*. Org. Antonio Arnoni Prado. São Paulo: Companhia das Letras, 1996, v. 1. (N. E.)

mente o Império atravessara sem crise um dos momentos mais importantes de sua história: a transladação do centro de gravidade das energias criadoras do povo — como dois séculos antes a vida social inglesa se deslocara da intensidade para a extensão, agora, esgotado esse longo ciclo, inicia-se um período de saciedade, de aspirações satisfeitas, de paz proclamada. As guerras napoleônicas foram a prova de fogo do novo estado de coisas. O correlativo espiritual desse ambiente é uma mentalidade mais ou menos equívoca, de meio-termo e de compromisso. Só os sentimentos urbanos sabem manifestar sua excelência, só eles são acolhidos com palmas pelo puritanismo britânico. Uma mediocridade satisfeita devora os germes de rebeldia e de negação e impõe-se toda--poderosa. Dickens é o grande poeta dessa mediocridade.

Explica-se que os homens mais ricos de espiritualidade, como o autor dessa admirável *Autobiografia de Mark Rutherford*,[1] concluam pelo silêncio e pela renúncia, quando não pela submissão à lei comum. A importância de Thomas Hardy está nisso, sobretudo, que, em uma época de temperança, soube opor qualquer coisa de desmedido: o sentimento convulsivo dos temas essenciais de nossa existência.

Está visto que um homem desses há de ser, em qualquer época, em qualquer país, um *outlaw* do pensamento. A substância dos seus melhores "momentos de visão" só respira fora da História, à margem da sucessão do tempo: inscreve-se decididamente na perspectiva da eternidade. Eles se rebelam contra as forças ordenadoras que dirigiram sempre a sabedoria e a segurança dos ho-

---

1 Referência a William Hale White (1831-1913), conhecido como Mark Rutherford, autor agnóstico inglês e tradutor de Spinoza que relatou em seus livros a experiência da perda da fé. Entre suas principais obras, além de *The autobiography of Mark Rutherford*, aqui citada por Sérgio, contam-se *Mark Rutherford's deliverance* (1885) e os romances *Tanner's lane* (1887) e *Catherine Furze* (1893). (As notas a seguir são de Arnoni Prado)

mens na Terra e resistem energicamente a qualquer tentativa de expressão social. Seria mesmo bastante estranho que se procurasse prolongar essa experiência individual em um sistema coerente de ideias.

A gente compreende que um Lucrécio ou um são Tomás de Aquino possam contemplar em repouso e com calma o espetáculo do Universo e mesmo construir sistemas rígidos onde as coisas singulares são cuidadosamente excluídas. São quase sublimes, não há dúvida, esses formidáveis empreendimentos anti-humanos. Parece mesmo, algumas vezes, que este mundo foi criado de tal jeito que só se sustenta à custa de uma ordenação policial, de um arranjo emanado de outro mundo. Só em instantes de forte tensão interior é que os homens se encontram frente a frente com as forças subterrâneas e criminosas que vêm desmantelar essas sínteses admiráveis. Mas é difícil não compreender que esses "instantes" representam o que há de mais importante e que todo o resto se anula diante de sua força. É preciso que o curso do tempo se interrompa de súbito para que se possa pressentir o inefável. É conhecido o diálogo entre Stravoguin e Kiriloff nos *Possessos* de Dostoiévski:

— Acreditas na vida eterna em outro mundo?
— Não. Não acredito na vida eterna em outro mundo, mas na vida eterna neste mundo. Há instantes, a gente chega a instantes em que de repente o tempo para e o presente torna-se eternidade.[2]

Em outra passagem o mesmo Kiriloff diz ao seu interlocutor que nesses instantes — cinco ou seis segundos — ele sente, de um modo absoluto, a presença da eterna harmonia: "Durante esses

---

2 Fiodór Dostoiévski. *Les démons*. Trad. e notas de B. de Schloezer e Sylvie Luneau, intr. de Pierre Pascal. Paris: Librairie Gallimard, 1955, parte II, cap. 1, v, p. 250.

cinco segundos eu vivo toda uma existência e daria por eles a vida inteira, porque eles o merecem".[3]

Toda a vida de Hardy é iluminada por esses instantes de êxtase. *Moments of vision* é o título de um dos seus livros de poesia. São desses instantes que dão um sentido à vida de certos homens. Eles podem instituir as vocações e as decisões definitivas. Marcar para sempre o santo e o ímpio, Jesus e Barrabás. Nesses momentos todas as forças ordenadoras são sacrificadas e aparece então, nitidamente, a inanidade das polícias humanas e divinas. Interrompeu-se o curso do tempo. *The time is out of joint*. Nada mais é perdoável, porque não há nada mais a perdoar. Os valores são inúteis e os superlativos e as medidas perderam o sentido. O bem e o mal se confundem, como o justo e o injusto, o grande e o pequeno, o negro e o branco. A rã é tão grande como o touro. O cão, animal que late, equivale ao cão constelação. Barrabás é igual a Jesus.

Esse é o mundo do ponto de vista da eternidade, do ponto de vista de Deus — *sub specie aeternitatis*. Os homens é que estabeleceram as categorias e as oposições entre as coisas. Foram eles que forjaram uma recompensa para os virtuosos e um castigo para os ímpios. E que construíram um céu à imagem da terra, fazendo da eternidade uma dependência do tempo. E imaginando que com as boas ações *conquistaremos* o favor divino e a ventura perene. E, reciprocamente, que praticando o mal só obteremos sofrimentos perpétuos.

Mesmo nesse nosso mundo, que os homens se aplicam em adaptar às suas legislações artificiosas, tudo nos ensina que o sucesso e o insucesso ocorrem indistintamente para os bons e para os maus. O mundo, na realidade, não foi arrumado ao gosto dos homens, como um tabuleiro de xadrez. A injustiça faz-se lei contra todas as conveniências.

[3] Id., ibid., p. 251.

Poucas pessoas têm a coragem ou a impertinência de refletir sobre essas coisas. E, certamente, não convém que muitos homens se percam em imaginações que dissipam a vontade e liquidam o gosto de viver. Nós não fomos postos neste mundo para descobrir as verdades e sim para achar as conveniências. Por que motivo os inocentes são castigados e os criminosos são aplaudidos? Pouco importa. É essa a lei da vida. Assim tem sido em todos os tempos e assim há de ser sempre. Essa é a resposta normal, a solução tácita de toda gente. Os homens continuam a viver sossegados e não ousam afrontar essa pergunta sem subterfúgios. Só uma vez ou outra surge um homem de exceção, que não se conforma com a solução vulgar. Thomas Hardy é um desses homens. Toda a sua existência foi atormentada por aquele terrível "por quê".

Eu imagino que essa pergunta deva ter surgido para ele com toda a sua intensidade num daqueles "momentos de visão". Até esse instante era, certamente, um indivíduo como os outros, uma criatura normal. E tudo faria crer que mais tarde chegaria a ser, possivelmente, um bom arquiteto, ou mesmo um excelente romancista "vitoriano", como os outros, como Meredith ou Stevenson, por exemplo. Mas esse instante foi o suficiente para marcar toda a sua vida. Mais tarde ele procuraria afetar certa confiança nos dogmas da ciência e na fixidez dos valores. Mas não é preciso muita perspicácia para se sentir que essa confiança é superficial, fica à flor da pele e que ele está intimamente convencido de que os valores que estabeleceu a civilização só têm um sentido de utilidade, só prestam para o comércio entre os homens. Seus esforços para ser "como os outros" não iludem mesmo os seus contemporâneos. Quando publicou *Tess of the d'Urbervilles* com o subtítulo "uma mulher pura", eles compreenderam perfeitamente que esse adjetivo *pura* afastava-se aí de sua significação ordinária. Isso, porém, longe de os sossegar, exaltou ainda mais o escândalo e a indignação. Eles sabiam que a significação que lhes dava o autor era um germe de dissolução para sua sociedade. Só Thomas Hardy, que se interessava mais pela verdade do que pelas conveniências, não entendeu o motivo dessa indignação e desse escândalo. Ele próprio ignorava, talvez, que trazia consigo um princípio terrível de anarquia contra o qual seus contemporâneos tinham bons motivos para protestar. No prefácio à quinta edição de seu romance limitou-se a denunciar timidamente a significação artificial que davam à ideia de pureza os seus contraditores, significação resultante, diz ele, da ordem da civilização.

Toda a obra de Hardy resulta de uma inadaptação absoluta a essa ordem da civilização. Ele próprio procura se iludir e às vezes finge acreditar no prestígio eterno das categorias humanas e, até certo ponto, imagina-se um personagem necessário, um elemento de construção. Mas no fundo, é bem um espírito de negação, um adversário constante das ordenações que os homens se impuseram. E imagina, talvez, que mais tarde, quando a humanidade estiver "transformada fisicamente", não será obrigado a lutar contra as suas constrições, nem terá de adotar uma atitude conforme à ordem da civilização.

É indispensável acentuar mais este aspecto de Hardy: o de profeta de uma nova humanidade. Ele não transparece claramente, mas surge nos momentos mais oportunos. Em *Judas, o Obscuro*, depois da cena terrível do suicídio das três crianças, há um ponto em que Jude explica a Sue: "O médico disse que há crianças assim, que começam a surgir entre nós, crianças de uma espécie desconhecida na geração precedente: novas visões da vida que se manifestam. Elas parecem enxergar todos os terrores antes de terem idade bastante para poderem resistir contra eles. Ele diz que é o começo da *vontade universal de não viver*".[4]

4 Cf. HARDY, Thomas. *Jude the Obscure*. Leipzig: Bernhard Tauchnitz (s. d.), vol. II, p. 174.

A sua obra, especialmente os seus grandes romances, como *Far from the madding crowd*, *Under the greenwood trees*, *Jude the Obscure*, *Tess of the d'Urbervilles*, *The woodlanders*, reflete particularmente essa visão desencantada da existência dos homens sobre a terra. A aventurosa Sue, um dos seus personagens mais característicos, inicia sua vida irregular convencida de que a intenção da natureza, sua lei, sua razão de ser é que os homens sejam felizes pelos instintos de que ela os dotou: instintos que a civilização se empenha em desvirtuar. Mais tarde percebe com amargura que "não há nada a fazer". E repete com Jude a frase de um coro do *Agamemnon*: "— As cousas são o que são e vão para o fim que lhes foi destinado".[5]

Essa frase poderia servir de epígrafe a toda a obra de Hardy. Não existe liberdade no mundo. O homem obedece em seus atos a uma força transcendente com a mesma docilidade de uma pedra que obedece à lei da gravidade. Ele não é um "centro", não governa as suas ações mais do que o seu crescimento físico.

Essa ideia está expressa, sobretudo, na tragédia *Os dinastas* (*The dynasts*), inspirada no mesmo quadro histórico que deu substância a *Guerra e paz* de Liev Tolstói. E é curioso observar-se que diante dessa epopeia napoleônica que, para a generalidade dos historiadores, aparece quase como um espetáculo da energia humana dirigindo as forças do destino, a visão desses dois homens coincidisse tão profundamente numa concepção determinista do mundo e na noção de que, precisamente onde a vontade humana nos aparece mais efetiva, maior é a sua dependência com relação à *vontade total*, essa terrível *Will*, que nos escraviza aos seus desígnios inelutáveis.

Nesse extraordinário drama épico em três partes, dezenove atos e cento e trinta cenas, Hardy tenta reviver os coros das tragé-

---

[5] Sobre a iniciação do menino Jude nos autores clássicos, ver id., ibid., caps. 4, 5 e 6.

dias gregas. Entre os seus personagens, algumas centenas, descontados as "multidões" e os "exércitos", aparecem os espectadores sobrenaturais da ação terrestre, como o "antigo espírito dos séculos", os "espíritos irônico e sinistro", o "Espírito do rumar", a "sombra da terra"... Sua função é apenas a de espectadores do drama terrestre: "*The ruling was that we should witness things/ And not dispute them*".[6]

Acima de todos paira, entretanto, invisível, a "Vontade Universal, a Energia Primeira e Fundamental". O próprio Napoleão não desconhece que é na Terra um simples emissário de forças transcendentais e, como diz o *Espírito dos séculos*, um dos poucos que, na Europa, discernem a presença da Vontade. Mais uma vez escaparam dos seus lábios referências à "sua estrela", ao "impiedoso planeta do Destino". Em três ocasiões, na ponte de Lodi, em Tilsit e, finalmente, nas proximidades de Kovno, ele reconhece com nitidez a sua subalternidade perante as leis inexoráveis, a sua função necessária na História:

Since Lodi Bridge
The force I then felt move, moves me on
Whether I will or no, and often limes,
Against my better mind...[7]

Hardy é em nosso tempo, já o dissemos, um dos anunciadores de uma nova humanidade. Cumpre acentuar esse propósito de sua obra e de sua vida. O que se chamou seu pessimismo não é uma atitude de autor. Nasce espontaneamente do contraste entre o seu mundo ideal e o ambiente que retratam os seus livros. É

---

6 Id., *The dynasts. An epic drama of the napoleonic wars*. Edição, seleção e notas de J. H. Fowler. Londres: Macmillan and Co., 1939, parte I, p. 5.
7 Id., ibid., parte III, p. 63.

preciso compreender, se se quer compreender Thomas Hardy, que expressões como pessimismo e otimismo só têm sentido em uma esfera acanhada de pensamento. Sua aparente aplicação em contemplar os aspectos mais dolorosos do nosso mundo traduz apenas uma vontade sincera e enérgica de conhecer a verdade, mesmo em prejuízo das conveniências. Ele próprio nos diz em seu poema "In tenebris": "*If way to the Better there be, it exacts a full look at the Worst*".[8]

Esse verso ensinará a muitos que a obra de Hardy não é somente, como se imagina, um poema de desolação, mas também um catecismo de esperança. Somente o caminho do Mal e a experiência da Dor podem nos transferir para um mundo mais elevado. A dor é um enriquecimento, uma simples escala, um elemento indispensável para a nossa ascensão.

É esse o sentido fundamental da tragédia cristã. E é essa a mensagem que Thomas Hardy deixou em nossas mãos. Mensagem que parece dirigida particularmente a nós, à nossa geração, e aos que vierem depois de nós.[9]

---

8 A afirmação de Thomas Hardy é a seguinte: "If I may be forgiven for quoting my own old words, let me repeat what I printed in this relation more than twenty years ago, and wrote much earlier, in a poem entitled 'In tenebris'. Ver "In tenebris" in *Collected poems of Thomas Hardy*. Londres: The Macmillan and Co., 1930, p. 526.

9 Publicado no jornal *Diário Nacional*. São Paulo, 8 abr. 1928.

Cronologia*

1893 — Nasce Mário Raul de Moraes Andrade, no dia 9 de outubro, em São Paulo.

1902 — Nasce Sérgio Buarque de Holanda, no dia 11 de julho, em São Paulo.

* Esta cronologia concentra-se principalmente no diálogo epistolar entre os dois autores, e nos fatos que de uma maneira ou outra têm a ver com a correspondência. Para informações gerais, de ordem biográfica, vali-me das cronologias de Telê Porto Ancona Lopez e Tatiana Maria Longo dos Santos, e de Maria Amélia Buarque de Holanda, bem como do ensaio clássico de Francisco de Assis Barbosa sobre os "verdes anos" de Sérgio Buarque de Holanda. Cf. SANTOS, Tatiana Maria Longo dos, e LOPEZ, Telê Porto Ancona. "Cronologia" in ANDRADE, Mário de. *Macunaíma: o herói sem nenhum caráter*. Ed. crítica coord. Telê Porto Ancona Lopez. Paris: Archivos, 1996, p. 207-27; HOLANDA, Maria Amélia Buarque de. "Apontamentos para a cronologia de Sérgio Buarque de Holanda" in HOLANDA, Sérgio Buarque de. *Raízes do Brasil*. Ed. comemorativa 70 anos, org. Ricardo Benzaquen de Araújo, Lilia Moritz Schwarcz. São Paulo: Companhia das Letras, 2006, p. 421-46; BARBOSA, Francisco de Assis. "Verdes anos de Sérgio Buarque de Holanda. Ensaio sobre sua formação intelectual até *Raízes do Brasil*" in *Sérgio Buarque de Holanda: vida e obra*. São Paulo: Instituto de Estudos Brasileiros da USP/Secretaria de Estado da Cultura, 1988, p. 27-54.

1913 — Mário se torna professor de piano e de história da música no Conservatório Dramático e Musical, em São Paulo.

1917 — Sob o pseudônimo de Mário Sobral, Mário de Andrade publica *Há uma gota de sangue em cada poema*. Ano da exposição de Anita Malfatti, marco inicial do movimento modernista no Brasil.

1920 — Mário escreve os poemas da *Pauliceia desvairada*. Sérgio publica "Originalidade literária" no *Correio Paulistano*, "Ariel" na *Revista do Brasil* (de Monteiro Lobato), e passa a colaborar precocemente na imprensa paulista e logo mais carioca.

1921 — Ano em que Mário e Sérgio provavelmente se conheceram, em São Paulo. Sérgio frequenta o grupo dos modernistas, que se reuniam em confeitarias no centro da cidade, ou no escritório de advocacia do pai de Tácito e Guilherme de Almeida, o qual se converteria, no ano seguinte, num dos pontos de encontro do grupo de *Klaxon*. Mário se muda para a rua Lopes Chaves, na Barra Funda, onde viverá com a mãe e a madrinha. A família Buarque de Holanda se muda para o Rio de Janeiro e Sérgio se matricula na Faculdade de Direito da rua do Catete. Artigos de Sérgio sobre Guilherme de Almeida e sobre o "futurismo paulista" aparecem na *Fon-Fon*, do Rio de Janeiro. Mário redige o "Prefácio interessantíssimo".

1922 — A Semana de Arte Moderna acontece no Teatro Municipal de São Paulo em fevereiro, com a participação de Mário, mas sem a presença de Sérgio, que fica no Rio. Primeira carta enviada por Mário de Andrade, no dia de 8 de maio, a Sérgio Buarque de Holanda, que seria o representante da revista *Klaxon* na capital da República. *Klaxon* começa a circular em maio e vai até o final do ano, com o número de dezembro/janeiro de 1922-3. Graça Aranha defende os "direitos" dos modernistas na Academia Brasileira de Letras, que ele abandonaria ruidosamente dois anos depois. Sérgio se aproxima dos modernistas no Rio de Janeiro:

Ronald de Carvalho, Ribeiro Couto, Manuel Bandeira, Di Cavalcanti. Morre Lima Barreto, que se afeiçoara a Sérgio, que por sua vez lhe apresentara *Klaxon*, publicação que o autor do *Triste fim de Policarpo Quaresma* recebe com desdém. Sérgio se aproxima de Prudente de Moraes, neto, que se tornaria seu amigo dileto, e inicia sua carreira de jornalista, que o levaria do *Rio-Jornal* a *O Jornal*, *O Mundo Literário* e mais tarde à atividade de tradutor de telegramas na agência de notícias Havas. Conhece Rodrigo Mello Franco de Andrade, que seria um amigo próximo de ambos, Mário e Sérgio. Mário de Andrade publica sua *Pauliceia desvairada* e inicia a correspondência com Manuel Bandeira, quase ao mesmo tempo que começa a corresponder-se com Sérgio.

1924 — Os modernistas, entre os quais Mário, Oswald de Andrade e Tarsila do Amaral, viajam a Minas Gerais com Blaise Cendrars, que fora recebido no cais do porto do Rio de Janeiro por, entre outros, Graça Aranha e Sérgio Buarque de Holanda. Cendrars já conhecia Pixinguinha e Donga, por conta da excursão dos Oito Batutas a Paris em 1922, e conta-se que levaria os modernistas a conhecê-los no Rio. Noitadas de Sérgio e Gilberto Freyre. Oswald de Andrade publica o "Manifesto da Poesia Pau-Brasil". Sérgio e Prudente de Moraes, neto inauguram a revista *Estética* (batizada por Graça Aranha), inspirada em *The Criterion*, de T. S. Eliot. Começa o estremecimento com Graça Aranha. Mário inicia sua correspondência com Prudente de Moraes, neto.

1925 — Mário de Andrade publica *A escrava que não é Isaura*, tratado poético modernista, que Prudente será encarregado de distribuir no Rio. Oswald de Andrade publica *Pau Brasil*, na França. Mário resenha *Feuilles de route*, de Cendrars (que traz na capa uma "Negra", desenhada por Tarsila do Amaral), para a revista *Estética*, que termina naquele ano, com seu terceiro número. *A Noite*, do Rio de Janeiro, lança o "Mês Modernista", em que colaboram, entre outros, Mário, Carlos Drummond de Andrade e Prudente de Moraes, neto.

1926 — Mário escreve uma acre carta aberta a Graça Aranha, com quem vários modernistas já haviam rompido. Publica *Losango cáqui*, livro de poemas, e no final do ano redige *Macunaíma*, na chácara do "tio Pio", em Araraquara. Sérgio distribui *Terra Roxa e outras terras*, revista de Alcântara Machado e Couto de Barros, no Rio de Janeiro. Ligeiro estremecimento entre Mário e Sérgio, nas cartas do início do ano. Em outubro, Sérgio publica, na *Revista do Brasil*, que então tinha como redator-chefe Rodrigo Mello Franco de Andrade, "O lado oposto e outros lados", artigo em que rompe com Guilherme de Almeida, Graça Aranha e Ronald de Carvalho, e enaltece Oswald de Andrade, Prudente de Moraes, neto e Alcântara Machado, ressalvando a atitude "intelectualista" de Mário de Andrade, que ele aproxima de Tristão de Athayde e dos modernistas católicos. No mesmo número da *Revista do Brasil*, aparece a "Crítica do gregoriano", de Mário de Andrade. O Vaticano condena a *Action Française*, que congregara a direita católica na França e exercera grande influência sobre Alceu Amoroso Lima, no Brasil. Ainda no final do ano, desgostoso com o clima intelectual no Rio, Sérgio se desfaz de seus livros e se muda para Cachoeiro do Itapemirim, no Espírito Santo, onde dirigirá o jornal *O Progresso*.

1927 — Mário realiza a primeira viagem à Amazônia e ao Peru, em companhia de dona Olívia Guedes Penteado, de sua sobrinha, e da filha de Tarsila do Amaral, o que resultaria no livro postumamente publicado, organizado por Telê Porto Ancona Lopez, *O turista aprendiz*. Publica *Amar, verbo intransitivo*, e *Clã do jabuti*. Começa a colaborar como cronista no *Diário Nacional*, órgão do Partido Democrático.

1928 — Já de volta ao Rio de Janeiro, Sérgio publica, respondendo às instâncias de Mário de Andrade, "O testamento de Thomas Hardy", no *Diário Nacional*. Promete a Mário escrever um estudo sobre sua obra. Em julho, é publicado *Macunaíma*, que Mário considera, em carta a Alceu Amoroso Lima, a única obra de arte "desinteressada" que fizera em sua vida. Alceu Amoroso Lima sucede Jackson de Figueiredo, recém-falecido, no Centro Dom Vital. Mário publica seu *Ensaio sobre a música brasileira*. Oswald de Andrade publica o "Manifesto Antropófago".

1929 — Alceu Amoroso Lima, o Tristão de Athayde, publica "Adeus à disponibilidade", culminação de seu diálogo áspero com Sérgio Buarque de Holanda. Em sua viagem ao Nordeste (segunda parte de *O turista aprendiz*), Mário estuda o folclore, conhece o coqueiro Chico Antônio e concebe sua grande obra sobre as manifestações musicais populares no Brasil, *Na pancada do ganzá*, que nunca seria completada. Mário rompe definitivamente com Oswald de Andrade. Assis Chateaubriand convida Sérgio Buarque a viajar à Europa e trabalhar como correspondente de *O Jornal*. Sérgio parte para a Alemanha, onde passaria mais de um ano em Berlim, viajaria à Polônia, conheceria Thomas Mann e tomaria aulas com Friedrich Meinecke, vindo a conhecer a fundo a obra de Weber e de Dilthey.

1930 — Ainda na Alemanha, Sérgio Buarque vê a ascensão de Hitler na Baváris, mas considera que os alemães jamais se deixariam vencer por sua mensagem xenófoba. Depois da revolução de 1930, Sérgio regressa ao Brasil, com o esboço de uma *Teoria da América*, embrião de *Raízes do Brasil*. Mário publica *Remate de males*, livro de poemas.

1931 — Sérgio publica "A viagem a Nápoles", conto de caráter autobiográfico e tom surrealista, na *Revista Nova*, dirigida por Paulo Prado, Alcântara Machado e Mário de Andrade. Sérgio segue encantado diante da poesia de Mário.

1932 — Sérgio é preso, no Mangue do Rio de Janeiro, dando "vivas" a São Paulo, no contexto da Revolução Constitucionalista, com que Mário simpatiza, mas da qual guarda distância crítica.

1933 — Sérgio recomenda a pianista Ana Carolina a Mário de Andrade, em bilhete de agosto. É fundada a Universidade de São Paulo.

1935 — Mário de Andrade é nomeado chefe da Divisão de Expansão Cultural e diretor do Departamento de Cultura da cidade de São Paulo, durante o mandato do prefeito Fábio Prado, amigo de Paulo Duarte. Portinari pinta o retrato de Mário de Andrade. Sérgio Buarque publica, na revista *Espelho*, "Corpo e alma do Brasil", prenúncio de seu livro de estreia, que sairia no ano seguinte.

1936 — A convite de Prudente de Moraes, neto, então diretor da Faculdade de Filosofia e Letras da Universidade do Distrito Federal, Sérgio torna-se assistente de Henri Hauser, na cadeira de história moderna e econômica, e de Henri Tronchon, na cadeira de literatura comparada. Publica *Raízes do Brasil*, volume inaugural da coleção "Documentos Brasileiros", dirigida por Gilberto Freyre para a editora José Olympio. Casa-se com Maria Amélia Cesário Alvim, com quem teria sete filhos.

1937 — Mário participa da criação do Serviço do Patrimônio Histórico e Artístico Nacional (SPHAN), que fora concebido desde o ano anterior com Rodrigo Mello Franco de Andrade, seu futuro diretor. O Departamento de Cultura promove o I Congresso da Língua Nacional Cantada. Mário inicia sua colaboração para o Suplemento em Rotogravura de *O Estado de S. Paulo*. Em novembro inicia-se a ditadura do Estado Novo, que manteria Getúlio Vargas no poder até 1945.

1938 — Depois da reviravolta do Estado Novo, Mário de Andrade é obrigado a deixar a direção do Departamento de Cultura, não sem antes despachar para o Norte e Nordeste Luís Saia e a Missão de Pesquisas Folclóricas, cuja concepção vem de seu diálogo com Dina Lévi-Strauss e Oneyda Alvarenga. Decepcionado e revoltado, Mário se muda para o Rio de Janeiro, onde assume a posição de professor de filosofia e história da arte na Universidade do Distrito Federal, graças à intermediação, entre outros, de Carlos Drummond de Andrade, chefe de gabinete do ministro Gustavo Capanema. Mário frequenta a casa dos Buarque de Holanda, no Leme, e é contratado pelo SPHAN como assistente técnico.

1939 — Com o fim da Universidade do Distrito Federal, Sérgio é convidado por Augusto Meyer para trabalhar no Instituto Nacional do Livro, onde também trabalharia Mário de Andrade como consultor técnico, encarregado do projeto de uma *Enciclopédia brasileira*. Mário escreve para o *Diário de Notícias* do Rio de Janeiro.

1940 — Sérgio Buarque de Holanda assume o lugar de Mário de Andrade na coluna de crítica no *Diário de Notícias* do Rio de Janeiro.

1941 — Mário regressa a São Paulo e, comissionado do SPHAN, inicia suas pesquisas sobre o padre Jesuíno do Monte Carmelo. Retomando a correspondência com Sérgio Buarque, pede a este que o ajude na indicação de fontes bibliográficas. Em março, Sérgio intermedeia um convite para que Mário colabore com a revista da Academia Brasileira de Letras; Mário se recusa, e comenta com ironia a participação de Prudente de Moraes, neto em *Cultura Política*, a revista cultural do Estado Novo. Mário visita a capelinha de Brodowski, com pinturas de Portinari. Sérgio viaja aos Estados Unidos a convite do Departamento de Estado norte-americano para proferir palestras em Nova York, Washington, Chicago e Wyoming.

1942 — Mário começa a elaborar o plano de suas obras completas, que deveriam sair pela Livraria Martins Editora. Profere a conferência sobre os vinte anos da Semana de Arte Moderna, no Itamaraty, a que Sérgio assiste. Mário pede os originais do texto sobre "caminhos e fronteiras" que Sérgio escrevera para um concurso nos Estados Unidos, que no entanto já haviam sido prometidos a Rodrigo Mello Franco de Andrade.

1943 — Mário de Andrade publica *Aspectos da literatura brasileira*, *Os filhos da Candinha*, *O baile das quatro artes* e *Obra imatura*. Passa a escrever crônicas musicais na *Folha da Manhã*, na coluna "Mundo Musical". Sérgio conhece Antonio Candido, que se tornaria um amigo de toda a vida.

1944 — Sérgio Buarque de Holanda passa a dirigir a divisão de consultas da Biblioteca Nacional, onde conviverá com Rubens Borba de Moraes. Publica *Cobra de vidro*, reunindo artigos de crítica, e a obra didática *História do Brasil*, em parceria com Octavio Tarquinio de Sousa. Mário inicia a publicação de "O banquete", no "Mundo Musical", que deixará incompleto por conta de sua morte, no ano seguinte. Ao longo do ano, divide suas pesquisas sobre o lundu e sobre o padre Jesuíno do Monte Carmelo com Sérgio Buarque, a quem nomeia "primeiro controlador das minhas aventuras histórico-sociais". O tema do mulato regressa com frequência, nas cartas e em sua obra. Mário compra um sítio em São Roque, com uma capelinha do tempo das bandeiras, tombada pelo SPHAN. Sérgio escreve uma longa carta a Mário, auxiliando-o na pesquisa sobre a Itu do padre Jesuíno. Encerra-se, em dezembro, a correspondência entre os dois.

1945 — Em janeiro, Mário e Sérgio envolvem-se com o Primeiro Congresso Brasileiro de Escritores, de que sairia uma declaração de princípios contra o Estado Novo. Daí sairá a Esquerda Democrática, à qual vai filiar-se Sérgio Buarque. Mário de Andrade morre de infarto em sua casa, em São Paulo, no dia 25 de fevereiro. Publica-se postumamente *Padre Jesuíno do Monte Carmelo*, pelo Ministério da Educação e Saúde e pelo SPHAN. Sérgio escreve um elogio ao "líder morto" para uma sessão especial da ABDE, em homenagem a Mário de Andrade. Publicação de *Monções*. Em outubro, Vargas é deposto.

1946 — Sérgio Buarque se muda com a família para São

Paulo, onde assume a direção do Museu Paulista, cargo que ocuparia pelos próximos dez anos.

1950 — Sérgio passa a contribuir com crítica literária para o *Diário Carioca* e a *Folha da Manhã*.

1953 — Sérgio Buarque assume a cadeira de Estudos Brasileiros na Universidade em Roma, onde viveria com a família e pesquisaria por dois anos.

1957 — Publicação de *Caminhos e fronteiras*, de Sérgio Buarque de Holanda.

1958 — Sérgio completa o mestrado na Escola de Sociologia e Política, onde lecionava, e assume a cátedra de história da civilização brasileira na Universidade de São Paulo, com a defesa da tese *Visão do paraíso*. Manuel Bandeira edita e prefacia as *Cartas de Mário de Andrade a Manuel Bandeira*.

1959 — Publicação de *Visão do paraíso*, de Sérgio Buarque de Holanda.

1960 — Iniciam-se os trabalhos de Sérgio com a direção da *História geral da civilização brasileira*, que resultaria em vários volumes, publicados até a década seguinte.

1962 — Com o auxílio de Antonio Candido, Sérgio Buarque de Holanda participa da fundação do Instituto de Estudos Brasileiros da Universidade de São Paulo, de que será o primeiro diretor.

1968 — O Instituto de Estudos Brasileiros da USP adquire o acervo Mário de Andrade, que começara a organizar-se anos antes sob a orientação de Antonio Candido.

1969 — Em solidariedade aos colegas afastados pelo AI-5, Sérgio Buarque pede sua aposentadoria da Universidade de São Paulo. É lançado o filme *Macunaíma*, de Joaquim Pedro de Andrade.

1972 — Publicação de *Do Império à República*, de Sérgio Buarque de Holanda.

1978 — No contexto da abertura política, Sérgio participa da fundação do Centro Brasil Democrático.

1979 — Publicação de *Tentativas de mitologia*, antologia de textos esparsos de crítica, de Sérgio Buarque de Holanda.

1980 — Sérgio é membro fundador do Partido dos Trabalhadores.

1982 — Sérgio Buarque de Holanda falece no dia 24 de abril, em São Paulo.

1983 — A coleção Sérgio Buarque de Holanda é adquirida pela Universidade Estadual de Campinas.

1991 — Publicação de *Capítulos de literatura colonial*, reunindo inéditos de Sérgio sobre literatura colonial, organizados por Antonio Candido.

1995 — Cinquentenário do falecimento de Mário de Andrade, e organização de sua correspondência passiva no Instituto de Estudos Brasileiros da USP.

1996 — Publicação de *O Espírito e a Letra*, em dois volumes, organizados por Antonio Arnoni Prado, contendo a crítica literária completa de Sérgio Buarque de Holanda.

2000 — Publicação da *Correspondência Mário de Andrade & Manuel Bandeira*, organizada por Marcos Antonio de Moraes, inaugurando a coleção Correspondência de Mário de Andrade.

2002 — Publicação de *Carlos & Mário: correspondência completa entre Carlos Drummond de Andrade (inédita) e Mário de Andrade*, organizado por Silviano Santiago e Lélia Coelho Frota.

2010 — Publicação de *Capítulos de história do Império*, de Sérgio Buarque de Holanda, organizado por Fernando Novais.

2011 — Publicação de *Sérgio Buarque de Holanda: escritos coligidos*, organizado por Marcos Costa.

Créditos das imagens

Todos os esforços foram feitos para determinar a origem das imagens deste livro. Nem sempre isso foi possível. Teremos prazer em creditar as fontes, caso se manifestem.

1, 5, 6 e 20: Biblioteca do Instituto de Estudos Brasileiros – USP.

2: DR/ Alberto Cavalcanti. Biblioteca do Instituto de Estudos Brasileiros – USP.

3: Esboço de *A negra*, de Tarsila do Amaral, grafite e aquarela sobre papel, 23,4 × 18 cm, 1923. Coleção Mário de Andrade. Coleção de Artes Visuais do Instituto de Estudos Brasileiros – USP. Reprodução de Romulo Fialdini.

4, 7, 8, 10, 23 e 24: Imagens-Arquivo Central/ Siarq-Unicamp.

9, 13, 14, 15, 16, 22 e 25: Coleção Mário de Andrade. Arquivo fotográfico do Acervo do Instituto de Estudos Brasileiros – USP.

11: *O Mestiço*, de Cândido Portinari, óleo sobre tela, 81 × 65 cm, 1934.

Pinacoteca do Estado de São Paulo. Fotografia do Acervo Projeto Portinari. Reprodução autorizada por João Candido Portinari.

12: *Retrato de Mário de Andrade*, de Candido Portinari. Fotografia do Acervo Projeto Portinari. Reprodução autorizada por João Candido Portinari.

17, 18, 19 e 21: Arquivo central do IPHAN/ MinC. Pesquisa de Priscila Serejo.

Índice onomástico

Abreu, Joseph Rodrigues de, 157, 159-60, 162
Acquarone, Francisco, 140
Adorno, Theodor W., 146
Agamben, Giorgio, 250, 344
Agostinho, Santo, 301, 355, 385
Albuquerque, Medeiros e, 51, 57-8
Alegría, Ciro, 131
Aleijadinho, 150, 310-3, 330, 358
Alencar, José de, 58, 141
Alencar, Mário de, 51, 58
Almeida, Guilherme de, 22, 29, 35, 39, 44-5, 48, 52, 60, 66, 70, 207, 231, 324, 339, 399, 412, 414
Almeida, Luís Castanho de, 158, 163, 165
Almeida, Manuel Antônio de, 128, 141, 208, 286, 287
Almeida, Renato, 29, 47, 49, 60, 141, 352, 399
Almeida, Tácito de, 25, 39, 46-8, 60, 62-3, 412

Almino, João, 351
Alvarenga, Oneyda, 41, 109, 263, 342, 416
Alves, Castro, 87
Alvim, José Augusto Cesário, 43, 137
Alvim, Maria Amélia Cesário ver Holanda, Maria Amélia Buarque de
Amaral, Belkiss Barrozo do, 44
Amaral, Tarsila do, 45, 60, 134, 189, 190, 293, 327-8, 413-4
Ana Carolina, 104, 105, 416
Anchieta, José de, padre, 85, 331
Andrada, Martim Francisco Ribeiro de, 157, 162
Andrade, Almir de, 120-1, 283
Andrade, Carlos Drummond de, 10, 30, 61, 78, 93, 110, 125, 129-30, 196, 210, 331, 414, 417, 420
Andrade, Joaquim Pedro de, 419
Andrade, Oswald de, 24, 33, 34, 39-40, 42, 45-6, 62, 64, 76-7, 85, 87, 188,

192, 202, 207, 211, 255-7, 323-4, 327, 331, 357, 402, 413-5
Andrade, Rodrigo Mello Franco de, 82, 109-10, 112-3, 125-6, 134, 150-2, 154, 168, 291, 414, 416-7
Antelo, Raúl, 344
Antonello, Pierpaolo, 348
Apollinaire, Guillaume, 31, 40, 44, 56, 180
Aranha, Graça, 27, 29-30, 33-4, 39, 44, 49-50, 53-4, 56-7, 59-60, 69, 80-2, 84, 134, 187, 200, 203-4, 332, 399, 412-4
Aranha, Luís, 27, 34-5, 39, 45, 60, 187
Araújo, Murillo, 26, 28-9
Aristóteles, 270
Aristóxeno, 388
Arnold, Matthew, 272
Arruda, Ivo, 38, 42
Assis, Machado de, 27, 31-2, 43, 53, 58, 127, 128, 191, 193, 302, 354-5
Athayde, Tristão de, 8, 28, 49, 58, 91-7, 102, 208, 209, 214, 215, 228, 229, 231, 235-6, 238, 240-2, 244, 246-8, 250, 252-6, 258, 260-1, 267-9, 272, 276, 277, 282, 307, 318, 330, 335, 341, 343-7, 400, 402, 414-5; *ver também* Lima, Alceu Amoroso
Auric, Georges, 147
Avermaete, Roger, 21
Azevedo, Álvares de, 87, 129
Azevedo, Luís Heitor Correa de, 105, 321

Babo, Lamartine, 181
Bach, Johann Sebastian, 105, 306, 359
Bakst, Léon, 43, 326
Bandeira, Manuel, 10, 20, 23-5, 28, 30-1, 33-4, 44, 47, 52, 53, 55-6, 58, 61, 63, 70, 73, 77-8, 81-2, 93, 101-2, 109, 116, 125, 129-30, 135, 147, 163, 183, 195-6, 231, 233, 253, 294, 330, 339-40, 353, 402, 413, 419
Banville, Théodore de, 40
Barbosa, Caldas, 144-5
Barbosa, Francisco de Assis, 57, 69, 76, 181, 347, 411
Barbusse, Henri, 30
Barreto, Lima, 29, 41, 50, 53, 57, 128, 179, 181-4, 326, 413
Barros, Couto de, 20, 25, 46, 48, 85, 87, 96-7, 207, 402, 414
Barros, Fernão Paes de, 149, 315
Barroso, Gustavo, 37, 40-1, 51
Barsalini, Maria Silva Ianni, 314
Bastide, Roger, 155, 342
Batista, Marta Rossetti, 42
Baudouin, Charles, 21
Beethoven, Ludwig van, 305-6
Benda, Julien, 209, 254, 401
Benjamin, Walter, 185, 250, 288-9
Beresford, Oswaldo, 27, 31
Bernardelli, José Maria Oscar Rodolfo, 27, 32-3, 64
Bernardes, Artur, 53
Berrien, William, 122
Bianco, Errico, 295, 296, 353
Bilac, Olavo, 56, 68, 331
Bishop, Elizabeth, 109
Blake, William, 111
Bloch, Jean Richard, 401
Boccioni, Umberto, 44
Borges, Jorge Luis, 176
Borlin, Jean, 329
Bosi, Alfredo, 318, 322
Boss, Homer, 326
Braga, Rubem, 324

Braga, Teófilo, 64, 146
Brecheret, Victor, 27, 33-5, 42, 62-4, 134
Breton, André, 255
Brito, Mário da Silva, 25, 29, 63

Campos, Haroldo de, 34, 258, 334
Campos, Silva, 146
Candido, Antonio, 11, 113, 145, 208, 286-7, 322, 327, 334, 337, 342, 350-1, 358, 360, 418-20
Capanema, Gustavo, 49, 110, 129, 135, 417
Capeda, Bento de, padre, 146
Cardia, Adroaldo de Almeida, 108, 112
Cardoso, Irene, 155
Cardoso, Lúcio, 130
Carlitos, 277
Carneiro, Levi, 114-9
Carneiro, Levi Fernandes, 114-5
Carrera, Arturo, 344
Carroll, Lewis, 185
Carvalho, Bruno, 351
Carvalho, Elísio de, 20, 23, 49, 209, 363
Carvalho, Ronald de, 20, 22-4, 29, 31, 39, 44, 46-7, 49, 52, 60, 63, 77, 100, 102, 113, 175, 207, 231, 282, 399, 413-4
Carvalho, Vicente de, 58
Casella, Alfredo, 147
Castro, Eduardo Viveiros de, 356
Castro, Moacir Werneck de, 323, 342
Cavalcanti, Alberto, 38, 41, 42
Cearense, Catulo da Paixão, 390
Cendrars, Blaise, 36, 40, 43, 56, 70, 180, 187-90, 192, 204, 327-30, 333-4, 413
César, Oliveira, 155, 157, 159-60
Chateaubriand, Assis, 30, 216, 415

Chaves, Edu, 31
Chermont, Augusta, 38, 42
Chico Antônio, 213, 221, 224, 273, 320, 335, 415
Chopin, Frédéric, 77, 105, 194, 342
Claudel, Paul, 190
Clemente, são, 341
Cocteau, Jean, 20, 40, 43, 185, 191, 326
Codax, Martim, 359
Coelho Neto, 51, 54, 57, 111
Coelho, Ruy, 63-4
Colette, 43
Coli, Jorge, 147, 279
Conrad, Joseph, 85, 111
Copeau, Jacques, 240
Corção, Gustavo, 86
Correia, Raimundo, 56, 58
Costa, Lúcio, 315-6
Costa, Marcos, 420
Costa, Pereira da, 146
Couto, Ribeiro, 20, 24, 26, 28, 31, 38, 47, 51-2, 56, 60, 85, 128, 326, 402, 413
Cunha, Euclides da, 127, 200

Daniélou, Daniélou, 341
Dantas, Luiz, 169, 279
Dantas, Pedro, 67, 119, 121, 283, 332; *ver também* Moraes Neto, Prudente de
Darío, Rubén, 23
Darwin, Charles, 252
Daunt, Ricardo Gumbleton, 157, 160-2
De Chirico, Giorgio, 41
De Maistre, Joseph, 270
Debussy, Claude, 146, 395
Del Picchia, Menotti, 29, 33, 39, 46, 49, 61, 63, 218, 323-4

Derrida, Jacques, 351
Di Cavalcanti, 23-4, 35-6, 42, 64, 187, 413
Dias, Maria Odila, 336
Dickens, Charles, 246, 403
Dilthey, Wilhelm, 415
Donga, 191, 204, 328, 333, 413
Dongui, Halperin, 122
Dos Passos, John, 20, 185, 327
Dostoiévsky, Fiódor, 75, 77, 91, 128, 247, 404
Drummond de Andrade, Carlos *ver* Andrade, Carlos Drummond de
Duarte, Paulo, 122, 152, 416
Duchamp, Marcel, 326
Duhamel, Georges, 180
Dumont, Santos, 62, 64, 175
Duncan, Isadora, 326

El Greco, 295-6
Eliot, T. S., 69, 195, 209, 225, 228, 272-3, 277, 318, 338, 401, 413
Ellison, Ralph, 303
Estrada, Osório Duque, 54, 56-7
Eulálio, Alexandre, 187, 189, 191, 293

Facó, Américo, 30, 108, 111
Falcão, Luís Aníbal, 60
Falla, Manuel de, 147, 305
Fazenda, José Vieira, 139, 142
Feijó, Diogo Antônio, 158, 163, 313
Fernandez, Lorenzo, 304-5
Ferraz, Enéas, 29, 37, 41, 50, 55, 181-2, 184, 325
Ferraz, José Bento Faria, 144, 261
Ferreira, Antonio, 241
Ferreira, Luís Gomes, 157, 162
Ferro, António, 38, 42, 43, 59, 64
Figueiredo, Antero de, 38, 43

Figueiredo, Jackson de, 84, 86-7, 94, 237, 241, 272, 341-2, 415
Flint, F. S., 69
Fonseca, Deodoro de, marechal, 340-1
Fontes, Lourival, 120, 130
Frank, Waldo, 230
Frere, H., 383
Freud, Sigmund, 177, 202, 204
Freyre, Gilberto, 121, 131, 134, 157, 161-2, 205, 218, 281, 315, 328, 357, 413, 416
Frota, Lélia Coelho, 420
Fusco, Rosário, 342

Ganns, Cláudio, 27, 50, 111
Garcia, José Maurício Nunes, padre, 141, 300, 338
Géraldy, Paul, 20
Girard, René, 348
Goethe, Johann Wolfgang von, 29, 40
Gomes, Carlos, 167
Gonçalves, Nuno, 122, 292, 294-5, 380
Góngora, Luis de, 71, 73-4
Gorki, Máximo, 326
Graciano, Clóvis, 295
Graham, Richard, 131
Graz, John, 38, 42, 45
Gregório Magno, são, 386
Grieco, Agripino, 51, 54, 60, 180, 274
Gris, Juan, 326
Grünberg, Koch, 257
Guerra, Nininha Veloso, 328
Guerra, Oswaldo, 328
Guido d'Arezzo, 388
Guignard, Alberto da Veiga, 295
Guimarães, Julio Castañon, 130
Gusmão, Jesuíno Francisco de Paula *ver* Monte Carmelo, Padre Jesuíno do

Hallewell, Laurence, 140
Hanke, Lewis, 122
Hardt, Michael, 356
Hardy, Thomas, 8, 90-2, 97, 243, 244-7, 249-52, 256, 261, 263, 265-7, 272, 318, 343-5, 347, 402-3, 405-7, 410, 414
Hauser, Henri, 416
Hindemith, Paul, 147
Hitler, Adolf, 415
Holanda, Maria Amélia Buarque de, 69, 108, 113, 115, 120, 123, 126, 137, 139, 144, 150, 166, 173, 315, 411, 416
Houston, Elsie, 260
Huxley, Aldous, 20

Jacob, Max, 24, 30, 40, 56, 327, 352
James, Henry, 230
Jardim, Eduardo, 171, 262
Jardim, Luís, 122
João VI, d., 149, 166
Jobim, J., 114, 115
Jobim, Jorge de Oliveira, 115
Joyce, James, 277

Kafka, Franz, 250, 343
Karsavina, Tamara, 43
Keller, Otto, 383
Kierkegaard, Søren, 343
Koellreutter, Hans-Joachim, 146
Koifman, Georgina, 73

Lafetá, João Luiz, 274-5
Laforgue, Jules, 71, 74
Lago, Manoel Aranha Corrêa do, 328
Lange, Curt, 304, 306
Larbaud, Valéry, 327
Lawrence, D. H., 85, 230, 266, 339

Léger, Fernand, 189, 327, 329
Leite, Dante Moreira, 350
Leite, Gomes, 50, 52
Leonel, Maria Célia, 325
Lévi-Strauss, Claude, 155
Lévi-Strauss, Dina, 416
Lima, Alceu Amoroso, 8, 22, 28, 86, 93-4, 97, 102, 208, 229, 233, 237, 241-4, 249, 250, 255, 259, 263, 266, 268, 271-2, 274, 276, 307, 330, 335, 339, 340-6, 349, 414-5; *ver também* Athayde, Tristão de
Lima, Correia, 27, 33
Lima, Jorge de, 93, 101, 260, 330
Lins, Álvaro, 154
Lisboa, Adriana, 351
Lisboa, Henriqueta, 151-2, 287, 297, 351, 353
Liszt, Franz, 194
Lobato, Monteiro, 324, 412
Lopes, Denilson, 351
Lopez, Telê Porto Ancona, 411
Lourenço, Bartholomeu, 175
Lucrécio, 247, 404

Machado de Assis, Joaquim Maria *ver* Assis, Machado de
Machado, Alcântara, 56, 84-7, 101, 126, 183, 207, 324, 402, 414-5
Machado, Marcia Regina, 130
Maeterlinck, Maurice, 44
Magalhães, Gonçalves de, 133, 135, 331
Magritte, René, 41
Malfatti, Anita, 34-5, 42, 64, 326, 412
Manganaro, Marc, 272
Mann, Thomas, 415
Marcondes, Durval, 58
Maré, Rolf de, 329

Mariano, Olegário, 24, 31, 52, 58
Marinetti, Filippo, 29-30, 40, 43-4, 53-4, 180, 184, 204, 254
Marinho, Irineu, 52
Maristany, Cristina, 105
Maritain, Jacques, 209, 242, 254, 318, 340-1, 401
Maron, Friedrich, 109, 294
Martins, José de Barros, 138, 140
Martius, Karl Friedrich Philipp von, 141, 155, 159, 163, 166-7
Mascagni, Pietro, 305
Massis, Henri, 209, 254, 401
Mattos, Júlio de, 38, 43
Maurois, André, 20
Meinecke, Friedrich, 336, 415
Meireles, Cecília, 28, 31, 144
Melo Neto, João Cabral de, 111
Melo, Emiliano Augusto Cavalcanti de Albuquerque *ver* Di Cavalcanti
Melo, Homem de, barão, 157, 162
Mendes, Murilo, 93, 125, 130, 260, 290
Meredith, George, 406
Mesquita Filho, Júlio de, 336
Meyer, Augusto, 108-9, 112, 269, 417
Miceli, Sergio, 49, 176, 178, 325
Mignolo, Walter, 356
Mignone, Francisco, 105
Milhaud, Darius, 147, 185, 189-91, 328-30
Miller, Antonieta Rudge, 55
Milliet, Sérgio, 60-1, 78, 168, 196, 323
Miranda, Murilo, 122, 144-5, 150, 295, 351
Miranda, Sá de, 111
Moisés, Massaud, 54
Monte Carmelo, Padre Jesuíno do, 9, 108, 148-51, 153, 155-6, 160-2, 165-7, 291, 308-9, 311-4, 352, 358, 417-8
Monteil, Ademar de, 394
Montello, Josué, 57
Moraes, Marcos, 25, 58, 152
Moraes, Marcos Antonio de, 353, 420
Moraes Neto, Prudente de, 8, 28-9, 34-5, 45-6, 49, 56, 61, 66-71, 73, 78, 85, 92, 103, 113, 121, 169, 184, 196, 202, 225, 286, 329, 333, 336-7, 350, 402, 413-4, 416-7; *ver também* Dantas, Pedro
Moraes, Rubens Borba de, 29, 46, 60, 122-3, 140, 174, 218, 337
Moreyra, Álvaro, 22, 24, 31, 65-7
Morse, Richard, 161
Motta Filho, 60
Müller, Daniel Pedro, 159, 163
Murry, John Middleton, 69, 225-7, 230, 277, 318, 338
Musset, Alfred de, 57
Mussolini, Benito, 277, 278

Nabuco, Joaquim, 198, 237, 330-1
Nardy Filho, Francisco, 149, 151
Nazareth, Ernesto, 191, 329
Negri, Antonio, 356
Nekrassov, Nikolay, 75, 77
Nepomuceno, Alberto, 129
Néri, Ismael, 130
Nero, imperador romano, 341
Nery, Adalgisa, 130
Nestrovski, Arthur, 329
Neumann-Wood, Vera, 52, 112, 123, 167
Nijinsky, Vaslav, 43
Nóbrega, Antônio, 348, 349
Nogueira, Hamilton, 259

428

Novaes, Guiomar, 49, 51, 55-6, 59, 194, 330
Novais, Fernando, 420
Núñez, Carlos, 359

Octavio Filho, Rodrigo, 27, 31
Oliveira, Alberto de, 51-2, 56-7
Oliveira, Armando Salles de, 324
Oliveira, Cândido de, 340
Oliveira, Felipe D', 31
Orico, Oswaldo, 50, 52
Ortega y Gasset, José, 243
Ortiz, Renato, 328
Oswald, Henrique, 105, 125, 128-9
Ouro Preto, visconde de, 340

Pacheco, Félix, 54
Palazzeschi, Aldo, 40, 178
Palestrina, Giovanni Pierluigi da, 393, 395
Pamplona, Armando Lemos, 62-3, 323
Papini, Giovanni, 20, 40
Pascal, Blaise, 29, 87, 269, 404
Paulo, são, 341
Pedro, são, 341
Peixoto, Afrânio, 27, 31-2, 58, 116
Penha de França, António da, frei, 149
Penna, João Camillo, 329
Penteado, Olívia Guedes, 64, 134, 414
Pereira, Lúcia Miguel, 32, 163
Péret, Benjamin, 260
Picabia, Francis, 31, 43
Picasso, Pablo, 43, 277
Picchia, Menotti del *ver* Del Picchia, Menotti
Pinto, Álvaro, 22
Pinto, Roquette, 321
Pio x, papa, 393
Pixinguinha, 191, 204, 328, 329, 413

Platão, 270
Portinari, Cândido, 9, 107, 109, 112-3, 118, 120-2, 291-8, 311, 314-5, 352-4, 379, 380, 416-7
Portinari, Loi, 379
Porto Alegre, Manuel Araújo, 141, 299
Prado Jr., Caio, 350-1
Prado, Antônio, 54
Prado, Antonio Arnoni, 22, 324, 326, 398, 402, 420
Prado, Fábio, 110, 171, 416
Prado, Paulo, 54, 87, 101, 134, 181, 257, 331, 357, 415
Proust, Marcel, 24, 30, 74, 201, 204, 232, 277
Pulitano, Werther, 105

Queiroz, Rachel de, 125, 127-8
Quijano, Aníbal, 356
Quiñones, Arcadio Díaz, 169

Racine, Jean, 279
Rameau, Jean-Philippe, 146
Ramos, Graciliano, 121, 128
Ratzinger, Joseph, 342
Rebelo, Marques, 125, 128
Rego, José Lins do, 125, 127-8
Reverdy, Pierre, 73, 195, 330
Reyes, Alfonso, 24
Rezende, Severiano de, 33
Ribeiro, Carlos Leite, 325
Ribeiro, João, 27, 33-4, 332
Ribeiro, Leonídio, 114, 116
Ricardo, Cassiano, 46, 120, 284-6, 324, 350
Rimbaud, Arthur, 239, 354
Rocha, João Cezar de Castro, 198, 348
Rodrigues, José Honório, 108, 111, 123

Rolland, Romain, 30
Romains, Jules, 180, 240
Romero, Sílvio, 32, 276
Roosevelt, Franklin Delano, 122
Rosa, Guimarães, 233, 253, 351
Rosa, Noel, 181, 198
Rubens, Peter Paul, 295
Rubinstein, Arthur, 328
Rugendas, Johann Moritz, 142, 166-8
Russo, Renato, 351
Rutherford, Mark, 403

Saia, Luís, 416
Salgado, Plínio, 46, 58
Salgado, Sebastião, 353
Salomão, rei, 392
Santa Rosa, Virginio, 281
Santayana, George, 154
Santiago, Silviano, 129, 420
Santos, Tatiana Maria Longo dos, 411
Satie, Erik, 20, 74, 327-8
Scarlatti, Domenico, 279
Schettino, Gianlorenzo, 27, 29, 55, 63, 326
Schmidt, Augusto Frederico, 55, 91, 93
Schoenberg, Arnold, 144, 146-7, 306-7
Scholem, Gerschom, 250
Schumann, Robert, 194, 395
Schwarz, Roberto, 208, 334
Segall, Lasar, 35, 134
Serna, Ramón Gomez de la, 43
Setúbal, Paulo, 324
Shaw, Bernardo, 43
Silva, Cândido Inácio da, 129, 140-2, 145, 299-301, 354, 356
Silva, Castro e, 63
Silva, Francisco Manuel da, 390-1
Silveira, Tasso da, 22, 28, 31, 51, 55, 194
Simonsen, Mário, 38, 42

Simonsen, Roberto Cochrane, 159
Soares, Lota de Macedo, 109
Soares, Teixeira, 83-5
Sodré, Nelson Werneck, 121
Soffici, Ardengo, 40, 178, 202, 324
Sousa, Luís Antônio de, d., 162
Sousa, Otávio Tarquinio de, 158, 161, 163, 418
Souza, Gilda de Mello e, 258, 358
Spencer, Herbert, 252
Spinoza, Baruch, 344, 403
Spix, Johann Baptist von, 141, 163, 167
Stahl, George Ernesto, 162, 164
Stein, Stanley J., 123
Stevenson, Robert Louis, 406
Stravinsky, Igor, 43, 144, 146-7, 191, 277, 305-7, 327-8

Talma, João de, 37, 39-40
Tatit, Luiz, 329
Taunay, Afonso de E., 161
Teixeira, Anísio, 242
Teixeira, Patrício, 204
Tinan, Jean de, 24
Tolstói, Liev, 91, 230, 408
Tomás de Aquino, são, 247, 269, 347, 404
Toni, Flávia, 105, 142, 329
Torres, Alberto, 121, 281-2
Travassos, Elizabeth, 356
Tronchon, Henri, 416
Tzara, Tristan, 31

Valéry, Paul, 56, 111, 240
Valle, Freitas, 20-1, 176
Van Eyck, Jan, 122, 292, 294-5, 380
Vargas, Getúlio, 43, 49, 68, 93, 130, 137, 242, 416, 418
Veloso, Godofredo Leão, 328

Verhaeren, Émile, 202
Vianna, Hermano, 205
Vianna, Oliveira, 121, 281-2, 349
Vicente, Gil, 111
Vieira, Antônio, padre, 344
Vildrac, Charles, 180
Villa-Lobos, Heitor, 60, 78, 105, 191, 211, 328
Villela, Lavínia Costa, 155
Vítor, Nestor, 31

Wagner, Peter, 383, 391
Wagner, Richard, 146
Weber, Max, 336, 415
Wegner, Robert, 122
White, William Hale, 403
Wilde, Oscar, 23
Wilson, Edmund, 20, 185, 327
Wisnik, José Miguel, 191, 193, 258, 301-2, 340, 342, 351, 354-5
Wölfflin, Heinrich, 296
Wordsworth, William, 226-7

Zola, Émile, 24, 31, 128, 178

ESTA OBRA FOI COMPOSTA PELA SPRESS EM MINION E IMPRESSA EM OFSETE
PELA GRÁFICA BARTIRA SOBRE PAPEL PÓLEN SOFT DA SUZANO PAPEL E CELULOSE
PARA A EDITORA SCHWARCZ EM OUTUBRO DE 2012

A marca FSC® é a garantia de que a madeira utilizada na fabricação do papel deste livro provém de florestas que foram gerenciadas de maneira ambientalmente correta, socialmente justa e economicamente viável, além de outras fontes de origem controlada.